CB078116

PÁGS. 220-31
Guia de Ruas
19-20

PÁGS. 166-81
Guia de Ruas
12, 13-14

0 quilômetros 1

RIO EAST

PÁGS. 150-65
Guia de Ruas
9, 12, 13

PÁGS. 210-19
Guia de Ruas
11-12, 15-16

PÁGS. 122-9
Guia de Ruas
8, 9

PÁGS. 182-203
Guia de Ruas
12-13, 16-17

PÁGS. 204-9
Guia de Ruas
12, 16

PÁGS. 116-21
Guia de Ruas
4, 5

GUIA VISUAL - PUBLIFOLHA

NOVA YORK

GE

GUIA VISUAL - PUBLIFOLHA

NOVA YORK

Colaboradora principal: ELEANOR BERMAN

Um Livro Dorling Kindersley

www.dk.com

© 1993, 2007 Dorling Kindersley Limited, Londres, uma companhia da Penguin.
"Eyewitness Travel Guide – New York" foi publicado originalmente na Grã-Bretanha em 1993 pela Dorling Kindersley Limited, 80 Strand, Londres, WC2R 0RL, Inglaterra.

© 1995 Publifolha – Divisão de Publicações da Empresa Folha da Manhã S.A.
9ª edição brasileira: 2007

ISBN 978-85-7402-238-3

Todos os direitos reservados. Nenhuma parte desta publicação pode ser reproduzida, arquivada ou transmitida de nenhuma forma ou por nenhum meio sem permissão expressa e por escrito da Publifolha – Divisão de Publicações da Empresa Folha da Manhã S.A.

Proibida a comercialização fora do território brasileiro.

PUBLIFOLHA
Divisão de Publicações do Grupo Folha
Al. Barão de Limeira, 401, 6º andar, CEP 01202-900, São Paulo, SP
Tel.: (11) 3224-2186/2187/2197
www.publifolha.com.br

Coordenação do Projeto
Publifolha
Assistência Editorial: Cláudia Ribeiro Mesquita, Cláudia Carolina Komesu
Assistência de Produção Gráfica: Soraia Pauli Scarpa

Produção Editorial
PubliFolha
Tradução: Lizia Bydlowski
Revisão Geral: Federico Mengozzi

Produção Gráfica
Adesign
Direção de Arte: Carin Ades

Atualização da 9ª edição: Página Viva

Dorling Kindersley
Edição do Projeto: Fay Franklin
Edição de Arte: Tony Foo
Edição: Donna Dailey, Ellen Dupont
Assistência Editorial: Fiona Morgan
Diagramação: Steve Bere, Louise Parsons, Mark Stevens
Colaboração: Lester Brooks, Patricia Brooks, Susan Farewell
Fotografias: Max Alexander, Dave King, Michael Moran
Ilustrações: Richard Draper, Robbie Polley, Hamish Simpson
Edição em Nova York: Mary Sutherland

A edição original em inglês foi produzida com o apoio da Websters International Publishers.

Impresso na South China Printing Company, Hong Kong.

Foi feito o possível para garantir que as informações deste livro fossem as mais atualizadas disponíveis até o momento da impressão. No entanto, alguns dados como telefones, preços, horários de funcionamento e informações de viagem estão sujeitos a mudanças. Os editores não podem se responsabilizar por qualquer consequência do uso deste guia, nem garantir a validade das informações contidas nos sites indicados.

Os leitores interessados em fazer sugestões ou comunicar eventuais correções podem escrever para a Publifolha, Av. Barão de Limeira, 401, 6º andar, CEP 01202-900, São Paulo, SP, enviar um fax para: (11) 3224-2163 ou um e-mail para: atendimento@publifolha.com.br

◁ **Arranha-céus no centro de Nova York**

SUMÁRIO

O craque do beisebol Babe Ruth (1895-1948)

INTRODUÇÃO A NOVA YORK

Paisagem do sul de Manhattan

ÁREA POR ÁREA

Vesuvio Bakery, SoHo

Trump Tower, Upper Midtown

The New York City Ballet

Calçada em frente ao rio no Brooklyn

INDICAÇÕES AO TURISTA

Bagel de uma deli de Nova York

MANUAL DE SOBREVIVÊNCIA

Solomon R. Guggenheim Museum, Upper East Side

COMO USAR ESTE GUIA

Este guia de viagem vai ajudá-lo a usufruir ao máximo sua visita a Nova York, com o mínimo de dificuldade. O capítulo de abertura, *Introdução a Nova York*, localiza a cidade geograficamente, situa a Nova York moderna no contexto histórico e explica seus eventos ao longo do ano. *Nova York em Destaque* dá um resumo das especialidades. O capítulo central é *Área por Área*. Ele descreve os pontos turísticos principais com mapas, fotos e ilustrações. Também sugere sete passeios a pé por locais imperdíveis. *Indicações ao Turista*, baseado em ampla pesquisa, destaca hotéis, lojas, bares, restaurantes e diversões. *Nova York para Crianças* aponta o melhor para os pequenos. O *Manual de Sobrevivência* ensina tudo, desde pôr cartas no correio até pegar o metrô. Os nomes dos lugares foram mantidos na maior parte em inglês para facilitar sua localização nos mapas e placas de rua.

ÁREA POR ÁREA

Manhattan foi dividida em 15 áreas, cada uma descrita separadamente. Cada seção abre com um retrato da área, que resume sua história e características, e uma lista de seus pontos turísticos, devidamente numerado. Estas atrações são facilmente localizadas por seus números no *Mapa da Área* e também no *Mapa Rua a Rua*, que amplia e detalha a parte mais interessante de cada região. Os números dos pontos turísticos são dados pela ordem em que aparecem e se repetem por toda a seção, facilitando a sua localização.

1 Mapa da Área

Para facilitar, os pontos turísticos em cada área são numerados e identificados em um mapa da área. Este mapa inclui estações de metrô, heliportos e pontos de embarque em balsas.

2 Mapa Rua a Rua

Este mapa dá uma visão ampliada do coração de cada área. Os prédios mais importantes aparecem em ilustração, para facilitar sua localização durante o passeio.

Fotos de fachadas e detalhes característicos ajudam a localizar o ponto turístico.

Localize-se mostra onde está um ponto turístico em relação às áreas vizinhas. A área do *Rua a Rua* é destacada em vermelho.

A Trump Tower ❷ também aparece no mapa.

Um código de cores facilita a localização da área no livro.

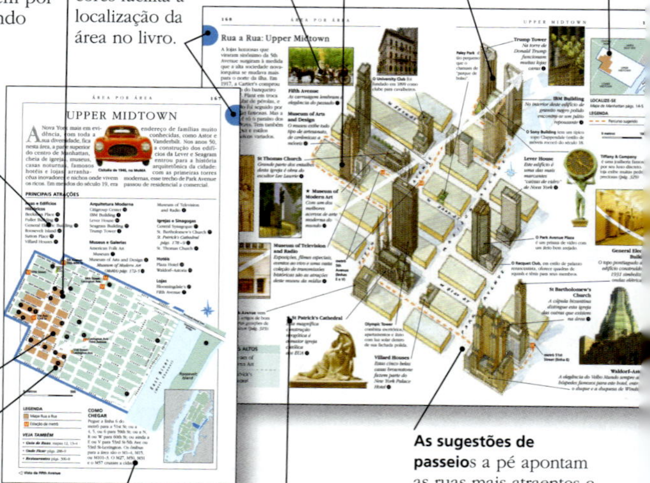

Passeios em Destaque lista os pontos turísticos em cada área por categoria: ruas e prédios históricos, arquitetura moderna, museus e galerias, igrejas, monumentos, parques e jardins.

A área ampliada no mapa *Rua a Rua* é destacada em vermelho.

Um número dentro de um círculo destaca o ponto turístico no mapa da área. A Trump Tower, por exemplo, é ❷

Como chegar indica os meios de transporte até a área.

Estrelas indicam os Pontos Altos de cada local.

As sugestões de passeios a pé apontam as ruas mais atraentes e interessantes da área.

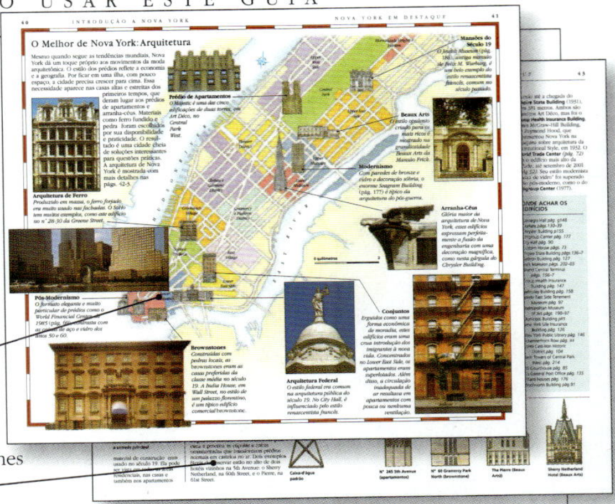

NOVA YORK EM DESTAQUE

Cada mapa desta seção se concentra em um tema: *museus, arquitetura, Nova York multicultural e nova-iorquinos famosos*. As atrações principais são mostradas no mapa; as demais são descritas nas duas páginas seguintes, com remissão para o ponto do guia em que são mostradas com mais detalhes.

Cada área segue um código de cores.

O tema é explorado com mais detalhes nas páginas seguintes ao mapa.

3 Detalhes sobre cada ponto

Todos os pontos importantes de cada área são descritos em detalhes nesta seção. Eles aparecem na ordem de sua numeração no Mapa da Área. *Também são dadas informações práticas.*

INFORMAÇÕES PRÁTICAS

Cada item traz todas as informações necessárias para se planejar um passeio. A legenda dos símbolos usados está na orelha da contracapa.

Remissão para o Guia de Ruas no final do livro

Endereço

Número no mapa

Trump Tower ❷

725 5th Ave. **Map** 12 F3.

Tel *832-2000.* Ⓜ *5th Ave-53rd St.*

Jardim, lojas Abertos *10h-18h seg-sáb.*

Edifício Aberto *8h-22h diariam.*

Entrada grátis. *Ve* ***Compras*** *pág. 311.*

Concertos.

Horários

Serviços e instalações disponíveis

Telefone

Metrô mais próximo

4 Principais atrações de Nova York

Estes pontos turísticos são tema de duas ou mais páginas na seção que cobre suas respectivas áreas. Os edifícios são vistos em corte, para explicar seu interior. Museus têm plantas com código de cores, o que ajuda a encontrar as principais seções.

O quadro Prepare-se dá as informações práticas necessárias para planejar a visita.

A fachada dos principais pontos ajuda em sua localização.

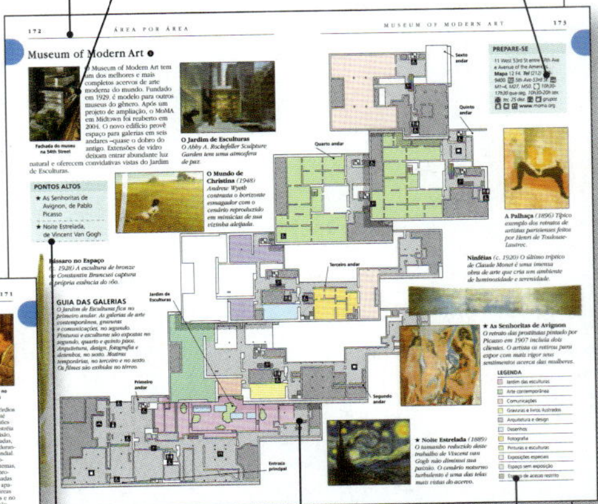

Estrelas indicam os Pontos Altos – detalhes arquitetônicos mais interessantes nos prédios e obras de arte mais importantes em exibição dentro deles.

O código de cores ajuda a localizar os pontos de interesse nos museus.

Os andares seguem a denominação americana, ou seja, "primeiro andar" é o andar térreo.

INTRODUÇÃO A NOVA YORK

QUATRO DIAS EM NOVA YORK

Nova York talvez pareça opressiva, mas estes quatro dias foram planejados para se sentir o sabor da Big Apple (Grande Maçã), com o melhor que a cidade tem para oferecer em termos de arquitetura, compras, museus e diversões. Cada dia é uma mistura de coisas para ver e fazer sem horários rígidos – com muito tempo pa ra explorar pontos muito interessantes. Os lugares mencionados trazem indicações para você obter mais informações. Veja o que há por perto e programe o dia. Os preços são para dois adultos ou família de dois adultos e dois filhos, com almoço.

Torre da Chrysler

DESTAQUES DA CIDADE

- **Visita à ONU**
- **Edifícios modernos, Art Déco e Beaux-Arts**
- **As luzes de Times Square**
- **Empire State Building**

DOIS ADULTOS média de US$ 115

Manhã

Comece pelo East River com uma visita guiada pela **sede das Nações Unidas** *(págs. 160-63)*, com sua notável arquitetura moderna. Depois, siga até a 42nd Street, desviando até o conjunto residencial de **Tudor City** *(pág. 158)*, e dando um pulo no **Chrysler Building** *(pág. 155)* para admirar o interior Art Déco. Ao lado fica o **Grand Central Terminal**, um excelente marco Beaux-Arts *(págs. 156-7*; visitas grátis, qua, sex 12h30). Admire o Great Hall e explore a galeria de compras, o colorido mercado de alimentos e um pátio de alimentação com tudo, de sushis e churrascos do sul até a torta de queijo de Nova York. Outra opção para o almoço é o creme de mariscos ou a travessa de ostras de Long Island, no **Grand Central Oyster Bar** *(pág. 306)*.

Tarde

De volta à 42nd Street há outra criação Beaux-Arts, a **New York Public Library** *(pág. 146*; visitas grátis de uma hora, às 11h e às 14h ter-sáb). Os destaques são os salões de mármore, a escadaria, o Main Reading Room e o Periodicals Room. Procure as exposições do momento. Atrás da biblioteca fica o **Bryant Park** *(pág. 145)*, um oásis verde bem no centro. Na frente fica o cruzamento mais famoso de Nova York, **Times Square** *(pág. 147)*, com os luminosos da Broadway. A nova 42nd Street, mais adiante, agora é uma luminosa avenida de teatros reformados, de cinemas gigantescos e do Madame Tussaud's Wax Museum, com 200 esculturas de celebridades em tamanho real. Tome um táxi até o **Empire State Building** *(págs. 136-7)* e termine o dia com uma vista do anoitecer da cidade a partir do observatório no 86º andar.

Luminosos de Times Square, o cruzamento mais famoso da cidade

Estátua dourada de Prometeu na Lower Plaza do Rockefeller Center

ARTE E COMPRAS

- **Manhã de arte moderna**
- **Almoço no Rockefeller Center**
- **Compras na Fifth Avenue**
- **Chá no Hotel Pierre**

DOIS ADULTOS média de US$ 135

Manhã

O espetacular **Museum of Modern Art** (MoMA) *(págs. 172-5)*, ampliado há pouco tempo, preencherá sua manhã com sua arte maravilhosa. Reserve aproximadamente duas horas para admirar obras de mestres, como *Céu Estrelado*, de Van Gogh, *Lírios d'Água*, de Claude Monet, e Les *Demoiselles d'Avignon*, de Picasso, para citar alguns. Não perca as exposições de design no terceiro andar, um dos destaques do MOMA.

Ao sair do museu caminhe até o **Rockefeller Center** *(pág. 144)* e almoce no Rock Center Café, de onde podem

◁ **O porto de Nova York e a 42nd Street em 1946**

observar os esquiadores no gelo, no inverno. No verão, o rinque se transforma num rico jardim, onde se pode jantar no Rink.

Tarde

Depois do almoço, vá até a **St. Patrick's Cathedral** *(págs. 178-9)*, a maior catedral católica dos EUA e um dos melhores locais de oração da cidade. Depois, percorra a **Fifth Avenue** para fazer uma tarde de compras caras. A loja Saks Fifth Avenue fica na frente de St. Patrick, na 50th Street. No sentido do centro, as tentações incluem lojas como Cartier (52nd St), Henri Bendel (55-56th sts), Prada, Fendi e a Trump Tower (56-57th sts), Tiffany (57th St), e Bergdorf Goodman (57-58th sts).

Termine o dia na 61st Street para uma extravagância final: tomar chá ao estilo inglês em meio a murais, em **The Pierre** *(pág. 289)*.

Estátua da Liberdade

NOVA YORK HISTÓRICA

- Passeio de barco à Ellis Island e à Estátua da Liberdade
- Almoço na Fraunces Tavern
- Visita à Old New York

DOIS ADULTOS média de US$ 120

Manhã

Em Battery Park, tome o ferryboat para a **Statue of Liberty** *(págs. 74-5)* e para **Ellis Island** *(págs. 78-9)*, ponto de chegada de muitos imigrantes (viagens de ida e volta incluem as duas paradas). Na volta, saia do parque pelo **Bowling Green**, o parque mais antigo da cidade *(pág. 73)*. Caminhe até **Fraunces Tavern Block Historic District** *(pág. 76)*, último prédio comercial do século 18 em Nova York. A Tavern recriada inclui um museu do período revolucionário e um restaurante – escolha perfeita para um almoço especial.

Central Park, ampla área para passear, brincar e ver animais

Tarde

A um quarteirão fica Stone Street Historic District, reconstruído após o incêndio de 1835. Localize a India House, ex-New York Cotton Exchange, agora **Bayard's Restaurant** *(pág. 56)*. Pegue a William Street até Wall Street e o **Federal Hall** *(pág. 68)*, com exposições sobre a Constituição dos EUA. Ali perto fica a **New York Stock Exchange** *(págs. 70-1)* e a **Trinity Church** *(pág. 68)*, de 1839. Suba a Broadway até a **St. Paul's Chapel**, *(pág. 91)*, que escapou ilesa da queda do World Trade Center. Mais à frente fica **City Hall** *(pág. 90)*. Siga até **South Street Seaport Historic District**, coração do porto do século 19th *(págs. 82-3)* com vista para a **Brooklyn Bridge** *(págs. 86-9)*.

DIVERSÃO FAMILIAR

- Manhã no Central Park
- Almoço na Boathouse
- Dinossauros do American Museum of Natural History

FAMÍLIA DE 4 média de US$ 175

Manhã

O **Central Park** *(págs. 205-9)* tem diversão para a família. Brinque no carrossel antigo, observe os barcos miniaturizados em ação no Conservatory Pond, visite o Zôo, depois assista ao desfile de animais no Delacorte Clock nas meias horas. Há parquinhos temáticos para todas as idades: Safari na West 91st Street (2 a 5 anos); Adventure na West 67th Street (6 a 12 anos). O Swedish Cottage Marionette Theater na West 79th, apresenta contos de fadas clássicos (ter-sex: 10h30 e meio-dia; sáb: 13h, marcar hora). Alugue bicicletas ou um barco no lago. Depois, almoce na lanchonete da Boat House que tem vista para o lago. No inverno, pode-se esquiar no gelo do rinque Wollman.

Tarde

Dependendo das idades e dos interesses, opte pelo **Children's Museum** *(pág. 219)*, que é interativo, ou pelos famosos dinossauros e dioramas do **American Museum of Natural History** *(págs. 216-17)*. Termine na West 73rd Street com um chazinho na Alice's Tea Cup.

Ellis Island, onde Nova York recebeu os primeiros imigrantes

Nova York Dentro do Mapa

Nova York é uma cidade de oito milhões de habitantes espalhada em uma área de 780 quilômetros quadrados. A cidade deu nome e é a mais importante do Estado de Nova York, cuja capital, Albany, fica 251km ao norte. A cidade de Nova York é também um bom ponto de partida para visitar as históricas Boston e Filadélfia, além da capital da nação, Washington, DC.

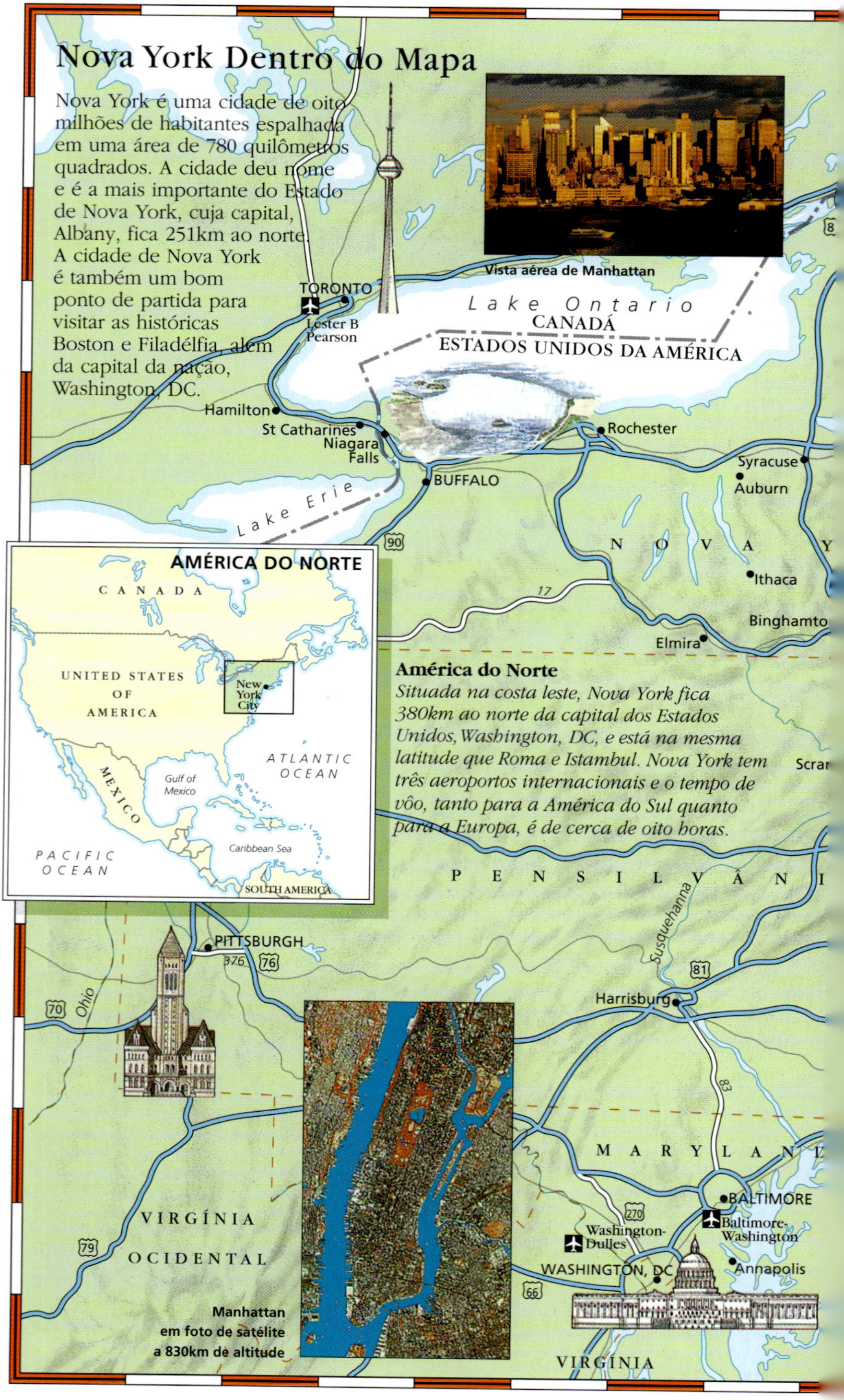

Vista aérea de Manhattan

América do Norte

Situada na costa leste, Nova York fica 380km ao norte da capital dos Estados Unidos, Washington, DC, e está na mesma latitude que Roma e Istambul. Nova York tem três aeroportos internacionais e o tempo de vôo, tanto para a América do Sul quanto para a Europa, é de cerca de oito horas.

Manhattan em foto de satélite a 830km de altitude

Grande Nova York

A cidade de Nova York é dividida em cinco regiões distintas: Manhattan (onde se localiza a imensa maioria das atrações turísticas), Bronx, Queens, Brooklyn e Staten Island. Detalhes de pontos importantes fora do centro de Nova York, mas dentro dos limites da cidade, estão nas págs. 233-55. Visitas de um dia a outros locais são sugeridas na pág. 393.

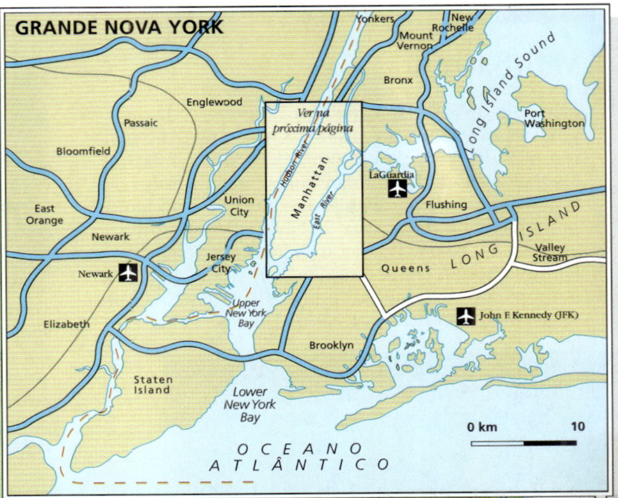

Manhattan

Este guia divide Manhattan em 15 áreas, cada uma em uma seção. Muitos dos edifícios mais antigos e mais recentes de Nova York ficam lado a lado em Lower Manhattan. É de lá também que se toma a balsa de Staten Island, para uma visão maravilhosa do famoso perfil da ilha e da Estátua da Liberdade. Midtown engloba o Theater District e as lojas reluzentes da Fifth Avenue. A "Museum Mile", no Upper East Side, é um paraíso cultural. Ao norte está o Harlem, bairro negro mais famoso dos Estados Unidos.

Grand Central Terminal
Esta estação foi construída em 1913 e se tornou portão de entrada da cidade. Seu ponto alto é o salão principal, com enorme pé-direito (págs. 156-7).

Morgan Library & Museum
Uma das melhores coleções do mundo de manuscritos, livros, e exemplares raros está neste magnífico prédio (págs. 164-5).

Estátua da Liberdade
Presente da França para o povo americano em 1886, esta estátua tornou-se símbolo da liberdade no mundo inteiro (págs. 74-5).

Catedral de St. John the Divine
Iniciada em 1892 e até hoje em obras, esta catedral, quando estiver concluída, será a maior do mundo. Aqui também acontecem espetáculos (págs. 226-7).

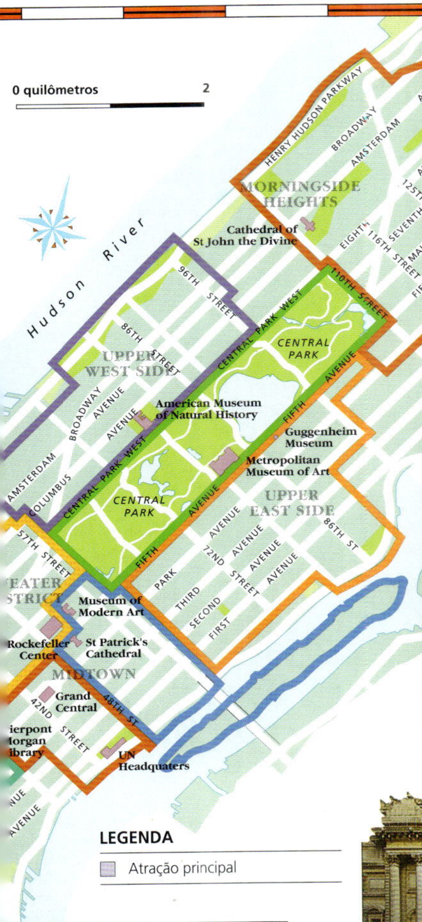

Nações Unidas
Nova York é a sede da organização criada para preservar a paz mundial (págs. 160-63).

Empire State Building
Este é o mais alto observatório da cidade e seu símbolo. Construído na década de 1930, já atraiu mais de 110 milhões de visitantes (págs. 136-7).

Metropolitan Museum of Art
Com uma incrível coleção de artefatos desde a pré-história até os dias atuais, este é um dos maiores museus do mundo (págs. 190-97).

Ponte do Brooklyn
Esta ponte atravessa o rio East ligando Manhattan ao Brooklyn. Construída em 1883, era a maior ponte suspensa e a primeira com cabos de aço (págs. 86-9).

Solomon R. Guggenheim Museum
Uma obra-prima arquitetônica de Frank Lloyd Wright, esta construção contém um dos melhores acervos de arte moderna do mundo (págs. 188-9).

ORTH, OR, HUDSON'S RIVER
EAST RI
Southward Boundaries
Delaney's Square
Salt Meadows
Ship Yards
Brookland Ferry
The WALLABOUT BAY
The Governours or Nutten Island
Red Hook

A HISTÓRIA DE NOVA YORK

Desde que foi avistada pela primeira vez, por Giovanni da Verrazano, há quase 500 anos, a baía de Nova York tornou-se uma presa que toda a Europa queria capturar. Os holandeses mandaram comerciantes de peles para a área em 1621, mas eles perderam a colônia, a que deram o nome de Nova Amsterdã, para os ingleses em 1664. O assentamento foi rebatizado de Nova York e o nome permaneceu mesmo depois que eles deixaram a colônia, em 1783, no fim da Guerra da Independência.

Capa enfeitada de concha usada por chefe índio

O DESENVOLVIMENTO DA CIDADE

No século 19, Nova York cresceu rapidamente e tornou-se um porto importante. As facilidades portuárias estimularam a indústria, o comércio imperava e fizeram-se grandes fortunas. Em 1898, Manhattan uniu-se a outros quatro *boroughs* (bairros) para formar a segunda maior cidade do mundo. De 1800 a 1900, a população cresceu de 79.216 para 3 milhões de pessoas. Além de centro dos negócios, a cidade tornou-se a meca da cultura e entretenimento nos Estados Unidos.

O CALDEIRÃO DE CULTURAS

Enquanto Nova York continuava a crescer, milhares de imigrantes mudavam-se para lá em busca de uma vida melhor, e os cortiços proliferaram. A mistura de culturas tornou-se uma característica da cidade. Hoje em dia, os 8 milhões de habitantes falam cem línguas.

A paisagem de Manhattan formou-se à medida que a cidade crescia para cima, para alojar a população cada vez maior. Nova York passou por altos e baixos, mas tanto nos bons quanto nos maus tempos permaneceu uma das cidades mais vitais do mundo. As páginas seguintes mostram épocas significativas de sua história.

Cessão de terras assinada pelo último governador de Nova Amsterdã, Peter Stuyvesant, em 1664

◁ Metade sul de Manhattan e parte do Brooklyn em mapa da época

Nova York no Começo

Máscara indígena

Manhattan era uma ilha coberta de florestas e habitada pelos nativos algonquianos quando a Companhia das Índias, da Holanda, instalou o entreposto de peles Nova Amsterdã, em 1625. Os colonizadores ergueram casas sem planejamento, e até hoje as ruas de Lower Manhattan são sinuosas. A Broadway, que os holandeses chamaram de *Breede Wegh*, era a trilha indígena de Weekquaesgeek. O Harlem também preservou o nome holandês. A cidade só passou a ter ordem com o governador Peter Stuyvesant. Mas a colônia não rendeu o esperado. Em 1664, a Holanda deixou que os ingleses a tomassem, chamando-a de Nova York.

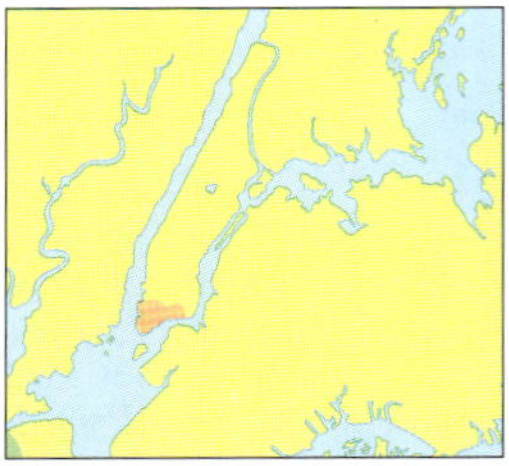

CRESCIMENTO DA METRÓPOLE

1664 | *Atual*

Sinete da Nova Holanda
Pele de castor e wampum (colar de conchas) mostrados no sinete eram a moeda corrente na Nova Holanda.

Primeiros Nova-Iorquinos
Os nativos algonquianos foram os primeiros habitantes da ilha de Manhattan.

PRIMEIRA VISTA DE MANHATTAN (1626)
O sul de Manhattan parecia uma cidade holandesa e tinha até moinho. O forte indicado ainda não tinha sido construído.

Barcos holandeses

Canoa nativa

Pote Iroquês
Nativos iroqueses visitavam a ilha com frequência nessa época.

Aldeia Indígena
Os nativos algonquianos moravam em cabanas comunitárias.

CRONOLOGIA

1524 Giovanni da Verrazano navega pela baía de Nova York

1626 Peter Minuit compra Manhattan dos nativos

1625 Os holandeses estabelecem o primeiro entreposto permanente

1653 Construção de paliçada contra índios; a rua ao lado é chamada Wall Street

1600 | 1620 | 1640

1609 Henry Hudson veleja o rio Hudson acima em busca da Passagem Noroeste

1625 Chegam os primeiros escravos da África

1643–45 Tratado de paz temporário encerra lutas com os índios

1647 Peter Stuyvesant torna-se governador da colônia

1654 Primeiros colonos judeus

Louça Holandesa
Os colonizadores trouxeram esse tipo de louça esmaltada, com detalhe de estanho.

Perfil de Manhattan
Na Strand, atual Whitehall Street, foi construída a primeira casa de tijolos.

Restos do *Tiger*

ONDE VER A NOVA YORK HOLANDESA

Resgatados em 1916, os restos do navio holandês *Tiger*, que pegou fogo em 1613, são as peças mais antigas do período e estão em exibição no Museum of the City of New York *(pág. 199)*. Esse museu, a Morris-Jumel Mansion *(pág. 235)* e o Van Cortland House Museum *(pág. 240)* exibem louças, azulejos e móveis holandeses.

Compra de Manhattan
Peter Minuit comprou a ilha dos nativos em 1626, pelo equivalente a U$ 24 em quinquilharias.

Peter Stuyvesant
O último governador holandês era um tirano que impôs leis severas, como a que mandava as tavernas fecharem às 21h.

1660 Inaugurado primeiro hospital

1664 Ingleses expulsam os holandeses e mudam o nome para Nova York

1676 Erguida a Great Dock no rio East

1698 Consagração da Trinity Church

1660 — 1680 — 1700

Nova Amsterdã rende-se aos ingleses

1680s "Leis da Farinha" dão à cidade o direito exclusivo de processar e transportar cereais

1683 Promulgada a primeira carta de leis

1689 Comerciante Jacob Leisler lidera revolta contra impostos e toma a cidade por dois anos

1693 Instalação de 92 canhões para proteção; a área ganha o nome de Battery

1691 Leisler condenado à morte por traição

Nova York Colonial

Cavalheiro colonial

Sob o domę ínio inglês, Nova York prosperou e a população cresceu rapidamente. A moagem de cereais era a principal atividade comercial. A construção de navios também se expandiu. À medida que a cidade enriquecia, surgia uma elite e, com ela, os primeiros fabricantes de móveis finos e objetos de prata para suas casas. No período em que governou Nova York, a Inglaterra mostrou-se mais interessada no lucro que no bem-estar da colônia. A Coroa impôs muitos tributos odiados pela população e o espírito de revolta cresceu, embora as lealdades fossem divididas. Nas vésperas da revolução, Nova York era a segunda maior cidade das 13 colônias, com 20 mil habitantes.

Dinheiro colonial

CRESCIMENTO DA METRÓPOLE

1760 | Atual

Rua Colonial
Porcos e cães corriam livres pelas ruas da Nova York colonial.

Kas
Armário de pinho no estilo holandês feito no vale do rio Hudson, em Nova York, cerca de 1720.

Navegação
O comércio com as Índias Ocidentais e a Inglaterra fez Nova York prosperar. Em poucos anos, 200 navios visitaram seu porto.

CRONOLOGIA

1700

1702 Lorde Cornbury é nomeado governador; ele gostava de vestir roupas femininas

1710

1710 O chefe iroquês Hendrick visita a Inglaterra

1711 Mercado de escravos é construído no fim da Wall Street

1720

1720 Inauguração do primeiro estaleiro

1725 Lançado o *New York Gazette*, primeiro jornal da cidade

1730

1732 Inaugurado o primeiro teatro

Capitão Kidd

O pirata escocês William Kidd era um cidadão respeitável, que emprestou ferramentas para erguer a Trinity Church (pág. 68).

CASA DE VAN CORTLANDT

Frederick Van Cortlandt construiu esta casa em estilo georgiano em 1748, em uma plantação de trigo onde é hoje o Bronx. Transformada em museu (pág. 240), *mostra como vivia uma família anglo-holandesa abastada.*

Esculturas Decorativas

Cabeças de animal de pedra adornam as janelas da frente.

ONDE VER A NOVA YORK COLONIAL

Edifícios coloniais estão abertos ao público na Historic Richmond Town, em Staten Island *(pág. 254)*. Belos exemplares de móveis e prataria coloniais estão expostos no Museum of the City of New York *(pág. 199)*.

Loja em Richmond Town

Cozinha Colonial

Queijo branco puro, chamado de "carne branca", era muito usado no lugar da carne. Os waffles, *típicos da Holanda, se popularizaram. Fruta fresca era rara, mas comiam-se frutas em conserva.*

Mamadeira de estanho

Fôrma de queijo

Fôrma de waffle

Garfo-colher para comer frutas em conserva

1733 Inaugurado o Bowling Green, primeiro parque da cidade; começa o serviço de balsas para o Brooklyn

1734 Julgamento de John P Zenger, por calúnia, garante liberdade da imprensa

1740

1741 Revolta de escravos provoca histeria; 31 são executados e 150 presos

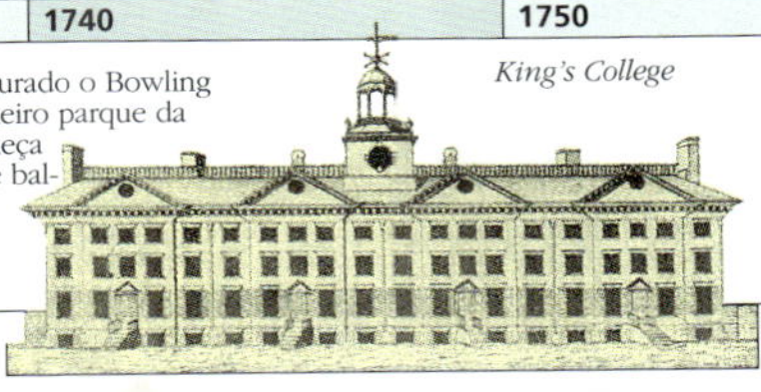

King's College

1750

1754 Começa guerra entre franceses e índios; fundação do King's College (hoje Columbia University)

1759 Primeira cadeia

1760

1762 Primeira força policial

1763 Fim da guerra; ingleses controlam a América do Norte.

Soldado inglês

Nova York Revolucionária

George Washington, general revolucionário

Entrincheirada, bombardeada pela artilharia inglesa e marcada por constantes incêndios, Nova York sofreu na Guerra da Independência americana. Apesar das dificuldades, os cidadãos não abandonaram os jogos de críquete, corridas de cavalo, bailes e lutas de boxe. A cidade tinha fama de reduto legalista e depois que os ingleses a retomaram, em 1776, pró-britânicos de outros Estados ali se refugiaram. As tropas americanas só voltaram a Manhattan depois da assinatura do tratado de paz, em 1783.

CRESCIMENTO DA METRÓPOLE

1776 — *Atual*

Soldado americano

Uniformes
O exército americano usava uniforme azul e o inglês, vermelho.

Soldado inglês

Mochila de Soldado
Os soldados britânicos na Guerra da Independência carregavam suas provisões em mochilas.

QUEDA DO REI
Os nova-iorquinos derrubaram a estátua do rei George III em Bowling Green e a derreteram para fazer munição.

Rebelde

Batalha he Harlem Heights
Washington venceu a luta em 16 de setembro de 1776. Mas, como não tinha tropas para manter a posição, recuou e devolveu a cidade aos ingleses.

Morte de um Patriota
Nathan Hale foi capturado e enforcado sem julgamento, por espionagem, ao agir por trás das linhas inglesas, em 1776.

CRONOLOGIA

1765 Ingleses aprovam Lei do Selo, nova-iorquinos protestam; formação do Sons of Liberty

1767 Lei Townshend impõe novas taxas; após protestos, lei é revogada

1770 Sons of Liberty lutam com ingleses na "Battle of Golden Hill"

1774 Rebeldes jogam chá na baía em protesto contra impostos

1760 — 1770 — 1780

St Paul's Chapel

1766 Conclusão da St Paul's Chapel; Lei do Selo é revogada; estátua de George III inaugurada em Bowling Green

General William Howe, comandante das tropas britânicas

1776 Começa a guerra; o general Howe, à frente de 500 navios, ocupa a baía de Nova York

Balde de couro

Brigadas de Incêndio

Os incêndios sempre ameaçaram a cidade, mas durante a guerra uma série deles quase a destruiu. No retirada dos patriotas, em 21 de setembro de 1776, um terrível incêndio arrasou a Trinity Church e mil casas.

Retorno do General Washington

Washington teve recepção de herói ao voltar a Nova York em 25 de novembro de 1783, após a retirada inglesa.

Bandeiras da Revoluçãox

O exército de Washington levava as cores continentais, com uma listra para cada uma das 13 colônias e a Union Jack. A bandeira de estrelas e listras tornou-se oficial em 1777.

Primeira bandeira

Cores continentais

Estátua de George III

Patriotas exultantes

ONDE VER A CIDADE REVOLUCIONÁRIA

Em 1776, George Washington usou a mansão Morris-Jumel, em Upper Manhattan, como quartel-general *(pág. 233)*. Ele também dormiu na Van Cortlandt House *(págs. 19 e 238)*. Depois da guerra, despediu-se de seus oficiais na Fraunces Tavern *(pág. 76)*.

Mansão Morris-Jumel

1783 Assinado o tratado de Paris, EUA independentes; ingleses abandonam Nova York

1784 Criado o Banco de Nova York

1785 Nova York torna-se capital

1789 Posse de Washington, o primeiro presidente, no Federal Hall

Posse de Washington

1790

1790 Capital muda-se para Filadélfia

1791 New York Hospital, o mais antigo, é inaugurado

1792 Construção da Tontine Coffee House, primeira sede da Bolsa

1794 Inaugurado o Bellevue Hospital

1800

1801 Alexander Hamilton funda o New York Post

1804 Vice-presidente Aaron Burr mata o rival político Alexander Hamilton em duelo

Nova York no Século 19

Governor De Witt Clinton

Estabelecida como maior cidade do país e importante porto, Nova York enriqueceu. A indústria cresceu, pela facilidade de navegação, e magnatas como John Jacob Astor ganharam milhões. Os ricos mudaram-se para o norte *(uptown)*, e os transportes públicos foram atrás. Mas os problemas de uma cidade grande acompanharam este desenvolvimento: incêndios, epidemias e pânico financeiro. Com as grandes levas de imigrantes, veio a superpopulação e os cortiços se expandiram. Em 1846, um em cada sete nova-iorquinos era pobre.

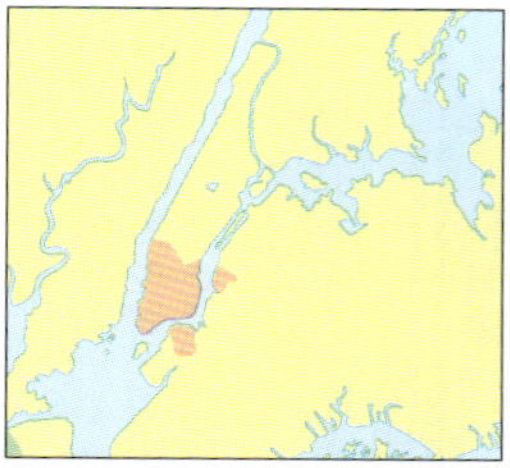

CRESCIMENTO DA METRÓPOLE

1840 *Atual*

Partitura
O nova-iorquino Stephen Foster compôs baladas populares, como Jeanie with the Light Brown Hair.

O Croton Distributing Reservoir foi construído em 1842. Até então, os nova-iorquinos dependiam das entregas de água engarrafada.

Mantendo a forma
Ginásios como o Dr. Rich's Institute for Physical Education estabeleceram-se em Nova York na primeira metade do século 19.

Ônibus
O ônibus puxado a cavalo foi introduzido no transporte público em 1832 e permaneceu nas ruas de Nova York até a Primeira Guerra.

CRONOLOGIA

1805 Abertas as primeiras escolas públicas gratuitas em Nova York

1811 Implantado padrão quadriculado de ruas acima da 14th Street

1812–14 Guerra; bloqueio inglês da baía de Nova York

Constitution, *o mais famoso navio da guerra de 1812*

1835 Cidade velha destruída no pior incêndio até então

1810 | **1820** | **1830**

1807 Robert Fulton lança o primeiro barco a vapor no rio Hudson

1822 Febre amarela; população é transferida para Greenwich Village

1823 Nova York ultrapassa Boston e Filadélfia e se torna a maior cidade do país

1827 Nova York abole a escravidão

1837 Samuel Morse manda a primeira mensagem por telégrafo

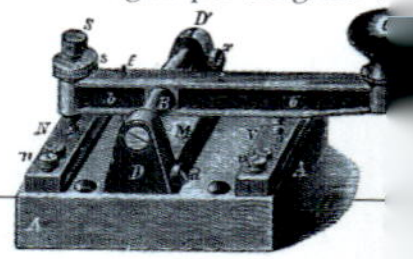

Casas Brownstone
Casas de pedra escura (brownstone) *foram construídas no início do século. A porta da frente elevada separava a entrada pelo saguão da dos criados, no térreo.*

PORTO DE NOVA YORK

A importância de Nova York como cidade portuária cresceu rapidamente no começo do século 19. Robert Fulton lançou seu primeiro barco a vapor, o *Clermont*, em 1807. Esses barcos tornaram as viagens muito mais rápidas –levava-se 72 horas para chegar a Albany, a capital e portão para o Oeste. Muitos nova-iorquinos enriqueceram no comércio com o Oeste, em barcos comuns e vapores, e com o resto do mundo, por meio de clíperes.

Barco a vapor Clermont

O Crystal Palace era um pavilhão de ferro e vidro erguido para a Feira Mundial de 1853.

NOVA YORK EM 1855

Olhando para o sul, a partir da 42nd Street, o Crystal Palace e o Croton Distributing Reservoir ficavam no lugar onde estão hoje a principal biblioteca pública e o Briant Park.

Crystal Palace em Chamas
Em 5 de outubro de 1858, este pavilhão de exposições foi destruído por um incêndio, da mesma forma que seu predecessor, em Londres.

Comemoração no Grand Canal
Barcos alinharam-se na baía de Nova York para comemorar a abertura do canal no lago Erie, em 1825. Ao ligar os Grandes Lagos a Albany, capital do Estado de Nova York, localizada às margens do rio Hudson, o canal abriu uma conexão entre o Meio-Oeste e o porto de Nova York.

1840

1842 Croton Reservoir é inaugurado

1845 Criação do Knickerbockers, primeiro time organizado de beisebol

Jogador de beisebol

1849 Rebeliões de Astor Place; navios para a corrida do ouro

1850

1851 Lançamento do *New York Times*

1853 Nova York sedia a primeira Feira Mundialr

Cartão de um clíper

1857 Pânico financeiro e depressão

1858 Olmsted e Vaux projetam o Central Park; fundação da Macy's

1860

1861 Começa a Guerra Civil

1863 Protestos contra alistamento militar

1865 Velório de Abraham Lincoln no City Hall

Pessoas no Central Park

A Era da Extravagância

O industrial Andrew Carnegie

À medida que os magnatas enriqueciam ainda mais, Nova York entrava em uma era dourada, quando foram erguidos muitos de seus prédios mais opulentos. Milhões de dólares fluíram para as artes, com a fundação do Metropolitan Museum, Public Library e Carnegie Hall. Hotéis de luxo, como o Plaza e o Waldorf-Astoria, e lojas de departamentos foram inaugurados para atender os ricos. Foi a época de figuras marcantes como William "Boss" Tweed, político truculento e "rei da corrupção", e Phineas T. Barnun, o "rei do circo".

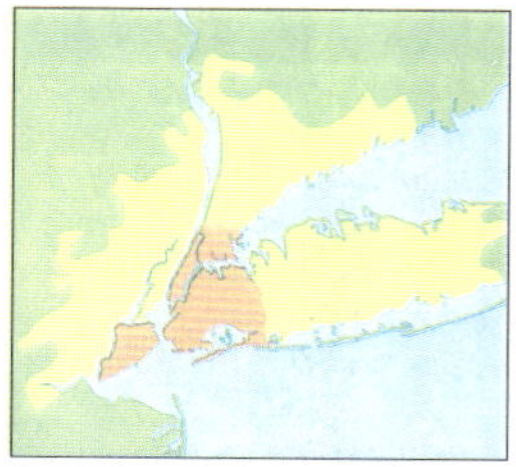

CRESCIMENTO DA METRÓPOLE

1890 *Atual*

Vista para o Parque
O Dakota (1880) foi o primeiro prédio de apartamentos de alto luxo no Upper West Side (pág. 218).

Vida em Palácio
Mansões enfileiravam-se na 5th Avenue. O palácio em estilo italiano de W. K. Vanderbilt, construído em 1882 no n° 660, ficava bem ao norte da avenida.

Cidade da Moda
A loja Lord & Taylor ficava na 6th Avenue, entre 14th e 23rd Streets, trecho chamado de "Fashion Row" (Quadra da Moda).

FERROVIA ELEVADA
Na segunda metade do século 19, as ferrovias elevadas ("Els") percorriam a 2nd, 3rd, 6th e 9th Avenues. Eram rápidas, mas produziam muito barulho e sujeira.

CRONOLOGIA

1865

1867 Conclusão do Prospect Park, no Brooklyn

1868 Primeira ferrovia elevada, na Greenwich Street

1869 Primeiro prédio de apartamentos, na 18th St; crise financeira da Sexta-Feira Negra

1870

1870 J.D. Rockefeller funda a Standard

1871 Inaugurado o Grand Central Depot, primeiro terminal ferroviário; "Boss" Tweed é preso

Interior da Bolsa de Valores

1872 Inauguração da Bloomingdale's

1873 Bancos quebram; pânico na Bolsa de Valores

1875

1877 Graham Bell apresenta o telefone em Nova York

1879 Conclusão da St Patrick's Cathedral

Aniversário de Mark Twain
Mark Twain, cujo romance A Idade de Ouro *(1873) criticava o estilo de vida nova-iorquino, comemorou seu aniversário no Delmonico's.*

ONDE VER A ERA DA EXTRAVAGÂNCIA

O Salão Dourado de Henry Villard Houses *(pág. 176)* é um bom lugar para se apreciar o passado. Antes sala de música, é hoje um local para se tomar o chá da tarde. O Museum of the City of New York tem duas salas reconstituídas *(pág. 199)*.

O Esquema Tweed
"Boss" Tweed era o líder do Tammany Hall, que dominava o governo municipal. Ele roubou milhões em dinheiro público.

Caricatura de "Boss" Tweed, de Nast

Tigre do Tammany
O Museum of the City of New York possui a bengala de "Boss" Tweed, com o tigre do Tammany Hall de ouro.

5th Avenue Rural
Este quadro de Ralph Blakelock mostra casebres na 86th Street, hoje um dos endereços mais exclusivos de Nova York.

1880 Frutas e carnes enlatadas chegam às lojas; inauguração do Metropolitan Museum; ruas são iluminadas por eletricidade

1883 Inauguração do Metropolitan Opera; conclusão da ponte do Brooklyn

1886 Inauguração da Estátua da Liberdade

1891 Abertura do Carnegie Hall

1880 | 1885 | 1890

1888 A Grande Nevasca produz 56cm de neve

1890 Primeiro filme animado é mostrado em Nova York

Queima de fogos de artifício na ponte do Brooklyn, 1883

1892 Começa a obra de St John the Divine; abertura de Ellis Island

Nova York na Virada do Século

Carruagem puxada a cavalo

Por volta de 1900, Nova York era o centro da indústria americana: 70% das empresas do país tinham sede lá e por seu porto circulavam dois terços de todos os bens importados. Os ricos ficaram mais ricos, mas a situação piorou para os pobres. Doenças se espalhavam nos cortiços lotados, onde imigrantes mantinham vivas suas tradições. Em 1900, o sindicato International Ladies' Garment Workers' Union foi fundado para buscar melhores condições para mulheres e crianças. Mas só com o incêndio na Triangle Shirtwaist Factory, em 1911, houve reformas.

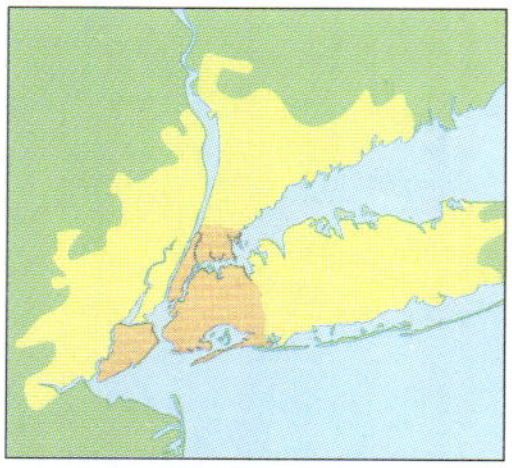

CRESCIMENTO DA METRÓPOLE

1914 *Atual*

Retrato da Pobreza
Quase cinco vezes mais populoso que o resto de Nova York, o Lower East Side era o lugar mais densamente povoado do mundo.

Vida Difícil
Os prédios eram insalubres e lotados. Muitas vezes não tinham janelas, dutos de ar nem instalações sanitárias.

Interior de uma Oficina
Os operários trabalhavam muitas horas e ganhavam pouco nas abafadas oficinas do "bairro das roupas". Esta foto da oficina de Moe Levy foi tirada em 1912.

Bondes na Broadway

ONDE VER A NOVA YORK DA VIRADA DO SÉCULO

O Lower East Side Tenement Museum (*pág. 97*) mostra a vida nos prédios.

Banheira de assento

Tesoura de alfaiate

CRONOLOGIA

1895 Olympia Theater é o primeiro teatro a abrir na área da Broadway

1895

1896 Padaria da Clinton Street faz o primeiro *bagel*

1897 Inauguração do Waldorf-Astoria Hotel, o maior do mundo

1898 Cinco *boroughs* criam segunda maior cidade do mundo

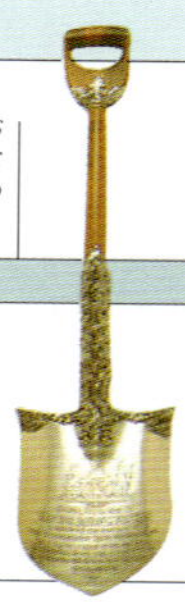

1900 O prefeito Robert Van Wyck inaugura as obras do primeiro metrô com uma pá de prata

1900

1901 Macy's abre loja de departamentos na Broadway

1903 Inauguração do Lyceum Theater, o mais antigo teatro em atividade

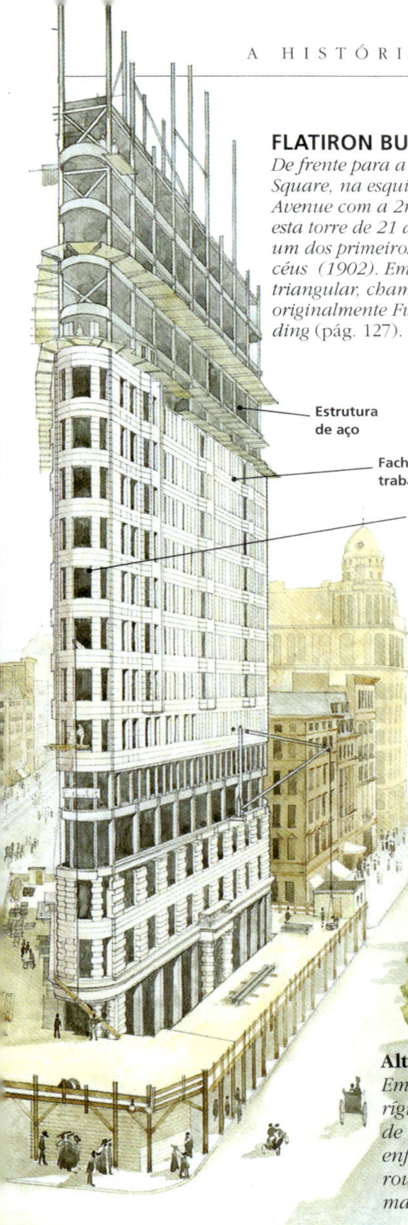

FLATIRON BUILDING
De frente para a Madison Square, na esquina da 5th Avenue com a 2nd Street, esta torre de 21 andares foi um dos primeiros arranha-céus (1902). Em formato triangular, chamava-se originalmente Fuller Building (pág. 127).

Jantar a Cavalo
Festas escandalosas estavam na moda, mas o jantar a cavalo de C.K.G. Billing no restaurante Sherry's, em 1903, foi muito comentado.

Plaza Promenade
O trecho da 5th Avenue em frente ao Plaza Hotel era considerado o mais elegante da cidade.

Alta Moda
Em 1900, a moda era rígida, com armações de metal sob vestidos enfeitados. Depois as roupas ficaram mais macias e práticas.

Peruca ventilada

Anquinha longa

Armação de metal

1906 Stanford White é morto a tiros no Madison Square Garden, que ele projetou em 1890

1909 Wilbur Wright faz o primeiro vôo sobre Nova York

1910 Inaugurada a Penn Station

1913 Woolworth Building, o mais alto do mundo; novo Grand Central Terminal; Apollo Theater aberto no Harlem

1905 | **1910**

1905 Primeira viagem do Staten Island Ferry

1907 Primeiros táxis com taxímetro; *Ziegfield Follies*

1911 Incêndio na Triangle Shirtwaist Factory mata 146 operários; conclusão da New York Public Library

Woolworth Building

Nova York entre as Guerras

Cartão de entrada de cabaré

Os anos 20 foram uma festa para os nova-iorquinos. O prefeito Jimmy Walker dava o exemplo, saindo com garotas de cabaré, bebendo nos bares, assistindo aos Yankees. Mas os bons tempos terminaram com a quebra da Bolsa de Valores, em 1929. Em 1932, Walker renunciou, acusado de corrupção, e um quarto dos nova-iorquinos estava sem emprego. Após a eleição do prefeito Fiorello LaGuardia, em 1933, a cidade voltou a crescer.

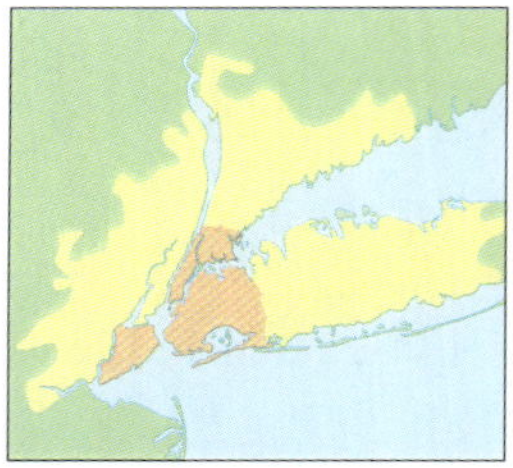

CRESCIMENTO DA METRÓPOLE

1933 *Atual*

Trajes Exóticos
Dançarinas eram a atração principal do Cotton Club.

COTTON CLUB
Esta casa noturna no Harlem tinha o melhor jazz da cidade, com uma banda famosa liderada primeiro por Duke Ellington, depois por Cab Calloway.

Desafio à Proibição
A venda de álcool era proibida, mas os speakeasies, *bares semiclandestinos, serviam bebidas.*

Batedor Recordista
Em 1927, o jogador de beisebol Babe Ruth bateu um recorde de 60 home runs. *O Yankee Stadium* (pág. 241) *tornou-se a "casa que Ruth construiu".*

Arma serrada escondida em caixa de violino

Gângsteres
Dutch Schultz chefiava uma gangue que fornecia bebidas.

CRONOLOGIA

1918 Fim da Primeira Guerra

1919 A 18 emenda veta o álcool e inicia o período da Lei Seca

1920 Americanas conquistam voto

1920

1924 Nasce no Harlem o autor James Baldwin

1925 Lançamento da revista *New Yorker*

1925

1926 Jimmy Walker torna-se prefeito

Holland Tunnel é aberto

1927 Lindbergh cruza o Atlântico de avião; primeiro filme falado; abertura do Holland Tunnel

1929 Quebra da Bolsa; começa a Grande Depressão

1930

1930 Conclusão do Chrysler Building

1931 Empire State, o mais alto prédio do mundo

Sucesso no Harlem
Banidos dos clubes do centro, artistas negros como Cab Calloway se apresentavam no Cotton Club.

Melodias da Broadway
Os anos 20 foram o auge dos musicais da Broadway, com recorde de estréias de peças.

A GRANDE DEPRESSÃO

Os anos 20 terminaram com o crash da Bolsa em 29 de outubro de 1929, que lançou o país na Grande Depressão. Nova York sentiu o choque: os sem-teto montaram barracos no Central Park e milhares de pessoas ficaram desempregadas. Mas as artes floresceram, com artistas aderindo ao programa da Works Projects Administration (WPA) e criando obras pela cidade.

Fila para receber benefícios em 1931

Cardápio do café

O avião de Lindbergh, *Spirit of St. Louis*

O Vôo de Lindbergh
Nova York celebrou de várias formas, entre elas um café-da-manhã, o vôo em 1927 de Lindbergh, o primeiro sem escalas e solitário a cruzar o Atlântico.

Grande Evento
Quase 50 milhões de pessoas visitaram a Feira Mundial de 1939, em Nova York.

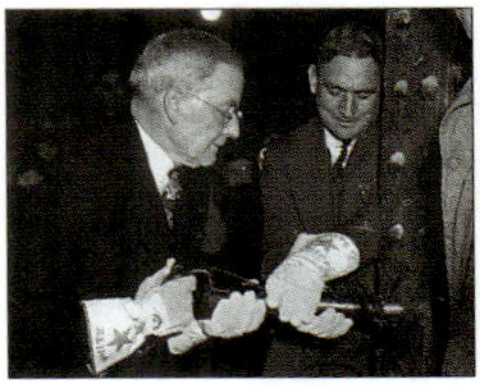

Rockefeller Center
John D. Rockefeller aplica o último rebite para comemorar a inauguração do Rockefeller Center em 1° de maio de 1939.

1933 Fim da Lei Seca; LaGuardia começa o terceiro mandato

1935

1936 Robert Moses chefia setor de parques e abre áreas verdes

1939 Concluído o Rockefeller Center

1940 Abertura do Queens-Midtown Tunnel

1940

1941 EUA na Segunda Guerra

1942 Luzes apagadas na Times Square durante a Segunda Guerra; inauguração do Idlewild International Airport (hoje JFK)

1944 O líder negro Adam Clayton Powell é eleito para o Congresso

1945

Nova York no Pós-Guerra

Desde o fim da Segunda Guerra, Nova York tem passado por fases ótimas e péssimas. Embora reconhecida como capital financeira do mundo, a cidade quase foi à falência na década de 1970. Wall Street passou pelo apogeu na década de 1980 e depois enfrentou seu pior crash desde 1929. A partir da década de 1990 houve acentuada queda nos níveis de criminalidade e a cidade se empenhou na recuperação de marcos como a Grand Central Station e a "nova" Times Square. A constante renovação é um símbolo da posição de Nova York como centro cultural e financeiro dos Estados Unidos.

1945 Fim da Segunda Guerra

1946 Abertura da sede das Nações Unidas

1953 Merce Cunningham funda sua companhia de balé

1954 Ellis Island é fechada

1959 Guggenheim Museum abre

1963 Incêndio na Pennsylvania Station

1966 Greves nos jornais e no trânsito

1967 O musical *Hair* estréia off-Broadway e depois muda-se para o Biltmore Theater

1971 Retrospectiva do artista pop Andy Warhol no Whitney Museum

1975 Empréstimo federal salva Nova York da falência

1945	1950	1955	1960	1965	1970	1975
PREFEITOS:	IMPELLITERI	WAGNER		LINDSAY		BEAME
1945	1950	1955	1960	1965	1970	1975

1947 Jackie Robinson, primeiro jogador negro de beisebol profissional, assina com o Brooklyn Dodgers

1964 Feira Mundial; conflitos raciais no Harlem e Bedford-Stuyvesant; a Verrazano Narrows Bridge liga o Brooklyn a Staten Island; os Beatles tocam no Shea Stadium

Lenço suvenir

1973 Conclusão do World Trade Center

1968 Vinte mil hippies reúnem-se no Central Park; "sit-in" e estudantes ocupam a Columbia University

Andy Warhol com as atrizes Candy Darling e Ultra Violet

1981 Nova York sai da concordata

1983 Expansão econômica: preços dos imóveis disparam; Trump Tower é inaugurada por Donald Trump, símbolo da riqueza "yuppie" dos anos 80

1986 Escândalos de corrupção abalam a administração Koch; centenário da Estátua da Liberdade

1987 Crash da Bolsa de Valores

1988 Cerca de 25% dos nova-iorquinos vivem abaixo da linha de pobreza

1990 David Dinkins, o primeiro prefeito negro, toma posse; reabertura de Ellis Island como museu da imigração

1994 Rudolph Giuliani toma posse como prefeito

1995 Os esquecidos Chelsea Piers são reformados e reabertos, como um complexo de esportes e diversão *(pág. 138)*

2000 População ultrapassa os 8 milhões

2001 Ataque terrorista ao World Trade Center; o prefeito Giuliani é um grande apoio para o povo de Nova York. O presidente George Bush declara guerra ao terrorismo.

2002 Luzes acesas na renovada 42nd Street, que cruza a Broadway na Times Square. Junto com a vizinha Chelsea e suas galerias da moda, a área compete com o SoHo como ponto mais chique da cidade.

2003 Em 14 de agosto, um colapso da rede elétrica provoca um *black-out* que afeta 50 milhões de pessoas no Nordeste (incluindo Nova York), no Meio-Oeste e em portos do Canadá.

1980	1985	1990	1995	2000	2005
KOCH		DINKINS	GIULIANI	BLOOMBERG	
1980	1985	1990	1995	2000	2005

ONE WAY

NOVA YORK EM DESTAQUE

Há quase 300 pontos de interesse descritos no capítulo *Área por Área* deste guia. Eles vão da frenética Bolsa de Valores *(págs. 70-71)* à paz de Strawberry Fields *(pág. 208)*, no Central Park, das sinagogas históricas aos deslumbrantes arranha-céus. As páginas seguintes passam rapidamente pelos locais mais interessantes de Nova York. Há uma seção para museus, outra para a arquitetura e também uma amostra das pessoas e culturas que deram à cidade seu caráter único. Cada ponto turístico tem uma remissão para a página em que é descrito com mais detalhes. Abaixo, uma lista das atrações imperdíveis.

AS DEZ PRINCIPAIS ATRAÇÕES TURÍSTICAS DE NOVA YORK

Ellis Island
Págs. 78-9.

Empire State Building
Págs. 136-7.

South Street Seaport
Pág. 84.

Rockefeller Center
Pág. 144.

Museum of Modern Art
Págs. 172-5.

Central Park
Págs. 204-9.

Estátua da Liberdade
Págs. 174-5.

Metropolitan Museum of Art
Págs. 190-7.

Ponte do Brooklyn
Págs. 86-9.

Chinatown
Pág. 96-7.

◁ **O trânsito ininterrupto da Park Avenue**

O Melhor de Nova York: Museus

Os museus de Nova York abrangem do amplo e variado acervo do Metropolitan Museum aos tesouros da coleção do financista J. P ierpont Morgan. Vários museus são dedicados às origens de Nova York e dão aos visitantes uma visão dos povos e fatos que fizeram a cidade. O mapa abaixo contém alguns marcos, que serão mais detalhados nas págs. 38-9.

Museum of Modern Art
Cabra (1950), de Picasso, é uma das obras do esplêndido acervo deste museu, recentemente remodelado e ampliado.

Intrepid Sea-Air-Space Museum
Situado em um porta-aviões no rio Hudson, este museu naval também mostra o progresso da aviação e da exploração submarina.

Morgan Library & Museum
Uma das melhores coleções do mundo de manuscritos, impressos e livros inclui esta Bíblia francesa de 1230.

Merchant's House
Esta casa de 1832, perfeitamente preservada, era de um rico comerciante.

Ellis Island
Este museu recria com realismo as experiências de milhões de famílias de imigrantes.

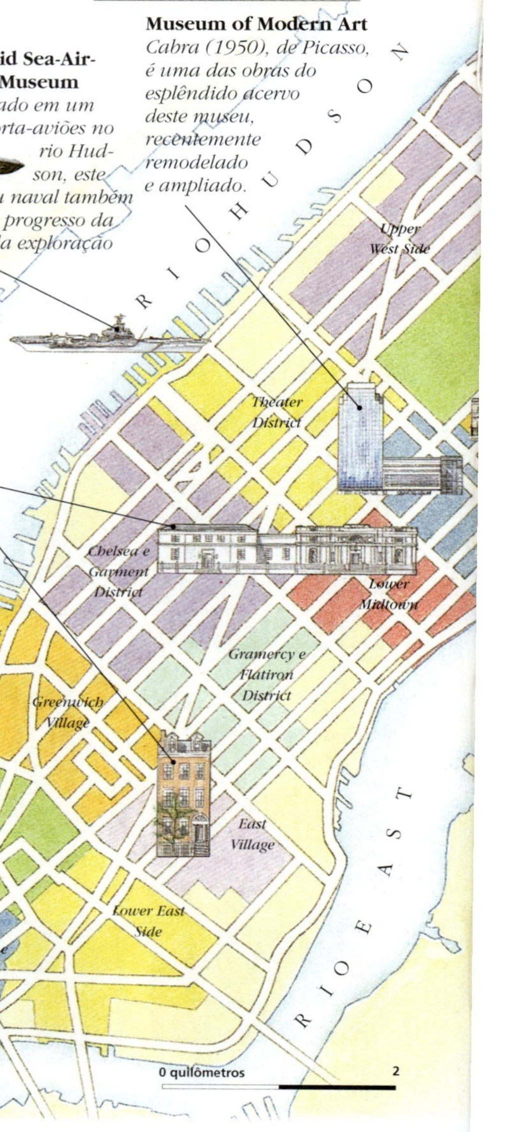

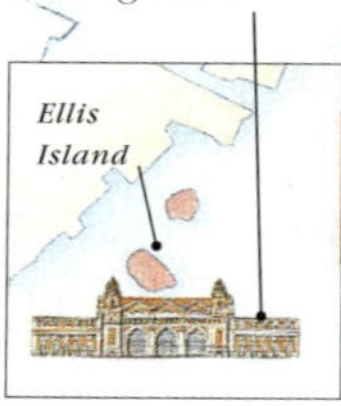

American Museum of Natural History
Dinossauros, meteoros e muito mais fascinam visitantes.

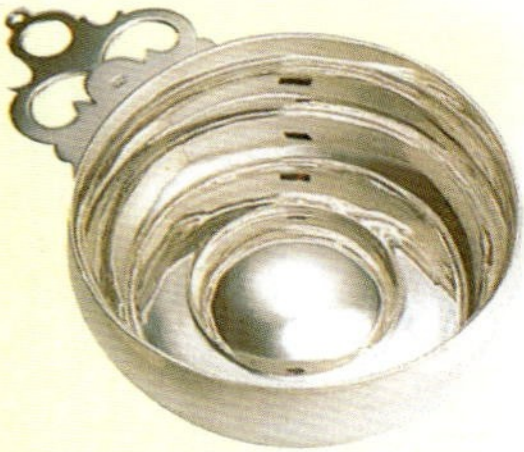

Museum of the City of New York
Roupas, obras de arte e objetos domésticos (como este prato de prata de 1725) retratam em detalhes o passado de Nova York.

Cooper-Hewitt Museum
Um tesouro em arte decorativa está exposto no belo cenário da mansão de Andrew Carnegie em Upper East Side.

Solomon R. Guggenheim Museum
Pinturas e esculturas da maioria dos artistas do final do século 19 até o final do século 20 estão expostos nesta construção única de Frank Lloyd Wright.

Metropolitan Museum of Art
Entre os milhões de obras de seu acervo, este hipopótamo de louça da 12ª dinastia egípcia é a mascote do museu.

Frick Collection
A coleção do magnata das ferrovias do século 19 Henry Clay Frick está exposta na casa em que morava. Entre as obras-primas estão São Francisco no Deserto *(c. 1480), de Giovanni Bellini.*

Whitney Museum of American Art
Esta excepcional coleção inclui muitas vistas de Nova York. Uma das melhores é Ponte do Brooklyn: Variação sobre um Velho Tema *(1939), de Joseph Stella.*

Como Explorar os Museus de Nova York

Lata de tabaco em Richmond Town

É possível reservar um mês inteiro para os museus de Nova York e aindaassim não conseguir ver tudo. Há mais de 60 museus só em Manhattan e outros 30 nas demais regiões. A importância das obras e a variedade de temas é igual a de outras grandes cidades do mundo, de velhos mestres a antigos carros de bombeiro, de dinossauros a bonecas, de tapeçarias tibetanas a máscaras africanas. Lembre-se de que alguns museus fecham às segundas ou em outros dias. Muitos ficam abertos até mais tarde uma ou duas vezes por semana e alguns oferecem uma noite de entrada grátis. Nem todos os museus cobram entrada, mas as contribuições são bem-vindas.

PINTURAS E ESCULTURAS

Nova York é mais conhecida por seus museus de arte. O **Metropolitan Museum of Art** tem uma vasta coleção de arte americana, além de obras-primas de outros países. **The Cloisters**, um braço do "Met" em Upper Manhattan, exibe maravilhas da arte e arquitetura medievais. A **Frick Collection** expõe obras esplêndidas dos grandes mestres. Por sua vez, o recém-reformado **Museum of Modern Art (MoMA)** tem alguns dos mais famosos quadros impressionistas e modernos.

O **Whitney Museum of American Art** e o **Solomon R. Guggenheim Museum** também se especializam em arte moderna –a exposição bienal do Whitney é uma das principais mostras de arte contemporânea de artistas vivos. O mais importante da arte atual está no **New Museum of Contemporary Art** e o trabalho de artistas primitivos, no **American Folk Art Museum**. O **National Academy Museum** exibe vasta coleção de arte dos séculos 19 e 20, quase toda doada pelos membros da academia. No Harlem, o **Studio Museum** mostra os trabalhos de artistas negros.

O Reino Pacífico (c. 1840-1845), de Edward Hicks, no Brooklyn Museum

ARTESANATO E DESIGN

Quem se interessa por tecidos, porcelana, vidro, bordados, rendas, papel de parede e gravuras deve visitar o **Cooper-Hewitt Museum**, a vitrine de artes decorativas do Smithsonian Institute, de Washington. A coleção de design do **MoMA** é tão famosa quanto a de quadros, acompanhando a evolução de todo tipo de design, de relógios a sofás. O **Museum of Arts and Design** oferece o melhor dos artesãos contemporâneos em móveis, objetos de vidro etc., enquanto o **American Folk Art Museum** exibe peças típicas, de bengalas a *quilts*. Objetos de prata destacam-se no **Museum of the City of New York**. A bela exposição de arte nativa do **National Museum of the American Indian** inclui jóias, tapetes e cerâmicas.

GRAVURAS E FOTOGRAFIAS

O pequeno, mas excelente, **International Center of Photography** é o único museu totalmente dedicado a essa arte em Nova York. Outras coleções podem ser vistas no **Metropolitan Museum of Art** e **MoMA**. Há exemplares do começo da fotografia no **Museum of the City of New York** e **Ellis Island**.

Gravuras e desenhos de grandes ilustradores de livros, como Kate Greenaway e Sir John Tenniel, são mostrados na **Morgan Library & Museum**. O **Cooper-Hewitt Museum** tem exemplos do uso de gravuras nas artes decorativas.

MÓVEIS E TRAJES

A exposição anual do Costume Institut no **Metropolitan Museum of Art** sempre vale uma visita. Também é marcante a American Wing, com 24 salas de mobiliário original retratando estilos de vida de 1640 ao século 20. Salas com Nova York em várias situações, começando pelos holandeses do século 17, estão à mostra no **Museum of the City of New York.**

Boneca de palha, American Museum of Natural History

Há ainda algumas casas preservadas que traçam um retrato realista da vida na velha Nova York. O **Merchant's House Museum**, uma residência preservada de 1832, foi ocupado pela mesma família por 98 anos. A **Gracie Mansion** foi a residência do prefeito Archibald Gracie, que a comprou em 1798 de um mercador. Ela abre periodicamente para visitação pública. O **Theodore Roosevelt Birthplace** é a *brownstone* na qual o 26° presidente dos Estados Unidos passou a infância e o **Mount Vernon Hotel Museum** era um resort do início do século 19.

HISTÓRIA

Pistola de palma da mão, New York City Police Museum

A história americana se desdobra no Federal Hall, primeira sede do governo americano –foi lá que George Washington prestou juramento como primeiro presidente dos Estados Unidos, em abril de 1789. O **Fraunces Tavern Museum** apresenta a Nova York colonial. A **Ellis Island** e o **Lower East Side Tenement Museum** lembram as dificuldades dos imigrantes. O novo **Museum of Jewish Heritage** em Battery City é um memorial ao holocausto. O **New York City Fire Museum** e o **New York City Police Museum** registram heroísmo e drama, e o **South Street Seaport Museum** recria a história marítima, com veleiros originais.

TECNOLOGIA E HISTÓRIA NATURAL

Animais na floresta, American Museum of Natural History

Os museus de ciências apresentam acervos que cobrem da natureza à tecnologia espacial. O **American Museum of Natural History** tem uma ampla coleção da flora, fauna e cultura de todo o mundo. Lá, o Rose Center/Hayden Planetarium oferece visões únicas do espaço. O **Intrepid Sea-Air-Space Museum** registra o progresso da tecnologia militar. Fica dentro de um porta-aviões de verdade. Quem perdeu algum filme de Lucille Ball ou a chegada do homem à Lua pode assistir a esses e outros clássicos do rádio e TV no **Museum of Television and Radio**.

ARTE DE OUTRAS CULTURAS

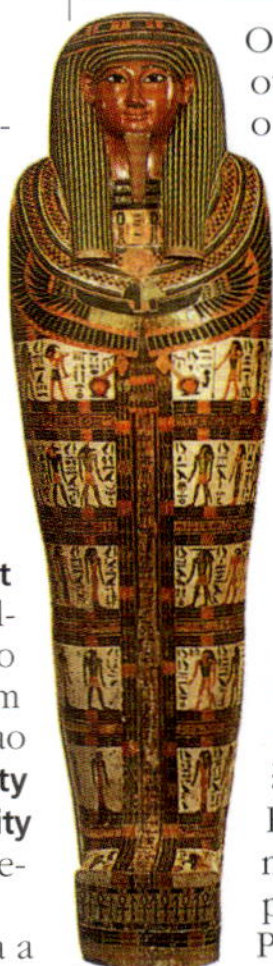

Múmia egípcia, Brooklyn museum

Obras de arte de outros povos são o foco de várias coleções especiais. Arte oriental é a especialidade da **Asia Society** e da **Japan Society**. O **Jewish Museum** tem um grande acervo de peças e apresenta exposições temporárias sobre a vida judaica. **El Museo del Barrio** é dedicado às artes de Porto Rico e apresenta muitos artefatos pré-colombianos. Para uma fascinante passagem pela arte e história afro-americana, visite o **Schomburg Center for Research in Black Culture**. Por fim, o **Metropolitan Museum of Art** destaca-se pelas seções multiculturais, do antigo Egito à África atual.

BIBLIOTECAS

As ótimas bibliotecas de Nova York, como a **Pierpoint Morgan Library & Museum**, oferecem magníficas coleções de arte, bem como a oportunidade de se ver páginas de manuscritos antigos e livros raros. O acervo da **New York Public Library** inclui manuscritos de muitos livros famosos.

FORA DE MANHATTAN

Outro museu que vale uma visita é o **Brooklyn Museum of Art**, com uma enorme coleção de artefatos de todo o mundo e mais de 1 milhão de quadros. Por sua vez, o **Museum of the Moving Image**, em Queens, tem uma coleção sem igual sobre a história do cinema. O **Jacques Marchais Museum of Tibetan Art** é um achado em Staten Island. Também em Staten Island fica a **Historic Richmond Town**, vila bem preservada do século 17.

COMO ACHAR OS MUSEUS

O Melhor de Nova York: Arquitetura

Mesmo quando segue as tendências mundiais, Nova York dá um toque próprio aos movimentos da moda arquitetônica. O estilo dos prédios reflete a economia e a geografia. Por ficar em uma ilha, com pouco espaço, a cidade precisa crescer para cima. Essa necessidade aparece nas casas altas e estreitas dos primeiros tempos, que deram lugar aos prédios de apartamentos e arranha-céus. Materiais como ferro fundido e pedra foram escolhidos por sua disponibilidade e praticidade. O resultado é uma cidade cheia de soluções interessantes para questões práticas. A arquitetura de Nova York é mostrada com mais detalhes nas págs. 42-3.

Prédio de Apartamentos
O Majestic é uma das cinco edificações de duas torres, em Art Déco, no Central Park West.

Arquitetura de Ferro
Produzido em massa, o ferro forjado era muito usado nas fachadas. O SoHo tem muitos exemplos, como este edifício no nº 28-30 da Greene Street.

Pós-Modernismo
O formato elegante e muito particular de prédios como o World Financial Center, de 1985 (pág. 69), *contrasta com as caixas de aço e vidro dos anos 50 e 60.*

Brownstones
Construídas com pedras locais, as brownstones *eram as casas preferidas da classe média no século 19. A India House, em Wall Street, no estilo de um palazzo florentino, é um típico edifício comercial* brownstone.

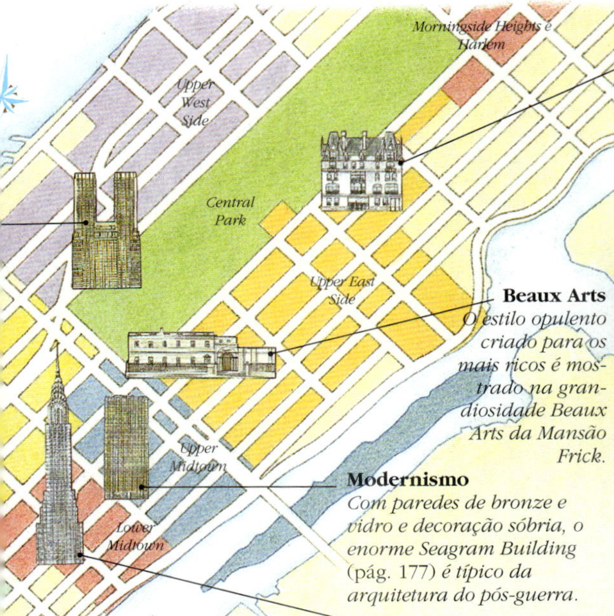

Mansões do Século 19
O Jewish Museum (pág. 186), antiga mansão de Felix M. Warburg, é um belo exemplo do estilo renascentista francês, comum no século passado.

Beaux Arts
O estilo opulento criado para os mais ricos é mostrado na grandiosidade Beaux Arts da Mansão Frick.

Modernismo
Com paredes de bronze e vidro e decoração sóbria, o enorme Seagram Building (pág. 177) é típico da arquitetura do pós-guerra.

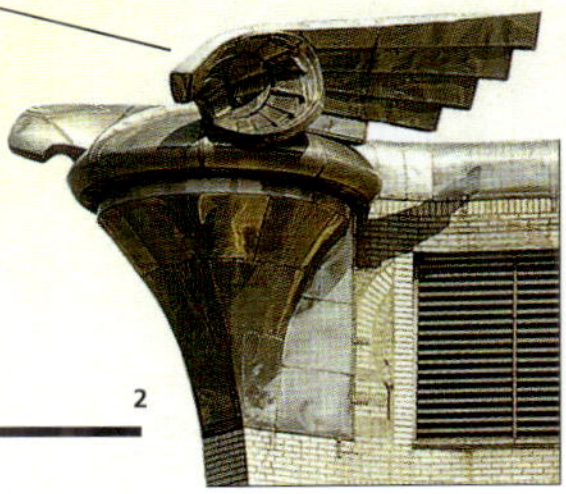

Arranha-Céus
Glória maior da arquitetura de Nova York, esses edifícios expressam perfeitamente a fusão da engenharia com uma decoração magnífica, como nesta gárgula do Chrysler Building.

Arquitetura Federal
O estilo federal era comum na arquitetura pública do século 19. No City Hall, é influenciado pelo estilo renascentista francês.

Conjuntos
Erguidos como uma forma econômica de moradia, estes edifícios eram uma crua introdução dos imigrantes à nova vida. Concentrados no Lower East Side, os apartamentos eram superlotados. Além disso, a circulação inadequada de ar resultava em apartamentos com pouca ou nenhuma ventilação.

Como Explorar a Arquitetura de Nova York

Entrada no estilo federal

Em seus primeiros 200 anos, Nova York, como toda a América, buscou na Europa sua inspiração arquitetônica. Nenhum prédio da época da colonização holandesa permanece de pé em Manhattan –a maioria se perdeu no grande incêndio de 1776 ou foi posta abaixo para abrir espaço a novos projetos no início do século passado. Com a introdução do ferro fundido na arquitetura, em meados do século 19, o surgimento da Art Déco e os arranha-céus cada vez mais altos, a arquitetura de Nova York ganhou vida própria.

ARQUITETURA FEDERAL

A adaptação americana do estilo neoclássico de Adam floresceu nos primeiros anos do novo país, com prédios quadrados de dois ou três andares, teto baixo, balcões e elementos decorativos bem equilibrados. O **City Hall** (1811, John McComb, Jr. e Joseph François Mangin) é uma mistura dos estilos federal e renascentista francês. Os depósitos restaurados de **Schermerhorn Row** (c. 1812), em Seaport, também seguem o estilo federal.

BROWNSTONES

Abundante e barata, a pedra amarronzada encontrada no vale do rio Connecticut e às margens do rio Hackensack, em Nova Jersey, era o material de construção mais usado no século 19. Ela pode ser vista em todas as áreas residenciais, nas casas e também nos apartamentos pequenos. Alguns dos mais interessantes exemplares de *brownstones* podem ser vistos em **Chelsea**. Como o espaço de frente para a rua era limitado, essas casas são em geral estreitas e compridas. A entrada da *brownstone* típica tem um lance de escada que leva aos aposentos da família e outro que dá no porão, para uso dos empregados.

Brownstone típica, com escada para a entrada principal

CONJUNTOS/TENEMENTS

Conjuntos habitacionais alojavam o enorme número de imigrantes que chegou a Nova York entre 1840 e a Primeira Guerra. Os blocos de seis andares, 30m de extensão e 8m de largura recebiam sua pouca luz e ar por pequenas entradas laterais e janelas nos dois extremos, deixando o meio na escuridão. Por lembrarem vagões, eram chamados de "apartamentos-ferrovia". Um novo projeto pôs entradas de ar entre os prédios, mas elas espalhavam incêndio. O **Lower East Side Tenement Museum** tem maquetes dos velhos conjuntos.

ARQUITETURA DO FERRO FUNDIDO

Uma inovação arquitetônica do século 19, o ferro fundido era mais barato que pedra e tijolo e permitia que os enfeites fossem feitos a partir de molde nas fundições e em seguida aplicados às fachadas. Hoje em dia, Nova York tem a maior concentração do mundo de fachadas de ferro fundido. As melhores, do fim do século 19, estão no **SoHo Cast-Iron Historic District**.

Fachada original de ferro fundido no nº 72-76 da Greene Street, SoHo

BEAUX ARTS

Esta escola francesa de arquitetura dominou o design dos edifícios públicos e as casas dos mais ricos na época dourada de Nova York. Esse período (de 1880 até cerca de 1920) produziu muitos dos mais famosos arquitetos da cidade, entre eles Richard Morris Hunt (**Carnegie Hall**, 1891; **Metropolitan Museum**, 1895), que foi o primeiro americano a estudar arquitetura em Paris, em 1845; Cass Gilbert (**Custom House**, 1907; **New York Life Insurance**

DISFARCES ARQUITETÔNICOS

Algumas das formas mais interessantes na paisagem de Nova York foram imaginadas por arquitetos criativos para disfarçar as essenciais –mas pouco atraentes– caixas-d'água nos telhados da cidade. Olhe para cima e perceba as cúpulas e torres ornamentadas que transformam prédios normais em castelos no ar. Dois exemplos fáceis de observar estão no alto de dois hotéis vizinhos na 5th Avenue: o Sherry Netherland, na 60th Street, e o Pierre, na 61st Street.

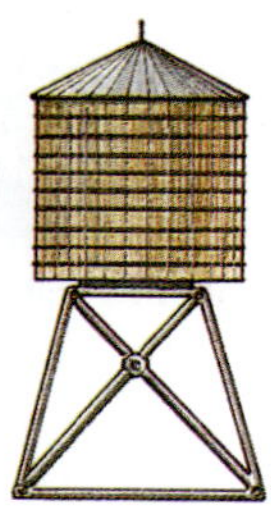

Caixa-d'água padrão

Os Dakota Apartments, construídos em 1884, no Upper West Side, em frente ao Central Park

Building, 1928; e U.S. Courthouse, 1936); as duplas Warren & Wetmore (**Grand Central Terminal**, 1913; **Helmsley Building**, 1929); Carrère & Hastings (**New York Public Library**, 1911; **Frick Mansion**, 1914); e McKim, Mead & White, o mais famoso escritório de arquitetura da cidade (**Villard Houses**, 1884; **United States General Post Office**, 1913; **Municipal Building**, 1914).

PRÉDIOS DE APARTAMENTOS

À medida que a população da cidade crescia e o espaço se tornava ainda mais precioso, ter casa em Manhattan ficou caro demais para a maioria dos nova-iorquinos e mesmo os mais ricos aderiram à vida comunitária. Em 1884, a inauguração do Dakota *(pág. 218)*, de Henry Hardenbergh, um dos primeiros prédios de apartamentos de luxo, deu início a uma série de construções em Upper East Side. Vários deles se pareciam com castelos e palácios, erguidos em volta de pátios não visíveis da rua. Entre os marcos mais notáveis estão as cinco **Twin Towers** erguidas em Central Park West no auge da Art Déco (1929-1931): San Remo, Eldorado, Century, Beresford e Majestic. Juntas, formam a paisagem característica vista do parque.

ARRANHA-CÉUS

Embora o arranha-céu tenha surgido em Chicago, as principais inovações partiram de Nova York. Em 1902, um arquiteto de Chicago, Daniel Burnham, desenhou o **Flatiron Building**, de 91 metros –tão alto que os céticos garantiam que iria cair. Em 1913, o **Woolworth Building** já atingia 241 metros. Com a altura vieram os recuos –por lei, os andares mais altos tinham de ser afastados para deixar que a luz chegasse à rua. Isso combinava com o estilo Art Déco. O **Chrysler Building** (1930) era o mais alto do mundo até a chegada do **Empire State Building** (1931), com 381 metros. Ambos são clássicos Art Déco, mas foi o **Group Health Insurance Building**, antes McGraw-Hill Building, de Raymond Hood, que representou Nova York na pesquisa sobre arquitetura da International Style, em 1932. O **World Trade Center** *(pág. 72)* era o edifício mais alto da cidade, até setembro de 2001 *(pág 52)*. Seu estilo modernista "caixa de vidro" foi superado pelo pós-moderno, como o do **Citigroup Center** (1977).

Detalhe Art Déco da torre do Chrysler Building

ONDE ACHAR OS EDIFÍCIOS

N° 245 5th Avenue (apartamentos)

N° 60 Gramercy Park North *(brownstone)*

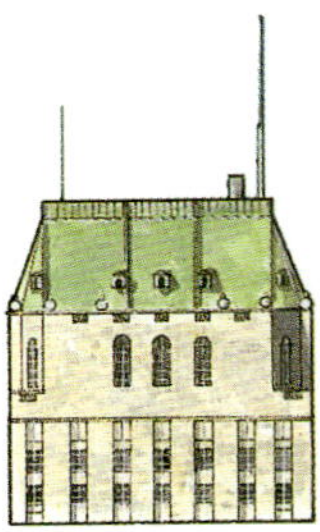

The Pierre (Beaux Arts))

Sherry Netherland Hotel (Beaux Arts)

Nova York Multicultural

Onde quer que se vá em Nova York, mesmo nos cantos mais escondidos do caótico centro da cidade, é evidente a mistura étnica local. Em minutos, um simples passeio de ônibus vai de Madras a Moscou, de Hong Kong ao Haiti. Imigrantes continuam a buscar Nova York, embora os números sejam bem inferiores ao período áureo, entre 1880 e 1910, quando 17 milhões de pessoas chegaram à cidade. Nos anos 1980, 1 milhão de imigrantes, sobretudo de países do Caribe e da Ásia, chegaram e criaram seus redutos. Cada mês do ano tem um grupo celebrando algo. Para saber mais sobre desfiles e festas nacionais, veja as págs. 50-3.

Cozinha do Inferno
Agora chamada de "Clinton", para representar uma nova vizinhança, este foi o primeiro lar dos imigrantes irlandeses.

Little Ukraine
Uma missa é rezada no T. Sevchenko Place na festa de 17 de maio, que celebra a conversão dos ucranianos ao cristianismo.

Little Korea
Este pequeno enclave de coreanos fica situado perto de Herald Square.

Little Italy
Em setembro, durante dez dias, a comunidade italiana se reúne na área em volta da Mulberry Street para comemorar a Festa di San Gennaro.

Chinatown
Todo ano, no fim de janeiro, a Mott Street fica lotada quando os chineses celebram seu Ano-Novo.

Lower East Side
As sinagogas em volta da Rivington Street refletem a tradição religiosa desta antiga área judaica.

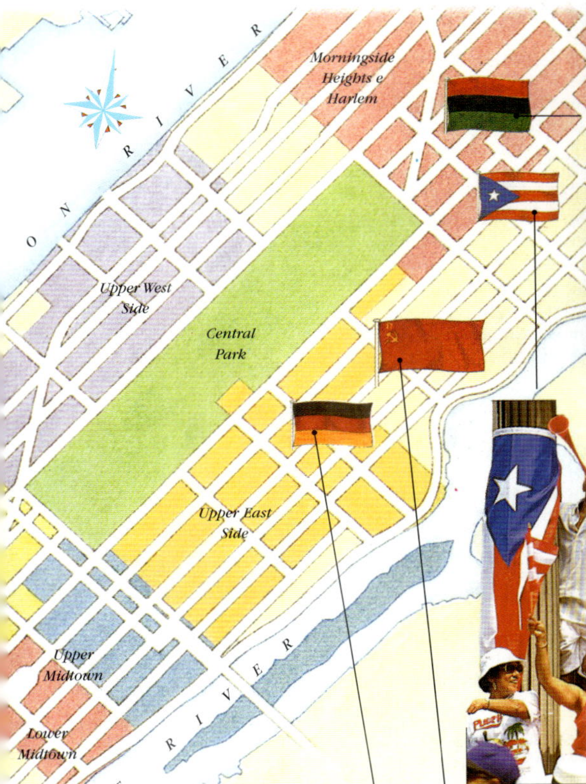

Harlem
O serviço religioso gospel das manhãs de domingo na Abyssinian Baptist Church é um dos mais belos do Harlem.

El Barrio
A vibrante comunidade hispânica da área de El Barrio, no Harlem, fica em volta do mercado de rua La Marquetta.

Yorkville
Apenas uns poucos cafés e bierkellers *preservam o sabor desse antigo reduto alemão. A parada do Steuben Day ainda é realizada aqui, todo mês de setembro.*

Upper East Side
A magnífica catedral ortodoxa russa de St Nicholas, na East 97th Street, recorda a dispersa comunidade de russo-brancos. Há missa em russo todo domingo.

Little India
Restaurantes na East 6th Street oferecem atmosfera oriental a preços acessíveis.

Como Explorar as Culturas de Nova York

Vidro pintado do Cotton Club

Mesmo os nova-iorquinos "nativos" têm suas raízes em outros países. Por todo o século 17, holandeses e ingleses lá se instalaram, estabelecendo entrepostos no Novo Mundo. Logo a América se tornou um símbolo de esperança para os menos favorecidos de toda a Europa. Muitos cruzaram o oceano sem dinheiro e com pequeno conhecimento da língua. A fome de 1840 levou à primeira onda de imigração irlandesa, seguida pelos alemães e outros europeus sem trabalho devido à Revolução Industrial. Muitos imigrantes mudaram-se de seus redutos originais em Nova York, espalhando por volta de 100 idiomas pela cidade.

Imigrantes turcos chegam ao Idlewild Airport em 1963

OS JUDEUS

A comunidade judaica existe em Nova York desde 1654. A primeira sinagoga, Shearith Israel, foi instalada pelos refugiados da colônia holandesa no Brasil e está ativa até hoje. Os primeiros colonos, judeus sefarditas de ascendência espanhola, incluíam famílias influentes, como os Baruchs. A eles se seguiram os judeus alemães, que estabeleceram lojas bem-sucedidas, como os irmãos Straus. A perseguição russa levou à imigração em massa no fim do século 19. No início da Primeira Guerra, havia 600 mil judeus no Lower East Side. Atualmente, a área é predominantemente hispânica e asiática, mas mantém sua antiga tradição de lugar de refúgio e recomeço.

OS ALEMÃES

Os alemães começaram a se estabelecer em Nova York no século 18. Desde John Peter Zenger *(pág. 21)* que a comunidade sempre defendeu a liberdade de expressão de idéias e opiniões. Também produziu gigantes da indústria, como John Jacob Astor, primeiro milionário da cidade.

OS ITALIANOS

Os italianos chegaram a Nova York na primeira metade do século 19. Muitos eram do norte da Itália e fugiam da fracassada revolução em seu país. Mais para o fim do século, a pobreza no sul também levou muitos italianos a cruzar o oceano. Ganharam força política, simbolizada em Fiorello LaGuardia, um dos melhores prefeitos da cidade.

OS CHINESES

Os chineses demoraram a chegar. Em 1880, não passavam de 700 na área de Mott Street. Mas na década de 1940 já eram o grupo étnico que mais crescia e ascendia socialmente, ultrapassando os limites da velha Chinatown e estabelecendo-se em áreas vizinhas ao Brooklyn e Queens. A comunidade, que já foi muito fechada, recebe atualmente grande número de turistas dispostos a explorar suas ruas e mercados e frequentar seus restaurantes.

Templo budista de Eastern States, em Chinatown *(págs. 96-7)*

OS HISPANO-AMERICANOS

Entalhes religiosos hispânicos no Museo del Barrio *(pág. 231)*

Os porto-riquenhos começaram a chegar em 1838, mas só depois da Segunda Guerra passaram a imigrar em grande número, em busca de trabalho. A maioria mora em El Barrio, o antigo Spanish Harlem. Profissionais que fugiram da Cuba de Fidel Castro moram agora nos subúrbios, mas continuam muito influentes no comércio e cultura hispânicos. Washington Heights aloja as comunidades dominicana e colombiana.

OS IRLANDESES

Os irlandeses começaram a ir para Nova York na metade do século passado e tiveram de superar dificuldades. Maltratados pela fome, sem dinheiro, trabalharam muito para escapar dos cortiços de Five Points e Hell's Kitchen, contribuindo para a modernização da cidade. Muitos se tornaram policiais e bombeiros e atingiram altas patentes por dedicação ao trabalho. Outros montaram negócios bem-sucedidos, como os bares que hoje congregam a dispersa comunidade irlandesa.

OS AFRO-AMERICANOS

Provavelmente o bairro negro mais famoso do mundo, hoje o Harlem atrai milhares de turistas com a música das igrejas e a comida inigualável. Os ancestrais da maior parte dos afro-americanos foram escravos que trabalhavam nas plantações. A mudança do sul para as grandes cidades do norte começou com a emancipação, por volta de 1860. Mas só ganhou maior impulso na década de 1920, quando a população negra passou de 83 mil para 204 mil e o Harlem tornou-se o grande centro de uma recuperação das raízes negras *(págs. 30-1)*.

CALDEIRÃO DE CULTURAS

Outras culturas nova-iorquinas não são tão claramente definidas, mas podem ser encontradas com facilidade. Os ucranianos reúnem-se em East Village, em volta da igreja católica de St George, na East 7th Street. A Little India pode ser notada pelos restaurantes da East 6th. Os coreanos têm várias mercearias em Manhattan, mas moram na região de Flushing. A diversidade religiosa da população de Nova York pode ser notada no Islamic Center, em Riverside Drive, na Russian Orthodox Cathedral, na East 97th Street *(pág. 199)* e no novo Islamic Cultural Center, na 96th Street, primeira grande mesquita de Manhattan.

Mulher em traje típico no desfile do dia da independência da Grécia

OUTROS BAIRROS

O Brooklyn é de longe o bairro mais internacional. Imigrantes vindos do Caribe, sobretudo da Jamaica e Haiti, formam a comunidade que mais cresce. Os imigrantes provenientes das índias Ocidentais tendem a se concentrar ao longo do Eastern Parkway, entre Grand Army Plaza e Utica Avenue, trajeto da luxuosa e exótica West Indian Day Parade, em setembro. Os imigrantes judeus russos chegados recentemente transformaram Brighton Beach na "Pequena Odessa no Mar"; escandinavos e libaneses estabeleceram-se em Bay Ridge e finlandeses em Sunset Park. Williamsburg e Borough Park alojam judeus ortodoxos e Midwood tem sotaque de Israel e Oriente Médio. Em Bensonhurst vivem os italianos. Greenpoint é dos poloneses e na Atlantic Avenue fica a maior comunidade árabe do país.

Os irlandeses foram um dos primeiros grupos a cruzar o rio Harlem, em direção ao Bronx. Executivos japoneses preferem a área mais exclusiva de Riverdale. Uma das áreas étnicas mais definidas é Astoria, em Queens, que abriga a maior população de gregos fora da Grécia. Jackson Heights tem grande concentração de latino-americanos, entre eles 300 mil colombianos. Os indianos também se reúnem nessa área e na vizinha Flushing. Mas foram os orientais que mudaram o cenário de Flushing, a ponto de o trem local ser chamado de "Orient Express".

Polícia de Nova York, abrigo de irlandeses-americanos

IMIGRANTES QUE DEIXARAM SUA MARCA *Ver também págs.48-9*

As datas se referem ao ano em que entraram nos EUA via Nova York

- **1893** Irving Berlin (Rússia), músico
- **1894** Al Jolson (Lituânia), cantor
- **1896** Samuel Goldwyn (Polônia), magnata do cinema
- **1902** Joe Hill (Suécia), sindicalista
- **1903** Frank Capra (Itália), cineasta
- **1904** Hyman Rickover (Rússia), "pai" do submarino nuclear
- **1906** "Lucky" Luciano (Itália), gângster (deportado em 1946)
- **1908** Bob Hope (Inglaterra), comediante
- **1909** Lee Strasberg (Áustria), diretor de teatro
- **1912** Claudette Colbert (França), atriz de cinema
- **1913** Rodolfo Valentino (Itália), ator de cinema
- **1921** Bela Lugosi (Hungria), estrela de *Drácula*
- **1923** Isaac Asimov (Rússia), cientista e escritor
- **1932** George Balanchine (Rússia), coreógrafo
- **1933** Albert Einstein (Alemanha), cientista
- **1938** Família von Trapp (Áustria), cantores

1890 | 1895 | 1900 | 1905 | 1910 | 1915 | 1920 | 1925 | 1930 | 1935 | 1940

Nova-Iorquinos Famosos

Nova York produziu alguns dos maiores talentos criativos do século 20. Foi lá que nasceu a Pop Art, e ainda hoje Manhattan destaca-se como centro mundial da arte moderna. Os escritores alternativos dos anos 1950 e 60 –conhecidos como geração Beat– inspiraram-se nos clubes de jazz da cidade. Importante capital financeira, Nova York atraiu muitos capitalistas famosos.

O artista pop Andy Warhol

ESCRITORES

O romancista James Baldwin

A literatura norte-americana nasceu em Nova York. O livro *Charlotte Temple, uma História Verdadeira*, publicado em 1791 por Susanna Rowson (c. 1762-1824), contava um caso de sedução e permaneceu 50 anos na lista de mais vendidos.

O primeiro autor americano profissional foi Charles Brockden Brown (1771-1810), que se mudou para Nova York em 1791. Os livros de Edgar Allan Poe (1809-49), "pai" das modernas histórias de detetive, expandiram o gênero horror. Henry James (1843-1916) publicou sua obra *Os Bostonianos* (1886) e destacou-se nos romances psicológicos, enquanto Edith Wharton (1861-1937) ficou famosa por suas sátiras à sociedade norte-americana.

A literatura americana só veio a ganhar reconhecimento internacional com *Uma História de Nova York* (1809), sátira de Washington Irving (1783-1859). O livro lhe rendeu U$ 2 mil. Irving cunhou os nomes "Gothan" para Nova York e "Knickerbockers" para seus habitantes. Ele e James Fenimore Cooper (1789-1851), cujos livros deram origem às histórias do Oeste, formaram o grupo Knickerbocker de autores americanos. Greenwich Village sempre atraiu escritores, entre eles Herman Melville (1819-91), cuja obra-prima, *Moby Dick*, inicialmente foi mal recebida pela crítica.

Jack Kerouac (1922-69), Allen Ginsberg e William Burroughs frequentaram a Columbia University e o San Remo Café, em Greenwich Village. No Chelsea Hotel *(pág. 139)*, morreu Dylan Thomas (1914-53).

Nathanael West (1902-40) vivia no Gramercy Park Hotel e seu amigo Dashiell Hammett (1894-1961) morava lá quando escreveu *O Falcão Maltês*. James Baldwin (1924-87), nascido no Harlem, escreveu *Numa Terra Estranha* (1963) ao voltar da Europa.

ARTISTAS

A escola de expressionistas abstratos de Nova York deu início ao primeiro movimento importante da arte americana. Foi lançada por Hans Hofmann (1880-1966), com Franz Kline e Willem de Kooning, cujo primeiro emprego nos Estados Unidos foi o de pintor de paredes. Adolph Gottlieb, Mark Rothko (1903-70) e Jackson Pollock (1912-56) divulgaram o estilo. Pollock, Kline e de Kooning tinham estúdios no Lower East Side.

A Pop Art começou em Nova York na década de 1960, com Roy Lichtenstein e Andy Warhol (1926-87), que realizou alguns de seus filmes cult no n° 33 de Union Square. Keith Haring (1958-90) foi um prolífico pintor de grafites cuja obra pop só foi reconhecida recentemente.

Robert Mapplethorpe (1946-89) ficou famoso por suas fotos eróticas masculinas. Jeff Koons o sucedeu no papel de *bête noire* do mundo artístico.

Os murais ilusionistas de Richard Haas enfeitam muitas paredes pela cidade.

ATORES

Em 1849, o ator inglês Charles Macready deu início a uma rebelião ao afirmar que os americanos eram vulgares. Uma multidão invadiu o Astor Place Opera House, onde Macready encenava *Macbeth*, a polícia atirou e 22 pessoas morreram.

A artiz de vaudeville Mae West

Em 1927, Mae West (1893-1980) passou dez dias na prisão em Roosevelt Island e foi multada em U$ 500 pelas cenas picantes de seu show *Sex*, na Broadway.

A ópera radical pró-sindicalista de Marc Blitzstein *The Cradle Will Rock*, produzida por John Houseman (1902-88) e Orson Welles (1915-85), foi proibida e o espetáculo mudou para outro teatro. Os atores driblaram a proibição comprando ingressos e dizendo os textos da platéia.

O musical foi a contribuição especial de Nova York ao teatro. As *Follies* de Florenz Ziegfeld (1869-1932) ficaram em cartaz de 1907 a 1931. A estréia de *Oklahoma* na Broadway, em 1943, deu início à era dos musicais de Richard Rodgers (1902-79) e Oscar Hammerstein, Jr. (1895-1960).

Dos teatros off-Broadway, foi no Provincetown Players, no n° 33 da MacDougal Street, que estreou *Além do Horizonte* (1920), de Eugene O'Neill (1888-1953). Seu sucessor como inovador do teatro americano foi Edward Albee, autor de *Quem Tem Medo de Virginia Woolf?* (1962).

MÚSICOS E BAILARINOS

Leonard Bernstein (1918-90) seguiu uma linhagem de grandes maestros à frente da New York Philarmonic, entre eles Bruno Walter (1876-1962), Arturo Toscanini (1867-1957) e Leopold Stokowski (1882-1977). Maria Callas (1923-77) nasceu em Nova York e mudou-se para a Europa.

O Carnegie Hall *(pág. 148)* apresentou Enrico Caruso (1873-1921), Bob Dylan e os Beatles. O recorde de público na cidade foi marcado em 1991, quando Paul Simon atraiu mais de 1 milhão de pessoas para um concerto grátis no Central Park.

Os lendários clubes de jazz dos anos 1930 e 40 não mais existem na 52nd Street. Placas no "Jazz Walk", em frente ao prédio da CBS, homenageiam

Florenz Ziegfeld, produtor de musicais

Josephine Baker

artistas famosos, como Charlie Parker (1920-55) e Josephine Baker (1906-75).

Entre 1940 e 1965, Nova York tornou-se a capital mundial da dança, com a fundação do New York City Ballet, por George Balanchine (1904-83), e do American Ballet Theater. Em 1958, o coreógrafo Alvin Ailey (1931-89) fundou o American Dance Theater, e Bob Fosse (1927-87)alterou o rumo dos musicais.

INDUSTRIAIS E EMPREENDEDORES

O magnata Cornelius Vanderbilt

A história do pobre que fica rico é o próprio sonho americano. Andrew Carnegie (1835-1919), o "barão do aço com coração de ouro", começou do nada e ao morrer havia doado U$ 350 milhões. As doações foram para bibliotecas públicas e universidades em todo o país. Muitas outras fundações são legados de filantropos milionários. Alguns, como Cornelius Vanderbilt (1794-1877), buscaram superar sua origem rude patrocinando as artes.

Nos negócios, os "barões do roubo" de Nova York faziam o que queriam, com aparente impunidade. Os financistas Jay Gould (1836-92) e James Fisk (1834-72) venceram Vanderbilt na guerra pela ferrovia do Erie ao manipular ações. Em setembro de 1869, provocaram a primeira "Sexta-Feira Negra" de Wall Street manipulando o mercado de ouro. Descobertos, os dois fugiram. Gould morreu bilionário e Fisk em uma briga.

Donald Trump *(pág. 33)*, dono da Trump Tower, e Leona e o falecido Harry Helmsley incluem-se entre os empreendedores modernos. Apesar da prisão de Leona por sonegação de impostos, seu império em imóveis permanece intacto e inclui pontos famosos de Nova York, como o Helmsley Building *(pág. 158)*.

ARQUITETOS

Cass Gilbert (1858-1934), que projetou arranha-céus neogóticos como o Woolworth Building *(pág. 91)*, foi um dos homens que, literalmente, deram forma à cidade. Sua caricatura está exposta no saguão, segurando a maquete de sua obra-prima. Stanford White (1853-1906) ficou famoso tanto por sua vida escandalosa quanto por seus belos edifícios Beaux Arts, como o Players Club *(pág. 128)*. Frank Lloyd Wright passou boa parte da vida (1867-1959) criticando a arquitetura da cidade. Quando afinal decidiu deixar sua marca em Nova York, foi na forma do Guggenheim Museum *(págs. 188-9)*. O alemão Ludwig Mies van der Rohe (1886-1969), que projetou o Seagram Building *(pág. 177)*, rejeitava a idéia de "inventar uma nova arquitetura toda segunda-feira de manhã", embora se diga que é isso o que Nova York sabe fazer.

NOVA YORK MÊS A MÊS

A primavera em Nova York cobre a Park Avenue de flores e a 5th Avenue se tinge de verde no St Patrick's Day, a primeira das várias grandes paradas do ano. O verão é quente e úmido, mas vale a pena trocar o ar-condicionado por um passeio nos parques e praças, onde se realizam espetáculos gratuitos de música e teatro. A primeira segunda-feira de setembro é o Labor Day e com ela chegam as temperaturas amenas e os tons laranja-avermelhados do outono. Depois, com a proximidade do Natal, as lojas e ruas começam a brilhar com cenas magníficas expostas nas vitrines.

As datas dos eventos nas próximas páginas podem variar. Para mais detalhes, consulte revistas especializadas em listas de programações *(pág. 369)*. O New York Convention and Visitors Bureau *(pág. 368)* também publica um calendário trimestral de eventos.

PRIMAVERA

Cada estação em Nova York tem seu próprio ritmo e tentações. Na primavera (março-maio), a cidade exibe tulipas e cerejeiras em flor nos parques e desfiles de moda nas lojas. Todos saem para ver as vitrines das lojas e galerias. A St Patrick's Day Parade, muito popular, atrai multidões. Milhares se fantasiam para a Easter Parade, na Páscoa, pela 5th Avenue.

Chapéus extravagantes na Easter Parade em Nova York

MARÇO

St Patrick's Day Parade *(17 mar)*, 5th Ave, da 44th à 86th Sts. Roupas verdes, flores verdes e até cerveja verde, além de gaitas de foles.
Greek Independence Day Parade *(25 mar)*, 5th Ave, da 49th à 59th Sts. Festa grega.
New York City Opera Spring Season *(mar-abr)*, Lincoln Center *(pág. 350)*.
Ringling Bros e Barnum & Bailey Circus *(mar-abr)*, Madison Square Garden *(pág. 135)*.

Tulipas e táxis amarelos brilham na Park Ave

PÁSCOA

Easter Flower Show *(semana antes da Páscoa)*, loja Macy's *(págs. 134-5)*.
Easter Parade *(dom de Páscoa)*, 5th Ave, da 44th à 59th Sts. Pessoas com fantasias e chapéus exóticos desfilam em volta da St Patrick's Cathedral.

ABRIL

Cherry Blossom Festival *(fim mar-abr)*, Brooklyn Botanic Garden. Famoso pelas cerejeiras e belos jardins japoneses.
Annual Earth Day Festival Activities *(datas variadas)*.
Beisebol *(abr-mai)*, começa o campeonato profissional de Yankees e Mets *(pág. 360)*.
New York City Ballet Spring Season *(abr-jun)*, New York State Theater e Metropolitan Opera House, no Lincoln Center *(pág. 214)*.

MAIO

Martin Luther King, Jr. Parade *(3º dom)*, 5th Ave, da 57th à 79th Sts. É uma parada para homenagear o líder negro que foi assassinado em Memphis no ano de 1968.

Parada em costumes típicos no Greek Independence Day

Ninth Avenue Street Festival *(meados mai)*, da West 37th à West 57th Sts. Festival de comidas, músicas e danças típicas.
Washington Square Outdoor Art Exhibit *(último fim de semana mai e 1º fim de semana jun)*. **Memorial Day** *(últ semana)*, parada na 5th Ave, comemorações em South Street Seaport.

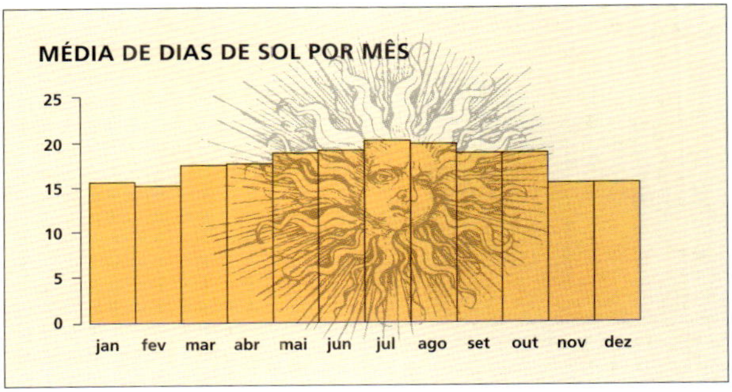

Dias de sol
Os nova-iorquinos têm dias longos e claros no verão, de junho a agosto –julho é o mais ensolarado. Os dias de inverno, mais curtos, podem ser claros e brilhantes. O outono tem mais sol que a primavera, mas ambos são bastante ensolarados.

VERÃO

Sempre que podem, os nova-iorquinos fogem do calor em piqueniques, barcos e praias. Os fogos de artifício da Macy's iluminam os céus no Fourth of July e a animação cresce quando os Yankees e Mets jogam beisebol na cidade. No verão há ópera, concertos ao ar livre e Shakespeare grátis no Central Park.

Policial dança na Puerto Rican Day Parade

JUNHO

Puerto Rican Day Parade *(início jun)*, 5th Ave, da 44th à 86th Sts. Bandas e carros alegóricos.
Museum Mile Festival *(2ª ter)*, 5th Ave, da 82nd à 105th Sts. Entrada grátis em museus.
Central Park Summerstage *(jun-ago)*, Central Park. Grande variedade de música e dança quase todos os dias, com sol ou com chuva.
Metropolitan Opera Parks Concerts. Concertos grátis à noite nos parques da cidade *(págs. 350-1)*.
Goldman Memorial Band Concerts *(jun-ago)*, Lincoln Center *(pág. 214)*. Concertos de bandas tradicionais.
Shakespeare in the Park *(jun-set)*. Atores famosos encenam o bardo inglês no Central Park *(pág. 347)*.
Lesbian and Gay Pride Day Parade (jun), 5th Ave, de Columbus Circle à Washington Square *(pág. 115)*. Parada gay.
JVC Jazz Festival *(fim jun-início jul)*. Jazzistas em várias salas da cidade *(pág. 353)*.

JULHO

Macy's Firework Display *(4 jul)*, East River. Ponto alto da celebração do Independence Day, com os melhores fogos de artifício da cidade.
American Crafts Festival *(meados jun-início jul)*, Lincoln Center *(pág. 214)*. Artesanato fino.
Mostly Mozart Festival *(fim jul-fim ago)*, Avery Fisher Hall, Lincoln Center *(págs. 350-1)*.
NY Philharmonic Parks Concerts *(fim jul-início ago)*.

Animação em uma feira de verão em Greenwich Villlage

Concertos grátis nos parques da cidade *(pág. 339)*.
Lincoln Center Festival *(jul)*, Dança, ópera e outras artes performáticas internacionais.

AGOSTO

Harlem Week *(meados ago)*. Filmes, arte, música, dança, moda, esportes e excursões.
Out-of-Doors Festival *(ago)*, Lincoln Center. Dança e teatro grátis *(pág. 346)*.
US Open Tennis Championships *(fim ago-início set)*, Flushing Meadows *(pág. 360)*.

Espectadores lotam o estádio no US Open Tennis Championships

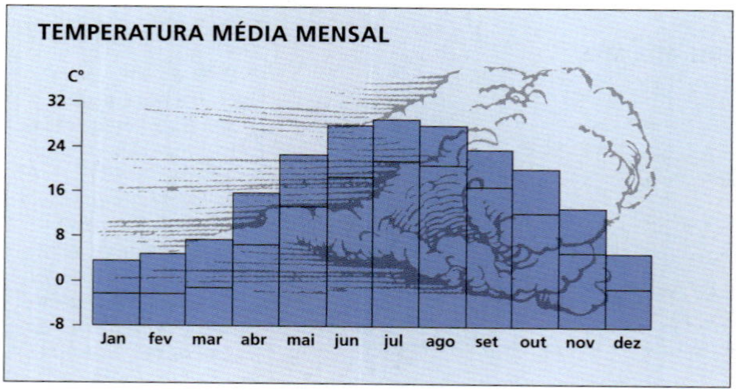

Temperatura
O gráfico mostra as temperaturas médias mínima e máxima para cada mês em Nova York. No auge do verão, com 29° C (84° F) em média, a cidade fica quente e úmida. Por outro lado, os meses de inverno são muito frios, mas não neva com muita frequência.

OUTONO

O Labor Day marca o fim do verão. Giants e Jets dão início ao campeonato de futebol americano, começa a temporada na Broadway e a Festa di San Gennaro, em Little Italy, é o ponto alto de uma série de alegres feiras de bairro. A Thanksgivings Day Parade promovida pela Macy's é o aviso de que as festas de fim de ano começaram.

SETEMBRO

Richmond County Fair *(fim de semana Labor Day)*, Historic Richmond Town *(pág. 254)*. A única feira de interior autêntica em Nova York.
West Indian Carnival *(fim de semana Labor Day)*, Brooklyn. Parada, carros alegóricos, música, dança e comidas típicas.
Brazilian Festival *(início set)*, E 46th St, entre Times Square e Madison Ave. Arte, comida e música brasileira.

Exótica fantasia de carnaval do Caribe nas ruas do Brooklyn

New York is Book Country *(meados set)*, 5th Ave, da 48th à 59th Sts. Feira de livros.
Festa di San Gennaro *(3ª semana)*, Little Italy *(pág. 96)*. Dez dias de festas e procissões.
New York Film Festival *(meados set-início out)*, Lincoln Center *(pág. 214)*. Filmes americanos e filmes de arte internacionais.
Von Steuben Day Parade *(3ª semana)*, Upper 5th Ave. Celebração germano-americana.
Futebol Americano *(começa a temporada)*, Giants Stadium, dos Giants e Jets *(pág. 362)*.

OUTUBRO

Columbus Day Parade *(12 out)*, 5th Ave, da 44th à 86th Sts. Parada e música comemoram a descoberta da América por Colombo.
Pulaski Day Parade *(dom mais próximo a 5 out,)*, 5th Ave, da 26th à 52nd Sts. Homenagem ao herói polonês-americano Casimir Pulaski.
Halloween Parade *(31 out)*, Greenwich Village. Evento com fantasias fantásticas.
Big Apple Circus *(out-jan)*, Damrosch Park, Lincoln Center. Um tema a cada ano *(pág. 365)*.
Basquete *(começa o campeonato)*, Madison Square Garden. O time local é o Knicks *(pág. 362)*.
New York City Marathon *(início nov)*. De Staten Island, por todos os cinco bairros.

Balão de Super-Homem sobrevoa a Thanksgiving Day Parade da Macy's

NOVEMBRO

Macy's Thanksgiving Day Parade *(4ª qui)*, de Central Park West e West 79th St a Broadway e West 34th St. Alegria para crianças, com carros alegóricos, grandes balões e Papai Noel.
Rockfeller Center Ice Skating Rink *(out-mar)*, aberto ao público. Você pode patinar à sombra da famosa árvore de Natal.
Christmas Spectacular *(nov-dez)*, Radio City Music Hall. Shows com as Rockettes.

Integrantes da Halloween Parade em Greenwich Village

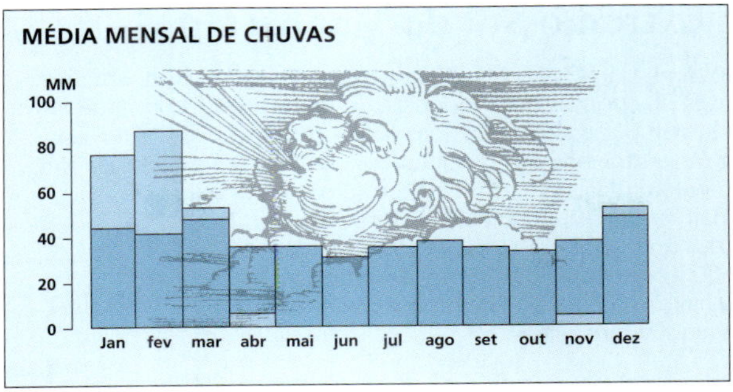

Chuvas
Março e agosto são os meses mais chuvosos em Nova York. As chuvas de primavera são imprevisíveis, portanto, esteja preparado. No inverno, grandes e súbitas nevascas trazem o caos.

Chuva

Neve

INVERNO

Nova York é mágica no Natal –até os leões de pedra da Public Library exibem guirlandas festivas e as lojas se tornam obras de arte. De Times Square a Chinatown, as festas se espalham pela cidade e o Central Park vira um ginásio para esportes de inverno.

Estátua de Alice no País das Maravilhas no Central Park

DEZEMBRO

Tree-Lighting Ceremony *(início dez)*, Rockefeller Center *(pág. 144)*. Iluminação da árvore de Natal gigante em frente ao RCA Building.
Messiah Sing-In *(meados dez)*, Lincoln Center *(pág. 214)*. Platéia ensaia e canta, regida por vários maestros.
Hanukkah Menorah *(meados-fim dez)*, Grand Army Plaza, Brooklyn. Iluminação do enorme *menorah* (candelabro) todas as noites, durante os oito dias do Festival das Luzes.
Réveillon. Fogos de artifício no Central Park *(págs. 206-7)*; festa em Times Square *(pág. 147)*; corrida de oito quilômetros no Central Park; poemas na St Mark's Church.

JANEIRO

National Boat Show *(jan)*, Jacob K. Javits Convention Center *(pág. 138)*.
Ano-Novo Chinês *(fim jan/fev)*, Chinatown *(págs. 96-7)*. Dragões, fogos e comida típica.
Winter Antiques Show *(jan)*, Seventh Regiment Armory *(pág. 187)*. Maior feira de antiguidades da cidade.

FEVEREIRO

Black History Month. Eventos afro-americanos em vários pontos da cidade.
Empire State Building Run-Up *(começo fev)*. Corrida até o 102° andar *(págs. 136-7)*.
Lincoln e Washington Birthday Sales *(12-22 fev)*. Liquidações nas grandes lojas de departamento.
Westminster Kennel Club Dog Show *(meados fev)*, Madison Square Garden *(pág. 135)*. Exposição de cães.

Ano-Novo Chinês em Chinatown

FERIADOS

Ano-Novo (1° jan)
Martin Luther King Day (3ª seg jan)
President's Day (meados fev)
Memorial Day (fim mai)
Independence Day (4 jul)
Labor Day (1ª seg set)
Columbus Day (2ª seg out)
Eleição (1ª ter nov)
Veterans Day (11 nov)
Thanksgiving Day (4ª qui nov)
Natal (25 dez)

Árvore gigante e decoração de Natal no Rockefeller Center

LOCALIZE-SE

Extremo sul

O Extremo Sul de Manhattan

Este trecho de Lower Manhattan, visto do rio Hudson, abrange alguns dos pontos mais modernos e marcantes do perfil de Nova York, como o distinto quarteto do World Financial Center, com sua cobertura singular. Também se podem ver vestígios de uma Manhattan mais antiga: o Castle Clinton, na moldura do verdejante Battery Park e, atrás dele, a nobre Custom House. De 1973 a 2001 a área também podia se orgulhar do World Trade Center, na época os edifícios mais altos da cidade. Foram destruídos por um ataque terrorista.

A DESTRUIÇÃO DO WORLD TRADE CENTER

Em 11 de setembro de 2001, dois aviões com destino a Los Angeles foram sequestrados e obrigados a se chocar contra o World Trade Center. Centenas de pessoas morreram no impacto, e milhares quando os prédios desabaram. Naquela manhã, dois outros aviões foram sequestrados –o primeiro atingiu o Pentágono, o outro caiu perto de Pittsburgh. O número de mortos foi maior que as baixas nas tropas na Guerra da Independência *(págs. 22-3)*, e alguns compararam a tragédia ao ataque a Pearl Harbor. Imagens da destruição chegaram ao mundo todo, conquistando apoio na "guerra contra o terrorismo".

World Financial Center
No coração desse complexo fica o Winter Garden, centro de compras, alimentação e lazer. Bastante danificado pelo ataque, foi recuperado em regime de urgência.

World Trade Center
As torres gêmeas de 110 andares dominavam o horizonte (pág. 72).

Detalhe da *Sala Superior*

Sala Superior
Esta escultura de Ned Smith, por onde se pode passear, é uma das muitas obras de arte do Battery Park City (pág. 72).

Vista Antiga
Esta fotografia de 1898 mostra uma paisagem agora totalmente mudada.

Downtown Athletic Club
O Heisman Trophy, taça do futebol americano, é guardado neste belo edifício Art Déco.

US Custom House
Este magnífico edifício Beaux Arts de 1907 é atualmente o Museum of the American Indian *(pág. 73)*.

East Coast War Memorial
No Battery Park, uma enorme águia de bronze de Albino Manca homenageia os mortos da Segunda Guerra.

Nº 26 de Broadway
A torre do antigo Standard Oil Building parece uma lamparina. O interior é decorado com símbolos da empresa.

Santuário de Madre Seton
A primeira santa dos EUA morou aqui (pág. 76).

American Merchant Mariners' Memorial (1991)
Esta escultura de Marisol fica no Píer A, último remanescente dos píeres de Manhattan. A torre de relógio marca as horas com sirenes de navios.

LOCALIZE-SE

Vista do rio East

Lower Manhattan Vista do Rio East

À primeira vista, este trecho da margem do rio East que sobe a partir da ponta da ilha de Manhattan mostra um grupo inexpressivo de prédios de escritório do século 20. Mas, do nível do mar, vêem-se lampejos da velha Nova York e do Financial District, a oeste. No fundo da paisagem, alguns arranha-céus antigos conseguem fazer com que suas coroas ornamentadas se destaquem entre seus vizinhos mais modernos e anônimos.

India House
Esta bela brownstone *no nº 1 de Hanover Square é uma das melhores do gênero.*

Vietnam Veterans' Plaza
Um memorial de vidro verde domina o antigo Coenties Slip, um cais aterrado no fim do século 19 para a construção de um parque (pág. 76).

Hanover Square
A estátua do prefeito Abraham De Peyster, fica perto da casa onde ele nasceu, em 1657.

Battery Maritime Building
O histórico porto de balsas serve hoje Governors Island (pág. 77).

Heliporto
Vôos de resgate e turismo partem deste ponto.

Delmonico's
A alta sociedade jantava aqui há um século.

New York Stock Exchange
Escondida atrás de edifícios mais modernos, a Bolsa de Valores ainda é o centro do frenético Financial District (págs. 70-71).

Nº 40 de Wall Street
Nos anos 1940, a torre em forma de pirâmide do antigo Bank of Manhattan foi atingida por um pequeno avião.

Nº 70 de Pine Street
Réplicas desta elegante torre no estilo gótico podem ser vistas nas entradas de Pine Street e Cedar Street.

Bank of New York
Neste ambiente de 1928 fica o banco fundado por Alexander Hamilton em 1784 (pág. 23).

Morgan Bank
Colunas que vão do saguão ao último andar marcam este belo prédio moderno.

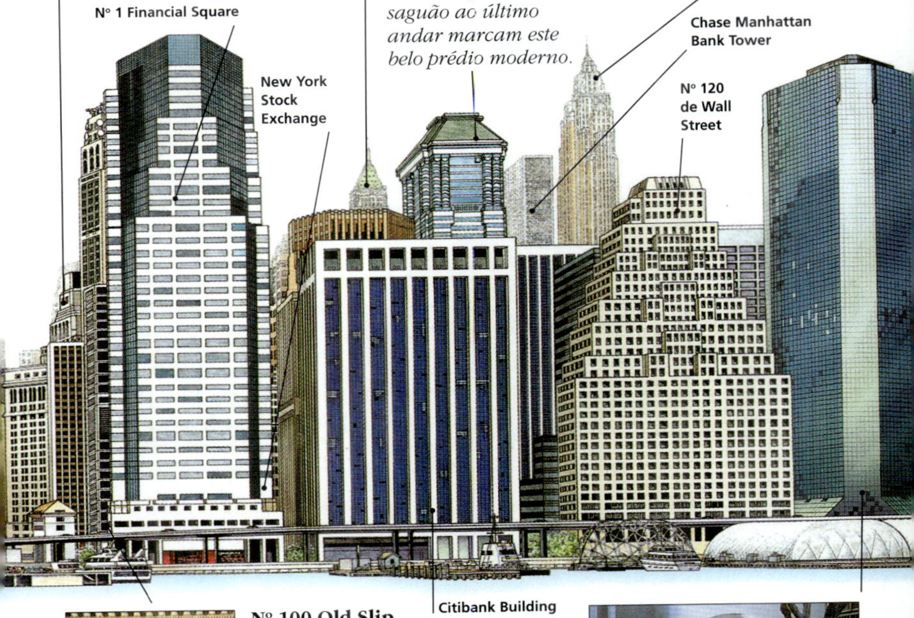

Nº 100 Old Slip
À sombra do nº 1 de Financial Square, a Primeira Delegacia de Polícia, no estilo palazzo, era a mais moderna da cidade quando foi erguida, em 1911.

Entalhe de medalhão no nº 100 de Old Slip

Queen Elizabeth Monument
O transatlântico que afundou em 1972 é lembrado aqui.

LOCALIZE-SE

Área de South Street

South Street Seaport

No fim do distrito financeiro, a paisagem de Nova York, vista do rio East ou do Brooklyn, muda radicalmente. As sedes das grandes corporações são substituídas pelos píeres, ruas planas e depósitos da velha área do porto, restaurada e rebatizada de South Street Seaport *(págs. 82-3)*. O Civic Center fica perto do rio e é possível ver alguns de seus edifícios. A ponte do Brooklyn indica o fim desse trecho. Entre esta parte e o meio da ilha, prédios de apartamentos dominam as margens do rio.

Pier 17
Um marco do Seaport, este píer tradicional tem um grande número de lojas e restaurantes.

Entalhe de pedra do Woolworth Building

Woolworth Building
Belas torres decoradas marcam a sede do império de F.W. Woolworth. É até hoje a mais bonita "catedral do comércio" já construída (pág. 91).

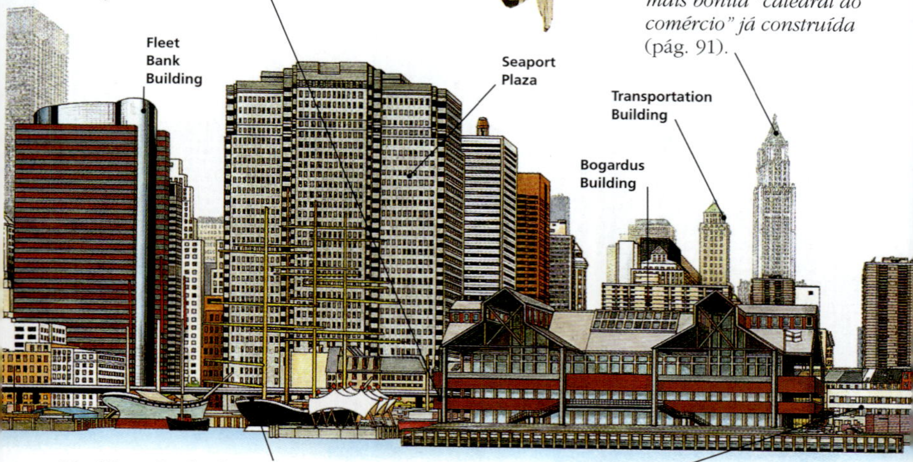

Maritime Crafts Center
No Píer 15, artesãos mostram habilidades típicas dos marinheiros, como entalhe de madeira e miniatura.

Titantic Memorial
O farol na Fulton Street relembra o naufrágio do Titanic, *o maior navio a vapor jamais construído.*

Police Plaza
Cinco em Um *(1971-4), na Police Plaza, é uma escultura Bernard Rosenthal. Represen os cinco* boroughs *de Nova York.*

United States Courthouse
O Civic Center destaca-se pela pirâmide dourada do tribunal de Justiça, projeto do arquiteto Cass Gilbert (pág. 85).

Municipal Building
Entre as salas deste vasto edifício está a Capela de Casamentos, onde são realizadas as uniões no civil. A estátua de bronze no alto é a Fama Cívica, *de Adolph Weinnman* (pág. 85).

Surrogate's Court e Hall of Records
Arquivos que recuam a 1664 são guardados e exibidos aqui (pág. 85).

Mural da Con Edison
Em 1975, o artista Richard Haas retratou a ponte do Brooklyn na parede lateral desta antiga subestação de eletricidade.

Ponte do Brooklyn
Vistas da ponte, e a partir dela, tornaram-na um dos mais apreciados marcos de Nova York (págs. 86-9).

LOCALIZE-SE

■ *Midtown*

Midtown Manhattan

A paisagem do meio da ilha de Manhattan é enfeitada por algumas das torres mais espetaculares da cidade e apresenta do belo e familiar pináculo Art Déco do Empire State Building ao marcante topo em forma de cunha da moderna sede do Citigroup. À medida que se avança para o norte, a área vai ficando mais exclusiva. O complexo das Nações Unidas domina um longo trecho, e em Beekman Place começa uma faixa de enclaves residenciais que oferecem aos ricos e famosos um pouco de privacidade nessa parte movimentada de Nova York.

Chrysler Building
Brilhando ao sol de dia ou iluminada à noite, essa torre de aço inoxidável é, para muitos, o edifício mais belo de Nova York (pág. 155).

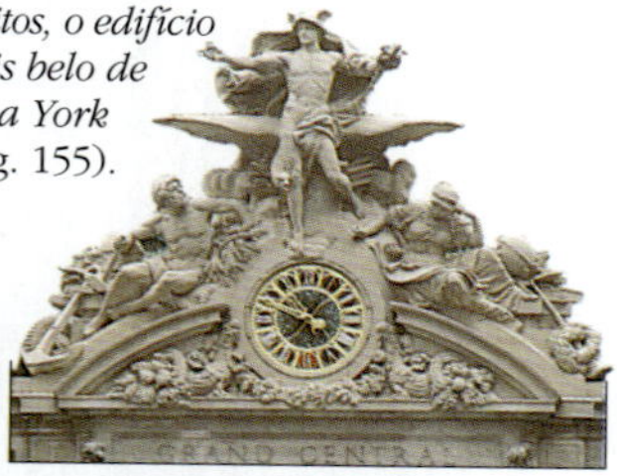

Grand Central Terminal
Escondida pelos enormes vizinhos, essa estação de trem é um marco da cidade, repleto de detalhes como o relógio da fachada (págs. 156-7).

Empire State Building
Com 381 metros de altura, foi o prédio mais alto do mundo por muitos anos (págs. 136-7).

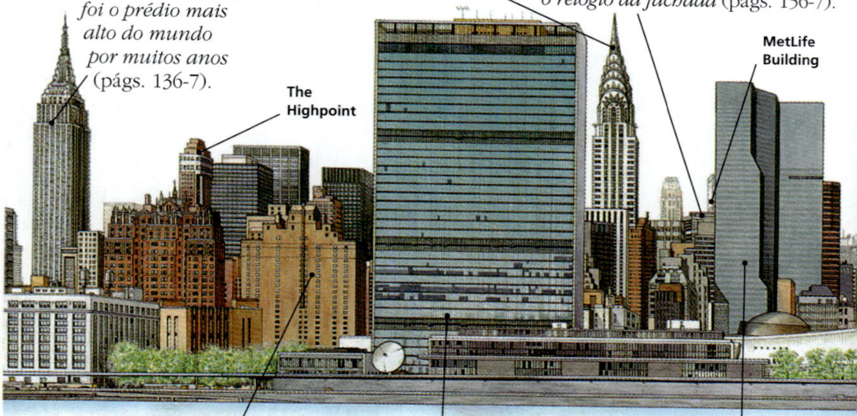

Tudor City
Construído na década de 1920, esse complexo imita o estilo Tudor e tem mais de 3 mil apartamentos (pág. 158).

Nações Unidas
Obras de arte dos países membros incluem esta escultura de Barbara Hepworth, da Grã-Bretanha (págs. 160-63).

Nos 1 e 2 do UN Plaza
Torres de vidro angulares alojam escritórios e o UN Millennium Plaza Hotel (pág. 158).

General Electric Building
Construído de tijolos em 1931, esse prédio Art Déco tem uma coroa alta e espinhosa que lembra as ondas de rádio (pág. 176).

Waldorf–Astoria
O interior magnífico de um dos melhores hotéis da cidade fica abaixo das torres gêmeas revestidas de cobre (pág. 177).

Citigroup Center
A St Peter's Church, com sua torre inclinada, fica no Citigroup Center (pág. 177).

Rockefeller Center
O rinque de patinação ao ar livre e os pátios desse complexo de prédios de escritório são um ótimo lugar para observar pessoas (pág. 144).

O *Prego*, de Arnoldo Pomodoro, St Peter's Church, Citigroup Center

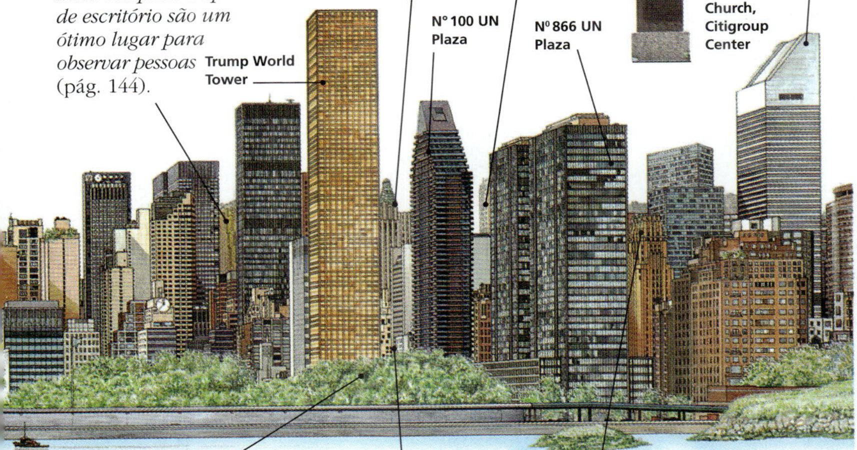

Japan Society
A cultura japonesa, de peças de vanguarda à arte antiga, pode ser vista aqui (págs. 158-9).

St Mary's Garden
O jardim na igreja da Sagrada Família é um recanto de paz.

Beekman Tower
Hoje hotel, essa torre Art Déco foi erguida em 1928 para hospedar moças das associações de elite das universidades americanas.

Silhueta de Manhattan ao anoitecer ▷

ÁREA POR ÁREA

LOWER MANHATTAN

O novo e o velho se encontram na Lower Manhattan, onde igrejas coloniais e monumentos dos primórdios da cidade permanecem em meio a arranha-céus. Aqui nasceu Nova York e se instalou o primeiro governo do país. O comércio é vital desde 1626, quando o holandês Peter Minuit comprou a ilha de Man-a-hatt-ta dos índios algonquianos e pagou com quinquilharias no valor de US$ 24 *(pág. 19)*. No período de atualização deste guia, vários prédios ainda estavam sendo reformados por causa da destruição do World Trade Center *(pág. 54)*. Por isso é aconselhável sempre ligar antes para confirmar horários de funcionamento e informações sobre transporte.

Monumento a Minuit em Bowling Green

Trinity Church, no fim da Wall Street

PRINCIPAIS ATRAÇÕES

Ruas e Edifícios Históricos
Área do World Trade Center ❻
Battery Maritime Building ⓰
Cunard Building ❾
Downtown Athletic Club ❽
Federal Hall ❷
Federal Reserve Bank ❶
Fraunces Tavern Museum ⓭
New York Stock Exchange págs. 70-1 ❸

Museus e Galerias
Castle Clinton National Monument ⓴
Ellis Island págs. 78-9 ⓲
Museum of Jewish Heritage ㉑
US Custom House ⓫

Monumentos e Estátuas
Estátua da Liberdade págs. 74-5 ⓱

Parques e Praças
Battery Park ⓳
Bowling Green ❿
Vietnam Veterans' Plaza ⓮

Passeios de Barco
Staten Island Ferry ⓯

Igrejas
Shrine of Saint Elizabeth Ann Seton ⓬
Trinity Church ❹

Arquitetura Moderna
Battery Park City ❼
World Financial Center ❺

COMO CHEGAR

As melhores linhas de metrô são a 4 e a 5, da Lexington Avenue para Bowling Green; N e R para Whitehall Street; e os trens 1 e 9 da 7th Avenue para South Ferry. Para Wall Street, tome as linhas 2, 3, 4 ou 5 para Wall Street, ou a N ou R para Rector Street. Os ônibus para a área são M1, M6, M15 e o M22 (que cruza a cidade).

VEJA TAMBÉM

- ***Guia de Ruas,*** mapas 1, 2
- ***Onde Ficar*** pág. 280
- ***Restaurantes*** pág. 296

0 metros 500

LEGENDA

- Mapa Rua a Rua
- M Estação de metrô
- Embarque de balsa
- Heliporto

Rua a Rua: Wall Street

Nenhuma esquina representa tanto para a cidade, no passado ou presente, quanto a intersecção da Wall com a Broad Street, local de três pontos importantes. O Federal Hall National Monument marca o lugar onde, em 1789, George Washington foi empossado presidente. A Trinity Church é uma das mais antigas paróquias anglicanas do país. E a Bolsa de Valores (New York Stock Exchange), fundada em 1817, continua a ser o centro nervoso das finanças mundiais, com altas e baixas que fazem o mundo tremer. Os prédios em volta formam o coração do distrito financeiro de Nova York.

O Marine Midland Bank tem 55 andares. Essa escura torre de vidro ocupa só 40% da área do terreno. O restante é ocupado por uma praça com uma grande escultura vermelha de Isamu Noguchi, *Cubo*, em um dos cantos.

Trinity Building, arranha-céu gótico do começo do século, foi projetado para combinar com a vizinha Trinity Church.

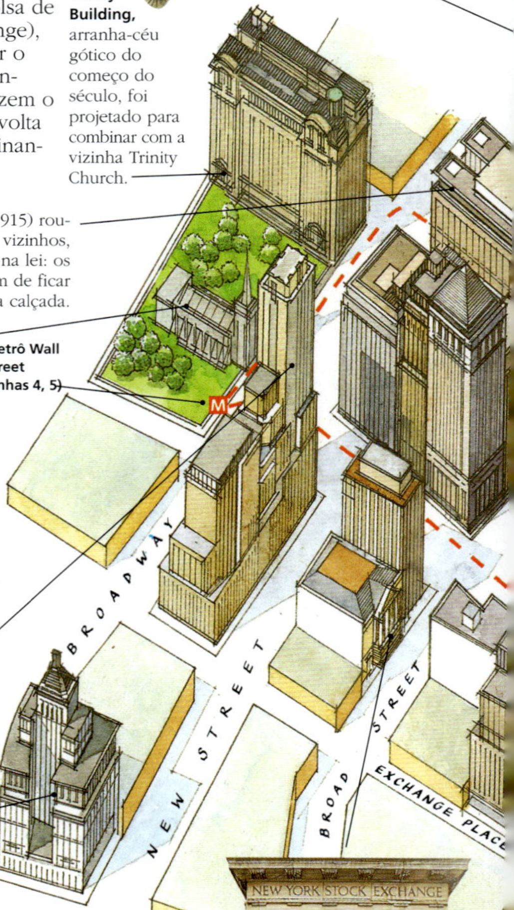

O Equitable Building (1915) roubou a luz de seus vizinhos, levando à mudança na lei: os arranha-céus tinham de ficar afastados da calçada.

★ Trinity Church
Construída em 1846, no estilo gótico, é a terceira igreja erguida no mesmo local. Seu campanário, que já foi a mais alta estrutura da cidade, está encoberto pelos arranha-céus em volta. Em seu cemitério estão nova-iorquinos famosos dos primeiros tempos da cidade ❹

Metrô Wall Street (linhas 4, 5)

A Irving Trust Company, de 1932, tem fachada com aparência de tecido. No saguão há um mosaico Art Déco em tons avermelhados e dourados.

No nº 26 da Broadway foi erguida a sede do Standard Oil Trust. No topo há uma lamparina a óleo.

Nova York Stock Exchange ★
O centro dos mercados financeiros do mundo fica neste prédio de 17 andares construído em 1903. ❸

A Liberty Tower exibe detalhes de terracota branca, no estilo gótico. Atualmente é um prédio de apartamentos.

PONTOS ALTOS

- ★ Federal Hall National Monument
- ★ Federal Reserve Bank
- ★ New York Stock Exchange
- ★ Trinity Church

LOCALIZE-SE

Mapa de Manhattan *págs. 14 -15*

LEGENDA

– – – Percurso sugerido

0 metros **100**

A Chamber of Commerce fica em um belo edifício Beaux Arts de 1901.

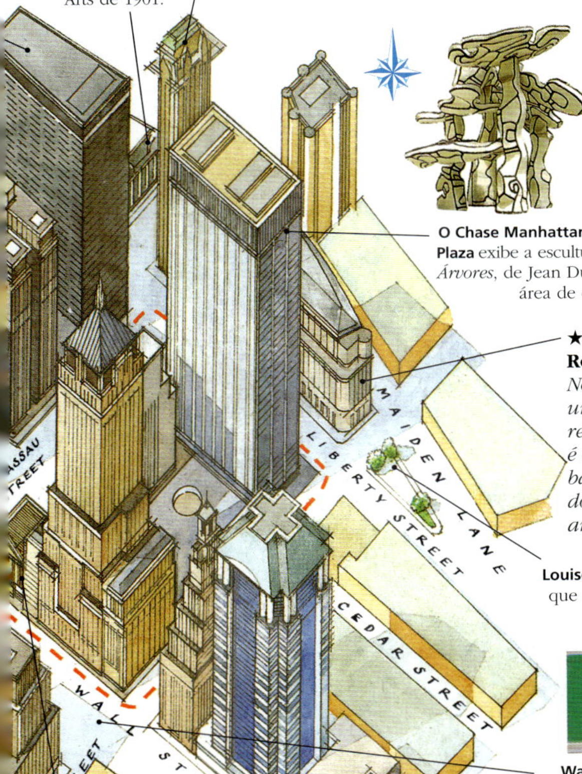

O Chase Manhattan Bank and Plaza exibe a escultura *Quatro Árvores*, de Jean Dubuffet, na área de circulação.

★ Federal Reserve Bank

No estilo de um palácio renascentista, é o banco dos bancos, emissor dos dólares americanos ❶

Louise Nevelson Plaza é o parque que exibe *Sombras e Bandeiras*, de Nevelson.

Wall Street tem esse nome por causa do muro que protegia Manhattan dos índios algonquianos. A rua é hoje o coração dos negócios da cidade.

Wall Street nos anos 20

★ Federal Hall National Monument

Inicialmente a sede da Alfândega dos EUA, esse prédio clássico, reformado em 2006, tem uma exposição sobre a Constituição ❷

Federal Reserve Bank ❶

33 Liberty St. **Mapa** 1 C2. ***Tel*** *(212) 720- 6130.* *Fulton St–Broadway Nassau.* *8h30-17h seg-sex* *feriados.* *grátis (reservar antes).* **www**.newyorkfed.org

Entrado do Federal Reserve Bank

É um banco para bancos, uma das 12 agências do Federal Reserve Bank autorizadas a emitir o dinheiro americano. Podem-se identificar as cédulas provenientes desta agência pela letra B no selo do Federal Reserve estampado na nota.

Cinco andares abaixo do solo está um dos maiores depósitos de barras de ouro pertencentes a outros países. Cada país tem seu espaço no cofre subterrâneo. No passado, os pagamentos entre nações eram feitos com transferências físicas de ouro, mas isso mudou. A exposição "The History of Money", com 800 objetos, funciona das 10h às 16h. Projetado por York & Sawyer, o prédio ficou pronto em 1924. Ocupa todo o quarteirão, a decoração tem detalhes de ferro batido e foi inspirada nos palácios renascentistas italianos.

Federal Hall ❷

26 Wall St. **Mapa** 1 C3. ***Tel*** *(212) 825-6888.* *Wall St.* *9h–17h seg-sex; sáb e dom em jul e ago.* *feriados.* **www**.nps.gov/feha

Uma estátua de bronze de George Washington, nos degraus do Federal Hall, marca o lugar da posse do primeiro presidente do país, em 1789. Milhares de nova-iorquinos se apertaram em Wall e Broad Streets para assistir à posse e aplaudiram quando o então chanceler do Estado de Nova York gritou: "Viva George Washington, presidente dos Estados Unidos".

A estrutura, em restauração até 2007, foi erguida entre 1834 e 1842 para abrigar a Alfândega dos EUA e é uma das mais belas edificações clássicas da cidade. As salas que dão para a rotunda exibem a Bill of Rights (a carta dos direitos dos cidadãos americanos) e uma mostra sobre a Constituição.

Rotunda de mármore e colunas no interior do Federal Hall

New York Stock Exchange ❸

Ver págs 70–1.

Cemitério de Trinity

Trinity Church ❹

Broadway at Wall St. **Mapa** 1 C3. ***Tel*** *(212) 602-0800.* *Wall St, Rector St.* *7h-18h diariam (igreja), 7h-16h (17h verão) diariam (adro).* *12h05 seg-sex, 9h e 11h15 dom.* *menos durante serviços.* *2h diariam; também dom após serviço das 11h15.* **Concertos** *13h seg, qui.* **www**.trinitywallstreet.org

Esta igreja episcopal de torres quadradas, no fim da Wall Street, é a terceira a ser erguida no local de uma das mais antigas paróquias anglicanas dos EUA, fundada em 1697. Projetada em 1846 por Richard Upjohn, era uma das maiores da época e inaugurou a melhor fase do neogótico nos EUA. O desenho nas portas de bronze, de Richard Morris Hunt, inspira-se no *Portas do Paraíso,* de Ghiberti, em Florença.

As restaurações recuperaram a pedra rosada original escondida sob camadas de sujeira. A torre de 86 metros, a mais alta estrutura da cidade até meados do século passado, ainda inspira respeito, apesar dos arranha-céus que a cercam.

Muitas figuras importantes dos primeiros tempos de Nova York eram membros da paróquia de Trinity. O estadista Alexander Hamilton, o inventor do barco a vapor, Robert Fulton, e o fundador do primeiro jornal (1725), William Bradford, são algumas das pessoas enterradas no cemitério ao lado da igreja.

World Financial Center ❺

West St. **Mapa** 1 A2. ***Tel*** *(212) 945-2600.* **M** *A, C and J, M, Z, e 2, 3, 4, 5 para Fulton St, E para WTC Station, R, W para Cortlandt St e 1, 9 para Rector St .* **www**.worldfinancialcenter.com

Modelo da arquitetura urbana de Cesar Pelli & Associates, é um centro vital para a recuperação de Lower Manhattan, e os danos que sofreu no ataque ao World Trade Center foram sanados em regime de urgência. Quatro torres de escritórios alojam algumas das mais importantes empresas financeiras do mundo. Entre as quatro torres fica o belíssimo Winter Garden, vasto espaço público de aço e vidro (2 mil painéis de vidro tiveram de ser repostos), ladeado por 45 lojas e restaurantes, que dá para uma animada praça e marina à beira do rio Hudson. A escadaria de mármore que leva ao Winter Garden (reaberta em setembro de 2002) serve de arquibancada para espetáculos gratuitos de música, dança e teatro. Palmeiras de 15m de altura do deserto de Mojave criam uma versão moderna dos *palm courts* antigos.

Inaugurado em 1988, ainda em expansão, é um lugar de lazer, elogiado até pelos mais severos críticos de arquitetura, que nele vêem o Rockefeller Center do século 21.

O Centro foi afetado pelo ataque ao World Trade Center *(pág. 54)*. A área atingida está sendo reconstruída.

Andar principal do Winter Garden

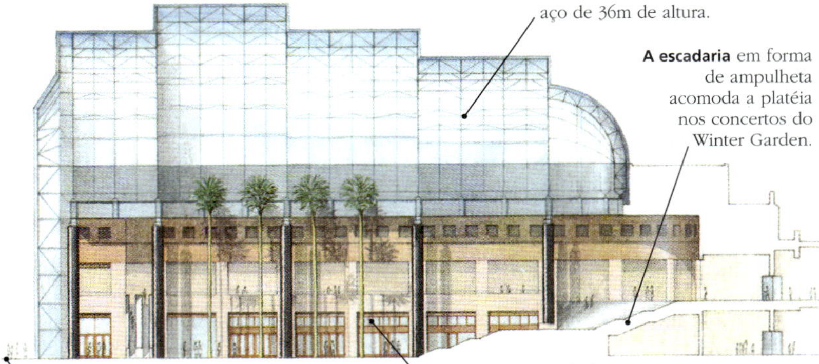

O átrio tem uma abóbada de vidro e aço de 36m de altura.

A escadaria em forma de ampulheta acomoda a platéia nos concertos do Winter Garden.

Uma esplanada beira o Hudson.

Cafés e lojas dão de frente para o átrio.

World Financial Center visto do rio Hudson

New York Stock Exchange ❸

Em 1790, o comércio de ações e títulos na área de Wall Street já era agitado, mas totalmente desorganizado. Em 1792, um grupo de 24 corretores que trabalhavam sob uma árvore na altura do n° 68 assinaram o acordo de Buttonwood (plátano, o nome da árvore), obrigando-se a só negociar uns com os outros, e assim surgiu a New York Stock Exchange, a Bolsa de Valores, de participação restrita. Em 1817 um lugar custava US$ 25; hoje pode chegar a mais de 2 milhões de dólares, e exige-se rigoroso teste de capacidade. Com a chegada dos microchips, a New York Stock Exchange passou de um mercado local a um centro financeiro de importância global.

Teletipos
Inventadas no fim do século 19, essas máquinas imprimiam minuto a minuto, em fitas de papel, os preços de compra de ações.

A cotação eletrônica é tão rápida quanto a capacidade humana para ler a lista de preços que brilha na tela.

COMO FUNCIONA UM POSTO

Cada um dos 17 postos da Bolsa é composto de 22 grupos ou "seções" de operadores e máquinas, cada um negociando papéis de até dez companhias listadas. Operadores comissionados trabalham para corretoras e correm entre cabine telefônica e posto comprando e vendendo ações para o público. Um especialista lida com uma só ação, informando cotações aos operadores enquanto operadores independentes atuam no pregão sob ordens das corretoras. Funcionários processam as transações nos postos via computador e inserem os resultados no Sistema de Dados da Bolsa de Valores. O trabalho do supervisor é garantir que as transações sejam válidas e legais. Auxiliares levam pedidos das cabines de telefones até os operadores e especialistas. Os terminais do posto mostram os preços das ações e telas planas exibem preços e vendas para especialistas.

Posto de negociação

O Dia de 48 Horas
No crash de 1929, os corretores da Bolsa de Valores trabalharam 48 horas seguidas. Seu ânimo era bom, apesar do pânico do lado de fora.

PREPARE-SE

20 Broad St. **Mapa** 1 C3. ***Tel*** *(212) 656-3000.* M *2, 3, 4, 5 para Wall St, R, W para Rector St.* *M1, M6, M15.* ***Galeria*** *fechada por motivos de segurança.* *Restrito. Apenas para fins educacionais.* **www**.nyse.com

Pregão
Nos dias de maior movimento, quase 2 bilhões de ações são negociados por mais de 2 mil empresas. O sistema eletrônico de apoio ao computador SuperDOT circula acima da confusão do piso, em um encanamento dourado.

Grande Crash de 1929
Na terça-feira, 29 de outubro de 1929, mais de 16 milhões de ações mudaram de mãos enquanto a Bolsa de Valores desabava. Atônitos investidores tomaram Wall Street, mas, ao contrário da lenda, não houve corretores se atirando das janelas.

CRONOLOGIA

1792 Acordo Buttonwood assinado em 17 de maio

1817 Criada a New York Stock & Exchange Board

1844 Invenção do telégrafo dá alcance nacional ao pregão

1863 Nome muda para New York Stock Exchange

1865 Inaugurado o novo prédio da Bolsa em Wall e Broad Streets

1867 Introdução dos teletipos

1869 Sexta-Feira Negra, em 24 de setembro

1903 Aberto o atual prédio da Bolsa

1929 Crash da Bolsa em Wall Street

1976 Computador substitui os teletipos

1981 Sistema DOT moderniza os postos

1987 Segunda-Feira Negra, em 19 de outubro. O índice Dow Jones cai 508 pontos

2001 Após oito anos de euforia nos mercados, a economia é balançada pelos ataques de 11 de setembro

1750 | 1800 | 1850 | 1900 | 1950 | 2000

Multidão em Wall Street no crash da Bolsa em 1929

World Trade Center Site ❻

Mapa 1 B2. Ⓜ *Chambers St, Rector St.* ◯ *Muro de observação na Church St.* **www**.projectrebirth. org **www**.renewnyc.org

Imortalizadas por incontáveis vídeos e fotografias, as torres gêmeas do World Trade Center dominaram o horizonte de Manhattan por 27 anos até o ataque terrorista de setembro de 2001 *(pág. 54)*. O enorme peso de cada torre era sustentado por uma "gaiola" de metal, que derreteu com o calor do incêndio causado pelos dois aviões de passageiros arremessados contra as torres.

As torres eram parte de um complexo de seis prédios de escritórios e um hotel, interligados por avenidas subterrâneas com lojas e restaurantes. Uma ponte fazia ligação com o World Financial Center *(pág. 69)*, que sobreviveu ao ataque.

No World Trade Center atuavam 450 empresas do mundo inteiro e 50 mil funcionários. Muitos turistas procuravam a galeria no alto do Two World Trade Center para apreciar uma vista incomparável. O elevador expresso levava 58 segundos para chegar ao 107º andar. No One World Trade Center, essa rápida subida até o 107º andar levava ao restaurante Windows on the World.

Um dos seus dias inesquecíveis foi 7 de agosto de 1974, quando Philippe Petit cruzou a distância entre as duas torres equilibrando-se em uma corda, prendendo a atenção dos fascinados funcionários dos prédios por quase uma hora.

O perímetro do "Marco Zero" continua encolhendo conforme os prédios em volta são reocupados. O projeto de construção de um novo edifício concebido pelo arquiteto Daniel Libeskind causou controvérsias e não deve ser concluído antes de 2011. O novo complexo incluirá diversos memoriais às vítimas dos ataques terroristas.

O equilibrista em ação

Philippe Petit prepara-se para iniciar a travessia entre as torres, em 1974

Battery Park City ❼

Mapa 1 A3. Ⓜ *1, 9 para Rector St.* **www**.batteryparkcity.org ***Skyscraper Museum***, 39 Battery Pl. ***Tel*** *(212) 968-1961.* ◯ *12h-18h qua-dom.* **www**.skyscraper.org

Esplanada em Battery Park City

O governador Mario Cuomo definiu o objetivo deste projeto em 1983, quando pediu aos construtores: "Dêem a ele um propósito social –uma alma". A área pública mais nova da cidade fica em um aterro de 37 hectares às margens do rio Hudson. Os prédios de escritórios, restaurantes, apartamentos, esculturas e jardins dão ênfase à qualidade de vida.

Battery Park City aloja 25 mil pessoas. Sua parte mais visível é o World Financial Center *(pág. 69)*. O custo total do projeto foi calculado em US$ 4 bilhões. Entre suas novas atrações está o Skyscraper Museum *(pág. 268)*, adjacente ao hotel Ritz-Carlton.

A esplanada de quase 2 quilômetros ao longo do rio é um bom lugar para apreciar a Estátua da Liberdade.

Downtown Athletic Club ❽

19 West St. **Mapa** 1 B4. ***Tel*** *(212) 425-7000.* Ⓜ *4, 5 para Bowling Green.*

Um dos mais marcantes edifícios da área, esta construção Art Déco de 1926 tem na frente uma galeria em arcos com um toque mouro e na fachada desenhos de azulejo envernizado em tons que vão do laranja queimado ao marrom. Este edifício era a sede original do Downtown Athletic Club, que concede anualmente o troféu Heisman aos mais destacados jogadores universitários de futebol americano, e leva o nome do primeiro diretor do clube, John Heisman.

Fachada do Athletic Club

Teto ornamentado do saguão do Cunard Building

Cunard Building 9

25 Broadway. **Mapa** 1 C3. ***Tel*** *(212) 363-9152.* *Bowling Green.*
8h-18h seg-sex (19h qui).

Deixe a fachada decorada, passe pelas portas de bronze e pelos portões de ferro batido do que é hoje o US Post Office (correio) para chegar ao grande saguão abobadado deste prédio de 1921. O primeiro transatlântico da Cunard chegou a Nova York em 1867, e em 1915, quando as vítimas e sobreviventes do torpedeado *Lusitania* foram trazidas para cá, a empresa tinha cais próprio.

Na década de 1920, a Cunard se fundiu com a White Star Line para tornar-se a maior empresa marítima de passageiros do mundo, e era aqui que se compravam passagens para navios clássicos como o *Queen Mary* e o *Queen Elizabeth* original. O saguão tem murais, afrescos e um belo teto decorado. As pinturas de Ezra Winter nos arcos da abóbada mostram os navios dos primeiros exploradores.

Bowling Green 10

Mapa 1 C4. *Bowling Green.*

Este terreno triangular ao norte de Battery Park foi o primeiro parque da cidade, criado inicialmente para ser mercado de gado e depois adaptado para a disputa de jogos. Abrigou uma estátua do rei George III até a Guerra da Independência, quando, por ser um símbolo do poder britânico, foi derrubada e derretida para fazer munição *(págs. 20-1)*. Consta que a mulher do governador de Connecticut derreteu metal suficiente para moldar 42 mil balas.

A cerca erguida em 1771 ainda está de pé, mas sem as coroas reais que a adornavam. Elas tiveram o mesmo desti-no da estátua. O Green já foi cercado de casas elegantes. Aí começa a Broadway, que corta toda Manhattan e, com o nome de Highway Nine, segue em direção ao norte até a capital, Albany.

Fonte em Bowling Green

US Custom House 11

1 Bowling Green. **Mapa** 1 C4. *Bowling Green.* ***National Museum of the American Indian. Tel*** *(212) 514-3700.* *10h-17h diariam, 10h-20 qui* *25 dez.* *grátis qui.* **www**.nmai.si.edu

Um dos mais belos edifícios Beaux Arts da cidade, este palácio de granito desenhado por Cass Gilbert em 1907 e decorado pelos melhores escultores e artistas da época é um monumento adequado à importância da cidade como porto internacional. Há 44 colunas jônicas enfeitadas de frisos espalhadas pelo prédio. Estátuas de Daniel Chester French retratam os quatro continentes como mulheres sentadas: Ásia (contemplativa), América (olhando para a frente), Europa (cercada de símbolos de glórias passadas) e África (ainda adormecida). No interior, murais de Reginald Marsh decoram a rotunda de mármore. Eles mostram o avanço dos navios na baía. Em frente à entrada há um retrato da atriz Greta Garbo dando entrevista coletiva em um navio. Em 1973, o US Customs Service (alfândega) mudou-se e só restou no prédio um tribunal de falências.

Topo de coluna da US Custom House

A casa reabriu em 1994, para alojar em três de seus andares o George Gustav Heye Center, uma divisão do **Smithsonian National Museum of the American Indian** *(pág. 232)*. A esplêndida coleção de cerca de 1 milhão de objetos do museu, junto com seu arquivo de milhares de fotos, contém amostras de todas as culturas nativas existentes nas Américas do Norte, Central e do Sul.

Outra coleção que contém uma amostra representativa da diversidade do material foi selecionada por representantes de norte-americanos nativos.

Estátua da Liberdade ⓱

Presente da França para o povo americano, a estátua foi idealizada pelo escultor Frédéric-Auguste Bartholdi e tornou-se símbolo da liberdade no mundo todo. No poema de Emma Lazarus gravado em sua base, "lady Liberty", como é chamada, diz: "Venham a mim os exaustos, os pobres, as massas confusas ansiando por respirar liberdade". Foi inaugurada pelo presidente Grover Cleveland em 28 de outubro de 1886 e totalmente restaurada para o centenário. Os visitantes podiam subir até a coroa, o que foi proibido após os ataques terroristas de 11 de setembro de 2001. No entanto, a base continua aberta.

★ Tocha Dourada
Em 1986, a tocha original, corroída pelo tempo, foi trocada. A nova chama é folheada a ouro.

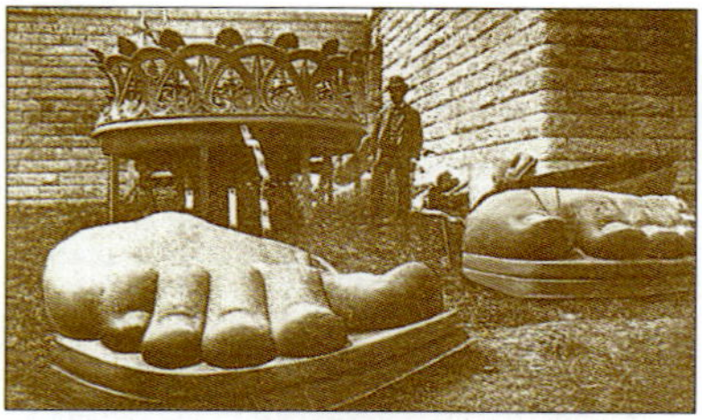

Da Ponta dos Pés à Tocha
No total, 300 folhas de cobre moldadas e unidas por rebites formam "lady Liberty".

★ Statue of Liberty Museum
Entre os objetos do museu há pôsteres da estátua.

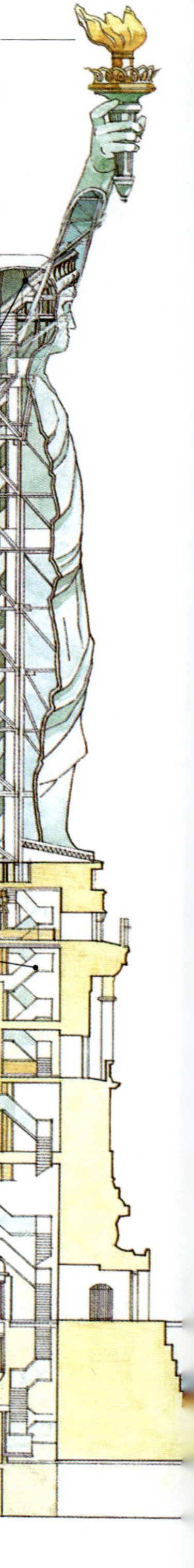

A ESTÁTUA
Medindo 93m do chão à tocha, a Estátua da Liberdade domina a baía de Nova York.

★ Balsas para Liberty Island
Balsas ligam New York Harbor a Liberty Island, onde a estátua oferece algumas das melhores vistas da cidade.

PREPARE-SE

Liberty Island. **Mapa** 1 A5. ***Tel*** *(212) 363-3200.* M *1, 9, para South Ferry, 4, 5 para Bowling Green.* *M6, M15 para South Ferry, depois Circle Line-Statue of Liberty Ferry de Battery a cada 30-45min, 8h30-15h30 no verão (horário varia no inverno).* ***Tel*** *(212) 269-5755.* *jul-ago: 9h-18h diariam; set-jun: 9h30-17h diariam.* *25 dez.* *Bilhete da balsa dá acesso às ilhas Ellis e Liberty.* *com reserva.* *elevador só até a plataforma.* **www**.nps.gov/stli

Retrato da Liberdade
A mãe de Bartholdi foi modelo do rosto da estátua. Os raios que saem da coroa são os sete mares e continentes.

Feitura da Mão
A mão foi feita de gesso e depois de madeira, antes de ser moldada em cobre.

Modelo
Modelos em escala ajudaram Bartholdi a dar forma à maior estrutura de metal jamais construída.

VFREDERIC-AUGUSTE BARTHOLDI

O escultor francês que desenhou a estátua pretendia que fosse um monumento à liberdade que achava que faltava em seu próprio país. Ele dedicou 21 anos ao projeto, chegando até a viajar aos Estados Unidos em 1871 para convencer o presidente Ulysses S. Grant e outros dirigentes a financiar e instalar a estátua na baía de Nova York. Na França, ele dizia: "Quero glorificar a república e a liberdade lá, na esperança de reencontrá-las um dia aqui".

PONTOS ALTOS

- ★ Balsas para Liberty Island
- ★ Statue of Liberty Museum
- ★ Tocha Dourada

Festa da Restauração
Em 3 de julho de 1986, após restauração de US$ 100 milhões, a estátua foi reinaugurada com a maior queima de fogos de artifícios já vista nos EUA.

St. Elizabeth Ann Seton Shrine ⓬

7 State St. **Mapa** 1 C4. ***Tel*** *(212) 269-6865.* Ⓜ *Whitehall, South Ferry.* *6h30-17h seg-sex.* *seg-sex 7h30, 12h15, 13h05.*

Elizabeth Ann Seton

Primeira americana a ser canonizada pela igreja católica, Elizabeth Ann Seton morou nessa casa de 1801 a 1803. Madre Seton fundou a ordem das Irmãs Americanas de Caridade, a primeira dos Estados Unidos.

Após a guerra civil, a Missão de Nossa Senhora do Rosário transformou a casa em abrigo para imigrantes irlandesas sem teto –170 mil passaram por lá ao iniciar uma vida nova no país. A Igreja vizinha foi construída em 1883. A Missão também organizou e mantém o santuário *(shrine)* em honra de madre Seton.

Fraunces Tavern Museum ⓭

54 Pearl St. **Mapa** 1 C4. ***Tel*** *(212) 425- 1778.* Ⓜ *Wall St, Broad St, Bowling Green.* *12h-17h ter-sex, 10h-17h sáb* *feriados, o dia após Ação de Graças.* *somente grupos.* ***Palestras, filmes.*** **www**.frauncestavernmuseum.org

NYC Police Museum 100 Old Slip, South St. **Mapa** 1 D3. ***Tel*** *(212) 480-3100.* *10h-17h ter-sáb, 11h-17h dom.* ***Doações.*** *apenas grupos.* **www**.nycpolicemuseum.org

O único quarteirão comercial completo do século 18 ainda de pé em Nova York tem uma réplica exata da Fraunces Tavern, de 1719, na qual George Washington despediu-se de seus oficiais em 1783. A taverna original foi uma das primeiras vítimas da revolução americana –uma bala de canhão disparada do navio inglês *Asia* atingiu seu telhado em agosto de 1775. O prédio foi comprado em 1904 pela organização Sons of the Revolution. Sua restauração, três anos depois, foi um dos primeiros gestos para preservar a memória do país.

O restaurante no térreo tem muito charme. No andar superior há um museu com exposições temporárias de obras que retratam a história e a cultura dos primórdios dos EUA.

O **New York City Police Museum** fica na South Street *(pág. 84)*. As exposições incluem artefatos da polícia local, mostras interativas, seminários e eventos especiais. Visite o *Hall of Heroes* e teste sua pontaria no simulador de armas de fogo.

Vietnam Veterans' Plaza ⓮

Between Water St and South St. **Mapa** 2 D4. Ⓜ *Whitehall, South Ferry.*

Esta praça de tijolos em vários níveis, com um shopping center no subsolo, foi restaurada recentemente. No centro, uma enorme parede de vidro esverdeado tem gravados trechos de discursos, artigos e cartas de soldados e mulheres que morreram na guerra do Vietnã.

Staten Island Ferry –uma das melhores barganhas da cidade

Staten Island Ferry ⓯

Whitehall St. **Mapa** 2 D5. ***Tel*** *311.* Ⓜ *South Ferry.* *24h.* ***Grátis.*** **www**.siferry.com

O primeiro empreendimento do promissor rapaz Cornelius Vanderbilt (que se tornou o magnata das ferrovias), o serviço de balsas transporta passageiros entre aquela ilha e Manhatam desde 1810, oferecendo aos turistas vistas

Fraunces Tavern Museum e restaurante, do século 18

incomparáveis da baía, da Estátua da Liberdade, de Ellis Island e dos arranha-céus da cidade. Apassagem custava uma ninharia na época, e agora é de graça.

Battery Maritime Building ⑯

11 South St. **Mapa** 2 D4. *South Ferry.* *ao público.*

Entre 1909 e 1938, o terminal municipal de balsas para o Brooklyn funcionava nesse local, no pequeno ancoradouro de Schreijers Hoek, de onde, nos velhos tempos, os navios coloniais holandeses partiam para seu país. No auge da era das balsas, 17 linhas regulares operavam a partir dos píeres movimentados, que hoje em dia só são usados pela Guarda Costeira Americana.

O prédio foi projetado em 1907. Os passageiros dos barcos que chegam podem apreciar a imponente fachada com arco de 91m sustentado por altas colunas e ornamentada com gradis, frisos e rosetas típicos do estilo Beaux Arts. Na verdade, trata-se de uma fachada falsa de metal e aço, pintada de verde para parecer cobre.

Grade de ferro batido no Battery Maritime Building

Estátua da Liberdade ⑰

Págs. 74–5.

Ellis Island ⑱

Págs. 78–9.

Castle Clinton National Monument, com a Liberty Island ao fundo

Battery Park ⑲

Mapa 1 B4. *South Ferry, Bowling Green.*

O parque, cujo nome vem dos tempos em que uma bateria de canhões foi instalada aqui para proteger a baía, é um recanto entre o rio Hudson e os prédios de Lower Manhattan, e um dos melhores pontos para se relaxar olhando o mar. Os aterros estenderam a área do parque além do limite original, que era em State Street.

Entrada Beaux Arts de metrô na esquina do Battery Park

Há o Netherlands Memorial Monument e outros monumentos e estátuas em homenagem aos primeiros imigrantes judeus, à Guarda Costeira, a Giovanni da Verrazano, primeiro explorador dessas praias, e à poeta Emma Lazarus.

Castle Clinton National Monument ⑳

Battery Park. **Mapa** 1 B4. ***Tel*** *(212) 344-7220.* *Bowling Green, South Ferry.* *8h30-17h diariam.* *25 dez.* ***Concertos.*** **www**.nps.gov/cacl

Castle clinton foi construído em 1811 para ser um posto de defesa e artilharia. Ficava a 91 metros da praia e uma ponte o ligava ao Battery Park, mas uma série de aterros acabou conectando o terreno ao continente.

Em 1824, o antigo forte transformou-se em teatro da moda, onde Phineas T. Barnum introduziu Jenny Lind, o "rouxinol sueco", em 1850. Em 1855 antecedeu Ellis Island como centro de recepção de imigrantes, tendo registrado a chegada de mais de 8 milhões de pessoas. Em 1896 tornou-se o New York Aquarium, que se mudou para Coney Island em 1941 *(pág. 249).*

Atualmente é um monumento e escritório turístico central do National Park Service para Manhattan, exibindo cenas da história de Nova York. De lá também partem as balsas que fazem a linha Estátua da Liberdade *(pág. 369).*

Museum of Jewish Heritage ㉑

36 Battery Place. **Mapa** 1 B4. ***Tel*** *(646) 437-4200.* *Bowling Green, South Ferry.* *M1, 6, 9, 15, 20.* *10h-17h45 dom-ter, qui; 10h-20h qua, 10h-15h sex e vésperas de feriados judeus.* *sáb, feriados judeus, Dia de Ação de Graças.* ***Leituras.*** **www**.mjhnyc.org

O museu tem uma mostra principal de mais de 2 mil fotografias, 800 artefatos e 24 documentários sobre a vida doa judeus antes, durante e depois do Holocausto. A área expandida do museu agora abriga um teatro para filmes, palestras e performances; um jardim memorial, salas de aula, biblioteca; centro de história familiar; exposições temporárias; escritórios, bar e hall de eventos.

Ellis Island ⓲

Metade da população dos Estados Unidos tem alguma ligação com Ellis Island, a ilha que funcionou como centro de recepção dos imigrantes de 1892 até 1954. Cerca de 12 milhões de pessoas passaram por seus portões e de lá espalharam-se pelo país, na maior onda migratória já registrada. Centrado no Grande Hall ou Sala de Registro, o local abriga hoje os três andares do *Ellis Island Immigration Museum*. Boa parte dessa história é contada por meio de fotos e vozes de imigrantes reais, e um banco de dados eletrônico rastreia ancestrais. Fora, o *American Immigrant Wall of Honor* é o maior muro com nomes inscritos do mundo. Nenhum outro local retrata melhor o "caldeirão de culturas" que formou o perfil da nação. Visite cedo para evitar as multidões.

Prédio principal

O escritório da ferrovia vendia bilhete até o destino final dos imigrantes.

SPECIAL EMIGRANT TICKET.
Chicago to SAN FRANCISCO
GOOD FOR
One EMIGRANT Passage.
IN EMIGRANT CARS ONLY.
104
UNION JUNCTION TO SAN FRANCISCO.
104

Bilhete de Trem
Descontos levaram muitos imigrantes para a Califórnia.

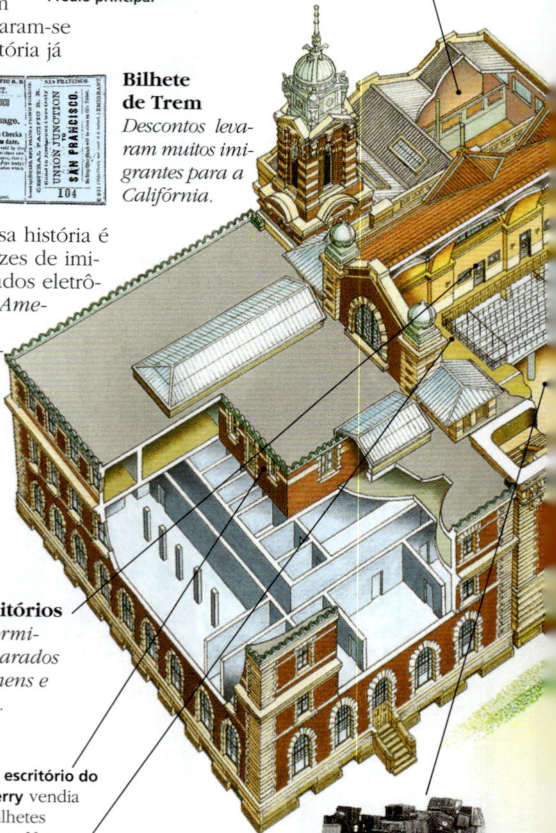

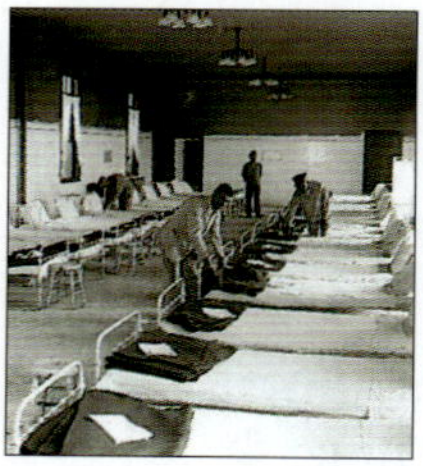

★ Dormitórios
Havia dormitórios separados para homens e mulheres.

A RESTAURAÇÃO

Ellis Island estava em ruínas em 1990. Um projeto de recuperação de US$ 156 milhões restaurou os prédios, trocou as cúpulas de cobre e restaurou o interior aproveitando algumas das peças originais.

O escritório do ferry vendia bilhetes para New Jersey.

★ Sala de Bagagem
As poucas malas e pacotes dos imigrantes eram revistados neste local.

Grande Saguão ★
As famílias de imigrantes tinham que esperar pelas formalidades oficiais na Registry Room. As velhas vigas de metal foram substituídas por bancos de madeira em 1911.

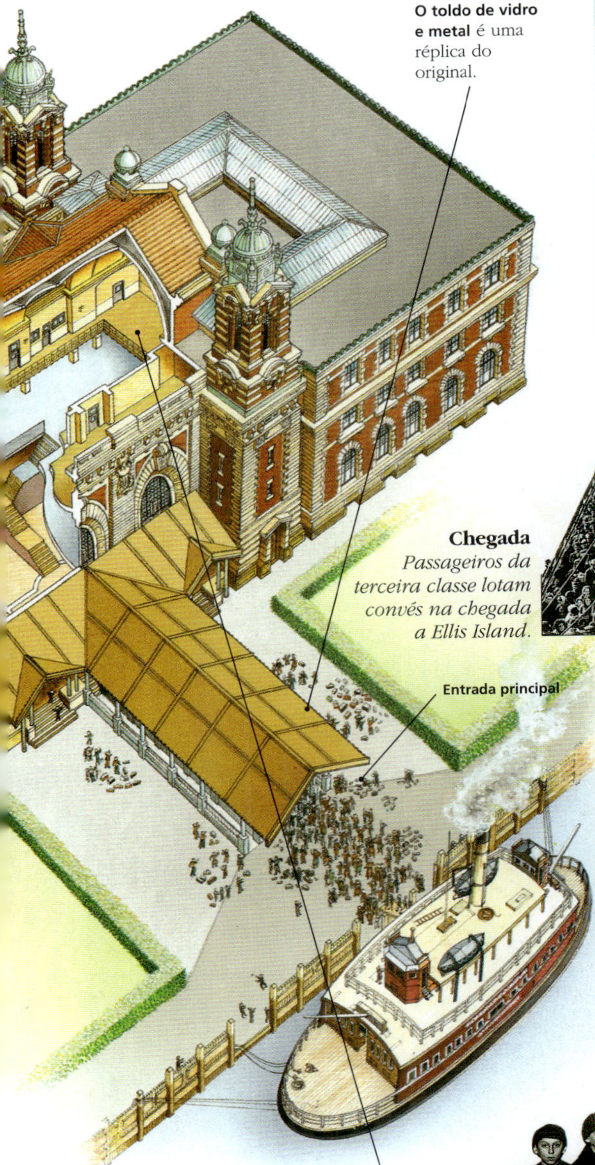

Chegada
Passageiros da terceira classe lotam convés na chegada a Ellis Island.

Salas de Exame Médico
Imigrantes com doenças contagiosas eram recusados e mandados de volta a seu país.

PONTOS ALTOS

★ Dormitório

★ Grande Saguão

★ Sala de Bagagens

PREPARE-SE

Mapa 1 A5. ***Tel*** *(212) 363-3200.* *4, 5 para Bowling Green; 1, 9, para South Ferry; R, W para Whitehall depois Circle Line/ Statue of Liberty Ferry de Battery Park.* ***Partidas*** *a cada 30min 8h30-15h30 verão (horário varia no inverno).* ***Tel*** *(212) 269-5755.* *8h30-17h15 diariam.* *25 dez.* *Bilhete da balsa dá acesso às ilhas Ellis e Liberty.*
www.nps.gov/elis
www.circlelinedowntown.com

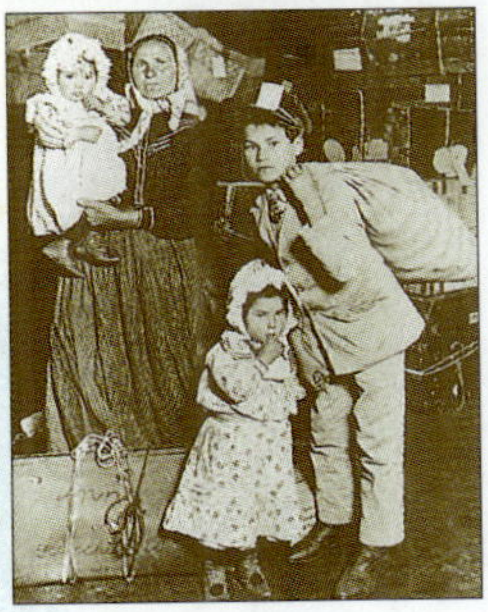

Família Imigrante
Mãe e filhos italianos recém-chegados em 1905.

PEKING

SEAPORT E CIVIC CENTER

No chamado Civic Center de Manhattan concentram-se os tribunais dos sistemas judiciários federal, estadual e municipal e a central de polícia de Nova York. No fim do século passado, lá se encontravam também todos os grandes jornais e editoras. Ainda é uma área bonita, de prédios imponentes e marcos importantes de cada período –o Woolworth Building, erguido neste século, o City Hall (prefeitura), do século passado, e St Paul's Chapel, do século 18, a mais antiga edificação em uso contínuo na cidade. O South Street Seaport fica perto. Chamado de "ruas das velas" no século 19, tantos eram os navios ancorados, o porto de Nova York passou por uma fase de declínio quando a navegação deixou de ser lucrativa. A área foi restaurada e tem agora um museu e muitas lojas e restaurantes. Mais ao norte fica a ponte do Brooklyn, que já foi a maior ponte suspensa do mundo.

Figura de proa, South Street Seaport

PRINCIPAIS ATRAÇÕES

Ruas e Edifícios Históricos

- AT&T Building ⓮
- South Street City Hall ❿
- Criminal Courts Building ❹
- Municipal Building ❼
- New York County Courthouse ❺
- Old New York County Courthouse ❾
- *Ponte do Brooklyn págs. 86-9* ❸
- Schermerhorn Row ❷
- South Street Seaport ❶
- Surrogate's Court, Hall of Records ❽
- United States Courthouse ❻
- Woolworth Building ⓬

Igrejas

- St Paul's Chapel ⓭

Parques e Praças

- City Hall Park e Park Row ⓫

0 metros 500

LEGENDA

- Mapa Rua a Rua
- M Estação de metrô
- Embarque em barco de passeio

COMO CHEGAR

Muitas linhas de metrô servem a área: na 7th Ave/Broadway, tome os trens 2 e 3 para Park Place ou Fulton St; na Lexington Ave, o 4, 5 e 6 para Brooklyn Bridge; na 8th Ave, as linhas A, C e E para Chambers St e N, R, Q e W para City Hall. De ônibus, tome o M1, M6, M9, M10, M15, M101/102 ou o M22, que cruza a cidade.

VEJA TAMBÉM

- ***Guia de Ruas**, mapa 1-2, 4*
- ***Restaurantes** pág. 296*

Rua a Rua: South Street Seaport

A recuperação comercial e histórica fez do South Street Seaport, que era o centro das atividades do porto de Nova York no século 19 e depois entrou em franca decadência, novamente uma região animada. Há muitas lojas e cafés, e os veleiros voltaram ao porto. O museu aqui instalado vale-se dos navios e edifícios históricos da área para rememorar, também através do artesanato e passeios, o passado marítimo de Nova York.

★ South Street Seaport
O porto, antigamente repleto de marinheiros e veleiros, é hoje um animado conjunto de lojas, restaurantes e museus ❶

Cannon's Walk tem um grupo de prédios dos séculos 19 e 20 com café de mesas ao ar livre, lojas e um movimentado mercado.

O Titanic Memorial é um farol construído em 1913 em memória dos mortos no naufrágio do *Titanic*. Fica agora na Fulton Street.

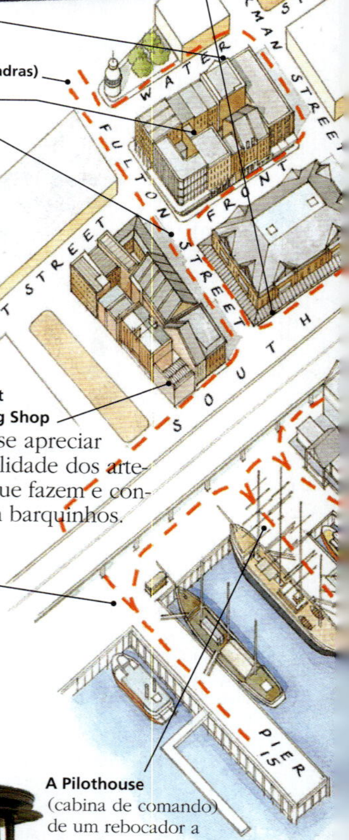

Para o metrô Fulton St. (4 quadras)

Schermerhorn Row
Construído como armazém em 1813 e local da exposição The World Port New York, *o Row contém o South Street Seaport Museum e o Brookstone* ❷

No Boat Building Shop pode-se apreciar a habilidade dos artesãos que fazem e consertam barquinhos.

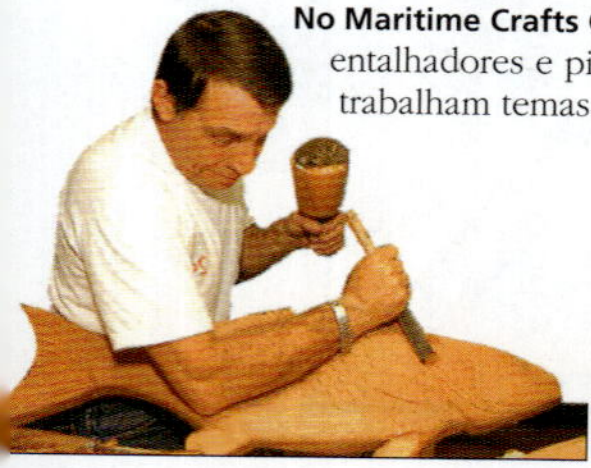

No Maritime Crafts Center entalhadores e pintores trabalham temas náuticos.

Navio em garrafa

A Pilothouse (cabina de comando) de um rebocador a vapor da New York Central em 1923 é atualmente a bilheteria e o centro de informações do Seaport.

PONTOS ALTOS

★ Ponte do Brooklyn

★ South Street Seaport

A Consolidated Edison, companhia elétrica de Nova York, pintou na parede desta subestação construída em 1975 um mural de Richard Haas que dá a impressão de se poder ver a ponte do Brooklyn ao fundo.

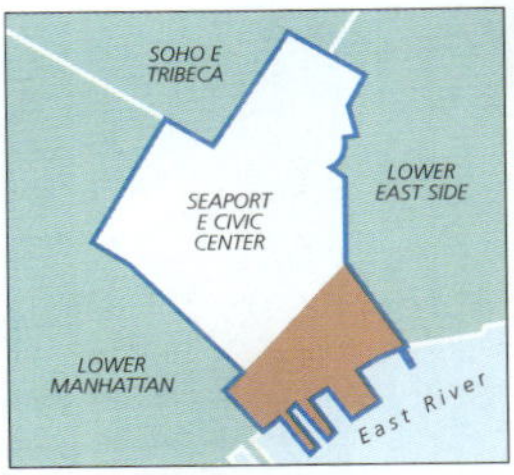

LOCALIZE-SE
Mapa de Manhattan págs.14-15

LEGENDA

Percurso sugerido

0 metros 100

O Meyer's Hotel, aberto em 1881,tornou-se um bar, mas mantém a atmosfera dos tempos em que a pistoleira Annie Oakley se hospedava lá.

★ **Ponte do Brooklyn**
Um fenômeno de engenharia quando foi construída, em 1883, a ponte ainda é notável. Da faixa para pedestres tem-se uma ótima vista da cidade e da própria ponte ❸

O Píer 17 tem três andares de lojas, restaurantes e barracas de comida e, do topo, uma bela vista da ponte do Brooklyn e dos navios históricos.

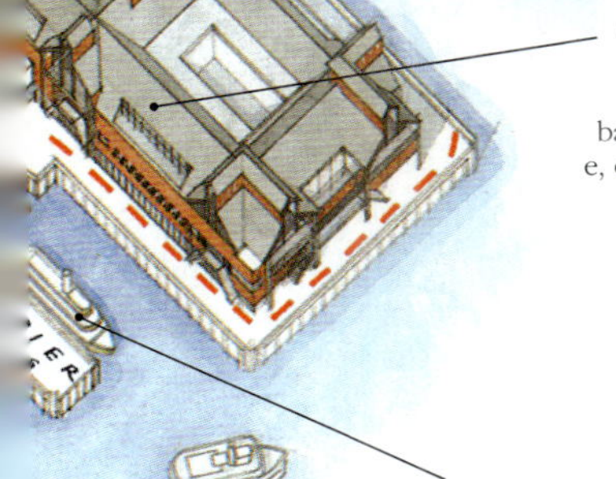

A escuna
Pioner é usada para passeios no rio. O *Ambrose*, de 1908, que guiava navios até o porto, também está ancorado aqui.

O barco-farol Ambrose no porto do rio East, em South Street Seaport

South Street Seaport ❶

Fulton St. **Mapa** 2 E2. ***Tel*** *(212) SEA-PORT.* *Fulton St.* *nov-mar: 10h-19h seg-sex, 11h-18h dom; abr-out: 10h-21h seg-sáb, 11h-20h dom.* ***Concertos.*** **South Street Seaport Museum** 12 Fulton St. *(212) 748-8600* *abr-out: 10h-18h diariam; nov-mar: 10h-17h sex-seg.* *1º jan, Dia de Ação de Graças, 25 dez.* ***Palestras, mostras, filmes.*** **www**.southstseaport.com

O coração do porto de Nova York no século 19 foi inteiramente renovado. Lojas e restaurantes cintilantes convivem com artesanato náutico, edifícios históricos e museus. Das ruas de pedra tem-se espetacular vista da ponte do Brooklyn e do rio East.

Os navios históricos ancorados aqui vão do pequeno rebocador *W.O. Decker* ao grande veleiro *Peking*. Os passeios na escuna *Pioneer* são uma ótima maneira de ver o rio.

O **Museum** cobre 12 quadras do que já foi o principal porto do país. É não apenas sede da maior frota de embarcações históricas mantida pela iniciativa privada, como também possui mais de 20 mil objetos, ilustrações e documentos marítimos do século 19 e do início do século 20.

O New York City Police Museum *(pág. 76)* conta a história da imposição da lei. Entre as mostras, destacam-se uma coleção de armas, a arte das impressões digitais e das ciências forenses e os registros de prisão de criminosos famosos.

O Fulton Street Fish Market, atração popular no Seaport por mais de 150 anos, mudou-se em 2006 para um novo endereço no Bronx

Schermerhorn Row ❷

Fulton and South Sts. **Mapa** 2 D3. *Fulton St.*

Este conjunto de prédios é a vitrine arquitetônica do porto. Foram erguidos pelo armador e comerciante Peter Schermerhorn sobre um aterro, em 1811, para servir de armazéns e casa de conferência de produtos. A inauguração do Brooklyn Ferry, em 1814, e do Fulton Market, em 1822, valorizou a área. O North Star Pub se abastece no mercado e é famoso pela *bouillabaisse* (sopa de frutos-do-mar).

Depois de passar por uma restauração, o Row passou a abrigar 24 galerias de museu, além de lojas e restaurantes.

Edifícios restaurados no Schermerhorn Row

Ponte do Brooklyn ❸

Págs 86–9.

Criminal Courts Building ❹

100 Centre St. **Mapa** 4 F5. *Canal St.* *9h-17h seg-sex.* *feriados.*

Este edifício de 1939, com torres que lembram um templo babilônico, abriga os tribunais de ações criminais da cidade. A entrada de três andares fica recuada em relação à escada, atrás de duas enomes colunas de granito –uma visão intimidadora para os acusados que entram no prédio. Aqui também fica o centro de detenção masculino de Manhattan, antigamente instalado do outro lado da rua, em um prédio conhecido como "Os Túmulos", por sua arquitetura no estilo egípcio. O prédio original não existe mais, mas o apelido permanece. Uma "ponte dos suspiros" liga os dois prédios. No Criminal Courts Building encontram-se também os tribunais que julgam causas à noite (de segunda a sexta, das 17h à 1h).

Entrada do Criminal Courts Building

New York County Courthouse ❺

60 Centre St. **Mapa** 2 D1. *Brooklyn Br-City Hall.* *9h-17h seg-sex.* *feriados.*

Este tribunal erguido em 1926 serve toda a região de Nova York e tomou o lugar da Tweed Courthouse *(pág. 90)*.

O pórtico coríntio no alto da vasta escadaria é a principal característica exterior do edifício, em formato hexagonal. O exterior austero é contrabalançado por uma rotunda interna cercada de colunas e enfeitada com luminárias Tiffany, mármores e murais de Attilio Pusterla no teto, sobre temas da lei e justiça. Da rotunda partem seis alas, cada uma com um tribunal e demais dependências.

O clássico drama *Doze Homens e uma Sentença*, com Henry Fonda, foi rodado lá.

New York County Courthouse

United States Courthouse 6

40 Centre St. **Mapa** 2 D1.
M *Brooklyn Br-City Hall.* *9h-17h seg-sex.* *feriados.*

O prédio que sedia o tribunal da justiça federal foi o último projeto do arquiteto Cass Gilbert, que projetou o Woolworth Building *(pág. 91)*. Iniciado em 1933, um ano antes de sua morte, foi terminado por seu filho. A estrutura de 31 andares tem uma pirâmide no topo e base que lembra um templo. Os relevos nas portas de bronze são bonitos, mas faz falta a decoração que Gilbert chegou a esboçar. Passarelas suspensas ligam o prédio a um anexo, o Police Plaza.

United States Courthouse

Municipal Building 7

1 Centre St. **Mapa** 1 C1.
M *Brooklyn Br-City Hall.*

O Municipal Building, erguido em 1914, domina o Civic Center e a Chambers Street. Foi o primeiro arranha-céu do escritório de arquitetura McKim, Mead & White e nele funcionam órgãos do governo e uma capela para casamentos. O exterior, que combina com o City Hall (a Prefeitura), é cheio de detalhes. O mais notável é o topo, um festival de torres encimadas pela estátua *Fama Cívica*, de Adolph Wienman. Para se adaptar aos meios de transporte modernos, o prédio foi projetado com uma estação de trem (hoje desativada) na base e um calçadão que o liga à estação de metrô. O edifício influenciou arquiteturas distantes –consta que o prédio principal da Universidade de Moscou foi inspirado nele.

Municipal Building

Surrogate's Court, Hall of Records 8

31 Chambers St. **Mapa** 1 C1.
M *City Hall.* *apenas salão durante reformas.* *feriados.*

Exemplo típico do estilo Beaux Arts, o Hall of Records original foi iniciado em 1899 e concluído em 1911. A ornamentada fachada em colunas é de granito branco, com teto alto de mansarda. As estátuas no teto são de Henry K. Bush-Brown e representam os estágios da vida, da infância à velhice. Há outras estátuas sobre a colunata, de nova-iorquinos célebres como Peter Stuyvesant, feitas por Philip Martiny. São dele também as figuras na entrada da Chambers Street, que representam Nova York nos primeiros tempos e na época da revolução.

A inspiração para a escadaria dupla de mármore e o teto pintado do deslumbrante saguão central vieram da Ópera de Paris. Os mosaicos no teto, de William de Leftwich Dodge, mostram os signos do zodíaco e símbolos de arquivos.

Os registros guardados no Hall of Records remontam a 1664. Um exposição permanente, *Windows on the Archives*, mostra documentos históricos, desenhos, cartas e fotos de Nova York, de 1626 até o presente.

Surrogate's Court

Ponte do Brooklyn ❸

Concluída em 1883, a ponte do Brooklyn era a maior ponte suspensa do mundo e a primeira de aço. Seu engenheiro, John A. Roebling, teve a idéia de uma ponte cruzando o rio East ao ficar preso no gelo, na balsa em que ia para o Brooklyn. A ponte levou 16 anos para ficar pronta. Nela trabalharam 600 homens e 20 morreram, entre eles Roebling. A maioria das mortes foi em consequência do "mal de mergulhador", causado pela diferença de pressão na volta à superfície, depois de escavar sob a água. A ponte ligou Manhattan ao Brooklyn, na época duas cidades separadas.

Medalha comemorativa de abertura da ponte

PONTE DO BROOKLYN

Da confecção dos cabos à instalação dos suportes, a ponte foi construída com novas técnicas.

Ancoragem
As pontas dos quatro cabos de aço são fixas a barras de ancoragem sustentadas por grandes placas. Estas são mantidas na posição por gigantescos blocos de granito, de três andares de altura. Seu interior oco foi usado como depósito e hoje abriga exposições de arte no verão.

Bloco de fundação
As torres foram erguidas sobre blocos de fundação, cada um igual a quatro quadras de tênis, sob os quais se criava uma área seca para escavação debaixo d'água.

Placas de ancoragem
Cada uma das quatro placas de ferro fundido sustenta um cabo. Primeiro elas foram posicionadas, depois os blocos foram erguidos à sua volta.

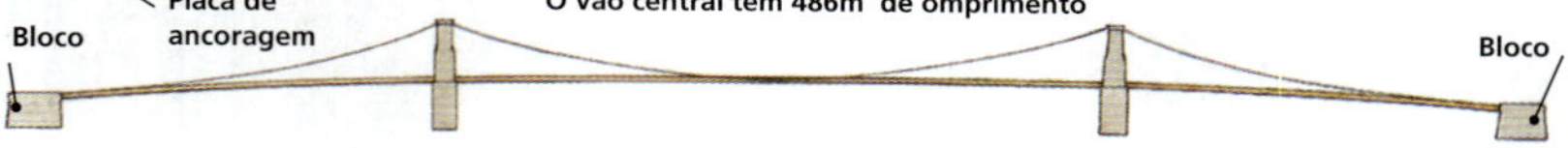

Primeira Travessia
O mecânico E.F. Farrington foi o primeiro a cruzar o rio, em 1876, em uma roldana com motor a vapor. A "viagem" levou 22 minutos.

PREPARE-SE

Mapa 2 D2. M *J, M, Z para Chambers St, 4 5, 6 para Brooklyn Bridge-City Hall (lado de Manhattan); A, C para High St (lado do Brooklyn).* *M9, M15, M22, M103.*

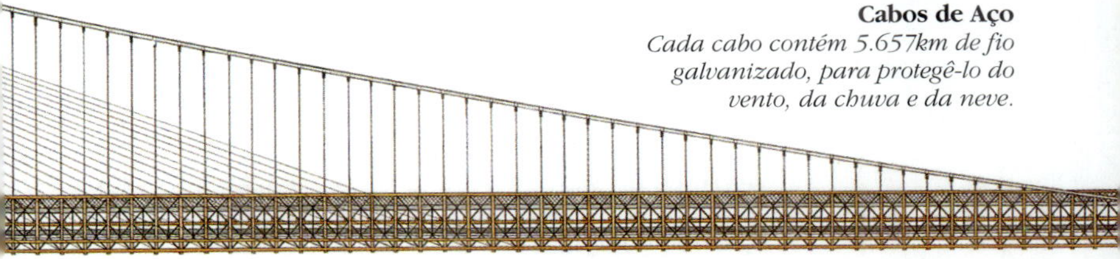

Cabos de Aço
Cada cabo contém 5.657km de fio galvanizado, para protegê-lo do vento, da chuva e da neve.

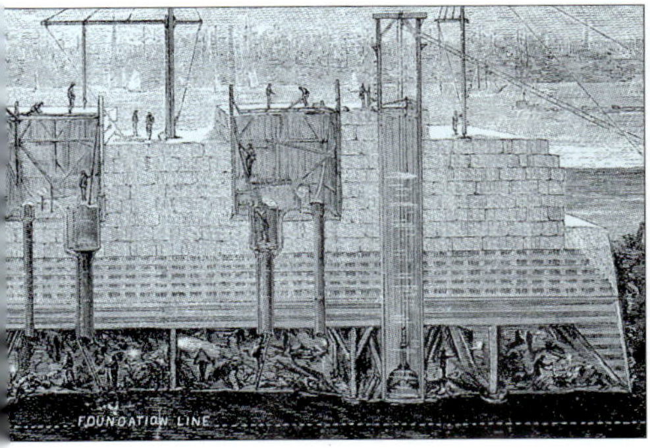

Brooklyn Tower (1875)
Arcos góticos duplos de 83m de altura, um no Brooklyn e outro em Manhattan, eram na época os portais das duas cidades.

Debaixo d'Água
Imigrantes quebravam pedras no leito do rio.

JOHN A. ROEBLING

O alemão Roebling projetou a ponte. Em 1869, às vésperas do início das obras, teve o pé esmagado entre a balsa e o ancoradouro e morreu semanas depois. Seu filho, Washington Roebling, terminou a ponte, mas em 1872 contraiu o "mal de mergulhador" e ficou parcialmente paralisado. Sua mulher, sob sua orientação, assumiu o trabalho.

COMO SÃO OS CABOS

Espessura do arame de aço (tamanho real)

Ponta do arame

Composição dos Cabos
Cada um dos quatro cabos principais tem 19 camadas, cada qual com 278 arames de aço. Esses arames não são torcidos, e sim esticados lado a lado.

As 19 camadas do cabo principal

As camadas eram dispostas em ordem: esticavam-se 12 delas e amarravam-se as sete do centro.

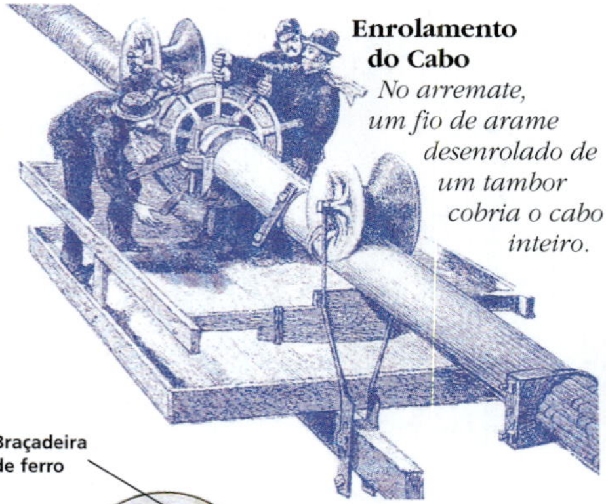

Enrolamento do Cabo
No arremate, um fio de arame desenrolado de um tambor cobria o cabo inteiro.

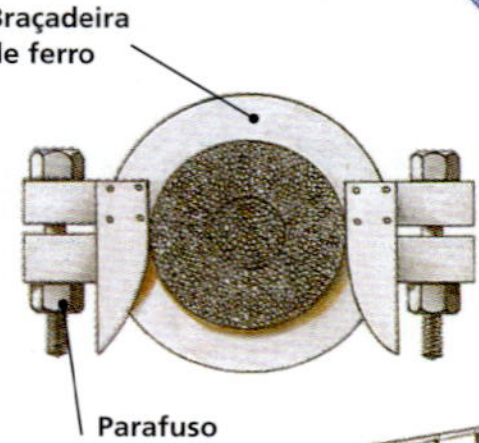

Uma enorme braçadeira de ferro comprimia as camadas, até formarem um cilindro, quando estavam dispostas na posição certa.

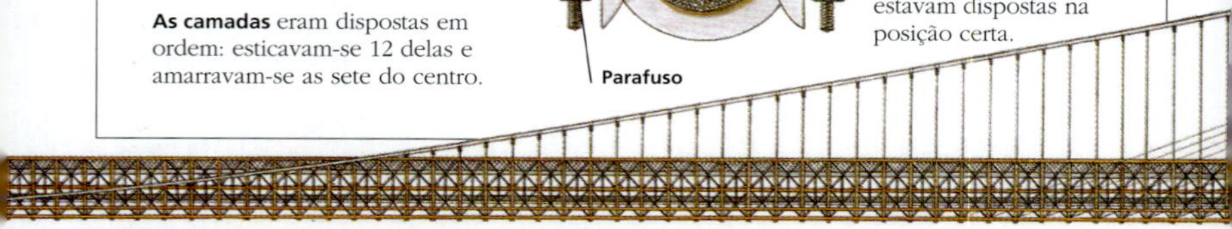

Centenário da Ponte do Brooklyn (1983)
A comemoração contou com uma linda queima de fogos de artifício.

Trânsito na Ponte
Esta vista do lado de Manhattan em 1883 mostra as pistas originais da ponte: duas para veículos a cavalo, duas para bondes e, no centro, uma passarela elevada para pedestres.

Pânico em 30 de Maio de 1883
Uma mulher caiu no rio e o pânico se instalou. Das 20 mil pessoas que estavam na ponte, 12 foram esmagadas pela multidão.

Quase no Fim (1883)
Cabos verticais, amarrados a tirantes diagonais, mantêm no lugar as vigas do chão da ponte.

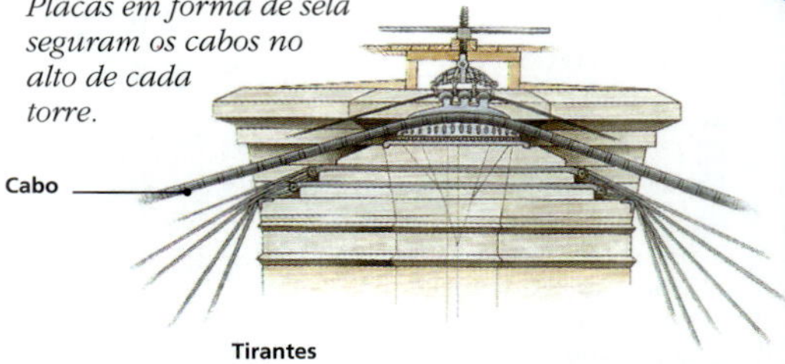

Cabos Seguros
Placas em forma de sela seguram os cabos no alto de cada torre.

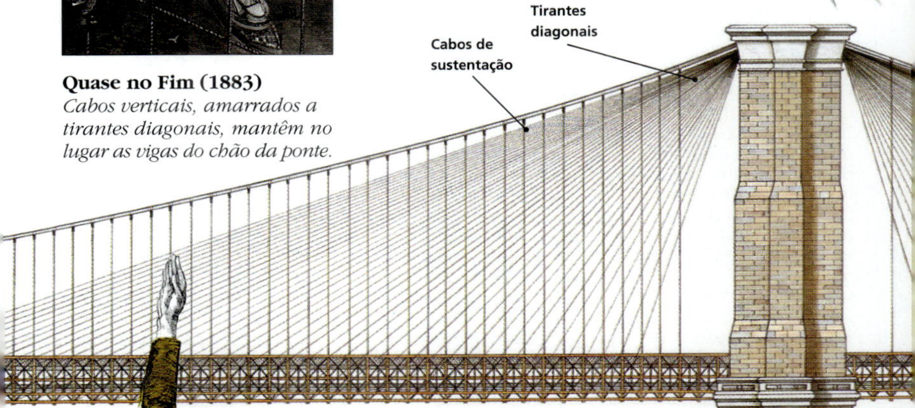

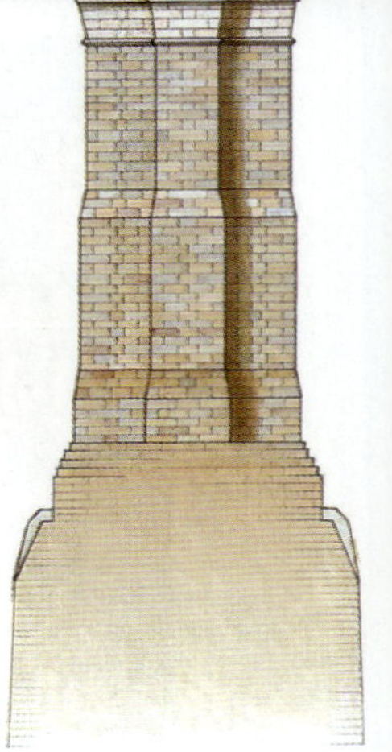

Vigas do Chão
As vigas de aço do chão da ponte pesam 4 toneladas cada uma.

O Salto de Odlum
Robert Odlum foi o primeiro a saltar da ponte, em uma aposta, em maio de 1885. Ele morreu de hemorragia interna.

Passarela Elevada
O poeta Walt Whitman dizia que a vista da passarela (5,5m acima da pista para veículos) era o "melhor e mais eficiente remédio que minha alma já experimentou".

Old New York County Courthouse 9

52 Chambers St. **Mapa** 1 C1.
Chambers St-City Hall.
incluído no passeio de City Hall.

Este tribunal de Nova York é famoso pelo escândalo que causou. Ganhou o apelido de “Tweed Courthouse” por ter sido construído por “Boss” Tweed, chefão político e empreiteiro que gastou nele 20 vezes mais que o previsto e embolsou US$ 9 milhões do custo total de US$ 14 milhões. “Boss” Tweed comprou uma marmoraria só para vender a pedra à prefeitura. A revolta da população fez com que fosse preso em 1871 –por ironia, foi julgado em seu tribunal e morreu na cadeia *(pág. 27)*. Após uma restauração de US$ 85 milhões, incluindo a rotunda de 26 metros e a escadaria, este marco da arquitetura do século 19 atualmente abriga o Departamento de Educação.

A imponente fachada do City Hall, do começo do século passado

City Hall 10

City Hall Park. **Mapa** 1 C1. ***Tel*** *311.*
Brooklyn Br-City Hall Park Pl.
só para visitas agendadas.
(212) 788-2170

O City Hall, sede do governo municipal desde 1812, é um dos melhores exemplos da arquitetura americana do início do século 19. O imponente edifício em estilo federal (com toques da Renascença francesa) foi projetado por

Incêndio destrói o American Museum de P.T. Barnum, sob as vistas do povo

John McComb Jr., o primeiro arquiteto americano de renome, e pelo francês Joseph Mangin. O revestimento de mármore não chegou aos fundos do prédio porque ninguém achava que a cidade fosse crescer mais naquela direção. Em 1954, uma reforma resolveu o problema e revestiu também o interior.

Em geral, credita-se a Mangin o exterior e a McComb o magnífico interior, com sua bela rotunda, que tem uma cúpula sustentada por dez colunas. Sob a cúpula, uma elegante escadaria dupla em mármore leva ao segundo andar, onde ficam as esplêndidas salas do City Council (espécie de câmara de vereadores de Nova York) e a Governor’s Room, que tem uma galeria de retratos dos primeiros dirigentes da cidade. O magnífico sguão recebe governantes e heróis há quase 200 anos. Nele foi realizado o velório de Abraham Lincoln, em 1865.

Dos degraus da entrada, à direita, vê-se a estátua de Nathan Hale, soldado americano enforcado pelos ingleses por espionagem em setembro de 1776, durante a Guerra da Independência. Suas últimas palavras foram: “Meu único arrependimento é não ter mais vidas para oferecer a meu país”. Com esta frase, Hale gahou lugar permanente na história americana.

City Hall Park and Park Row 11

Mapa 1 C2. *Brooklyn Br-City Hall Park Plc.*

Há 250 anos, o parque era o local de punições da cidade, equipado com tronco para açoite. Foi também palco de protestos contra o domínio inglês antes da revolução e há um monumento aos “Liberty Poles” (símbolos da revolta) no gramado oeste. Foi lá que George Washington e suas tropas ouviram a declaração de independência, em 9 de julho de 1776.

No extremo sul do parque, o American Museum de Phineas T. Barnum atraiu multidões desde sua inauguração, em 1842, até ser destruído por um incêndio, em 1865. No edifício Park Row ficava o Park Theater. Entre 1798 e 1848, os melhores atores da época, como Edmund Kean e Fanny Kemble, apresentaram-se lá. O Park Row fica no lado leste do City Hall Park. No passado, era chamado de “*Newspaper Row*”, por sediar vários jornais, como o *Sun, World* e

Estátua de Benjamin Franklin na Printing House Square

Tribune. Na Printing House Square há uma estátua de Benjamin Franklin com seu *Pennsylvania Gazette*. Em 1999, City Park Hall sofreu grandes restaurações; seu ambiente *clean* e aberto convida a sentar e relaxar

Woolworth Building 12

233 Broadway. **Mapa** 1 C2. *City Hall Park Pl.*

Caricatura do arquiteto Gilbert exposta no saguão do woolworth

Em 1879, o ex-balconista Frank W. Woolworth abriu uma loja diferente, na qual os compradores podiam tocar nas mercadorias e tudo custava 5 cents. A cadeia de lojas que se seguiu fez dele um milionário e mudou para sempre as vendas no varejo.

A sede do império, em estilo gótico, era o edifício mais alto de Nova York ao ser concluído, em 1913, e assim permaneceu por 17 anos. A construção ditou o padrão dos arranha-céus que se seguiram e é um dos mais belos prédios da cidade.

O projeto do arquiteto Cass Gilbert, um prédio em dois níveis enfeitado com gárgulas de animais, tem o topo em forma de pirâmide com arcobotantes, picos e quatro pequenas torres. O interior de mármore é rico em relevos e pinturas, ostentando um teto de mosaico de azulejo envidraçado que parece brilhar. O saguão é uma obra-prima. Gilbert deu vazão a seu senso de humor com uma série de caricaturas em baixo-relevo: uma mostra F.W. Woolworth contando sua fortuna em moedas; outra, ele mesmo, com a maquete do prédio. O Woolworth Building custou US$ 13,5 milhões, pagos em dinheiro vivo, e nunca passou por hipoteca.

A Woolworth's parou de funcionar em 1997 e o prédio agora pertence ao Witkoff Group

St. Paul's Chapel 13

209-11 Broadway. **Mapa** 1 C2. ***Tel*** *(212) 233-4164. Fulton St. 10h-18h seg-sáb, 9h-16h dom. feriados. 12h45 qua, 8h, 10h dom. marcar hora.* **Concertos**. *13h seg.* **www**.saintpaulschapel.org

Interior georgiano da St Paul's Chapel

Milagrosamente intocada depois da queda das torres do World Trade Center em 2001, esta pérola do estilo georgiano é a única igreja de Manhattan do período anterior à Guerra da Independência. O interior alegre oferece concertos grátis. O banco onde George Washington rezou logo após a posse na Presidência foi preservado. No cemitério, o Actor's Monument homenageia George F. Cooke, que atuou várias vezes no Park Theater; ele bebeu até morrer na Shakespeare Tavern, na Fulton Street.

AT&T Building 14

195 Broadway. **Mapa** 1 C2. *Broadway-Nassau Fulton St. horário comercial.*

Colunas por toda parte caracterizam o prédio, antiga sede da AT&T projetada por Welles Bosworth e construída entre 1915 e 1922. Consta que a fachada tem mais colunas que qualquer outro prédio do mundo e também o interior é uma floresta de pilares de mármore. O edifício lembra um gigantesco bolo de várias camadas.

Espírito do mar sobre a porta do AT&T (American Telephone and Telegraph) Building

LOWER EAST SIDE

Em nenhum outro lugar a grande mistura étnica de Nova York fica tão evidente quanto na parte sudeste da ilha de Manhattan, o chamado Lower East Side, onde muitos imigrantes se estabeleceram. Foi lá que italianos, chineses e judeus formaram comunidades, preservando sua língua, costumes, comida e religião em uma terra nova e estranha. Muitos progrediram e mudaram para outros bairros. Novos imigrantes de outros países ocuparam esta área pouco valorizada, mas o velho charme permanece. A região é cheia de restaurantes e atrações boas e baratas. O imigrante e compositor Irving Berlin, que morou lá, afirmava que "todos deveriam ter um Lower East Side na vida".

Lata do século 19. Lower East Side Tenement Museum

PRINCIPAIS ATRAÇÕES

Ruas e Edifícios Históricos

Chinatown ❹
Delancey Street ❿
East Houston Street ⓫
Engine Company No. 31 ⓮
Home Savings of America ❶
Little Italy ❸
Orchard Street ❽
Police Headquarters Building ❷
Puck Building ⓬

Parques e Praças

Columbus Park ❺

Museus e Galerias

FusionArts Museum ⓳
Lower East Side Tenement Museum ❼
New Museum of Contemporary Art ⓰

Compras

Economy Candy ⓱
Essex Street Market ⓴
The Pickle Guys ⓯

Igrejas e Sinagogas

Angel Orensanz Center ⓲
Bialystoker Synagogue ❾
Eldridge Street Synagogue ❻
Old St. Patrick's Cathedral ⓭

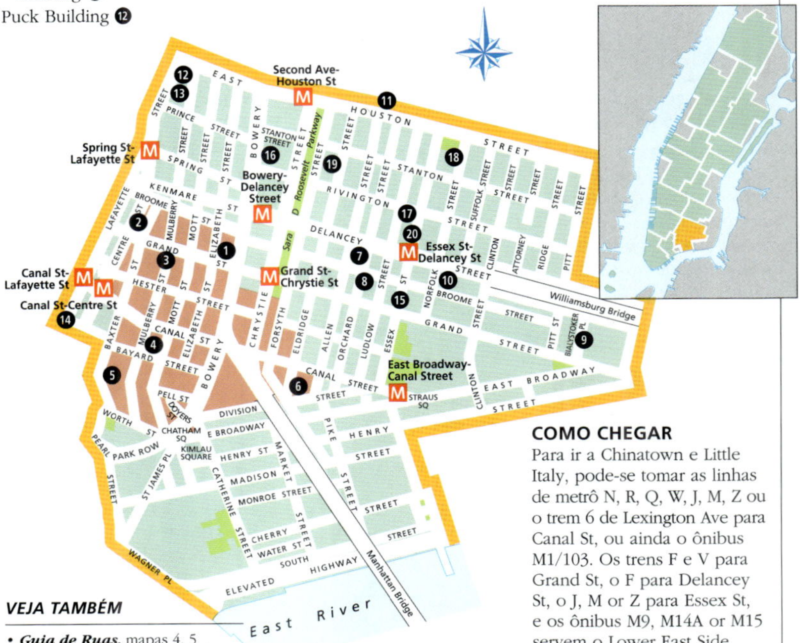

0 metros 500

COMO CHEGAR

Para ir a Chinatown e Little Italy, pode-se tomar as linhas de metrô N, R, Q, W, J, M, Z ou o trem 6 de Lexington Ave para Canal St, ou ainda o ônibus M1/103. Os trens F e V para Grand St, o F para Delancey St, o J, M or Z para Essex St, e os ônibus M9, M14A or M15 servem o Lower East Side.

VEJA TAMBÉM

• ***Guia de Ruas,*** mapas 4, 5
• ***Onde Ficar*** pág. 280
• ***Restaurantes*** pág. 296-7
• ***Passeio por Lower East Side*** págs. 258-9

LEGENDA

Mapa Rua a Rua
M Estação de metrô

◁ **Dragão no Ano-Novo Chinês, em Chinatown**

Rua a Rua: Little Italy e Chinatown

A maior e mais animada comunidade estrangeira de Nova York é Chinatown. A comunidade cresce tão rapidamente que já ocupa espaços da vizinha Little Italy e do bairro judeu de Lower East Side. As ruas estão lotadas de bancas de verduras, lojas de presentes e centenas de restaurantes –até o mais simples oferece boa comida. O que resta de Little Italy fica em Mulberry e Grand Streets.

★ Little Italy
Nas ruas que já receberam milhares de imigrantes percebem-se os aromas da Itália, presentes nos restaurantes e padarias ❸

★ Chinatown
Centro de uma pujante e crescente comunidade de imigrantes chineses, essa área é famosa por seus restaurantes e ruas congestionadas. A animação chega ao auge em janeiro e fevereiro, quando se celebra o Ano-Novo Chinês ❹

O Mercado em Canal Street tem muitas pechinchas em roupas novas e usadas e produtos frescos.

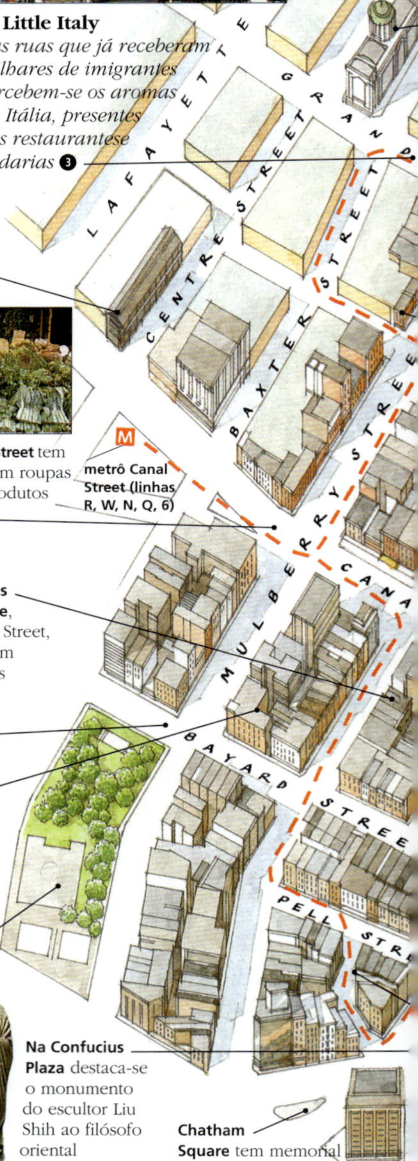

metrô Canal Street (linhas R, W, N, Q, 6)

O Eastern States Buddhist Temple, nº 64b da Mott Street, tem mais de cem budas dourados

O Muro da Democracia em Bayard Street é coberto de jornais e pôsteres que descrevem a situação na China.

Columbus Park ❺
Neste local, no século 19, ficavam as piores favelas de Nova York.

Na Confucius Plaza destaca-se o monumento do escultor Liu Shih ao filósofo oriental Confúcio

Chatham Square tem memorial aos sino-americanos mortos em guerras.

Police Headquarters Building
A cúpula deste edifício barroco destaca-se sobre a área do City Hall. A central de polícia mudou-se em 1973. Dez anos depois, reformado, virou prédio de apartamentos ❷

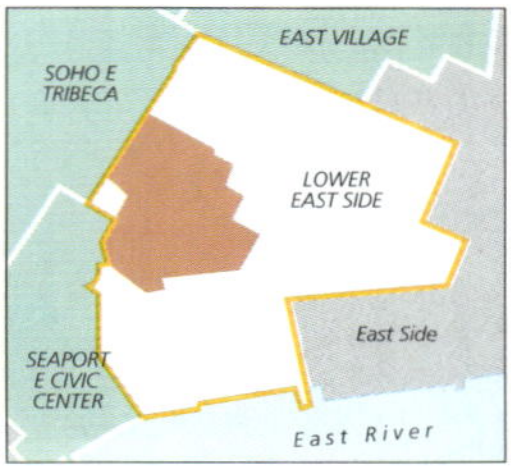

LOCALIZE-SE
Mapa de Manhattan *págs. 14-15*

LEGENDA

- - - Percurso sugerido

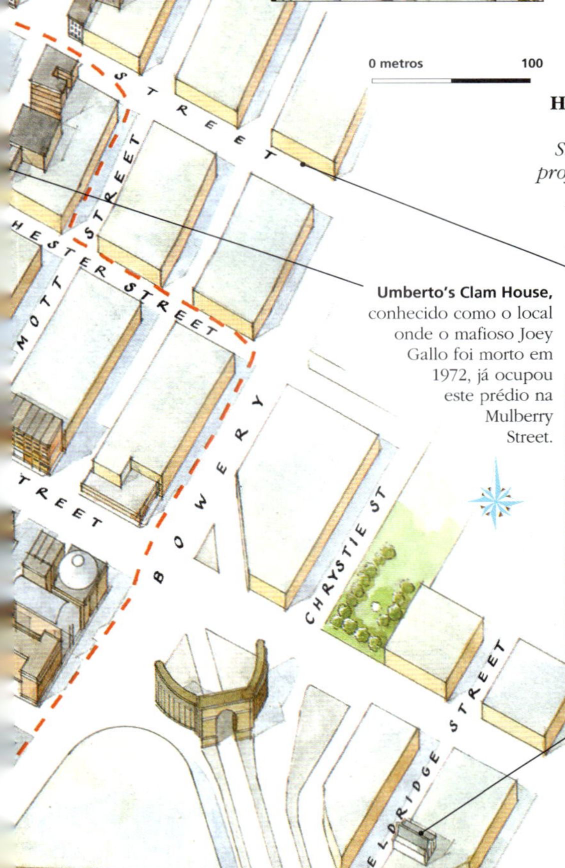

Home Savings of America
Stanford White projetou o prédio para o antigo Bowery Savings Bank em 1894 ❶

Umberto's Clam House, conhecido como o local onde o mafioso Joey Gallo foi morto em 1972, já ocupou este prédio na Mulberry Street.

★ Eldridge Street Synagogue
Construída em 1887, esta é a primeira sinagoga deste porte projetada nos Estados Unidos ❻

O Bloody Angle (Beco Sangrento), onde a Doyers Street faz uma curva acentuada, foi cenário de muitas emboscadas de gangues na década de 1920.

PONTOS ALTOS

- ★ Chinatown
- ★ Eldridge Street Synagogue
- ★ Little Italy

Home Savings of America ❶

130 Bowery. **Mapa** 4 F4.
M *Grand St, Bowery.*

Imponente por dentro e por fora, este edifício no estilo neoclássico foi erguido em 1894 para o Bowery Savings Bank. Stanford White desenhou a ornamentada fachada de pedra em volta do rival Butchers' and Drovers' Bank, que não quis vender o terreno da esquina. O interior tem pilares de mármores e um teto com rosáceas douradas.

Em meados deste século, o prédio estava deslocado entre os mendigos e cortiços que predominavam na área.

Detalhe do Home Savings of America

Police Headquarters Building ❷

240 Centre St. **Mapa** 4 F4.
M *Canal St.* ● *ao público.*

Concluído em 1909, o prédio era a sede adequada para a nova e profissional força policial da cidade. Colunas coríntias adornam o pórtico principal e os pavilhões laterais, e a cúpula domina a paisagem. Mas a falta de espaço, no coração de Little Italy, deu ao prédio um formato desajeitado, estreito embaixo e mais largo em cima.

A central de polícia de Nova York funcionou aqui por mais de 70 anos. Durante a Lei Seca, a Grand Street, do prédio até Bowery Street, era chamada de "Bootleggers' Row" (Rua dos Contrabandistas) e o álcool era vendido livremente, a não ser quando havia uma blitz policial. Os vendedores paga-vam os policiais para funcionar sem problemas. A central mudou-se para um prédio novo em 1973 e em 1985 o edifício foi convertido em luxuoso prédio de apartamentos.

Relevos de pedra enfeitam o Police Headquarters Building

Little Italy ❸

Streets around Mulberry St.
Mapa 4 F4. M *Canal St.*
www.littleitalynyc.com

Os italianos do sul que chegaram a Nova York no final do século 19 foram morar em apartamentos miseráveis, tão colados uns nos outros que a luz do sol nunca chegava às janelas mais baixas e aos pátios. Com mais de 40 mil pessoas vivendo em 17 blocos pequenos e sujos, doenças como a tuberculose proliferavam.

Apesar da vida de privações em Lower East Side, a comunidade se expandiu por Mulberry Street e arredores, espalhando as cores e sabores da Itália. A atmosfera permanece, embora a população italiana hoje não passe de 5 mil pessoas e as fronteiras de Chinatown tenham diminuído a tradicional Little Italy.

A melhor época para visitar a região é durante a Festa di San Gennaro, por volta de 19 de setembro *(pág. 52)*. Por nove dias, Mulberry Street muda de nome para Via San Gennaro. No dia do santo, sua imagem e relíquias são levadas em procissão pelas ruas. Nos dias de festa há música, dança e bancas com todo tipo de comida e bebida, italianas e de outros países.

Os restaurantes em Little Italy oferecem comida simples e caseira, em ambiente simpático e a preços módicos.

NoLIta, norte de Little Italy, é cheia de butiques, onde atrizes, modelos e modernos em geral vêm procurar as pequenas grifes da moda.

Café italiano em Little Italy

Chinatown ❹

Ruas em torno de Mott St. **Mapa** 4 F5.
M *Canal St.* **Eastern States Buddhist Temple** 64b Mott St. ○ *9h-18h diariam.* **www**.explorechinatown.com

A Chinatown do começo do século era uma comunidade quase que inteiramente masculina, constituída de imigrantes provenientes da Califórnia. Eles mandavam seu salário para a família na China, que não podia ir para os EUA por causa das leis de imigração. Os chineses relaxavam jogando mahjong. A comunidade era isolada, financiada e controlada por suas organizações secretas, as poderosas Tongs.

Algumas Tongs eram simplesmente associações familiares que arranjavam empréstimos. Outras, como as rivais On Leong e Hip Sing, eram gangues criminosas. A pequena e sinuosa Doyers Street era chamada de "Bloody Angle" (Beco Sangrento)

Chinês atende em sua mercearia na Canal Street

–inimigos eram atraídos para cá e mortos pelas gangues postadas nas curvas.

Em 1933, uma trégua entre as Tongs trouxe a paz a Chinatown. Nos anos 40, a região já abrigava várias famílias de classe média. Imigrantes e homens de negócios de Hong Kong levaram a prosperidade do pós-guerra para a comunidade, que consiste hoje de 80 mil sino-americanos.

Muitos visitam a área para experimentar a culinária chinesa mas há muito mais para ver: galerias, lojas de antiguidades e curiosidades, festas orientais *(pág. 53)*. Para apreciar um outro lado de Chinatown, entre um pouco no suave cheiro de incenso do Eastern States Buddhist Temple, nº 64b da Mott Street. Neste templo, mais de cem budas dourados brilham à luz de velas.

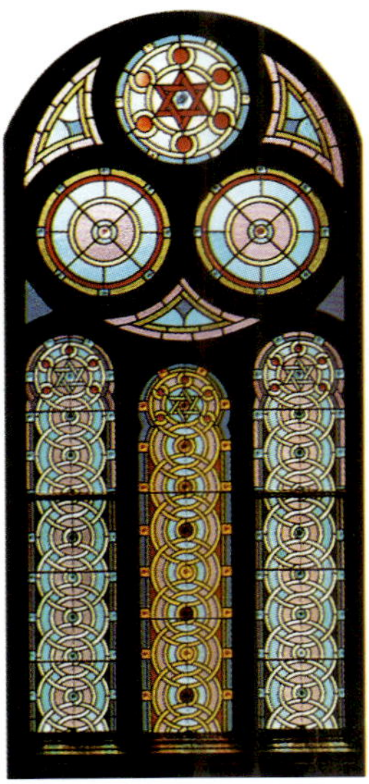

Janela em Eldridge Street

Columbus Park ❺

Mapa 4 F5. *Canal St.*

A tranquilidade do Columbus Park de hoje não tem nada a ver com a vida neste local no começo do século 19. A região, chamada então de Mulberry Bend, fazia parte da terrível favela Five Points. Gangues como Dead Rabbits e Plug Uglies dominavam as ruas. Havia uma morte por dia e até a polícia evitava a área. Em parte graças ao livro de Jacob Riis *(pág. 49)*, a favela foi removida em 1892. O parque é a única área verde de Chinatown.

Eldridge Street Synagogue ❻

12 Eldridge St. **Mapa** *5 A5.* ***Tel*** *(212) 219-0888.* *East Broadway.* *11h-16h ter-qui, dom.* *sex ao pôr do sol, sáb 10h em diante.* *11h, 12h, 13h, 14h, 15h.* **www.**eldridgestreet.org

Quando a sinagoga foi erguida pelos judeus ortodoxos asquenazes da Europa Oriental, em 1887, era o templo mais vistoso das redondezas. Mas muitos imigrantes judeus viam o Lower East Side como apenas o começo de uma nova vida e acabaram se mudando daqui. Grandes sinagogas como esta deixaram de ser necessárias.

Nos anos 1930, o enorme templo, rico em vitrais, candelabros de cobre, lambris de madeira marmorizada e belos entalhes, foi fechado. Três décadas depois, um grupo de cidadãos levantou recursos para sua preservação e agora está sendo restaurado. A sinagoga tem se tornado um vibrante centro cultural.

Mesmo após tantos anos de descuido, a fachada, com toques românicos, góticos e mouriscos, causa impressão. No interior, a arca italiana entalhada a mão e o balcão de madeira esculpida mostram por que o prédio era o orgulho da área.

Lower East Side Tenement Museum ❼

90 Orchard St. **Mapa** 5 A4. ***Tel*** *(212) 431-0233.* *Delancey, Grand St.* *para* *apenas (reservar antes), 1h- 16h30 ter-sex, 11h-16h30 sáb-dom.* *1º jan, Dia de Ação de Graças, 25 dez.* ***Palestras, filmes, vídeos.*** *(11h-17h30 diariam).* **www.**tenement.org

Carrinho de vendedor de rua (c. 1890), Lower East Side Museum

O interior do prédio foi reformado para mostrar como eram os apartamentos em várias épocas: fim dos anos 1870, 1916, 1918 e 1935. Só em 1879 passou a existir um controle sobre as condições de vida nesses conjuntos habitacionais. Muitos cômodos não tinham janela nem pias internas. Banheiros comuns e dutos de ar entre os prédios eram raros. Os quartos dão uma idéia das péssimas condições em que muitos viviam. O museu oferece a nova exposição *The Sweatshop Apartment*, além de ótimos passeios pela região.

Orchard Street ❽

Mapa *5 A3* . Ⓜ *Delancey, Grand St.* *(Ver **Compras** pág. 320)*
www.lowereastsideny.com

Imigrantes judeus fundaram a indústria de roupas de Nova York na Orchard Street, cujo nome vem do pomar *(orchard)* que havia aqui, na propriedade colonial de James De Lancey. Durante muitos anos a rua se enchia de carrinhos carregados de mercadorias para venda, muitos dos quais eram feitos em casa, nos cortiços da vizinhança. Faz tempo que os carrinhos sumiram e nem todos os lojistas são judeus, mas a marca permanece e as lojas ainda fecham aos sábados: o Sabbath dos judeus. No domingo há uma feira, e os compradores tomam a rua de Houston ao Canal, embusca de roupas baratas.

Mural com um signo do zodíaco na Bialystoker Synagogue

Bialystoker Synagogue ❾

7–11 Willett St. **Mapa** *5 C4.* ***Tel*** *(212) 475-0165.* Ⓜ *Essex St.* *serviços freqüentes.* *marcar antes.* **www**. bialystoker.org

Originalmente, este prédio de 1826, em estilo federalista, foi a Willett Street Methodist Church. Foi adquirido em 1905 por imigrantes judeus da província de Bialystok, na Polônia, que a transformaram em sinagoga. Por isso, ela está voltada para oeste, na tradição das igrejas cristãs, em vez se voltar para leste. Seu interior é bonito, com lindos vitrais, uma arca de três níveis, de madeira esculpida, e murais que representam os signos do zodíaco e paisagens da Terra Santa

Banca de verduras na feira livre da Canal Street

Delancey Street ❿

Mapa *5 C4.* Ⓜ *Essex St. Ver Compras pág.320.* **Bowery Ballroom** *6 Delancey St.* ***Tel*** *(212) 533-2111. Ver site para os shows programados.* *sem flash.* **www**.boweryballroom.com

Ex-alameda majestosa, hoje a Delancey Street não passa da entrada obrigatória para a Williamsburg Bridge. O nome da rua bem de James De Lancey, cuja fazenda ficava aqui nos tempos coloniais. Durante a Revolução Americana *(págs. 22-3)* De Lancey permaneceu leal a George III. Após a guerra, ele fugiu para a Inglaterra e suas terras foram confiscadas. A maioria das lojas dessa rua (que já foi grandiosa para compras) está em decadência, mas ainda se pode comprar um autêntico chapéu-coco (sem falar num genuíno chapéu de caubói Stetson, ou qualquer outro tipo de chapéu), na Buranelli Hat Company, na Delancey nº 101.

No nº 6 fica o **Bowery Ballroom**, um teatro de três andares, terminado semanas antes da quebra da Bolsa, em 1929 *(pág. 31)*. Durante a Grande Depressão e a Segunda Guerra Mundial, o prédio ficou vazio. Serviu, depois, como espaço de varejo, abrigando uma loja de armarinho, uma joalheria e a loja Treemark Shoes, até sua ressureição como local para música, no fim da década de 1990. Boa parte da estrutura original permanece, incluindo detalhes como peças de latão, a cúpula de cobre do bar no mezanino e os trabalhos de ferro e latão no exterior.

Música ao vivo no Bowery Ballroom, um teatro elegante da década de 1920

East Houston Street ⓫

East Houston St. **Mapa** *4 F3, 5A3.* Ⓜ *Second Avenue.*

A linha divisória entre Lower East Side e East Village, a East Houston entre as ruas Forsyth e Ludlow demonstra com clareza a mistura em mutação do velho para o novo nessa área. Entre Forsyth e Eldridge existe um hotelzinho ao lado da Yonah Schimmel Knish Bakery, ali há mais de 90 anos, ainda com vitrines originais. Mais para baixo fica o Sunshine Theater, erguido como Dutch Church na década de 1840 e, depois, usado como ringue de boxe e teatro de vaudeville iídiche. Agora, exibe filmes de arte.

Bagel **assado em padaria judia tradicional na East Houston Street**

Embora boa parte do caráter judeu de Lower East Side tenha desaparecido, há dois sobreviventes ao longo de East Houston. Russ and Daughters é um marco da culinária, um negócio familiar há três gerações, que começou com um carrinho de mão, por volta de 1900. Ali desde 1914, a loja viu seu destino mudar com a vizinhança. Ficou famoso pelo peixe e arenque defumados, e tem um belo estoque de caviar. Na esquina da Ludlow Street fica a sobrevivente possivelmente mais conhecida, a movimentada Katz's Delicatessen, com mais de 100 anos, ainda lotada por causa do pastrami e dos sanduíches de carne enlatada e dos saborosos e condimentados cachorros-quentes.

Puck Building ⓬

295–309 Lafayette St. **Mapa** *4 F3.* Ⓜ *Lafayette.* ◯ *ao público, horário comercial* ***Tel*** *(212) 274-8900.*

Esta curiosidade arquitetônica quadrada foi construída em 1885 por Albert e Herman Wagner. Trata-se de uma adaptação do *Rundbogenstil* alemão, uma estilo de meados do século 19 caracterizado por faixas horizontais de janelas com arco e por tijolos vermelhos dispostos com habilidade.

De 1887 a 1916, o prédio abrigou a revista satírica *Puck* e, na virada do século, era o maior edifício do mundo dedicado à litografia e às publicações.

Agora, sedia alguns dos estúdios fotográficos de moda mais elegantes e artísticos de Nova York. A única ligação que sobrou com a mítica *Puck* é a estátua dourada na esquina da Mulberry com Houston, e uma versão menor na entrada da Lafayette Street

Estátua de Puck no canto nordeste do Puck Building

Fachada da Old St. Patrick's Cathedral, agora uma paróquia

Old St. Patrick's Cathedral ⓭

263 Mulberry St. **Mapa** *4 F3.* ***Tel*** *(212) 226-8075.* Ⓜ *Prince St.* ◯ *8h-12h30 e 15h30-18h, qui-ter.* ✝ *9h, 12h seg-sex; 17h30 sáb, 9h15,12h30 dom; em espanhol: 11h30 dom.* **www**.oldsaintpatricks.com

A primeira catedral de St. Patrick teve início em 1809 e é uma das igrejas mais antigas da cidade. Quando um incêndio a destruiu na década de 1860, foi reconstruída como está hoje. Quando a arquidiocese transferiu a sé para a nova St.Patrick's Cathedral *(págs. 178-9)*, a Old St. Patrick's se tornou uma paróquia local, e se expandiu apesar da constante mudança étnica dos paroquianos. Sob a igreja existem abóbadas que contêm os restos mortais, entre outros, de uma das mais famosas famílias de *restaurateurs* de Nova York: os Delmonicos. Ali também foi enterrado Pierre Toussaint, mas em 1990 seus despojos foram transferidos da antiga sepultura ao lado da igreja para um local de mais prestígio, na cripta da nova St. Patrick's Cathedral. Nascido escravo no Haiti, em 1766, Toussaint foi trazido para Nova York, onde viveu como liberto e se tornou um próspero fabricante de perucas. Mais tarde, dedicou-se a cuidar dos pobres da cidade, zelando também pelas vítimas de cólera e usando seu dinheiro para construir um orfanato. O Vaticano, agora, estuda sua santificação.

Engine Company No. 31 ⓮

87 Lafayette St. **Mapa** *4 F5.*
Tel *(212) 966-4510.* Ⓜ *Canal St.*
● *ao público.*

No século 19, os quartéis do corpo de bombeiros eram tão importantes que mereciam edifícios arquitetonicamente relevantes, e a empresa Le Brun era reconhecida nesse campo.

Este quartel de 1895 é um dos melhores. A construção se assemelha a um castelo do Loire, com telhado em declive, sótão e torres, parecendo mais um castelo de conto de fadas.

Atualmente, é ocupado pelo Downtown Community Television Center, que oferece cursos e *workshops* para os membros. A edificação não mais está aberta ao público.

Fachada do prédio da Engine Company 31, ao estilo de um castelo francês

The Pickle Guys ⓯

49 Essex St. **Mapa** *5 B4.* ***Tel*** *(212) 656-9739.* Ⓜ *Grand St.*
○ *9h-16h sex, 9h-18h dom-qui.*
www.nycpickleguys.com

O aroma de picles é penetrante neste trecho da Essex Street, como ocorria no início do século 20, quando lojas judias de picles enchiam a área. Fiéis a antigas receitas do leste europeu, a loja The Pickle Guys armazenava seus picles em barris cheios de salmoura, alho e especiarias, mistura que conserva o picles durante meses. Entre as variedades estão a totalmente ácida, três quartos ácida, meio ácida, nova e quente. Não são adicionados produtos químicos nem conservantes, e a loja opera segundo as rígidas normas kosher. Ali também se encontram picles de tomate e de salsão, além de azeitonas, cogumelos, pimentas, tomate seco, chucrute doce e ácido, e arenque. Gerida pela família, tem ambiente acolhedor, o que perpetua as tradições da vizinhança.

Entrada da loja The Pickle Guys, com tradicionais barris de picles.

New Museum of Contemporary Art ⓰

253 Bowery St. **Mapa** *4 E3.*
Ⓜ *Spring St, Bowery.*
○ *12h-18h ter-sáb, 12h-20h qui.*
Palestras, recitais
www.newmuseum.org

Em 1977, Marcia Tucker deixou seu emprego de curadora de pintura e escultura no Whitney Museum para fundar este museu. Seu objetivo era dar espaço ao tipo de trabalho que ela achava que estava faltando nos museus mais tradicionais. Foi criado, então, um dos espaços mais vanguardistas de Nova York, que inclui o inovador Media Lounge para arte digital, instalações de vídeo e trabalhos com som.

Não existe coleção permanente aqui, mas três ou quatro apresentações especiais por ano. Jeff Koons e John Cage foram os pioneiros nessas apresentações.

O museu mudou-se recentemente para seu endereço atual. O impressionante prédio novo, projetado pelos arquitetos Sejima e Nishizawa, de Tóquio, foi o primeiro museu a ser construído no centro de Manhattan em mais de 1 século. Conta com uma área para exposições de 5.574m², um teatro, um café e um terraço no telhado com vistas incríveis da cidade.

Prateleiras cheias de doces na loja de guloseimas Economy Candy

Economy Candy ⓱

108 Rivington S. **Mapa** *5 B3.*
Tel *1 800 352 4544.* Ⓜ *Second Ave-Houston St.* ○ *10h-17h sáb, 9h-18h dom-sex.* **www**.economycandy.com

Marco do Lower East Side desde 1937, esta loja de doces, que pertence a uma família, dispõe de centenas de variedades de balas, nozes e frutas secas. Forrada de prateleiras do teto ao chão de modelo antigo, a loja é um dos poucos negócios de Lower East Side que quase não se modificaram tanto no nome como da especialidade durante 50 anos de muitas alterações.

Isso se deve muito ao trabalho de Jerry Cohen, que transformou o "Nosher's Paradise" de seu pai de uma lojinha de balas baratas em uma empresa nacional. A loja dispõe de doces e guloseimas do mundo todo, além de diversos itens cobertos de chocolate e botões de chocolate forrados de açúcar com 21 cores.

Interior do Angel Orensanz Center, que já foi uma grande sinagoga

Angel Orensanz Center ⓲

172 Norfolk St. **Mapa** *5 B3.* ***Tel*** *(212) 529-7194.* *Essex St, Delancey St.* *marcar hora* **www**.orensanz.org.

Esta estrutura neogótica avermelhada, erguida em 1849, já foi a sinagoga mais antiga de Nova York. Com pé direito de 15m e assentos para 1.500 pessoas, também era a maior dos EUA, na época. Foi projetada pelo arquiteto alemão Alexander Saelzer, na tradição do movimento da Reforma alemã, lembrando muito a catedral de Colônia e a Friederichwerdeschekirche no Mitte, em Berlim.

Depois da Segunda Guerra Mundial e do declínio da população iídiche de Lower East Side, foi uma das muitas sinagogas que fecharam. Em 1986, o prédio foi adquirido pelo escultor espanhol Angel Orensanz, que o transformou em estúdio de arte. Agora serve como centro espiritual e cultural, com programação de eventos artísticos, musicais e literários.

FusionArts Museum ⓳

57 Stanton St. **Mapa** *5 A3 .*
Tel *(212) 995-5290.*
Second Ave-Houston St.
12h-18h dom-qua, 12h-20h qui, 12h-15h.sex.
www.artnet.com.

Com esculturas psicodélicas de metal que fornecem uma pista das peças dispostas lá dentro, a entrada deste museu é imperdível. Seu propósito é mostrar *fusion art*, que se define como a arte na qual diversas disciplinas artísticas – como pintura, escultura, fotografia e vídeo – se misturam para formar um gênero novo e diferente.

A localização meio fora de mão lhe permite acesso a um cenário artístico de vanguarda que os museus de arte contemporânea costumam negligenciar, e também oferece a artistas menos conhecidos a oportunidade de exibir suas obras numa galeria respeitada. Muitos artistas de Nova York criam fusion art em Lower East Side há mais de duas décadas, e ali já mostraram suas obras em exposições de grupo.

Esculturas de metal na entrada do FusionArts Museum

Essex Street Market ⓴

120 Essex St. **Mapa** *5 B3.*
Tel *(212) 312-3603/388-0449.*
Essex St, Delancey St.
8h-18h seg-sáb.
www.essexstreetmarket.com

Mercado criado em 1938 pelo prefeito Fiorello H. La Guardia, a fim de reunir os vendedores de carrinhos, fora do trânsito de carros de polícia e caminhões de bombeiro que usavam as ruas estreitas. Agora, duas dezenas de barracas de carne, queijo, objetos e temperos enchem o mercado, reformado recentemente. Uma das mais antigas é a barraca de açougue do Jeffrey, que está no mercado desde 1939.

Ali também está o Essex Restaurant, que serve comida latina/judia e cuchifritos, com uma galeria que expõe a obra de artistas locais.

Cortes de carne num açougue do Essex Street Market, que é coberto

SOHO E TRIBECA

Arte e arquitetura mudaram a feição destes dois antigos bairros industriais. O SoHo (South of Houston, indicando a área ao sul de Houston Street) ia ser demolido nos anos 1960, quando preservacionistas chamaram a atenção para a arquitetura histórica de ferro fundido dos prédios. Os planos foram revistos e artistas ocuparam os grandes *lofts*. Com eles vieram galerias, cafés, lojas e butiques. Os preços subiram e os artistas foram para o sul, para TriBeCa (Triangle Below Canal, o triângulo de ruas abaixo da Canal Street). Hoje um local da moda, TriBeCa tem galerias, diversos restaurantes novos e um festival de cinema em maio.

Entrada de padaria do SoHo

PRINCIPAIS ATRAÇÕES

Ruas e Edifícios Históricos
Greene Street 3
Harrison Street 8
Haughwout Building 1
St Nicholas Hotel 2
Singer Building 4
White Street 9

Museus e Galerias
Children's Museum of the Arts 5
New York City Fire Museum 7
New York Earth Room 6

COMO CHEGAR

Tome o metrô F, V, B ou D para Broadway-Lafayette, o 6 para Bleecker St ou Spring St, ou o N ou R para Prince St. Para TriBeCa, pegue o 1 ou 9 para Franklin St ou o 1, 2, 3, 9, A ou C até Chambers St. De ônibus, pegue o M1, M6 ou o M21 Houston St para SoHo e o M6 ou M20 para TriBeCa.

VEJA TAMBÉM

- ***Guia de Ruas***, mapa 4
- ***Passeio pelo Soho*** pág. 260-1
- ***Hotéis*** pág. 281
- ***Restaurantes*** pág. 297-9

LEGENDA

Mapa Rua a Rua
M Estação de metrô

◁ Fachadas de ferro fundido na Greene Street

Rua a Rua: Arquitetura Histórica de Ferro Fundido no SoHo

A maior concentração do mundo de arquitetura de ferro fundido *(págs. 42)* está preservada na área entre West Houston e Canal Streets. O coração da área é a Greene Street, onde 50 prédios, em cinco quarteirões de ruas de pedra, foram localizados entre 1869 e 1895. As fachadas com desenhos intricados foram forjadas em massa, mas são hoje em dia peças raras de arte industrial, adequadas ao caráter do bairro.

A West Broadway, ao passar pelo SoHo, combina a arquitetura marcante com uma série de galerias de arte, butiques de design e pequenos restaurantes.

O Broken Kilometer, na 393 West Broadway, é uma instalação de Walter De Maria *(pág. 107)*. Suas 500 hastes de latão estão arranjadas de forma que fiquem em perspectiva. Do início ao final, o arranjo mede 1km.

O nº 72-6 da Greene Street, o "rei da Greene Street", é um belo prédio com colunas coríntias. O desenho é de Isaac F. Duckworth, um dos mestres do design em ferro fundido.

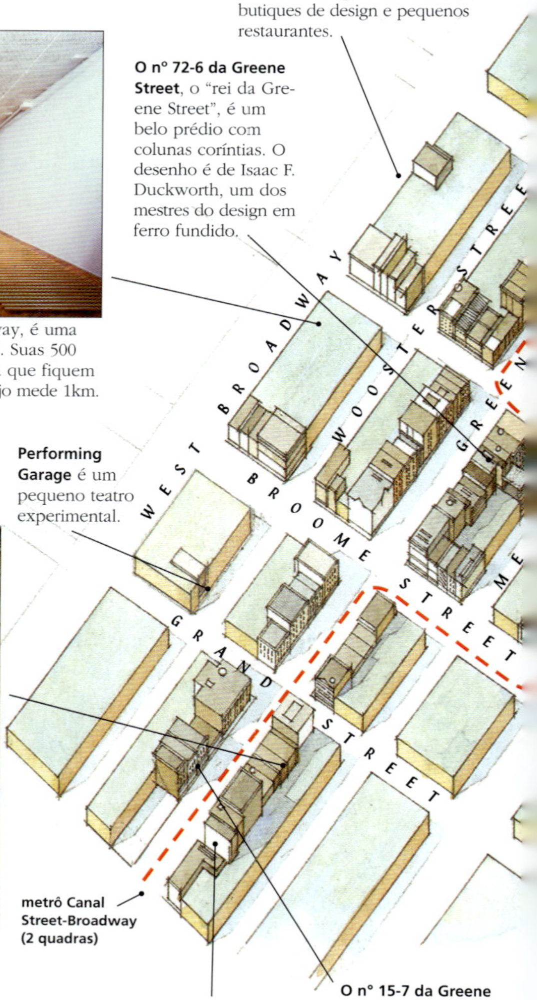

Performing Garage é um pequeno teatro experimental.

metrô Canal Street-Broadway (2 quadras)

★ Greene Street
Entre a bela arquitetura de ferro fundido da Greene Street, uma das melhores amostras é o "Queen", no nº 28-30, construído por Duckworth em 1872, com alto teto de mansarda ❸

O nº 10-4 da Greene Street foi erguido em 1869. Observe os círculos de vidro nos degraus, que permitiam que a luz do dia iluminasse o porão.

O nº 15-7 da Greene Street foi construído mais tarde, em 1895, em estilo coríntio.

★ Singer Building
Essa jóia de terracota, de 1904, foi sede da fábrica de máquinas de costura ❹

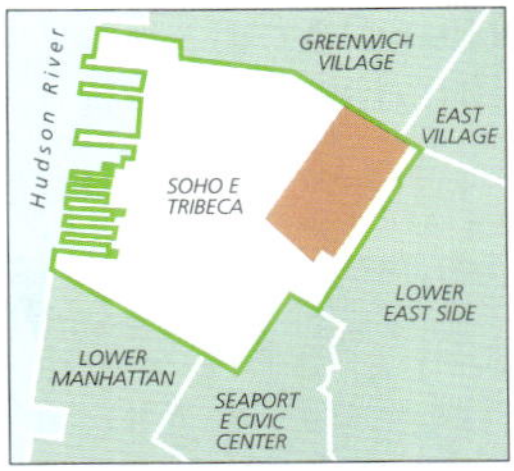

LOCALIZE-SE
Mapa de Manhattan págs. 14-15

LEGENDA

– – – Percurso sugerido

Richard Haas, o muralista, transformou esta parede branca em uma convincente fachada de ferro fundido.

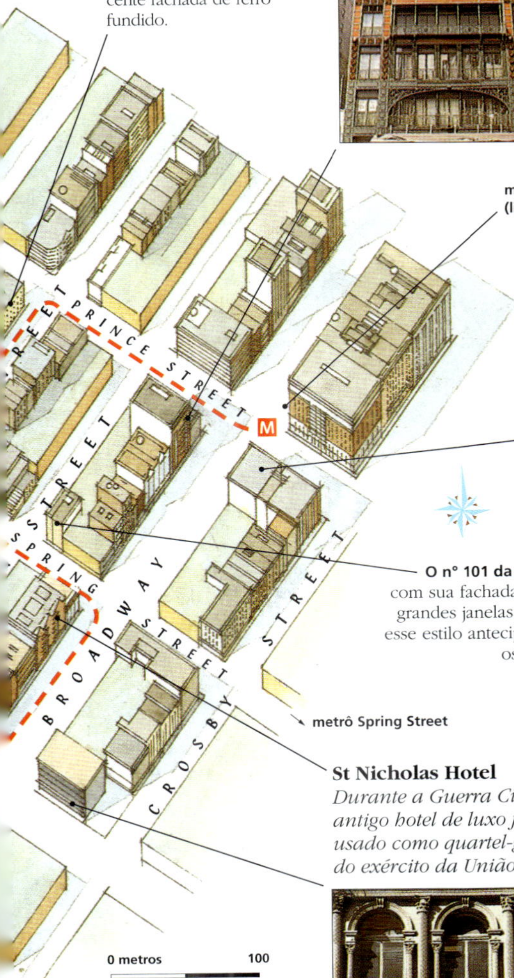

metrô Prince Street (linhas N e R)

Dean & DeLuca é uma das melhores lojas de comida fina de Nova York. Seu estoque inclui grãos de café do mundo todo *(pág. 336)*.

O nº 101 da Spring Street, com sua fachada geométrica e grandes janelas, mostra como esse estilo antecipou e inspirou os arranha-céus.

metrô Spring Street

St Nicholas Hotel
Durante a Guerra Civil, este antigo hotel de luxo foi usado como quartel-general do exército da União ❷

Haughwout Building
Em 1857, era uma loja elegante e lá foi instalado o primeiro elevador Otis ❶

PONTOS ALTOS

★ Greene Street

★ Singer Building

Haughwout Building ❶

488-492 Broadway. **Mapa** 4 E4.
Ⓜ *Canal St, Spring St.*

Fachada do Haughwout Building

Este edifício de ferro fundido foi construído em 1857 para a fábrica de porcelanas e cristais E.V. Haughwout, fornecedora da Casa Branca. Sob a fachada encardida, o desenho é magnífico: fileiras de janelas com moldura de arcos e colunas, ladeadas por colunas mais altas. O padrão repete-se em todo o prédio. Foi o primeiro a usar elevadores Otis movidos a vapor, uma novidade que possibilitou a criação dos arranha-céus.

St.Nicholas Hotel ❷

521–523 Broadway. **Mapa** 4 E4.
Ⓜ *Prince St, Spring St.*

O parlamentar inglês W. E. Baxter, ao visitar Nova York em 1854, encantou-se com o recém-inaugurado St Nicholas Hotel: "Todos os tapetes são de veludo e as cortinas de seda e cetim adamascado. Os bordados dos cortinados contra mosquitos por si só mereciam ser exibidos à realeza". Não surpreende, portanto, que tenha custado mais de US$ 1 milhão –dinheiro bem gasto, pois registrou naquele ano um lucro de mais de US$ 50 mil. Mas sua glória foi curta. Durante a guerra civil, foi quartel-general do exército da União. Depois, os melhores hotéis seguiram os teatros e restaurantes mais para o norte e, por volta de 1870, o St Nicholas fechou. Pouco resta da antiga opulência no andar térreo, mas ainda se podem ver resquícios da deslumbrante fachada de mármore.

St Nicholas Hotel, no século 19

Greene Street ❸

Mapa 4 E4. Ⓜ *Canal St.*

Mural de Haas na Greene Street

Este é o centro da arquitetura de ferro fundido do SoHo. Em cinco ruas de paralelepípedos há 50 edifícios em ferro fundido, de 1869 a 1895. O quarteirão entre Broome e Spring Streets tem 13 fachadas inteiramente de ferro fundido e do nº 8 ao 34 encontra-se a mais longa sequência do mundo nesse gênero. O nº 72-4 é chamado de "rei da Greene Street", mas o "Queen" (rainha), no nº 28-30, é considerado mais bonito. Embora alguns edifícios se destaquem, a arquitetura é mais bem apreciada como uma característica da rua, com fileiras e mais fileiras de fachadas com colunas. Entre nas galerias para ver os *lofts* (espaço sem paredes internas). Na esquina de Greene e Prince Streets, o muralista Richard Haas deu a uma parede de tijolo a impressão de ser uma fachada de ferro fundido. Observe o detalhe do gato cinza na janela "aberta".

Singer Building ❹

561–563 Broadway. **Mapa** 4 E3.
Ⓜ *Prince St.*

O "pequeno" Singer Building, projetado por Ernest Flagg em 1904, é menor que o outro prédio do mesmo nome feito pelo arquiteto e, segundo os críticos, mais bonito que a torre de 41 andares situada no sul da Broadway e demolida em 1967. Este prédio decorado com charme é enfeitado de balcões de ferro e graciosos arcos pintados de verde escuro. A fachada de terracota, vidro e aço é avançada para sua época, antecedendo as estruturas em metal e vidro dos anos 1940 e 50.

O prédio era escritório e depósito da fábrica de máquinas de costura Singer e esse nome pode ser visto, em ferro, na entrada da loja, na Prince Street.

Máquina de costura com motor, da Singer

Children's Museum of the Arts ❺

182 Lafayette St. **Mapa** 4 F3.
Tel *(212) 941-9198.*
Prince St. *M1, M6.*
12h-17h qua, sex, sáb-dom, 12h- 18h qui. **Noite de Cinema** *1ª qua do mês 16h30-18h.*
www.cmany.org

O objetivo deste museu, fundado em 1988, é desenvolver o potencial artístico das crianças através de muitas atividades em que elas colocam a mão na massa, além de assistir a apresentações. Crianças entre 1 e 12 anos têm acesso a tinta, cola, papel e outros materiais para criar seus próprios desenhos e esculturas. Para inspirá-las, obras de artistas locais e de crianças do mundo todo são exibidas. As crianças também podem brincar no camarim e na piscina de bolinhas. Todo mês há uma noite de cinema com pipoca e suco.

O colorido espaço de exposições do Children's Museum of the Arts

New York Earth Room ❻

141 Wooster St. **Mapa** 4 E3.
Tel *(212) 473-8072.*
B, C, D, E, F, N, Q, R, 6.
12h-15h, 15h30-18h qua-sáb.
www.earthroom.org

Dos três Earth Rooms criados pelo artista conceitual Walter De Maria, este é o único ainda existente. Encomendado pela Dia Art Foundation em 1977, a escultura consiste de 127 toneladas de terra acomodadas numa pilha de 56cm ocupando uma área de 335m². *Broken Kilometer*, outra escultura de De Maria, pode ser apreciado no 393 W Broadway *(pág.104)*. A peça é composta de 500 hastes de latão arredondadas e polidas, dispostas em cinco fileiras paralelas.

Bomba d'água a vapor e puxada por cavalos (1901), no City Fire Museum

New York City Fire Museum ❼

278 Spring St. **Mapa** 4 D4. ***Tel*** *(212) 691-1303.* *Spring St.*
10h–17h ter-sáb, 10h-17h dom.
feriados.
www.nycfiremuseum.org

Instalada em um quartel no estilo Beaux Arts, de 1904, a bela coleção de equipamentos antiincêndio e afins vai do século 18 até 1917, com miniaturas, sinos e hidrantes. No andar superior há uma fila de caminhões de bombeiros a postos para uma parada de 1890. A nova atração que simula um incêndio está disponível para grupos.

Harrison Street ❽

Map 4 D5. *Chambers St.*

Cercado de arranha-céus, este raro conjunto de oito casas no estilo federal, todas restauradas, lembram um cenário de filme, com seus telhados inclinados e janelas de água-furtada, que parecem fazer parte do cenário de um filme de Hollywood. As casas foram construídas no fim do século 18 e começo do 19. Duas foram projetadas por John McComb Jr, primeiro arquiteto importante nascido nos Estados Unidos. As casas foram removidas da Washington Street e reerguidas no lugar atual, para garantir sua preservação. Elas eram usadas como depósitos e iam ser demolidas quando, em 1969, a Landmarks Preservation Commission interveio e ajudou a levantar os recursos financeiros necessários para viabilizar sua completa restauração. São agora propriedade particular. No outro lado do complexo de edifícios fica o Washington Market Park. Neste local estava localizado antigamente o centro atacadista de produtos agropecuários. Mais tarde, no início dos anos 70, o mercado foi transferido para o Bronx.

White Street ❾

Map 4 E5. *Franklin St.*

Mesmo não sendo tão bonita quanto as ruas do SoHo, esta amostra da arquitetura de ferro fundido de TriBeCa reúne vários estilos.
No nº 2, o estilo federal inclui um raro telhado holandês, que faz contraste com o telhado de marsarda do nº 17.
O nº 8-10, projetado por Henry Fernbach em 1869, tem colunas e arcos toscanos e usa o recurso renascentista de andares superiores mais curtos, para dar a impressão de grande altura. Totalmente diferente é o nº 38, sede da galeria do artista de néon Rudi Stern, a Let There Be Neon.

Galeria Let There Be Neon, na White Street

GREENWICH VILLAGE

Os nova-iorquinos falam simplesmente "Village", e a área começou como refúgio dos moradores da cidade durante o surto de febre amarela de 1922. O desenho original das ruas, seguindo riachos e limites de fazendas, não pôde entrar no plano urbanístico da cidade e o bairro permaneceu um enclave à parte, paraíso de artistas e autores célebres. Hoje é muito frequentado por gays e, em geral, tornou-se mais caro e mais convencional. A área em volta da Washington Square fica cheia de alunos da New York University. Mais barato, o East Village atrai os modernos de toda a cidade. Em West Village e Meatpacking District há vários restaurantes e butiques chiques.

Bandeira de clube de jazz na West 33rd St

PRINCIPAIS ATRAÇÕES

Ruas e Edifícios Históricos
- 751/2 Bedford Street ❷
- Grove Court ❹
- Isaacs-Hendricks House ❸
- Jefferson Market Courthouse ❼
- Meatpacking District ❺
- New York University ⓮
- Patchin Place ❽
- St. Luke's Place ❶
- Salmagundi Club ❿
- Washington Mews ⓭

Museus e Galerias
- Forbes Magazine Building ❾

Igrejas
- Church of the Ascension ⓬
- First Presbyterian Church ⓫
- Judson Memorial Church ⓯

Parques e Praças
- Sheridan Square ❻
- Washington Square ⓰

COMO CHEGAR

De metrô, tome as linhas A, B, C, D, E, F ou V para West 4th St-Washington Sq; a 1 ou 9 para Christopher St-Sheridan Sq ou Houston St ou a N ou R, para 8th St. De ônibus, tome o M1, M5, M6 ou M8.

VEJA TAMBÉM

- ***Guia de Ruas***, mapas 3-4
- ***Passeio no Village*** págs. 260-1
- ***Onde Ficar*** pág. 281
- ***Restaurantes*** pág. 299-301

LEGENDA
- Mapa Rua a Rua
- M Estação de metrô

◁ Um descontraído café de Greenwich Village

Rua a Rua: Greenwich Village

Um passeio pela histórica Greenwich Village é um festival de pequenos e inesperados prazeres –casas charmosas, vielas escondidas e pátios arborizados. A arquitetura, às vezes floreada demais, combina com o ar boêmio do Village. Pessoas famosas, principalmente artistas e escritores, como o dramaturgo Eugene O'Neill e o ator Dustin Hoffman, escolheram morar em casas e apartamentos nas ruas estreitas e antigas. À noite, o Village ganha vida nova. Cafés, teatros experimentais e clubes, entre eles algumas das melhores casas de jazz, são encon-trados em cada esquina do bairro.

O Lucille Lortel Theater, nº 121 da Christopher Street, foi inaugurado em 1955 com a *Ópera dos Três Vinténs*.

Christopher Street, parte da comunidade gay de Nova York, tem todo tipo de lojas, livrarias e bares.

Twin Peaks, nº 102 da Bedford Street, era uma casa comum quando foi erguida, em 1830. Mas depois foi reformada pelo arquiteto Clifford Daily, em 1926, para alojar escritores, artistas e atores. Daily achava que seu formato incomum estimulava a criatividade.

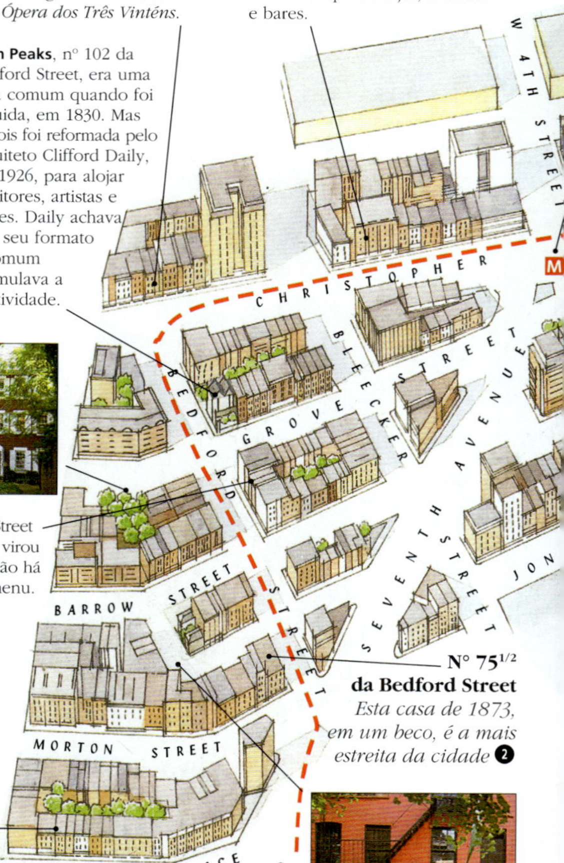

Grove Court
Seis casas construídas em 1853 dão para um pátio arborizado ❹

O Chumley's, nº 86 da Bedford Street (*pág. 317*), bar clandestino que virou restaurante, continua secreto. Não há placa do lado de fora, só um menu.

Nº 75½ da Bedford Street
Esta casa de 1873, em um beco, é a mais estreita da cidade ❷

★ St Luke's Place
Esta bela vila de casas ao estilo italiano surgiu na metade do século 19 ❶

Para o metrô Houston (2 quadras)

O Cherry Lane Theatre foi inaugurado em 1924. Antiga cervejaria, foi um dos primeiros teatros off-Broadway.

Patchin Place
Construída em 1848, para alojar os garçons do Brevoort Hotel, nos anos 1920 e 30 lá moraram o poeta e. e. cummings e outros escritores famosos ❼

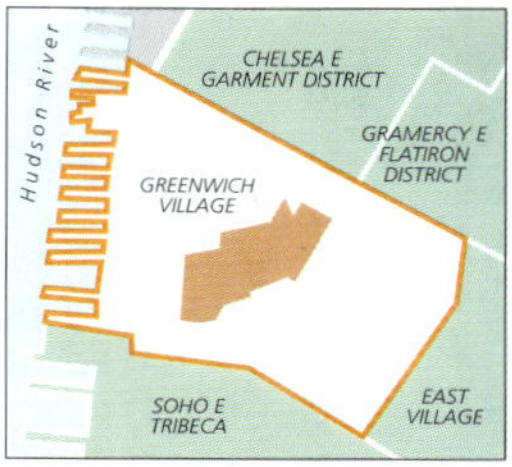

LOCALIZE-SE
Mapa de Manhattan págs. 14-15

PONTOS ALTOS

★ Jefferson Market Courthouse

★ St Luke's Place

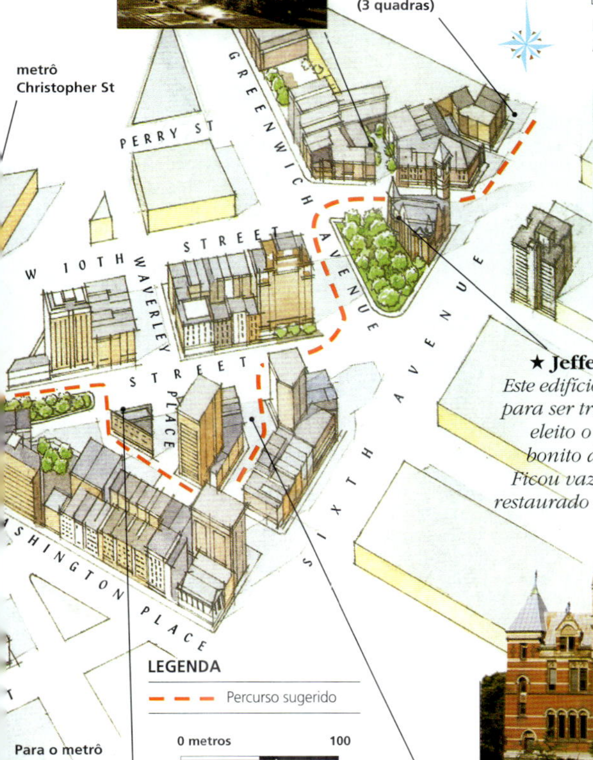

metrô Christopher St

Para o metrô West 14th St (3 quadras)

Para o metrô West 4th Street (2 quadras)

★ Jefferson Market Courthouse
Este edifício, construído em 1877 para ser tribunal de justiça, foi eleito o quinto prédio mais bonito dos Estados Unidos. Ficou vazio 20 anos, até ser restaurado e tornar-se biblioteca em 1967 ❻

O Northern Dispensary oferece assistência médica gratuita aos pobres desde 1827. Edgar Allan Poe tratou-se lá de uma gripe em 1837. Hoje é um albergue para deficientes.

A Gay Street atraiu aspirantes a artista, escritor e músico na década de 1920. Foi cenário do romance *Minha Irmã Eileen*, de Ruth McKenney, e do filme *O Pagamento Final*.

Casas geminadas em St. Luke's Place, uma rua com agremiações literárias

St. Luke's Place ❶

Mapa 3 C3. M *Houston St.*

Uma sequência de 15 casas atraentes, da década de 1850, enfeita o lado norte da rua. O nome do parque em frente é uma homenagem a um antigo residente de St. Luke's Place, o prefeito Jimmy Walker, popular e elegante, que administrou a cidade de 1926 até que renunciou depois de um escândalo financeiro em 1932. Na frente da casa nº 6 estão as luminárias altas que sempre identificam a casa do prefeito de Nova York. Mais recentemente, a casa mais famosa do quarteirão foi a nº 10, lar da família Huxtable, de *The Cosby Show* (embora, na série, ela estivesse no Brooklyn). Esse também é o quarteirão onde foi filmado, no nº 4, *Um Clarão nas Trevas*, com Audrey Hepburn como cega. Theodore Dreiser foi um dos muitos escritores, como a poeta Marianne Moore, que viveram aqui. Dreiser escreveu *Uma Tragédia Americana*, quanto morava no nº 16. Ao norte, a esquina das ruas Hudson e Morton marcavam a margem do Hudson River há três séculos.

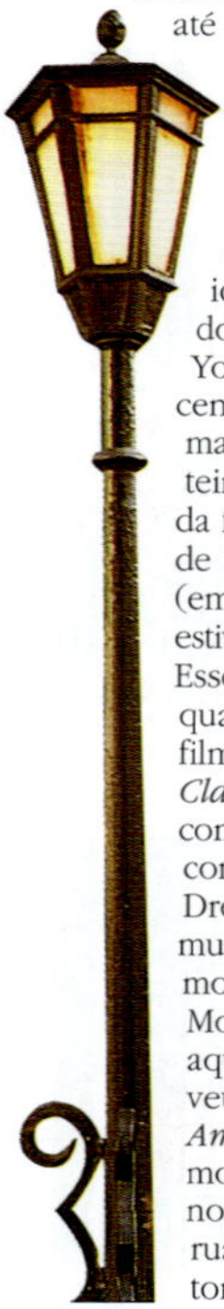

Luminária do prefeito no nº 6

75½ Bedford Street ❷

Mapa 3 C2. M *Houston St.* *ao público.* **www**.cherrylanetheatre.com

A casa mais estreita de Nova York, com apenas 2,9m de largura, foi erguida em 1893, numa ex-rua de passagem. A poeta Edna St. Vincent Millay morou aqui por uns tempos, seguida do ator John Barrymore e, depois, Cary Grant. A casa de três andares foi reformada e é marcada por uma placa. Na esquina, na 38 Commerce Street, Edna Millay fundou o Cherry Lane Theater, em 1924, como local para dramas de vanguarda. Ainda lança obras. Seu maior sucesso foi o musical *Godspell*, na década de 1960.

Grove Court ❸

Mapa 3 C2. M *Christopher St/ Sheridan Sq.*

Samuel Cock, um merceeiro empreendedor construiu estas seis casas geminadas, numa área formada pela curva da rua, numa parte de Village que originalmente marcava as divisões entre as propriedades coloniais. Cocks percebeu que se houvesse moradores nessa passagem vazia entre os nº s 10 e 12 da Grove Street isso ajudaria seu negócio no nº 18. Mas as áreas residenciais, agora supervalorizadas, não eram consideradas respeitáveis em 1854, e os rudes moradores atraídos pela área deram-lhe o apelido de "Mixed Ale Alley". Mais tarde, O. Henry escolheu este quarteirão como cenário para sua obra *A Última Folha*.

A Isaacs-Hendricks House

Isaacs-Hendricks House ❹

77 Bedford St. **Mapa** 3 C2. M *Houston St.* *ao público*

Erguida em 1799, esta é a casa mais antiga que sobreviveu em Village. As paredes de madeira são visíveis dos lados e atrás; os tijolos e o terceiro andar vieram depois. O primeiro dono, John Isaacs, comprou o terreno por $295 em 1794. Em seguida veio H. Hendricks, negociante de cobre e sócio do revolucionário Paul Revere. Robert Fulton, que usava cobre para as caldeiras de seus barcos a vapor, foi um dos clientes de Hendricks.

Meatpacking District ❺

Mapa 3 B1 M *14th St (linhas A, C, E); 8th Av L; StChristopher St/Sheridan Sq.*

Antigo domínio dos açougueiros com aventais manchados de sangue cortanto carne, o Meatpacking District está, agora, bem diferente, principalmente à noite. Espremido numa área ao sul da 14th Street e a oeste da 9th Avenue, a vizinhança conta, hoje, com boates, bares e hotéis-butiques da moda, que aumentam

Casas geminadas, de meados do século 19, na Grove Court

por causa de nova-iorquinos que querem se divertir. O nível de sofisticação cresceu quando a Soho House, filial nova-iorquina do clube privado de Londres, se instalou aqui, seguido do moderno Hotel Gansevoort, com piscina na cobertura. Estilistas da moda, como Stella McCartney e Alexander McQueen, agora têm lojas aqui, e foram abertos restaurantes caros.

O grande fascínio do Meatpacking District é que os urbanitas chiques gostam de radicalismos nas diversões noturnas, e isso o local tem de sobra. O aspecto da área mudou muito, mas os notívagos ainda podem captar um sopro ocasional do processamento da carne que deu nome a ela.

Sheridan Square ❻

Mapa 3 C2. Ⓜ *Christopher St-Sheridan Sq.*

Esta praça, para onde convergem sete ruas, é o coração de Village. Seu nome homenageia Philip Sheridan, general da Guerra de Secessão, que se tornou comandante-chefe do Exército dos EUA em 1883. A estátua dele fica perto do Christopher Park. Os Draft Riots de 1863 ocorreram na praça. Mais de um século depois, outro famoso distúrbio sacudiu a praça. The Stonewall Inn na Christopher Street era um bar gay que funcionava (quando era ilegal os gays se reunirem em bares) pelo suborno da polícia. Em 28 de junho de 1969, os clientes se rebeleram, e na intensa batalha que se seguiu, os policiais ficaram bloqueados dentrodo bar durante horas, enquanto uma multidão os insultava do lado de fora. Foi uma vitória moral memorável para o crescente movimento pelos Gay Rights. O bar atual não é o original. Village continua sendo um reduto da comunidade gay.

Estátua do general Sheridan no Christopher Park

Old Jeff", torre pontiaguda da Jefferson Market Courthouse

Jefferson Market Courthouse ❼

425 Ave of the Americas. **Mapa** 4 D1. ***Tel*** *(212) 243-4334.* Ⓜ *W 4th St-Washington Sq.* *12h-20h seg e qua, 10h-18h ter, 12h-18h qui, 13h-18h sex, 10h-17h sáb.* *feriados.* **www**.nypl.org

Este marco de Village foi salvo da demolição e transformado numa sucursal da New York Public Library, depois de uma campanha de preservação, que começou no final da década de 1950. O lugar se tornou um mercado em 1833, com nome em homenagem ao ex-presidente Thomas Jefferson. Sua torre de observação de incêndios tinha um sino enorme que era tocado para alertar os bombeiros voluntários da região. Em 1865, a criação do departamento municipal de bombeiros aposentou o sino, e foi construído o Third Judicial District Courthouse, ou Jefferson Market Courthouse. Com agulhas e torres em estilo gótico veneziano, foi considerado um dos dez prédios mais bonitos do país, ao abrir em 1877. O antigo sino de incêndio foi instalado na torre. Aqui, em 1906, Harry Thaw foi julgado pelo assassinato de Stanford White *(pág. 126)*. Por volta de 1945, o mercado tinha sido transferido, interromperam-se as sessões da corte, o relógio de quatro faces parara e o edifício foi ameaçado de demolição. Na década de 1950, conservacionistas fizeram uma campanha para restaurar o relógio e, depois, o prédio todo. A reforma foi realizada pelo arquiteto Giorgio Cavaglieri, que conservou muitos detalhes originais, incluindo os vitrais e a escada em caracol, que agora leva ao salão de consultas da biblioteca, que parece uma torre de vigia.

Fachada e árvore de ailanto em Patchin Place

Patchin Place ❽

W 10th St. **Mapa** 4 D1. Ⓜ *W 4th St- Washington Sq.*

Um dos bolsões mais encantadores e inesperados de Village é este miniquarteirão de casinhas. Foi ladeado de ailantos, árvores plantadas para "absorver os maus ares". As casas foram erguidas em meados do século 19, para garçons que trabalhavam no Brevoort Hotel da Fifth Avenue. Mais tarde, as casas se tornaram endereços valorizados, e muitos escritores moraram aqui.

O poeta e. e. comming morou no nº 4, de 1923 até sua morte, em 1962. O premiado poeta inglês John Masefield também viveu aqui, além de Eugene O'Neill e John Reed, cujo livro *Dez Dias que Abalaram o Mundo* retrata a Revolução Russa, e virou filme *(Reds)* dirigido por Warren Beatty.

Barquinhos de brinquedo da Forbes Magazine Collection

Forbes Magazine Building ❽

60 5th Ave. **Mapa** 4 E1. ***Tel*** *(212) 206-5548.* Ⓜ *14th St-Union Sq.* ***Gallerias*** *10h-16h ter-qua, sex-sáb (horário variável).* *qui apenas grupos.* *feriados.*

Alguns críticos acham excessivamente pomposo este cubo de pedra de 1925 projetado por Carrère & Hastings. Foi primeiro a sede da Macmillan Publishing Company. Quando ela se foi, Malcolm Forbes instalou sua revista de finanças *Forbes*.

A Forbes Magazine Galleries mostra o gosto diversificado de seu fundador, com mais de 500 barquinhos antigos, jogos de monopólio, troféus, 12 mil soldadinhos de chumbo e uma cópia assinada do *Gettysburg Address*, famoso discurso de Abraham Lincoln. Também há vários quadros, desde pintores franceses até obras militares dos Estados Unidos.

Salmagundi Club ❾

47 5th Ave **Mapa** 4 E1. ***Tel*** *(212) 255-7740.* Ⓜ *14th St-Union Sq.* *13h-17h diariam.* **www**.salmagundi.org

O mais antigo clube de ar-tistas dos Estados Unidos fica na última mansão ainda de pé na parte sul da 5th Avenue. Construída em 1853 por Irad Hawley, é hoje sede da American Watercolor Society, da American Artists' Professional League e da Greenwich Village Society for Historic Preservation. O nome vem de *Salmagundi Papers*, o jornal satírico de Washington Irving.

Fundado em 1871, o clube instalou-se no prédio em 1917. Nas exposições pode-se visitar o interior, do fim do século 19.

Exterior do Salmagundi Club

First Presbyterian Church ❿

5th Ave at 12th St. **Mapa** 4 D1. ***Tel*** *(212) 675-6150* Ⓜ *14th St-Union Sq.* *11h45-12h30 seg, qua, sex, 11h-12h30 dom.* *18h qua na capela.* **www**.fpcnyc.org

Esta igreja gótica inspirou-se na Church of Saint Saviour de Bath, Inglaterra. Projetada por Joseph C. Wells em 1846, sua característica principal é a torre de pedra. As placas de madeira entalhada no altar têm os nomes de todos os pastores, desde 1716. O transepto sul, de McKim, Mead & White, foi adicionado em 1893. A grade de ferro e madeira, de 1844, foi restaurada em 1981.

Church of the Ascension ⓫

5th Ave at 10th St. **Mapa** 4 E1. ***Tel*** *(212) 254-8620.* Ⓜ *14th St-Union Sq.* *12h-14h, 17h-19h diariam.* *18h seg–sex, 9h, 11h dom.* *(exceto durante serviços).* **www**.ascensionnyc.org

Church of the Ascension

Esta igreja no estilo inglês neogótico foi desenhada por Richard Upjohn, arquiteto da Trinity Church, em 1840-1. O interior foi reformado em 1888 por Stanford White, com um relevo de Augustus Saint-Gaudens no altar. A *Ascensão*, mural de John La Farge, fica acima do altar –o artista também desenhou alguns dos vitrais. O campanário é lindamente iluminado à noite.

Em 1844, o presidente John Tyler casou-se lá com Julia Gardiner, que vivia na vizinha Colonnade Row *(pág. 120)*.

Washington Mews ⓬

Entre Washington Sq N e E 8th St. **Mapa** 4 E2. Ⓜ *W 4th St.*

Antigo estábulo, este quarteirão escondido virou um abrigo de carruagens por volta de 1900. O lado sul foi acrescentado em 1939. Gertrude Vanderbilt Whitney, fundadora do Whitney Museum *(pág. 200-1)*, morou lá.

No número 16 fica a French House da New York University, em estilo francês. Filmes, conferências e cursos em francês acontecem aqui, a maioria grátis.

New York University ⓭

Washington Sq. **Mapa** 4 E2. ***Tel*** *(212) 998-1212, (212) 998-4636.* Ⓜ *W 4th St.* ◯ *8h30-20h seg-sex.* **www**.nyu.edu

Sob o nome original de University of the City of New York, a NYU foi fundada em 1831 como alternativa à Columbia University. É hoje a maior universidade particular dos Estados Unidos em ocupa vários quarteirões em volta da Washington Square.

A construção do primeiro prédio da universidade, em Waverly Place, desencadeou o Stonecutters' Guild Riot, em 1833, protesto de empreiteiros contra o uso de prisioneiros para cortar pedras. A Guarda Nacional interveio. O prédio não existe mais, mas há um pedestal com um pedaço da torre original na calçada da Washington Square South. Na NYU foram criados o telégrafo de Samuel Morse, o retrato fotográfico de John W. Draper e o revólver de Samuel Colt.

***Busto de Sylvette*, de Picasso, entre Bleecker e West Houston Streets**

O Brown Building, na Washington Square, perto da Greene Street, foi sede da Triangle Shirtwaist Company. Em 1911, 146 operários dessa fábrica morreram em um incêndio. A partir daí elaboraram-se novas leis trabalhistas e de segurança.

Na University Village há uma réplica de 11m do *Busto de Sylvette*, de Picasso.

Judson Memorial Church ⓮

55 Washington Sq S. **Mapa** 4 D2. ***Tel*** *(212) 477-0351.* Ⓜ *W 4th St.* ◯ *10h-13, 14h-18h seg-sex.* ✝ *11h dom.* **www**.judson.org

Construída em 1892, esta igreja de McKim, Mead & White segue o estilo românico, com vitrais de John La Farge. Desenhada por Stanford White, leva o nome do primeiro missionário americano enviado a um país estrangeiro: Adoniram Judson, que serviu na Birmânia (Mianmar), em 1811. Uma cópia de sua tradução da Bíblia para o birmanês foi colocada na pedra fundamental, quando o prédio foi consagrado.

É o espírito desta igreja, mais que sua arquitetura, que faz com que se destaque. A Judson Memorial participa dos assuntos locais e mundiais e é ativa em questões que vão da Aids à corrida armamentista. Também promove exposições de arte de vanguarda e monta peças off-off Broadway.

Arco ao norte da Washington Square

Washington Square ⓯

Mapa 4 D2. Ⓜ *W 4th St .*

Atualmente um dos mais vibrantes espaços públicos da cidade, a Washington Square era um pântano por onde passava o rio Minetta. No fim do século 18, a área tornou-se cemitério público –quando as escavações para o parque, cerca de 10 mil esqueletos foram exumados.

A praça era usada para duelos e, mais tarde, em 1819, para execuções públicas na forca. O "elmo da forca" ainda existe, no extremo noroeste da praça. Em 1826, o pântano foi aterrado e o rio desviado para um leito subterrâneo, onde ainda corre –uma pequena placa na fonte na entrada do nº 2 da 5th Avenue mostra seu curso.

O magnífico arco de mármore de Stanford White, concluído em 1895 e recentemente reformado, substituiu o arco anterior, de madeira, que cruzou a 5th Avenue para comemorar o centenário da posse de George Washington. Há uma escada escondida no lado direito do arco. Em 1916, um grupo de artistas, liderados por Marcel Duchamp e John Sloan, arrombou a porta, subiu ao topo do arco e declarou a "livre e independente república de Washington Square, o país da Nova Boêmia".

Do outro lado da rua fica "The Row". Hoje parte da NYU, neste quarteirão moraram pessoas importantes: a família Delano, os escritores Edith Wharton, Henry James e John dos Passos e o artista Edward Hopper. O nº 8 era a residência oficial do prefeito.

Hoje, famílias, estudantes e artistas misturam-se e desfrutam o parque. Também há traficantes de drogas, mas é seguro durante o dia.

Janela na esquina de West 4th Street e Washington Square

EAST VILLAGE

Peter Stuyvesant teve uma fazenda em East Village e, no século 19, as famílias Astor e Vanderbilt moravam lá. Mas por volta de 1900 a alta sociedade mudou-se para áreas mais nobres e East Village foi ocupada por imigrantes. Irlandeses, alemães, judeus, poloneses, ucranianos e porto-riquenhos deixaram sua marca no bairro sob a forma de igrejas e dos mais diversificados e baratos restaurantes étnicos da cidade. Nos anos 60, os baixos aluguéis atraíram a "geração beat". Aos hippies se seguiram os punks. Ainda existem muitos teatros e clubes. Estudantes enchem Astor Place. A leste ficam A, B, C e D Avenues, área decadente chamada de "Alphabet City", que foi transformada em uma das mais modernas áreas de Nova York.

Mosaico, fachada da St. George's Ukranian Catholic Church

PRINCIPAIS ATRAÇÕES

Ruas e Edifícios Históricos

Bayard-Condict Building 8
Colonnade Row 3
Cooper Union 1

Museus e Galerias

Merchant's House Museum 4

Igrejas

Grace Church 6
St Mark's-in-the-Bowery Church 5

Parques e Praças

Tompkins Square 7

Teatros Famosos

Public Theater 2

VEJA TAMBÉM

- ***Guia de Ruas***, mapa 4, 5
- ***Onde Ficar*** págs. 281-2
- ***Restaurantes*** págs. 301-2

0 metros 500

COMO CHEGAR

Pelo metrô, o trem da 6th Ave para Astor Place é o mais prático; o F ou V para 2nd Ave vai até Alphabet City. Também servem a área os ônibus M9, M14A, M15, M103 e M8, que cruza a cidade.

LEGENDA

- Mapa Rua a Rua
- M Estação de metrô

Baixo-relevo da fachada da Grace Church

◁ **Interior da McSorley's Old Ale House**

Rua a Rua: East Village

A propriedade de Peter Stuyvesant ficava no atual cruzamento da 10th e Stuyvesant Streets. Seu neto, também chamado Peter, herdou a propriedade e, em 1787, a dividiu em ruas. Alguns dos pontos históricos de destaque na área são a igreja St Mark's-in-the-Bowery, a casa Stuyvesant-Fish e a de Nicholas Stuyvesant, construída em 1795, ambas na Stuyvesant Street. Muitas casas nesse local foram construídas entre 1871 e 1890 e conservam degraus entrada, batentes e outros detalhes arquitetônicos originais.

O Astor Place foi palco de tumultos em 1849. O inglês Charles Macready, que fazia *Hamlet* na Astor Place, criticou o americano Edwin Forrest. Os fãs de Forrest revoltaram-se e a briga deixou 22 mortos.

Alamo é o nome do cubo de aço de 4,5 metros em Astor Place, projetado por Bernard Rosenthal, que gira quando é empurrado.

metrô Astor Place (linha 6)

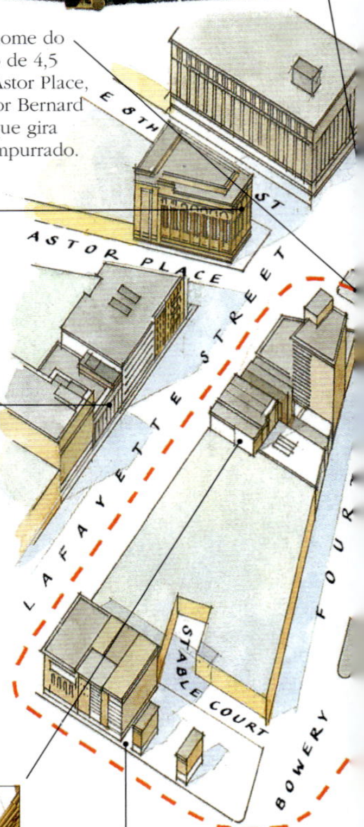

Colonnade Row
Estes quatro casarões abandonados e em mau estado são o que resta da vila de casas caras e elegantes, unidas em uma fachada única em estilo europeu, que havia no local. O mármore foi extraído por presos de Sing Sing ❸

Public Theater
Em 1965, Joseph Papp convenceu a prefeitura a comprar a Astor Library (1849) para sediar seu teatro. No prédio restaurado estrearam muitas peças famosas ❷

★ Merchant's House
Este museu conserva móveis originais da casa, mistura dos estilos federal, império americano e vitoriano ❹

PONTOS ALTOS

★ Cooper Union

★ Merchant's House Museum

★ Cooper Union
Fundada pelo empresário Peter Cooper em 1859, ainda oferece ensino gratuito a seus alunos ❶

St Marks-in-the-Bowery Church
A igreja foi erguida em 1799 e a torre-agulha, adicionada em 1828 ❺

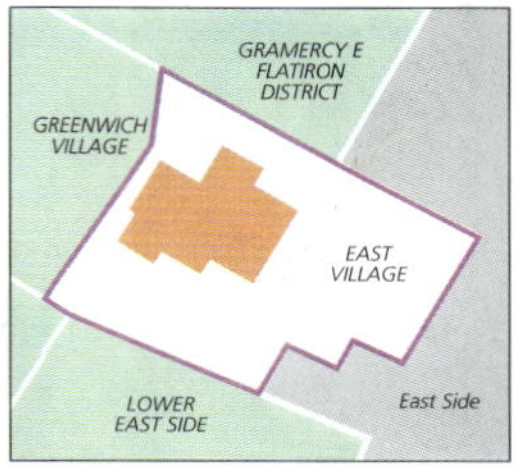

LOCALIZE-SE
Mapa de Manhattan págs. 14–15

A Stuyvesant-Fish House (1803-4), toda de tijolos, é um exemplo clássico de casa no estilo federal.

Renwick Triangle é um grupo de 16 casas construídas em 1861 no estilo anglo-italiano.

A Stuyvesant Polyclinic foi fundada em 1857 com o nome de German Dispensary e ainda é uma clínica de saúde. A fachada é decorada com bustos de médicos e cientistas célebres.

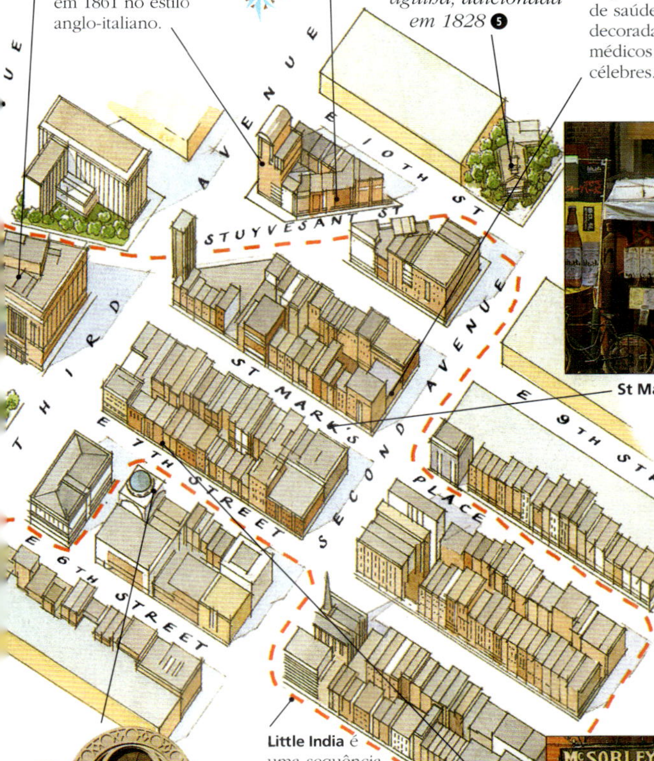

St Mark's Place era a rua dos hippies. Ainda é o lugar onde os jovens se encontram em East Village. Muitos porões se transformaram em modernas lojas.

Little India é uma sequência de restaurantes indianos no extremo da East 6th Street, onde se pode provar o sabor da Índia a preços baixos.

LEGENDA

– – – Percurso Sugerido

Em **Little Ukraine** vivem 30 mil ucranianos. O ponto central é a St George's Ukranian Church.

A McSorley's Old Ale House ainda produz a própria cerveja, servida num ambiente que parece não mudar desde a abertura, em 1854 *(pág. 317)*.

Salão nobre da Cooper Union, onde Abraham Lincoln fez um discurso

Cooper Union ❶

7 East 7th St. **Mapa** 4 F2. ***Tel*** *(212) 353-4000.* *Astor Pl.* *11h-19h seg-sex, 11h-17h sáb, para palestras e concertos no Salão Nobre.* *jun-ago, feriados.* **www**.cooper.edu

Peter Cooper, rico industrial que construiu a primeira locomotiva a vapor, produziu os primeiros trilhos de aço e era sócio da primeira empresa de telégrafos transatlânticos, não tinha instrução formal. Em 1859 fundou a primeira faculdade gratuita, não sectária e mista de Nova York. Hoje a disputa por uma vaga na escola, ainda gratuita, é dura. O edifício de seis andares, reformado em 1973-4, foi o primeiro com estrutura de aço, feita de trilhos produzidos por Cooper. O Salão Nobre foi inaugurado por Mark Twain, em 1859, e, no ano seguinte, Abraham Lincoln proferiu aqui seu discurso O *Direito Faz a Força*. A escola patrocina ainda um Fórum Público de debates.

Public Theater ❷

425 Lafayette St. **Mapa** 4 F2. ***Tel*** *(212) 239-6200 (ingressos). Admin (212) 539-8500* *Astor Pl.* *Ver também pág. 344.* **www**.publictheater.org

Este grande prédio de tijolo e pedra, onde acontece o New York Shakespeare Festival, foi inaugurado em 1849 como Astor Library, a primeira biblioteca gratuita da cidade, hoje parte da New York Public Library. É um dos melhores exemplos nos EUA do estilo neo-românico alemão. O edifício estava ameaçado de demolição em 1965, quando Joseph Papp, fundador do New York Shakespeare Festival, convenceu a prefeitura a comprá-lo para sediar a companhia. A reforma começou em 1967 e boa parte do interior foi preservada na conversão do prédio em seis salas de teatro. Embora encene peças experimentais, foi no Public Theater que estrearam os musicais *Hair e A Chorus Line*, de enorme sucesso. A *Chorus Line* bateu recorde de apresentações na Broadway.

O Public Theater, na Lafayette Street

Colonnade Row ❸

428–434 Lafayette St. **Mapa** 4 F2. *Astor Pl.* *ao público.*

As colunas coríntias destas quatro construções é tudo o que o restou da vila original de nove magníficos casarões de formas gregas. Erguidas em 1833 pelo construtor Seth Geer, ganharam o apelido de "Geer's Folly" (Loucura de Geer), pois muitos achavam que ninguém ia querer morar tão longe. Mas o empreendimento foi um sucesso e as casas foram compradas por pessoas importantes, como John Jacob Astor e Cornelius Vanderbilt. O escritor Washington Irving, autor de *Rip van Winkle* e outros clássicos do conto americano, viveu aqui, além dos ingleses William Thackeray e Charles Dickens. Cinco casas foram demolidas no início do século 20 pela loja John Wanamaker, para abrir espaço para uma garagem. As outras quatro estão abandonadas e em mau estado.

Merchant's House Museum ❹

29 E 4th St. **Mapa** 4 F2. ***Tel*** *(212) 777-1089.* *Astor Pl., Bleecker St.* *12h-17h seg-qui e com hora marcada.* *(flashes proibidos).* **www**.merchantshouse.com

Fogão de ferro original, do século 19, no Merchant's House Museum

Esta marcante casa de tijolos no estilo grego, fora de lugar em uma rua de East Village, é uma espécie de cápsula do tempo que mostra um modo de vida que não existe mais. Ainda tem os acabamentos e a cozinha originais, além de móveis, enfeites e utensílios da família que morou aqui por quase cem anos. Construída em 1832, foi comprada três anos depois pelo rico comerciante Seabury Tredwell e ficou com a família até 1933, quando morreu sua última descendente, Gertrude Tredwell. Ela tinha conservado a casa sem mudanças e um parente decidiu convertê-la em museu em 1936. Nas salas do andar térreo vê-se a opulência em que viviam os comerciantes bem-sucedidos de Nova York no século 19.

St. Mark's-in-the-Bowery Church ❺

131 E 10th St. **Mapa** 4 F1. ***Tel*** *(212) 674-6377.* *Astor Pl.* *8h30-16h seg-sex a menos que haja ensaios do Poetry Project.* *18h qua, 11h dom; em espanhol: 17h30 sáb.* **www**.stmarkschurch-in-the-bowery.com

Esta igreja de 1799 é uma das mais antigas de Nova York. Foi construída no lugar de outra erguida em 1660 na *bowery* (fazenda) do governador Peter Stuyvesant. Ele está enterrado aqui, ao lado de sete gerações de descendentes e muitos nova-iorquinos importantes na época. O poeta W. H. Auden, membro da paróquia, também é homenageado. Em 1878 houve um sequestro sinistro no cemitério, quando ladrões roubaram os restos mortais do grande proprietário de lojas de departamentos A. T. Stewart e pediram pagamento de resgate de US$ 20 mil para devolvê-los. A reitoria, erguida em 1900 no n 232 de East 11th Street, é do mesmo arquiteto do Singer Building *(pág. 106)*, Ernest Flagg.

Grace Church ❻

802 Broadway. **Mapa** 4 F1. ***Tel*** *(212) 254-2000.* *Astor Pl, Union Sq.* *M1.* *jul-ago: 10h, 18h dom; set-jun: 9h, 11h, 18h dom.* ***Concertos***. **www**.gracechurchnyc.org

James Renwick Jr., arquiteto da St Patrick Cathedral, tinha apenas 23 anos quando projetou esta igreja, considerada por muitos sua mais bela obra. As linhas delicadas no estilo gótico têm uma graça que combina com o nome da igreja. O interior é igualmente belo, com vitrais pré-rafaelitas e piso de mosaico.

A paz e a tranquilidade da igreja foram interrompidas em 1863, quando Phineas T. Barnum, dono do famoso circo, promoveu aqui o casamento do general anão Tom Thumb (Pequeno Polegar). Uma multidão compareceu e a festa foi caótica. Em 1888, a torre de madeira foi substituída por uma de mármore. Temia-se que fosse pesada demais e, de fato, o prédio é nitidamente inclinado. Vê-se a igreja de longe –fica na curva criada na Broadway quando Henry Brevoort obrigou a prefeitura a desviar a rua de seu pomar.

Altar e vitral de Grace Church

Tom Thumb e sua noiva na Grace Church

Tompkins Square ❼

Mapa 5 B1. *2nd Ave, 1st Ave.* *M9, M14A.*

Este parque em estilo inglês é tranquilo, mas já foi palco de muitos conflitos. Foi nele que, em 1874, ocorreu a primeira manifestação trabalhista organizada dos EUA. Na década de 1960, era o principal ponto de encontro dos hippies do bairro e, em 1991, muitas pessoas ficaram feridas quando a polícia tentou despejar um grupo de sem-teto que havia ocupado o local.

O parque também tem um comovente monumento à maior tragédia ocorrida no bairro. A pequena estátua de duas crianças olhando para um barco a vapor homenageia os mil moradores que morreram no desastre do *General Slocum*, um navio que pegou fogo quando levava passageiros em um cruzeiro no rio East, em 15 de junho de 1904. O barco estava lotado de mulheres e crianças do bairro, na época predominantemente alemão. Muitos homens perderam toda a família e acabaram se mudando para outras áreas da cidade.

Bayard-Condict Building ❽

65 Bleecker St. **Mapa** 4 F3. *Bleecker St.*

As graciosas colunas, a elegante fachada de terracota e a magnífica moldura deste edifício de 1898 marcam a única obra erguida em Nova York por Louis Sullivan, o grande arquiteto que deu aulas para Frank Lloyd Wright. Ele morreu em 1924, em Chicago, pobre e esquecido.

Consta que Sullivan era contrário à colocação dos anjos que sustentam a moldura do Bayard-Condict Building, mas acabou rendendo-se à insistência do proprietário, Silas Alden Condict.

Como o edifício fica no meio de um quarteirão comercial, cercado por outros, é melhor apreciado a distância. Atravesse a rua e desça um pouco a Crosby Street para vê-lo em seu melhor ângulo.

O Bayard-Condict Building

GRAMERCY E FLATIRON DISTRICT

No século 19, um grupo de construtores reservou quatro terrenos para a criação de bairros residenciais tranquilos e planejados, parecidos com os das cidades européias. Um deles era Gramercy Park, ainda hoje uma área primordialmente residencial. As casas que circundam a praça foram projetadas pelos melhores arquitetos de Nova York, como Calvert Vaux e Stanford White, e habitadas por seus mais importantes cidadãos. Perto daqui, no fim da 5th Avenue, uma área malcuidada vizinha ao Flatiron Building foi restaurada e está sendo ocupada por prédios de alto padrão, butiques e cafés.

Lagartixa em uma estátua da Union Square

PRINCIPAIS ATRAÇÕES

Ruas e Edifícios Históricos

Appellate Division of the Supreme Court of the State of New York ❸
Block Beautiful ⓫
Con Edison Headquarters ⓮
Flatiron Building ❺
Gramercy Park Hotel ⓬
Ladies' Mile ❻
Metropolitan Life Insurance Company ❹
National Arts Club ❽
New York Life Insurance Company ❷
The Library at the Players ❾

Museus e Galerias

Theodore Roosevelt Birthplace ❼

Igrejas

The Little Church Around the Corner ⓰

Parques e Praças

Gramercy Park ❿
Madison Square ❶
Stuyvesant Square ⓭
Union Square ⓯

VEJA TAMBÉM

• ***Guia de Ruas***, mapas 8, 9

• ***Onde Ficar*** pág. 282

• ***Restaurantes*** pág. 302-3

0 metros 500

COMO CHEGAR

As estações de metrô mais próximas são na 23rd St 6 e Union Square, onde param os trens N, Q, R, W, L, 4, 5. Os ônibus que servem a área são o M101-103, na 3rd Ave, e M1, M2, M3 e M5, na 5th e bnues, e o M6 e M7 na Broadway.

LEGENDA

Mapa Rua a Rua

Estação de metrô

◁ Con Edison Headquarters à noite

Rua a Rua: Gramercy Park

Gramercy Park e a vizinha Madison Square parecem ficar em cidades diferentes. Madison Square é cheia de escritórios, trânsito congestionado e frequentada principalmente pelas pessoas que trabalham na região. Mesmo assim sua bela arquitetura comercial e suas estátuas justificam uma visita. Aqui ficava o velho Madison Square Garden, o famoso centro de lazer projetado por Stanford White que atraía multidões em busca de diversão. Gramercy Park, pelo contrário, conserva até hoje a tranquilidade e dignidade originais. Todos os clubes e casas dão para este que é o último parque particular de Nova York –e só os moradores têm a chave.

Estátua de Diana no velho Madison Square Garden

★ Madison Square
O Knickerbocker Club jogava beisebol nesta praça por volta de 1840 e foi o primeiro a codificar as regras do esporte. Hoje funcionários de escritórios e turistas apreciam as estátuas de figuras do século 19, como o almirante Farragut ❶

★ Flatiron Building
Este prédio, um dos primeiros arranha-céus da cidade, fica no triângulo entre 5th Avenue, Broadway e 23rd Street. Erguido em 1903, era o mais alto edifício do mundo ❺

O relógio de calçada em frente ao nº 200 da 5th Avenue marca o fim da área que era o máximo em moda feminina no passado, chamada "Ladies' Mile".

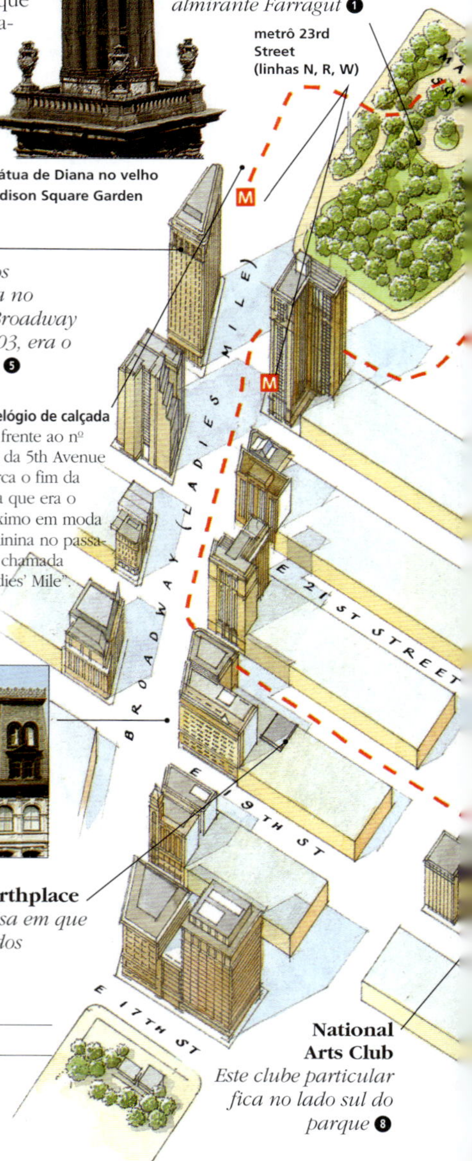

"Ladies' Mile"
Na Broadway, entre Union e Madison Squares, ficava o comércio mais chique. ❻

Theodore Roosevelt Birthplace
Esta é uma réplica da casa em que nasceu o 26º presidente dos Estados Unidos ❼

LEGENDA

– – – Percurso sugerido

0 metros 100

National Arts Club
Este clube particular fica no lado sul do parque ❽

Appellate Court
Acredita-se que este seja o mais movimentado tribunal do mundo ❸

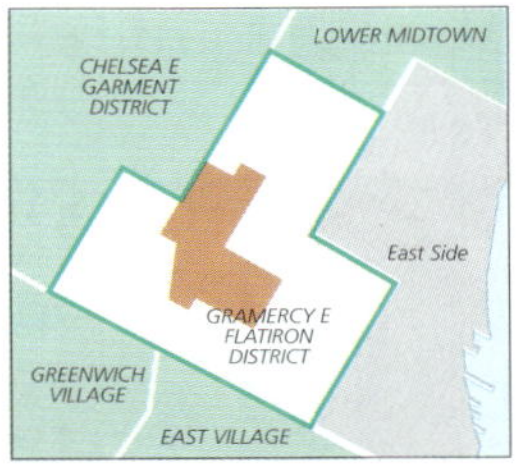

LOCALIZE-SE
Mapa de Manhattan págs. 14-15

New York Life Insurance Company
Este edifício projetado por Cass Gilbert tem topo em pirâmide, sua marca registrada ❷

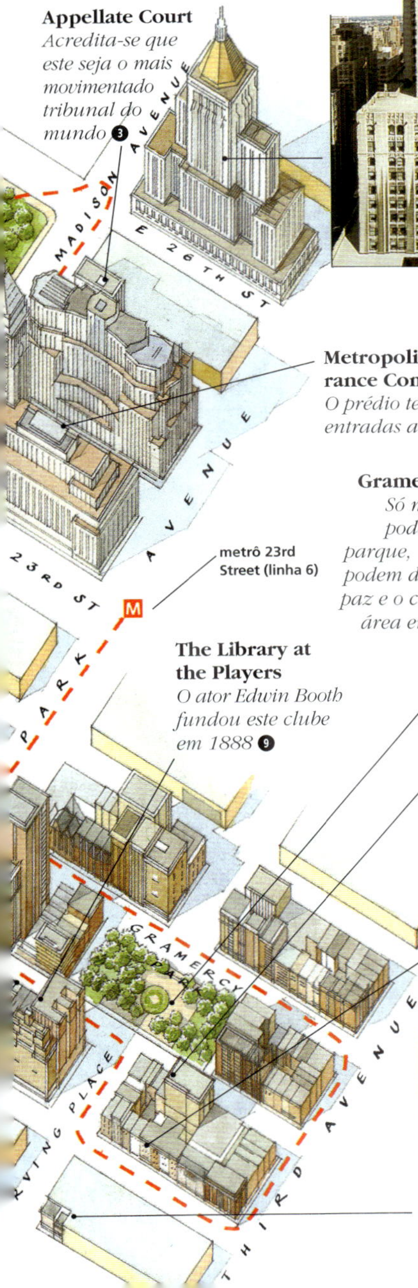

Metropolitan Life Insurance Company
O prédio tem quatro entradas abobadadas ❹

PONTOS ALTOS

★ Flatiron Building

★ Madison Square

Gramercy Park
Só moradores podem usar o parque, mas todos podem desfrutar a paz e o charme da área em volta ❿

The Library at the Players
O ator Edwin Booth fundou este clube em 1888 ❾

A Brotherhood Synagogue, antes de ser sinagoga, foi uma sala de reuniões dos quackers, entre 1859 e 1975.

Block Beautiful
Este é um trecho de East 19th Street, ladeado de árvores. Nenhuma casa se destaca, mas a rua, como o nome indica, é belíssima ⓫

A Pete's Tavern ocupa este local desde 1864. O contista O. Henry, cronista da cidade, escreveu *The Gift of the Magi* em uma das mesas do bar.

Madison Square ❶

Mapa 8 F4. M *23rd St.*

Estátua de Farragut, Madison Square

Planejada para ser o centro de um bairro residencial elegante, esta praça tornou-se um local de grande movimento depois da guerra civil americana. Nela ficavam o elegante Fifth Avenue Hotel, o Madison Square Theatre e o velho Madison Square Garden, de Stanford White. Em 1884, aqui foi exposto o braço da Estátua da Liberdade que leva a tocha.

A praça é hoje um lugar tranquilo, frequentado por funcionários dos escritórios locais na hora do almoço e pessoas que vêm apreciar suas muitas estátuas, entre elas a do almirante David Farragut, herói naval da guerra civil, esculpida em 1880 por Augustus Saint-Gaudens, com pedestal de Stanford White. Na base da estátua erguem-se as figuras da Coragem e da Lealdade. A estátua de Roscoe Conkling homenageia um senador morto na grande nevasca de 1888. O mastro Luz Eterna, de Carrère e Hastings, lembra os soldados que morreram na França durante a Primeira Guerra Mundial.

Outros edifícios famosos já ocuparam o local. O Hippodrome, em 1874, foi seguido pelo primeiro Madison Square Garden, em 1879, onde o famoso peso pesado Jack Dempsey lutava no fim do século passado. O segundo Madison Square Garden (o lendário "palácio dos prazeres" de Stanford White) foi inaugurado no mesmo local em 1890. A elite da cidade frequentava os musicais e eventos sociais e pagava mais de US$ 500 por um camarote no prestigioso show anual de cavalos.

O edifício tinha arcadas e uma torre imitando a Giralda, de Sevilha, sobre a qual ficava uma estátua de ouro da deusa Diana. Sua nudez era chocante para a época, tal como a vida e morte do próprio Stanford White. Em 1906, ele assistia a um show no jardim do terraço quando foi morto a tiros pelo milionário Harry K. Thaw, marido da ex-amante de White, Evelyn Nesbit. A revista *Vanity Fair* resumiu a reação popular: "White, mulherengo e pervertido, tem uma morte de cachorro". As revelações que surgiram no julgamento de Thaw sobre os escândalos da alta sociedade local superam os enredos de novelas.

New York Life Insurance Company ❷

51 Madison Ave. **Mapa** 9 A3. M *28th St.* ◯ *horário comercial.*

Este imponente edifício foi projetado em 1928 por Cass Gilbert, célebre arquiteto do Woolworth Building. Seu interior é uma obra-prima, adornado com enormes lustres, portas e painéis de bronze, além de uma grandiosa escadaria que leva, surpreendentemente, a uma estação de metrô.

Pirâmide dourada no alto da New York Life Insurance Company

Appellate Division of the Supreme Court of the State of New York ❸

E. 25th St. at Madison Ave. **Mapa** 9 A4. M *23rd St.* ◯ *9h-17h seg-sex (tribunal em sessão a partir das 14h ter-qui, sex a partir das 10h).* ● *feriados.*

As apelações de processos cíveis e criminais de Nova York e Bronx são julgadas neste tribunal, o mais ativo do gênero. O arquiteto James Brown Lord projetou o prédio pequeno, mas nobre, em 1900. Ele é ornamentado com muitas e belas esculturas, entre elas as da *Justiça*,

Estátuas da Justiça e do Estudo no alto da Appellate Court

ladeada pelo *Poder* e o *Estudo*, conjunto criado por Daniel Chester French. Nos dias úteis, o belo interior, projetado pelos irmãos Herter, é aberto à visitação pública, inclusive a sala do tribunal, quando não há sessões em andamento. Entre os detalhes elegantes que merecem destaque estão as janelas de vidros pintados, a cúpula, os murais e as estantes trabalhadas.

Há exposições frequentes no saguão sobre os processos mais famosos –e infames– julgados neste tribunal. Entre as várias celebridades envolvidas por diversos motivos nessas apelações figuram Babe Ruth, Charles Chaplin, Fred Astaire, Harry Houdini, Theodore Dreiser e Edgar Allan Poe.

Torre do relógio da Metropolitan Life Insurance Company

Metropolitan Life Insurance Company ❹

1 Madison Ave. **Mapa** 9 A4. Ⓜ *23rd St.* ◯ *horário bancário.*

Em 1909, o acréscimo de uma torre de 210m ao edifício erguido em 1893 fez dele o mais alto do mundo, deixando o Flatiron em segundo lugar. Os ponteiros dos minutos no enorme relógio de quatro lados pesam 454kg cada um. Iluminado, o edifício faz parte da paisagem noturna da cidade e inspirou o slogan da Metropolitan: "Uma luz que nunca falha".

Uma série de murais históricos de N.C. Wyeth, célebre ilustrador de clássicos como *Robin Hood*, *A Ilha do Tesouro* e *Robinson Crusoé* e pai do pintor Andrew Wyeth, enfeitava o restaurante. A construção hoje abriga o First Boston Credit-Suisse.

Flatiron Building ❺

175 5th Ave. **Mapa** 8 F4. Ⓜ *23rd St.* ◯ *horário comercial.*

Batizado de Fuller Building, nome de sua construtora e proprietária, esta obra do arquiteto David Burnham, de Chicago, era o edifício mais alto do mundo quando foi concluído, em 1902. Um dos primeiros a ter estrutura de aço, inaugurou a era dos arranha-céus.

Logo ficou conhecido como Flatiron (ferro de passar) Building, por causa de seu formato triangular. Outros o chamavam de "Burnham's Folly" (Loucura de Burnham) e previam que seria derrubado pelas correntes de vento criadas por sua forma. O prédio aguentou firme, mas o vento mais forte na 23rd Street teve uma consequência: levantava as saias compridas das mulheres e atraía uma multidão de homens esperançosos de vislumbrar um pedaço de tornozelo. Os policiais diziam para circular e sua ordem *–23-skidoo–* virou gíria para "vamos andando". Até pouco tempo, o trecho da 5th Avenue ao sul do Flatiron era uma área decadente, mas passou por reformas e está se recuperando. O novo Flatiron District já atrai lojas como Paul Smith e Emporio Armani.

O Flatiron Building durante sua construção

Ladies' Mile ❻

Broadway (Union Sq. para Madison Sq.). **Mapa** 8 F4–5, 9 A5. Ⓜ *14th St, 23rd St.*

Loja Arnold Constable

No século 19, as senhoras elegantes que viviam nos casarões vizinhos saíam em carruagens reluzentes quando iam às compras em lojas como Arnold Constable (nº 881-887) e Lord & Taylor (nº 901). Mas as fachadas foram reformadas e quem quiser ver o que sobrou tem de olhar para cima.

Presidente Teddy Roosevelt

Theodore Roosevelt Birthplace ❼

28 E. 20th St. **Mapa** 9 A5. ***Tel*** *(212) 260-1616* Ⓜ *14th St.-Union Sq- 23rd St.* ◯ *9h-17h ter-sáb (últ adm: 16h).* ● *feriados.* *de hora em hora.* ***Palestras, concertos, filmes, videos.*** **www**.nps.gov/thrb

A réplica da casa onde o pitoresco 26º presidente dos EUA passou a infância exibe brinquedos com que o jovem Teddy brincava, buttons de campanha e emblemas do chapéu "Rough Rider", que Roosevelt usava na guerra espanhola-americana. Uma sala destaca sua carreira política e outra, suas viagens de exploração e seus hobbies.

Retratos de grandes escritores em baixo-relevo no National Arts Club

National Arts Club 8

15 Gramercy Pk S. **Mapa** 9 A5.
Tel *(212) 475-3424.* M *23rd St.*
12h-17h seg-sex para exposições.
www.nationalartsclub.org

Projetado por Calvert Vaux em 1881-4, esta grande *brownstone* era a casa do governador Samuel Tilden, que condenou "Boss" Tweed *(pág. 27)* e criou a primeira biblioteca pública gratuita. Sua fachada foi redesenhada por Calvert Vaux entre 1881-4. O National Arts Club comprou o prédio em 1906, mantendo os altos tetos e os vitrais originais de John La Farge. Entre os sócios do clube estiveram os principais artistas americanos do fim do século 19 e início do século 20, que deviam doar uma obra de arte para se tornar sócios vitalícios –essas contribuições formam o acervo atual. O clube é aberto ao público apenas para exposições.

The Library at the Players 9

18 Gramercy Pk S. **Mapa** 9 A5.
Tel *(212) 228-7610.* M *23rd St.*
exceto para grupos com hora marcada.

Esta *brownstone* de dois andares era a casa do ator Edwin Booth, irmão do assassino do presidente Lincoln, John Wilkes Booth. O arquiteto Stanford White transformou o edifício em um clube em 1888. Embora se destinasse principalmente a atores, teve como membros o próprio White, o escritor Mark Twain, o publisher Thomas Nast e Winston Churchill, cuja mãe, Jennie Jerome, nasceu perto dali. Em Gramercy Park, do outro lado da rua, há uma estátua de Booth no papel de Hamlet.

Decoração em grade do clube The Players

Gramercy Park 10

Mapa 9 A4.
M *23rd St, 14th St-Union Sq.*

Gramercy Park é uma das quatro praças (as outras são Union, Stuyvesant e Madison) construídas nas décadas de 1930 e 40 para atrair moradores da alta sociedade para a área. É o único parque particular da cidade e só quem mora nos edifícios que o cercam tem as chaves dos portões, exatamente como acontecia com os proprietários originais. Através da grade do canto sudeste pode-se ver a fonte de Greg Wyatt, com girafas saltitando em volta de um sol sorridente.

Fonte com sol e girafas, obra de Greg Wyatt, em Gramercy Park

Os casarões que circundam o parque foram projetados pelos mais famosos arquitetos de Nova York, como Stanford White, cuja casa ficava onde hoje está o Gramercy Park Hotel. Os prédios nº 3 e 4 são especialmente atraentes, com varandas e portões de ferro fundido. O poste em frente ao nº 4 indica a casa do ex-prefeito James Harper. No nº 34, de 1883, moraram o escultor Daniel Chester French, o ator James Cagney e John Ringling, dono de circo, que instalou em casa um órgão gigantesco.

Block Beautiful 11

E. 19th St. **Mapa** 9 A5.
M *14th St-Union Sq, 23rd St.*

Fachada de uma casa no Block Beautiful, na East 19th Street

Este é um quarteirão tranquilo de casas dos anos 20, lindamente restauradas. Nenhuma delas se destaca das outras, mas juntas criam um conjunto muito harmonioso.

Na casa nº 132 moraram duas mulheres famosas: Theda Bara, estrela do cinema mudo e primeira *sex symbol* de Hollywood, e a excelente atriz Mrs. Patrick Campbell, primeira Eliza Doolittle da peça *Pigmalião* (1914), de George Bernard Shaw. Os postes para amarrar cavalos, em frente ao nº 141, e as girafas de cerâmica em baixo-relevo na fachada do nº 147-9, são alguns dos muitos detalhes que vale observar.

Gramercy Park Hotel ⓬

2 Lexington Ave at 21st St.
Mapa 9 B4. ***Tel*** *(212) 475-4320.*
Ⓜ *14th St-Union Sq, 23rd St.*
www.gramercyparkhotel.com

Situado no endereço da casa de Stanford White, este foi por mais de 60 anos o lar de muitos visitantes internacionais e também de nova-iorquinos. Ohotel fica logo à direita do único parque privado de Manhattan. O bar do hotel, deliciosamente antiquado, com candelabros e persianas de madeira, é um dos segredos mais bem guardados de Nova York e parece feito sob encomenda para escapadas românticas. Aqui você teria a chance de se sentar ao lado de uma madame muito rica ou de um rock star. Então Ian Schrager, famoso pela boate Studio 54, começou uma reforma para converter parte de seus quartos em apartamentos de luxo. O hotel reabrirá em 2007, com 170 quartos e uma brasserie.

Stuyvesant Square ⓭

Mapa 9 B5. Ⓜ *3rd Ave, 1st Ave.*

Este oásis sob a forma de dois parques divididos pela 2nd Avenue era parte da fazenda de Peter Stuyvesant, no século 17. Ainda pertencia à família quando o parque foi criado, em 1836 –Peter G. Stuyvesant vendeu o terreno à prefeitura pela simbólica quantia de US$ 5 (para alegria de quem morava na área e viu o preço dos terrenos explodir). No parque há uma estátua de Stuyvesant, obra de Gertrude Vanderbilt Whitney. O parque separava a propriedade dos Stuyvesants do Gas House District, um bairro mais pobre.

Con Edison Headquarters ⓮

145 E 14th St. **Mapa** 9 A5. Ⓜ *3rd Ave, 14th St-Union Sq.* ● *ao público.*

A torre do relógio deste edifício, que data de 1911, é uma referência local. Originalmente planejada por Henry Hardenbergh, arquiteto muito conhecido por edifícios como o Dakota *(pág. 218)* e o Plaza *(pág. 181)*, a torre de 26 andares foi construída pela mesma firma que projetou o Grand Central Terminal. Perto do topo, há um farol de bronze de 11,6m que lembra os trabalhadores da Con Ed que morreram durante a Primeira Guerra. A torre não é tão alta quanto o Empire State Building ali perto, mas quando iluminada à noite é um espetáculo, além de simbolizar uma companhia que mantém Manhattan e o resto da cidade iluminados.

Torres do Con Edison (à dir.), Metropolitan Life e Empire State Buildings

Union Square ⓯

Mapa 9 A5. Ⓜ *14th St-Union Sq.*
Feira ◯ *8h-18h, seg, qua, sex, sáb.*

Dia de feira na Union Square

Aberto em 1839, este parque uniu a Bloomingdale Road (atual Broadway) à Bowery Road (atual 4th, ou Park, Avenue) e por isso ganhou esse nome. O centro da praça foi erguido para dar lugar a uma estação subterrânea de metrô. O local é palco de oradores em busca de audiência. Na Depressão de 1930, mais de 35 mil desempregados saíram de lá em passeata até a Prefeitura, reivindicando empregos. Há uma feira livre no parque em que os próprios agricultores –de todo o Estado– vendem os seus produtos.

The Little Church Around the Corner ⓰

1 E 29th St. **Mapa** 8 F3. ***Tel*** *(212) 684-6770.* Ⓜ *28th St.* ◯ *8h-18h diariam.* ✝ *12h10 seg-sex, 8h30, 11h dom.* *dom, após serviço das 11h.* ***Palestras, concertos, recitals***. **www**.littlechurch.org

Construída entre 1849 e 1856, a Igreja Episcopal da Transfiguração é um refúgio tranquilo mais conhecido por seu apelido, A Pequena Igreja da Esquina. Quando Joseph Jefferson estava organizando o enterro de seu co lega ator George Holland, o pastor de uma igreja vizinha recusou-se a fazer a cerimônia e sugeriu que Jefferson procurasse "a pequena igreja da esquina". O nome pegou e desde então a igreja tem um vínculo especial com o teatro. Sarah Bernhardt costumava frequentá-la.

O vitral no lado sul do transepto, criado por John La Farge, mostra Edwin Booth representando Hamlet. O grito de Jefferson, "Deus abençoe a pequena igreja da esquina!", está gravado em outro vitral.

CHELSEA E GARMENT DISTRICT

Em 1750, Chelsea era uma área agrícola; em 1830, um subúrbio; 40 anos depois, quando vieram as ferrovias elevadas *("el", págs. 26-7)*, virou área comercial. Na época, a 23rd Street era cheia de teatros e music halls. À sombra do elevado surgiu a "Fashion Row" (rua da moda), com grandes lojas para a classe média. Mas a sujeira e o barulho da "el" afastaram a indústria da moda mais para o centro, e Chelsea começou a decair. Os elevados foram removidos e só então suas casas do século 19 foram redescobertas. Quando a Macy's chegou à Herald Square, o "Garment District" cresceu em volta, adiante do bairro de flores. Hoje Chelsea está repleta de galerias e antiquários e tem uma grande comunidade gay

Estátua de alfaiate, nº 555 da 7th Avenue

Interior do Empire Diner, em Chelsea

PRINCIPAIS ATRAÇÕES

Ruas e Edifícios Históricos
Chelsea Historic District ⓬
Empire State Building págs. 136-7 ❷
General Post Office ❼
General Theological Seminary ⓫
Hugh O'Neill Dry Goods Store ⓮

Igrejas
Marble Collegiate Reformed Church ❶
St John the Baptist Church ❺

Arquitetura Moderna
Chelsea Piers Sports and Entertainment Complex ❾
Jacob K Javits Convention Center ❽
Madison Square Garden ❻

Monumentos
Worth Monument ⓯

Parques e Praças
Herald Square ❸

Hotéis e Restaurantes
Chelsea Hotel ⓭
Empire Diner ⓾

Lojas
Macy's ❹

COMO CHEGAR

Para ir a Chelsea, pegue a linha 1 ou 9 para 18th ou 23rd St. Os trens C e E da 8th Ave vão até 23rd St. Os ônibus para lá são o M11, M20 e o M23 que cruza a ilha. Para a Macy's, pegue os trens 1, 2, 3 ou 9 até 34th St/Penn Station. Os trens A, C e E param na 34th St e B, D, F, V, N, R, Q e W param na Herald Square.

LEGENDA

- Mapa Rua a Rua
- Estação de metrô
- Heliporto

VEJA TAMBÉM

- ***Guia de Ruas***, mapas 7-8
- ***Onde Ficar*** págs. 282-4
- ***Restaurantes*** pág. 304

Rua a Rua: Herald Square

Herald Square tem esse nome por causa do jornal *Herald*, de Nova York, que funcionou lá de 1894 a 1921. A área, cheia de gente fazendo compras, foi uma das mais promíscuas da cidade –no fim do século 19, era chamada de "Tenderloin District" (bairro dos vícios) e repleta de cabarés e bordéis. A chegada da Macy's, em 1901, mudou a feição do bairro, que passou a se dedicar à moda. O Garment District (onde se concentram fábricas e ateliês de costura) ocupa as ruas perto da Macy's e a região da 7th Avenue, chamada de "Fashion Avenue". A leste, na 5th Avenue, fica o Empire State Building, de onde se tem uma das melhores vistas da cidade.

O Manhattan Mall, no prédio da antiga Gimbel's, vizinha e maior rival da Macy's, abriga 90 lojas, 20 restaurantes e piso para roupas infantis e brinquedos.

"Fashion Avenue" é o nome dado à 7th Avenue na altura da 34th Street. Esta área é o núcleo da indústria de roupas de Nova York. As ruas vivem cheias de homens empurrando carrinhos de roupas.

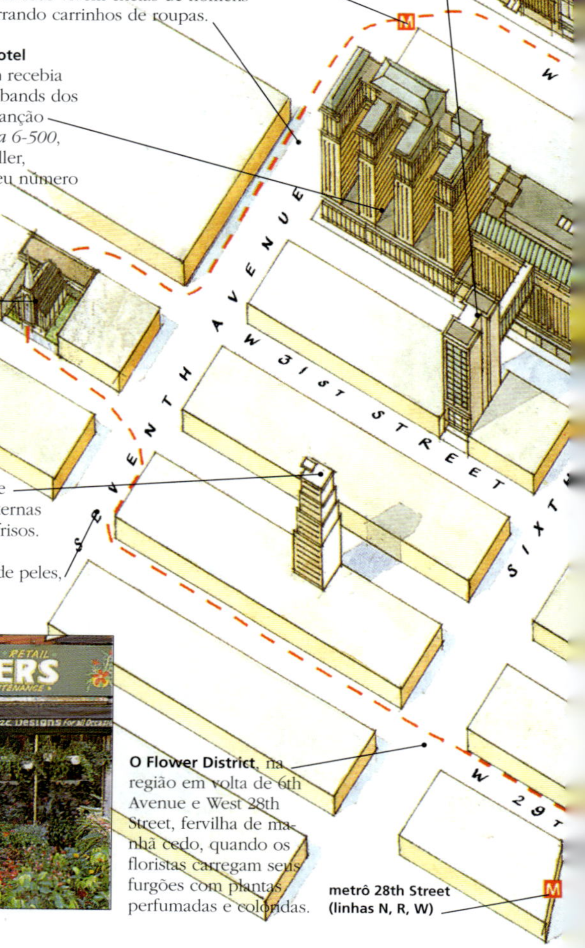

metrô 34th Street (linhas 1, 2, 3, 9)

O Ramada Hotel Pennsylvania recebia todas as big bands dos anos 30 –a canção *Pennsylvania 6-500*, de Glenn Miller, celebrizou seu número de telefone.

St John the Baptist Church
Uma belíssima série de Estações da Cruz esculpidas enfeita as paredes desta igreja, de mármore branco ❺

O SJM Building fica no n 130 de West 30th Street. As paredes externas do edifício são enfeitadas com frisos.

O Fur District, centro do comércio de peles, fica no fim do Garment District, entre West 27th e 30th Streets.

O Flower District, na região em volta de 6th Avenue e West 28th Street, fervilha de manhã cedo, quando os floristas carregam seus furgões com plantas perfumadas e coloridas.

metrô 28th Street (linhas N, R, W)

★ Macy's
A maior loja de departamentos do mundo, vende todo tipo de artigos ❹

Herald Square
O relógio original do New York Herald Building está hoje na esquina da 6th Ave com Broadway ❸

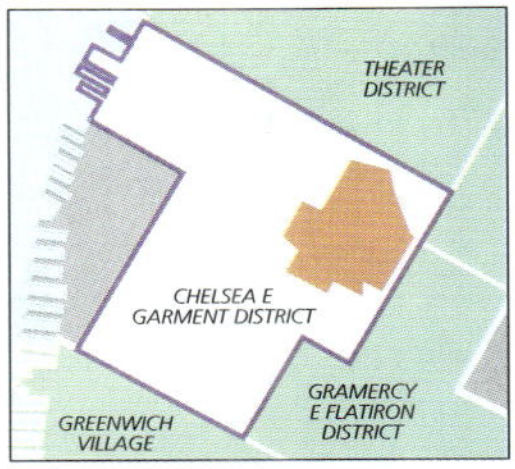

LOCALIZE-SE
Mapa de Manhattan págs. 14- 15

LEGENDA

— — — Percurso sugerido

0 metros 100

O Greenwich Savings Bank (agora HSBC), cercado de colunas, parece um templo grego dedicado às finanças.

metrô 34th Street (linhas B, D, F, N, Q, R, V, W)

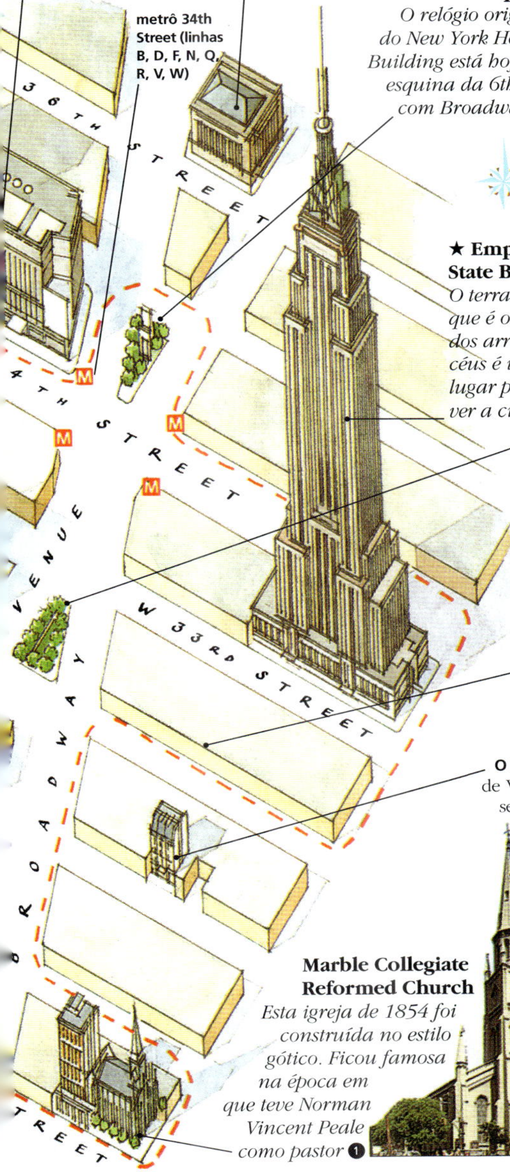

★ Empire State Building
O terraço deste que é o símbolo dos arranha-céus é um bom lugar para se ver a cidade ❷

Greeley Square é mais uma ilha no meio da avenida que uma praça, mas tem uma bela estátua de Horace Greeley, fundador do *Tribune*, de Nova York.

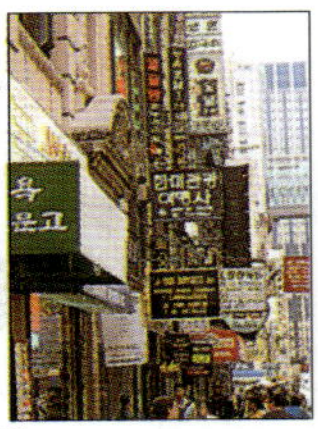

Little Korea é onde os coreanos de Nova York têm suas lojas. Também há restaurantes típicos em West 31st e 32nd Streets.

O Life Building, nº 19 de West 31st Street, foi sede da *Life* na época em que era uma revista satírica. O prédio de 1894, projeto de Carrère e Hastings, agora é um hotel.

Marble Collegiate Reformed Church
Esta igreja de 1854 foi construída no estilo gótico. Ficou famosa na época em que teve Norman Vincent Peale como pastor ❶

PONTOS ALTOS

★ Empire State Building

★ Macy's

Vitrais Tiffany da Marble Collegiate Reformed Church

Marble Collegiate Reformed Church ❶

1 W. 29th St. **Mapa** 8 F3. ***Tel*** *(212) 686-2770.* *28th St.* *8h30-20h30 seg-sex, 9h-16h sáb, 8h-15h dom.* *feriados.* *11h15 dom.* *durante serviços.* **Santuário** 3 W. 29th St. *10h-12h, 14h-16h seg-sex.* **www**.marblechurch.org

Esta igreja é famosa graças ao seu antigo pastor, Norman Vincent Peale, autor de *O Poder do Pensamento Positivo*. O ex-presidente Richard M. Nixon a frequentava em seus tempos de advogado, antes de chegar à Casa Branca.

A igreja foi erguida em 1854, com os blocos de mármore que lhe deram nome. Na época, a Fifth Avenue era apenas uma poeirenta estrada de terra, e a cerca de ferro em volta da igreja servia para impedir a entrada de cavalos e vacas. As paredes internas originais, em branco e dourado, foram substituídas por um desenho *fleur-de-lis* dourado contra um fundo ferrugem suave. Dois vitrais Tiffany com cenas da Bíblia foram instalados na parede sul em 1893.

Empire State Building ❷

Págs. 136-7.

Herald Square ❸

6th Ave. **Mapa** 8 E2. *34th St-Penn Station. Ver* ***Compras*** *pág. 321.*

A praça leva o nome do jornal que ocupou aqui um belo edifício projetado por Stanford White entre 1893 e 1921. A Herald Square foi o centro do Tenderloin District, o bairro da prostituição entre os anos 1870 e 80. Teatros como o Manhattan Opera House, salas de dança, hotéis e restaurantes mantiveram o burburinho da região até 1890, quando cederam à pressão dos reformistas. O relógio ornamental Bennett, que leva o nome do publisher do jornal Herald, James Gordon Bennett Jr., agora fica à esquerda do Herald Building.

A Opera House foi destruída em 1901 para dar lugar à Macy's e logo surgiram outras lojas de departamentos, fazendo da Herald Square o paraíso dos compradores. Também na Herald Square ficava a sede da Gimbel Brothers Department Store, a loja arqui-rival da Macy's –a ponto de a briga entre as duas fazer parte do enredo do filme natalino *De Ilusão Também Se Vive*. Em 1988, a Gimbel foi convertida em um shopping center com uma brilhante fachada de néon. Os grandes nomes foram embora, mas Herald Square ainda é um importante bairro comercial.

Fachada da Macy's na 34th Street

Macy's ❹

151 W. 34th St. **Mapa** 8 E2. ***Tel*** *(212) 695-4400* *34th St-Penn Station.* *10h-20h30 seg-sáb; 11h-19h dom.* *feriados. Ver* ***Compras*** *pág. 319.* **www**.macys.com

A "maior loja do mundo" ocupa um quarteirão inteiro e vende praticamente tudo, em todas as faixas de preço. Foi fundada por um ex-baleeiro, Rowland Hussey Macy, que em 1857 abriu uma lojinha na West 14th Street. Seu logotipo, uma estrela vermelha, imitava uma tatuagem no braço de Macy, lembrança de seus tempos de marinheiro.

Quando morreu, em 1877, sua lojinha já havia sido ampliada e ocupava 11 prédios. Cresceria ainda mais sob a direção dos irmãos Isidor e Nathan Straus, ex-gerentes da seção de louças e cristais. Em 1902, a Macy's não cabia mais em suas instalações da 14th Street e a firma adquiriu a sede atual. A entrada do lado leste é nova, mas a fachada conserva as janelas salientes

Nave da igreja St John the Baptist

e os pilares coríntios de 1902. A da 34th Street ainda tem na entrada as estátuas originais guardando a entrada, junto com o relógio, o toldo e a inscrição do nome. Dentro, muitas das escadas rolantes originais –de madeira– ainda estão em funcionamento.

O mar voltou a figurar na história da loja em 1912 –uma placa ao lado da entrada principal lembra a morte de Isidor e sua mulher no naufrágio do *Titanic*.

A Macy's patrocina o desfile de Thanksgiving em Nova York e o espetáculo de fogos de artifício no Quatro de Julho. Sua feira de flores, realizada na primavera, atrai milhares de visitantes.

St. John the Baptist Church ❺

210 W. 31st St. **Mapa** 8 E3. ***Tel*** *(212) 564-9070.* *34th St-Penn Station.* *6h15-18h diariam.* *8h45, 10h30, 5h15 diariam.*

Fundada em 1840 para atender uma congregação de imigrantes recém-chegados, esta pequena igreja católica está hoje quase perdida no coração do centro atacadista de peles, o Fur District. Seu exterior tem uma única torre. Embora a fachada em *brownstone* que dá para a 30th Street esteja coberta de fuligem, há tesouros escondidos por trás da entrada, que passa por dentro de um convento, na 31st Street.

O santuário, obra de Napoleon Le Brun, é uma jóia de arcos góticos de mármore com capitéis dourados. As paredes têm baixos relevos com cenas religiosas e a luz é filtrada por vitrais. O convento também inclui o Prayer Garden, um oásis com fonte, estátuas e bancos de pedra.

Madison Square Garden ❻

4 Pennsylvania Plaza. **Mapa** 8 D2. ***Tel*** *(212) 465-6741.* *34th St-Penn Station.* *seg-dom, o horário varia com a programação.* *Ver **Divirta-se** pág 360.* **www**.thegarden.com

Só uma coisa boa resultou da demolição do lindíssimo prédio da Pennsylvania Station, projetado por McKim, Mead & White, para abrir espaço para este inexpressivo complexo esportivo construído em 1968: os defensores da preservação do patrimônio cultural da cidade formaram uma associação para impedir atos semelhantes

O Madison Square Garden, erguido em cima da hoje subterrânea Pennsylvania Station, é um cilindro de concreto pré-moldado, prático e bem situado, no centro da cidade. Tem 20 mil lugares e é a sede dos famosos New York Knickerbockers (time de basquete), Liberty (de basquete feminino) e New York Rangers (de hóquei). Além dos jogos desses times, seu calendário é lotado de eventos: shows de rock, torneios de tênis, boxe e luta-livre, os circos Ringling Bros e Barnum & Bailey, feira de antiguidades etc. Dentro há um teatro de 5.600 lugares.

Apesar das reformas, o Madison Square Garden não tem a classe do velho estádio de mesmo nome, o belo edifício projetado por Stanford White que promovia apresentações extravagantes *(pág. 124)*.

Interior do Madison Square Garden

General Post Office ❼

421 8th Ave. **Mapa** 8 D2. ***Tel*** *(212) 967-8585.* *34th St-Penn Station.* *24hs todos os dias, (inclusive feriados). Ver **Informações Úteis** pág. 377.*

Projetado por McKim, Mead & White em 1913 para complementar a Pennsylvania Station (1910), desenhada pela mesma firma no outro lado da rua, a agência central do correio é um perfeito exemplo de edifício público no estilo Beaux Arts. Sua fachada, que se estende por dois quarteirões, tem uma escadaria que leva a outra fachada, adornada com 20 colunas coríntias. Na frente, uma inscrição de 85m reproduz a descrição do serviço postal persa, de cerca de 520 a.C.: "Nem neve, nem chuva, nem calor, nem a escuridão da noite impedem os mensageiros de completar com rapidez os percursos designados".

Colunata coríntia do General Post Office

Empire State Building ❷

Empire State Building

O Empire State Building é o edifício mais alto de Nova York. Sua construção teve início em março de 1930, não muito tempo depois do crash da Bolsa de Valores, em 1929. Em 1931, ao ser inaugurado, a demanda de escritórios era tão pequena que ele ganhou o apelido de "Empty Space Building" (edifício dos espaços vazios). Mas o sucesso dos dois observatórios salvou o prédio –mais de 120 milhões de pessoas já subiram para apreciar a vista.

Símbolos da era moderna são retratados nos medalhões de bronze Art Déco colocados no lobby.

CONSTRUÇÃO

O projeto previa uma construção rápida e fácil. Todos os componentes possíveis foram pré-fabricados e encaixados no lugar, ao ritmo de quatro andares por semana.

Observatório do 102° andar

O Empire State foi projetado para ter 86 andares, mas ganhou um mastro de 46 metros para prender zepelins. O mastro, agora com 62m, é uma antena transmissora de rádio e TV para a cidade e quatro Estados.

A iluminação colorida nos 30 andares mais altos marca datas e eventos especiais.

Elevadores de alta velocidade sobem a 366m por minuto.

A estrutura consumiu 60 mil toneladas de aço e foi erguida em menos de seis meses.

Painéis de alumínio, em vez de pedras, envolvem as 6.500 janelas. Guarnições de aço dão acabamento às esquadrias.

Dez milhões de tijolos foram usados para revestir todo o edifício.

O pequeno espaço entre andares é passagem da fiação, tubulação e cabos.

Nove minutos e 33 segundos é o tempo que um corredor preparado leva para subir os 1.575 degraus entre o saguão e o 86° andar, na corrida anual Empire State Run-Up.

Mais de 200 estacas de aço e concreto sustentam o edifício de 365 mil toneladas.

PONTOS ALTOS

- ★ Saguão na 5th Avenue
- ★ Vista do observatório do 86° andar

★ **Vistas do Observatório**

O terraço de observação no 86° andar proporciona uma fantástica vista de Manhattan. Do 102° andar, a 381 m de altura, a visão nos dias claros alcança mais de 125km, mas o local está fechado ao público há vários anos.

PREPARE-SE

350 5th Ave. **Mapa** 8 F2. ***Tel*** *(212) 736-3100.* M *B, D, F, N, Q, R, 1, 2, 3, 9 para 34th St; 6 para 33rd St.* *M1–5, M16, M34, Q32.* **Observatório (86° andar)** *8h-24h (últ adm: 23h15); 9h-17h 24 dez; 11h-19h 25 dez; 11h-19h 1° jan.* **www**.esbnyc.com

Trabalho no céu

Enquanto a construção ganhava corpo, os trabalhadores demonstravam grande bravura. Aqui, um operário sobe em um gancho. O Chrysler Building e outros arranha-céus ao fundo parecem surpreendentemente pequenos.

Espetáculo de Raios

Condutor natural de raios, o prédio é atingido por cerca de cem deles por ano. O observatório fica fechado quando as condições de tempo são desfavoráveis.

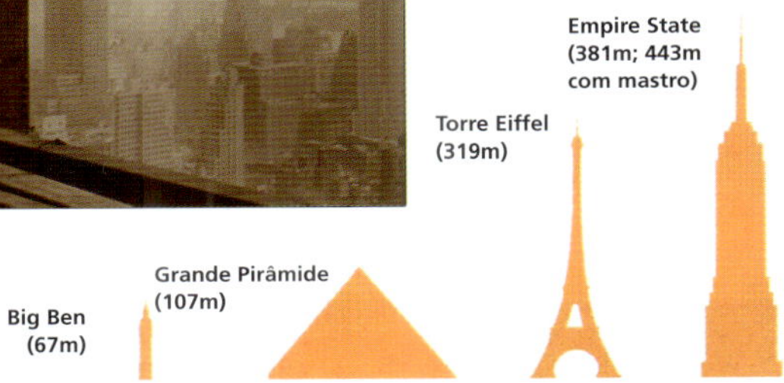

Quem é Quem

Os nova-iorquinos orgulham-se de seu símbolo, maior que edificações marcantes de outros países.

★ **Entrada da 5th Avenue**

No saguão revestido de mármore, uma imagem do arranha-céu, em alto-relevo, aparece sobreposta ao mapa do Estado de Nova York.

ENCONTROS NO CÉU

O Empire State Building já foi visto em vários filmes. Mas o final do clássico *King Kong*, de 1933, marca sua participação especial mais famosa, quando o enorme macaco, em cima da torre, briga com aviões militares. Em 1945, em um dia de neblina cerrada, um bombardeiro que sobrevoava Manhattan em baixa altitude chocou-se com o edifício na altura do 78o andar. Um elevador foi parar direto no subsolo. A ascensorista sobreviveu à queda de 79 andares graças aos freios de emergência.

Jacob K. Javits Convention Center ❽

655 W. 34th St. **Mapa** 7 B2. ***Tel*** *(212) 216-2000.* M *34th St-Penn Station, 42nd St.* *M34, M42.* *só para apresentações - horário varia.* www.javitscenter.com

O Convention Center, ponto alto da arquitetura moderna de Nova York

Moderno e impactante, este edifício de vidro com vista para o rio Hudson foi projetado por I.M. Pei (o arquiteto da pirâmide do Louvre, em Paris) para abrigar exposições de grande porte. O edifício de 18 andares tem 16 mil painéis de vidro, dois salões com capacidade para milhares de pessoas e saguão com altura suficiente para alojar a Estátua da Liberdade. Em 1989, a construção da Galleria River Pavilion acrescentou ao prédio um espaço aberto de 3.750m quadrados. O edifício é usado para fotos de moda e também já apareceu no cinema.

Chelsea Piers Complex ❾

11th Ave (17th para 23rd Sts) **Mapa** 7 B5. ***Tel*** *(212) 336-6666.* M *14th St, 18th St, 23rd St.* *M14, M23.* *diariam.* www.chelseapiers.com

Este complexo, aberto em 1995, transformou um lugar quase esquecido em um centro de esportes e diversão *(pág. 33)*. As instalações encontradas aqui incluem espaços para patinação, pistas de corrida, campos de golfe, marina e locações para cinema e televisão.

Empire Diner ❿

210 10th Ave. **Mapa** 7 C4. ***Tel*** *(212) 243-2736.* M *23rd St.* *24hs diariam.* *16h-20h seg.* *M11, M23.*

Este belo exemplo do estilo Art Déco é a fiel restauração de um clássico diner americano de 1929, com balcão de aço inoxidável e acabamentos pretos e cromados. Bette Davis teria dito certa vez que o Empire era seu diner predileto. Sua cozinha é bem moderna.

Manuscrito sobre música, do século 15, no General Theological Seminary

General Theological Seminary ⓫

175 9th Ave. **Mapa** 7 C4. ***Tel*** *(212) 243-5150.* M *23rd St.* *12h-15h seg-sex, 11h-15h sáb.* *11h45 seg, qua-sex; 18h ter, dom.* www.gts.edu

Fundado em 1817, este seminário, que ocupa um quarteirão inteiro, recebe 150 alunos. Clement Clarke Moore, professor de teologia, doou o terreno, que tem o nome oficial de Chelsea Square. O prédio mais antigo ainda de pé data de 1836; o mais moderno, da St Mark's Library, foi erguido em 1960 e contém a maior coleção de Bíblias em latim do mundo.

Só se pode entrar no seminário pela 9th Avenue. Dentro, o jardim ocupa dois quadrados, imitando o pátio das catedrais inglesas, e é belíssimo na primavera.

O Empire Diner antes da chegada dos clubbers esfomeados para o café-da-manhã

Chelsea Historic District ⓬

W. 20th St da 9th para 10th Aves. **Mapa** 8 D5. Ⓜ *18th St, 23rd St.* 🚌 *M11.*

Embora seja mais conhecido como autor de livros do que como planejador urbano, Clement Clarke Moore tinha uma fazenda neste local, que dividiu em lotes e onde ergueu uma vila de belas casas, no começo do século passado. Uma cuidadosa restauração recuperou muitas delas

Destacam-se as sete casas conhecidas como Cushman Row, entre o nº 406 e o 418 da West 20th Street, construídas entre 1839 e 1840 para Don Alonzo Cushman, comerciante e fundador do Greenwich Savings Bank. Cushman, Moore e James N. Wells participaram juntos do desenvolvimento de Chelsea. Cushman Row, rica em detalhes e delicados trabalhos em ferro, é considerada, junto com Washington Square North, o melhor exemplar da arquitetura conhecida como "grega renovada". Observe os festões de ferro fundido em volta das janelas dos sótãos e os abacaxis –antigo símbolo de hospitalidade– nos pilares da escada de duas casas.

Entre o nº 446 e 450 da West 20th Street há belos exemplos do estilo italiano, também muito presente em Chelsea. Os arcos e leques de tijolos nas fachadas, por serem enfeites caros e pouco acessíveis, eram indicadores sutis da riqueza do dono da casa.

Casa de Cushman Row

Hugh O'Neill Dry Goods Store

Chelsea Hotel ⓭

222 W. 23rd St. **Mapa** 8 D4. ***Tel*** *(212) 243-3700.* Ⓜ *23rd St.* **www**.hotelchelsea.com *Veja **Onde Ficar** pág. 283.*

Poucos hotéis se comparam ao Chelsea em herança artística e literária –e em fama. Muitos hóspedes são lembrados nas placas de bronze que enfeitam sua fachada, como Tennessee Williams, Mark Twain, Jack Kerouac e Brenda Behan. Dylan Thomas passou aqui seus últimos anos. Em 1966, o hotel foi cenário do filme *Chelsea Girls,* de Andy Warhol, o que reforçou seu apelo cult. Foi nele que o cantor punk Sid Vicious matou a namorada em 1978. O hotel ainda atrai hóspedes esperançosos de que, um dia, seus nomes constem da fachada. Pare no bar para apreciar o toque decadente dessa criativa atmosfera.

Escadaria de ferro fundido do Chelsea Hotel vista de cima

Hugh O'Neill Dry Goods Store ⓮

655–671 6th Avenue. **Mapa** 8 E4. Ⓜ *23rd St.*

O armazém de roupas e acessórios de Hugh O'Neill fechou há muito tempo, mas a fachada de colunas e pilastras de ferro fundido, construída em 1876, mostra bem a grandiosidade dos antigos empórios da 6th Avenue entre 18th e 23rd Streets, área conhecida como "Fashion Row". A marca registrada de O'Neill, um excelente vendedor cuja placa ainda se vê na fachada, era a frota de elegantes carrinhos de entrega. Suas clientes enchiam a loja, trazidas pelo elevado da 6th Avenue. Não eram ricas como as freguesas da "Ladies' Mile" *(pág. 127),* mas eram tantas que "Fashion Row" prosperou até a virada do século, quando o comércio de roupas mudou de lugar. Agora os prédios, a maioria restaurada, viraram superlojas e ponto de lojas de ofertas, como o Filene's Basement.

Worth Monument ⓯

5th Ave e Broadway. **Mapa** 8 F4. Ⓜ *23rd St-Broadway.*

Escondido atrás de um medidor de água, no meio do trânsito da cidade, está o obelisco erguido em 1857 para marcar o túmulo da única figura pública enterrada sob as ruas de Manhattan. Trata-se do general William J. Worth, herói de guerra no século passado. Há uma grade de espadas de ferro fundido em volta do obelisco.

Worth Monument

THEATER DISTRICT

A ida do Metropolitan Opera House para a Broadway e 40th Street, em 1883, atraiu teatros e restaurantes para a área. Na década de 1920, os cinemas levaram à Broadway o glamour do néon. As placas foram aumentando de tamanho e brilho até a rua ganhar o apelido de "Great White Way" (grande via branca). Depois da Segunda Guerra, a atração pelo cinema diminuiu e o brilho deu lugar à fuligem. Nos últimos anos, um projeto de restauração busca recuperar o público e as luzes que agitavam a área. A região também oferece refúgios tranquilos, como a Public Library e o Bryant Park. Para ter o melhor dos dois mundos, vá ao Rockefeller Center.

Desenho de Lee Lawrie no Rockefeller Center

O coração do Theater District, em volta de Times Square

PRINCIPAIS ATRAÇÕES

Ruas e Edifícios Históricos

Alwyn Court Apartments 18
Group Health Insurance Building 12
New York Public Library 8
New York Yacht Club 5
Paramount Building 13
Shubert Alley 14
Times Square 10

Museus e Galerias

International Center of Photography 9
Intrepid Sea-Air-Space Museum 19

Arquitetura Moderna

MONY Tower 15
Rockefeller Center 1

Parques e Praças

Bryant Park 6

Teatros

Carnegie Hall 17
City Center of Music and Dance 16
Lyceum Theater 3
New Amsterdam Theater 11

Hotéis e Restaurantes

Algonquin Hotel 4
Bryant Park Hotel 7

Lojas

Diamond Row 2

COMO CHEGAR

As linhas de metrô A, C, e E chegam até Port Authority e se conectam com 1, 2, 3, 9, N, Q, R, W, S e 7 em Times Sq. As linhas B, D, F, V e 7 param em Bryant Park. As linhas 1, 9, N, R, W, C, e E também param ao norte de Times Sq. Os ônibus que servem a região são o M1-7, M10, M20, M27 e M104, e o M42, M50 e M57, estes últimos cruzando a cidade.

LEGENDA

- Mapa Rua a Rua
- M Estação de metrô
- Embarque de passeio de barco

VEJA TAMBÉM

- ***Guia de Ruas***, mapas 8, 11-12
- ***Onde Ficar*** págs. 284-7
- ***Restaurantes*** pág. 304

0 metros 500

Rua a Rua: Times Square

Times Square, que leva este nome por causa da The New York Times Tower, de 1906, onde ficava a redação do famoso jornal, é o centro dos espetáculos teatrais da cidade desde 1899, quando Oscar Hammerstein ergueu o Victoria e o Republic. A partir dos anos 1920, as luzes da fachada dos teatros misturam-se aos efeitos de cartazes de publicidade e às do placar luminoso do *Times*, que exibe as últimas notícias. Nos anos 30, a área foi ocupada pela prostituição e shows eróticos. Recuperada nos anos 1990, agora o glamour da antiga Broadway coexiste com as formas mais modernas de entretenimento nesta que é uma das áreas mais cativantes da cidade.

Paramount Hotel
Neste hotel projetado por Philippe Starck hospedam-se famosos, que também aparecem de madrugada no Whiskey Bar *(pág. 285)*.

Estúdios da MTV
De segunda a sexta, às 15h, multidões se reúnem na calçada para ver a gravação de entrevistas no primeiro andar. Muitas vezes as câmeras registram também a reação do público.

Sardi's
Estabelecido em Times Square desde 1921, as paredes do Sardi's exibem caricaturas de estrelas da Broadway do passado e de hoje.

Westin Hotel
Uma das novas construções de Manhattan, este surpreendente hotel de 45 andares hotel é um prisma de luz.

★ E Walk
Neste conjunto de lojas e de diversão encontram-se cinemas, restaurantes, um hotel e o BB King Blues Club

★ Times Square ⑩
Todo último dia do ano, à meia-noite, um globo de cristal cai do topo de One Times Square. A vista da frente deste prédio, que é um marco da cidade, é muito bonita.

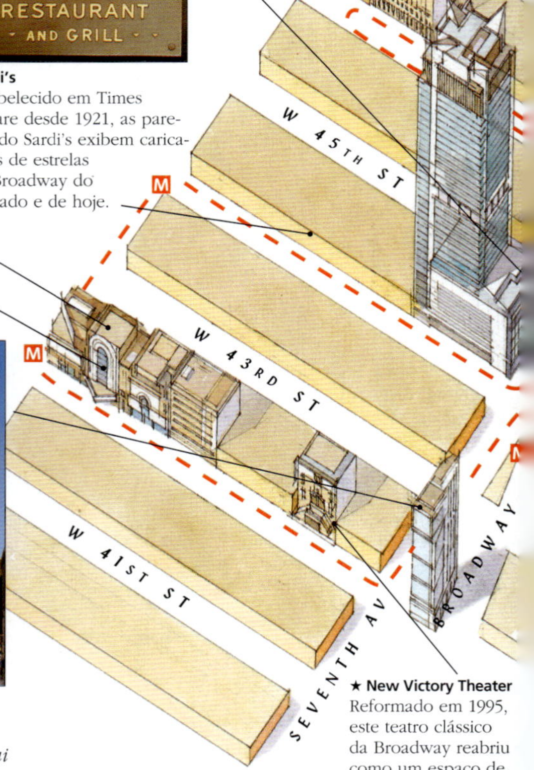

★ New Victory Theater
Reformado em 1995, este teatro clássico da Broadway reabriu como um espaço de performance para jovens artistas.

Cotações eletrônicas
Os números neste visor eletrônico no alto do prédio do banco Morgan Stanley têm 3m de altura. A lei municipal exige que todos os prédios de escritórios em Times Square tenham anúncios em néon, e eles iluminam a praça dia e noite.

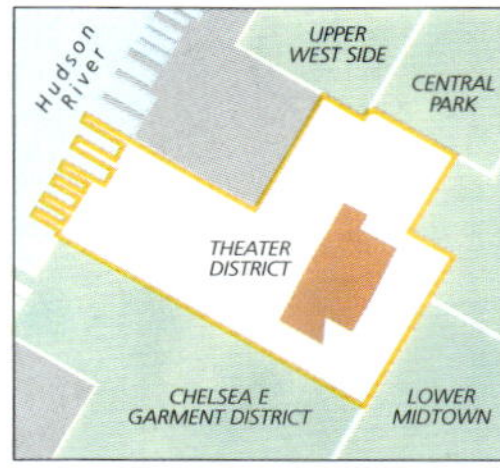

LEGENDA

- - - Percurso sugerido

PONTOS ALTOS

★ E Walk

★ New Victory Theater

★ Times Square

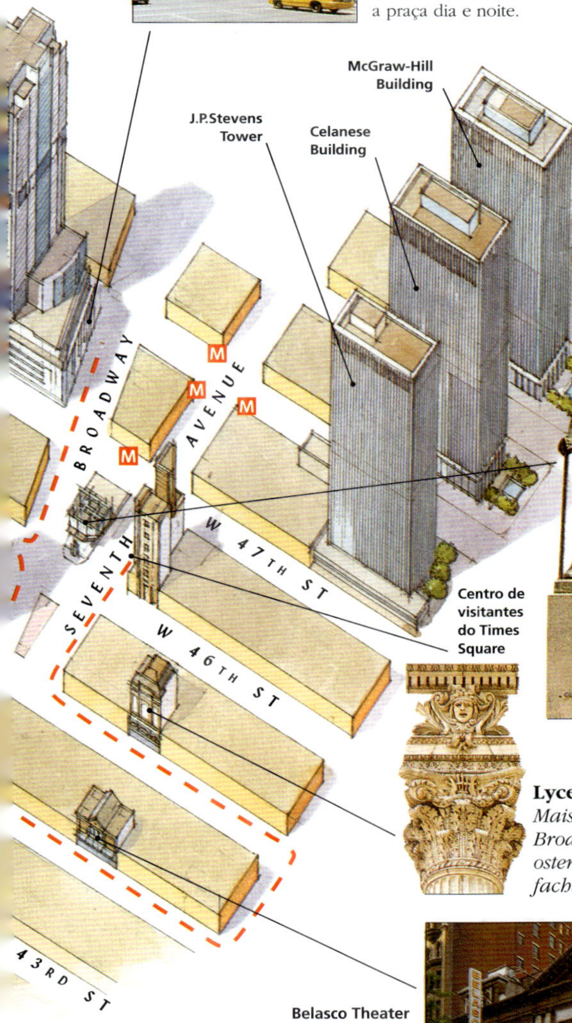

Duffy Square
No centro desta pequena praça encontra-se a estátua de George M. Cohan, responsável por muitos sucessos da Broadway. O nome tem origem em um herói da Primeira Guerra, "Fighting" Father Duffy, também homenageado com uma estátua. Aqui ficam ainda as bilheterias TKTS, que vendem ingressos mais baratos para os teatros.

Lyceum Theater
Mais antigo teatro da Broadway, o Lyceum ostenta uma linda fachada barroca. ❸

Belasco Theater
Construído em 1907 pelo produtor David Belasco, era o teatro mais moderno, em recursos técnicos, de seu tempo. A decoração exibe cristais Tiffany e murais de Everett Shinn. Conta-se que o fantasma de Belasco ainda frequenta o teatro.

O Rockefeller Center, com o GE Building em destaque

Rockefeller Center ❶

Mapa 12 F5. *47th–50th Sts.*
***Tel** (212) 332 6868 (informações).*
NBC, Rockefeller Center, diariam. ***Tel** (212) 664 7174 (reservar antes). Radio City Music Hall, diariam.* ***Tel** (212) 247 4777. Top of the Rock, diariam.* ***Tel** (212) 698 2000*
www.rockfellercenter.com
www.nbc.com **www**.radiocity.com
www.topoftherocknyc.com

Quando a comissão de preservação de marcos de Nova York decidiu por unanimidade tombar o Rockefeller Center, em 1985, qualificou-o de "coração de Nova York... a grande presença agregadora no caótico centro de Manhattan".

O Rockefeller Center é o maior complexo particular do gênero e inspira outras cidades que tentam imitar sua coordenada mistura de funções. O projeto Art Déco foi obra de uma equipe de grandes arquitetos, chefiada por Raymond Hood. Há obras de 30 artistas pelos saguões, fachadas e jardins.

O terreno, um jardim botânico pertencente à Columbia University, foi arrendado em 1928 por John D. Rockefeller Jr., que pensava construir um teatro de ópera. Mas a Depressão de 1929 enterrou o plano, e, como ele tinha um contrato de longa duração, ergueu o atual complexo. A construção dos primeiros 14 edifícios, entre 1931 e 1940, empregou 225 mil pessoas na pior fase da Depressão, e por volta de 1973 o complexo já tinha 19 edifícios.

***Sabedoria**, de Lee Lawrie, no GE Building*

O teatro Radio City Music Hall, parte do complexo, foi inaugurado em 1932 e ainda apresenta seus famosos shows na Natal e na Páscoa. Os estúdios da NBC ficam aqui.

A atração mais recente é Top of the Rock, um observatório entre os andares 67 e 70 que oferece uma incrível vista de 360 da cidade.

Diamond Row ❷

47th St entre 5th e 6th Aves.
Mapa 12 F5. *47th-50th Sts.*
*Ver **Compras** pág. 328.*

Praticamente todas as vitrines da 47th Street reluzem de ouro e diamantes. Nas lojas e oficinas, joalheiros brigam por fregueses, e nos andares superiores dos prédios milhões de dólares trocam de mãos. Diamond Row surgiu nos anos 1930, quando lapidários judeus de Antuérpia e Amsterdã chegaram aos EUA fugindo do nazismo. Judeus hassídicos, com chapéus pretos, barbas e longos cachos, são parte da paisagem. O comércio em geral é atacadista, mas atende fregueses individuais. Os interessados devem levar dinheiro vivo, comparar preços e pechinchar –mas comprar aqui só vale a pena para quem entende do assunto.

Principal produto de Diamond Row

Lyceum Theater ❸

149 W 45th St. **Mapa** 12 E5. ***Tel** Tele-charge (212) 239-6200. 42nd, 47th St, 49th St.* *Ver **Divirta-se** pág. 345.*

O mais antigo teatro de Nova York ainda em operação é um edifício barroco de 1903, enfeitado como um bolo de noiva. Foi o primeiro teatro projetado por Herts e Tallant, famosos pelo estilo. O Lyceum fez história com a temporada recorde de 1.600 apresentações da comédia *Nascida Ontem (Born Yesterday)*. Foi o primeiro teatro a ser tombado e, embora a área dos teatros tenha ido mais para o oeste, muitos espetáculos ainda acontecem aqui.

Rose Room no Algonquin Hotel

Algonquin Hotel ❹

59 W 44th St. 12 F5.
Tel *(212) 840-6800.* Ⓜ *42nd S.*
Ver ***Onde Ficar*** *pág. 285.*
www.algonquinhotel.com

A parte externa deste hotel é um pouco exagerada –fileiras verticais de janelas de ferro, tijolinhos vermelhos, detalhes demais–, mas é o ambiente, não a arquitetura, de 1902, que faz do Algonquin um lugar especial. Na década de 1920, o restaurante Rose Room recebia para almoço a chamada Round Table, grupo de figuras literárias importantes como Alexander Woollcott, Franklin P. Adams, Dorothy Parker, Robert Benchley e Harold Ross. Todos tinham ligação com a revista *New Yorker* –Ross foi seu fundador–, cuja sede, nº 25 da West 43rd Street, tinha uma porta que dava diretamente no hotel.

Reformas preservaram o ambiente civilizado dos velhos tempos, no Rose Room e também no aconchegante saguão, onde gente do teatro e do mundo editorial ainda costuma se reunir para tomar drinques, acomodados em poltronas confortáveis e chamando os garçons com um sininho de bronze.

Estátua do poeta William Cullen Bryant, no Bryant Park

New York Yacht Club ❺

37 W 44th St. **Mapa** 12 F5. **Tel** *(212) 382 1000.* Ⓜ *42nd St.* ● *ao público (apenas sócios).* **www**.nyyc.org

Excêntrica construção de 1899, recentemente reformada, este clube tem como decoração galeões holandeses do século 16, esculpidos em madeira. As popas ficam no alto das janelas. As proas, sustentadas por golfinhos e ondas, transbordam pelo parapeito das janelas até a calçada.

Foi neste clube que teve origem a corrida de iates America's Cup, troféu que permaneceu nos EUA de 1857 até 1983. Naquele ano, o prêmio foi para o outro lado do mundo, quando o *Australia II* conquistou uma vitória histórica na competição.

Americas Cup, o cobiçado prêmio de iatismo

Bryant Park ❻

Mapa 8 F1. Ⓜ *42nd St.*
www.bryantpark.org

Em 1853, o local onde agora fica a New York Public Library era um reservatório de água, o Croton Reservoir, e o Bryant Park (então Reservoir Park) fazia moldura para o reluzente Crystal Palace, construído para a Feira Mundial *(pág. 25).*

Nos anos 1960, o parque foi tomado por traficantes de drogas. Fechado em 1989 e reformado, voltou a ser frequentado por turistas e funcionários dos prédios em volta. Na primavera e no outono, ocorrem desfiles de moda; no verão há exibição de filmes.

Sob o parque fica o depósito de 7 milhões de livros da biblioteca pública.

Bryant Park Hotel ❼

40 W 40th St. **Mapa** 8 F1.
Tel *(212) 869 0100.* Ⓜ *42nd St.*
www.bryantparkhotel.com

O edifício do American Radiator (agora Bryant Park Hotel) foi o primeiro grande trabalho em Nova York de Raymond Hood e John Howells, que depois projetaram os prédios do Daily News *(pág. 155),* do McGraw-Hill e o Rockefeller Center. A estrutura, de 1924, lembra o edifício gótico pelo qual Hood era mais conhecido na época, o Tribune Tower, em Chicago. O desenho elegante dá a impressão de que o prédio é mais alto que seus 23 andares. A fachada de tijolo preto é realçada pela guarnição de terracota dourada, lembrando carvão em brasa –comparação que combina com seus proprietários originais, fabricantes de aquecedores. Atualmente o prédio é um hotel de luxo *(pág. 288),* em frente ao Bryant Park e conta com uma filial do restaurante da moda de Los Angeles, o Koi.

O Bryant Park Hotel, antigo prédio do American Radiator

The New York Public Library ❽

5th Ave and 42nd St. **Mapa** 8 F1. ***Tel*** *(212) 930-0830.* *42nd St-Grand Central, 42nd St-5th Ave.* *ter-dom, horário variado.* *feriados.* ***Palestras, oficinas, leituras.***

A porta do Salão Principal de Leitura

Abóbodas de mármore branco esculpido sobre a escadaria do Astor Hall

Em 1897, o cobiçado trabalho de projetar a principal biblioteca pública de Nova York foi confiado aos arquitetos Carrère e Hastings. O primeiro diretor da biblioteca desejava um prédio apropriado para o estudo, calmo, bem iluminado e arejado, onde milhões de livros ficam enfileirados em locais de fácil acesso aos leitores.

Erguida no local do antigo Croton Reservoir *(pág. 24)*, a biblioteca foi inaugurada em 1911, sob aplauso geral, apesar de ter custado US$ 9 milhões.

O imenso Salão Principal de Leitura ocupa ao todo dois quarteirões e recebe luz solar dos dois pátios internos. Embaixo há 140km de prateleiras, contendo mais de 7 milhões de volumes. Uma equipe de mais de cem pessoas e computadores leva no máximo dez minutos para localizar um livro.

Um dos dois leões de pedra, que o prefeito LaGuardia chamou de Paciência e Coragem

Há uma sala especial de periódicos com 10 mil publicações atuais, de 128 países. Suas paredes têm murais de Richard Haas homenageando as grandes editoras de Nova York. A biblioteca original reunia as coleções de John Jacob Astor e James Lenox. A atual tem raridades como a cópia da Declaração de Independência dos EUA manuscrita por Thomas Jefferson e o original datilografado de *The Waste Land*, de T.S. Eliot.

Mais de mil pedidos de informações são processados todo dia, pelo enorme banco de dados de seu catálogo computadorizado.

Salão Principal de Leitura, com suas luminárias originais de bronze

A biblioteca é o centro de uma vasta rede de 82 filiais, com quase 7 milhões de usuários. Algumas filiais são bastante conhecidas –é o caso da New York Library for the Performing Arts, no Lincoln Center *(pág. 212)*, e do Schomberg Center, instalado no Harlem *(pág. 229)*.

International Center of Photography ❾

1133 Avenue of the Americas (43rd St) **Mapa** 8 F1. ***Tel*** *(212) 857-0000.* *42nd St.* *10h-17h ter-qui, 10h-8h sex, 10h-18h sáb-dom* *4 jul.* *aberta também 10h-17h seg.* **www**.icp.org

Este museu foi fundado por Cornell Capa em 1974 para preservar o trabalho de fotojornalistas como seu irmão Robert, morto em serviço em 1954. A coleção de 12.500 fotos originais inclui trabalhos de muitos outros fotógrafos famosos, tais como Ansel Adams e Henri Cartier-Bresson. São organizadas exposições especiais do acervo e também de outras fontes. Além das mostras, o centro exibe filmes e oferece leituras e aulas.

Times Square ❿

Mapa 8 E1. *42nd St-Times Sq.* *Times Square Information Center, 1560 Broadway (46th St) 8h-20h diariam.* *12h sex, (212) 869-1890.* **www.**timessquarenyc.org

Os anos 1990 presenciaram a recuperação da Times Square, revertendo a decadência que começara na Depressão. Agora a praça é frequentada por turistas e fãs do teatro, e a tradição da Broadway convive com as inovações dos tempos modernos.

O *New York Times* não ocupa mais seu quarteirão original, no canto sul da praça. Mas ainda acontecem as comemorações de Ano-Novo –a bola de cristal é baixada à meia-noite, há fanfarra e fogos de artifício– como tem sido desde a inauguração do prédio do jornal, em 1906.

Novos edifícios como o Bertlesmann e o minimalista Condé Nast compartilham espaço com os teatros da Broadway, que volta à sua época áurea. Os teatros New Victory e o New Amsterdam, reformados e recuperados, voltam a exibir grandes produções, e o público movimenta os bares e restaurantes locais.

A mais nova atração é o arranha-céu de 57 andares, projetado pela Arquitectonica, de Miami. Localizado na 42nd Street com a Eighth Avenue *(pág. 142)*, oferece muitas lojas e o E Walk, um centro de compras e diversão. Outras atrações incluem uma filial do Madame Tussaud's Wax Museum na 42nd Street, entre a 7th e a 8th Avenue, além do Lazer Park, uma enorme área de jogos eletrônicos e *laser tag* (combate em realidade virtual) na 46th com a Broadway.

W.C.Fields (à esq.) e Eddie Cantor (à dir., segurando a cartola) em *Ziegfeld Follies* (1918) no New Amsterdam Theater

New Amsterdam Theater ⓫

214 W 42nd St. **Mapa** 8 E1. ***Tel*** *(212) 282-2900.* *42nd St-Times Sq.* *10h-15h seg-ter, 10h-11h qui-sáb, 10h dom; (212) 282 2907.*

Quando o New Amsterdam foi inaugurado, em 1903, era o mais luxuoso teatro dos Estados Unidos e o primeiro decorado no estilo Art Nouveau. Pertenceu a Florenz Ziegfield, que entre 1914 e 1918 lá apresentou seu famo-so espetáculo *Ziegfield Follies* –o primeiro da Broadway a cobrar ingresso de US$ 5. Ziegfield instalou no jardim do terraço outro teatro, o Aerial Gardens. Este é um dos muitos belos teatros da 42nd Street que entraram em decadência. Com a reabilitação de Times Square o teatro voltou ao show business.

O topo Art Déco do Paramount Building

Group Health Insurance Building ⓬

330 W 42nd St. **Mapa** 8 D1. *42nd St-8th Ave.* *horário comercial.*

Esta construção de 1931 do arquiteto Raymond Hood foi o único edifício de Nova York citado na pesquisa de 1932 da influente International Style. O projeto incomum propicia um perfil em degraus, quando visto do leste e do oeste, e uma fachada lisa, quando visto do norte ou do sul. As faixas de terracota verde na parede externa lhe deram o apelido de "Jolly Green Giant" (simpático gigante verde). Tem saguão em estilo Art Déco clássico, com vidros opacos e aço inoxidável. A um quarteirão de distância fica Theater Row, uma sequência de simpáticos cafés e teatros off-Broadway.

Paramount Building ⓭

1501 Broadway. **Mapa** 8 E1. *34th St.*

O fabuloso cinema no andar térreo, onde adolescentes faziam fila para ouvir Frank Sinatra nos anos 40, não existe mais, mas este sólido edifício de 1927, projetado por Rapp & Rapp, ainda mantém um ar teatral. Cada lado do prédio tem 14 simétricos, que se elevam até o topo em estilo Art Déco, composto de uma torre, um globo e um relógio. Na época áurea dos luminosos a torre era iluminada à noite e tinha um mirante no alto. O Hard Rock Cafe agora fica aqui.

Shubert Alley ⓮

Between W 44th and W 45th St.
Mapa 12 E5. M *42nd St-Times Sq.*
*Ver **Divirta-se** pág. 342.*

Os teatros das ruas a oeste da Broadway são ricos em histórias e têm arquitetura notável. Dois exemplos clássicos, construídos em 1913, são o Booth (nº 222 da West 45th Street), que leva o nome do ator Edwin Booth, e o Shubert (nº 225 da West 44th Street), assim chamado por causa do magnata do teatro Sam S. Shubert. Eles formam um dos lados da Shubert Alley, onde candidatos a ator costumavam ficar à espera de uma chance de atuar nas produções de Shubert.
A *Chorus Line* permaneceu no Shubert até 1990, com um número recorde de 6.137 apresentações; antes disso, Katharine Hepburn estrelou lá The *Philadelphia Story*.
No final da Shubert Alley fica o St James, onde Rogers e Hammerstein estrearam, em 1941, com *Oklahoma*, seguido por O Rei e Eu. Perto fica o restaurante Sardi's, onde os atores esperavam a publicação das críticas na noite de estréia. Irving Berlin encenou *The Music Box Review* em um palco do outro lado da rua, em 1921.

A fachada de azulejos do City Center of Music and Dance

MONY Tower ⓯

1740 Broadway. **Mapa** 12 E4.
M *57th St.* ● *ao público.*

A sede de 1950 da seguradora Mutual of New York (atual MONY Financial Services) tem um cata-vento que informa tudo, menos a direção do vento. O mastro fica verde quando o tempo está bom, alaranjado quando está nublado, laranja quando chove e branco quando neva. Luzes subindo pelo mastro significam calor; descendo, indicam que vai chover.

Platéia do Shubert Theater, construído por Henry Herts em 1913

City Center of Music and Dance ⓰

131 W 55th St. **Mapa** 12 E4.
Tel *(212) 581-1212.* M *57th St.*
*Ver **Divirta-se** pág. 346.*
www.citycenter.org

Este prédio todo decorado, com cúpula de azulejos espanhóis, foi projetado em 1924 para ser o Masonic Shriners' Temple (loja maçônica). Em 1943, foi salvo da demolição pelo prefeito LaGuardia, que lá instalou a sede da New York City Opera and Ballet. Mesmo quando esta se mudou para o Lincoln Center, o City Center continuou promovendo espetáculos de dança. As reformas que sofreu preservaram seus encantadores exageros arquitetônicos.

Carnegie Hall ⓱

154 W 57th Street. **Mapa** 12 E3.
Tel *(212) 247 7800.* M *57th St, 59th St.* **Museu** ○ *11h-16h30 diariam e após concertos.* ● *qua.*
seg-sex, na temporada.
*Ver **Divirta-se** pág. 350.*
www.carnegiehall.org

Financiada pelo milionário Andrew Carnegie, a primeira grande sala de concertos de Nova York data de 1891.
O prédio de terracota e tijolo, de estilo renascentista italiano, tem uma das melhores acústicas do mundo. Na noite de estréia, Tchaikovsky foi o maestro convidado, e todas as famílias importantes de Nova York estavam presentes.

O Carnegie Hall proporciona uma das melhores acústicas entre as salas de espetáculo de todo o mundo

O movimento era tal que levaram quase uma hora para descer das carruagens.

O Carnegie Hall sediou por muitos anos a New York Philarmonic Orchestra, que teve regentes como Arturo Toscanini, Leopold Stokowski, Bruno Walter e Leonard Bernstein. Apresentar-se aqui passou a ser símbolo internacional de sucesso, tanto para músicos eruditos quanto para populares.

O milionário Andrew Carnegie

Nos anos 1950, uma campanha liderada pelo violinista Isaac Stern salvou o prédio de ser remodelado, e em 1964 o local foi tombado. A restauração de 1986 devolveu aos balcões de bronze e aos fundos de estuque trabalhado o esplendor original. O museu inaugurado em 1991 conta a história dos cem primeiros anos da "casa que a música construiu". Em 2003, a sala Judy and Arthur Zankel foi reaberta no andar de baixo.

Os maiores músicos e orquestras do mundo apresentam-se no Carnegie Hall, cujos corredores são enfeitados com objetos relacionados aos que aqui se exibiram.

Alwyn Court Apartments ⓲

180 W 58th St. **Mapa** 12 E3. M 57th St. ● *ao público.*

Este prédio de apartamentos, construído em 1909 por Harde e Short, tem nas paredes externas um festival de coroas, dragões e outras esculturas de terracota, em estilo renascentista francês. O térreo foi reformado e perdeu a cornija, mas o resto do edifício está intacto.

A fachada segue o estilo do tempo de Francisco I, da França, em cujo reinado foram erguidos os mais belos castelos do vale do Loire e cujo símbolo, uma salamandra coroada, é visto acima da entrada.

O pátio interno abriga as pinturas do ilusionista Richard Haas, que fazem com que simples paredes lisas dêem a impressão de pedra esculpida.

A salamandra, símbolo de Francisco I em Alwyn Court

O convés do Intrepid exibe caças e aviões de espionagem

Intrepid Sea-Air-Space Museum ⓳

Pier 86, W 46th St. **Mapa** 11 A5. *(877) 957 SHIP.* M *M42, M16, M50.* *abr-set: 10h-17h seg-sex; 10h-18h sáb-dom e feriados; out-mar: 10h-17h ter-dom e feriados.* **www**.intrepidmuseum.org

No porta-aviões *Intrepid*, da Segunda Guerra, as exposições variam de caças dos anos 1940 ao A-12, o avião de espionagem mais veloz do mundo. O submarino de mísseis teleguiados *Growler* e o Concorde da British Aiyways também estão abertos ao público.

A sala Pioneers Hall mostra os superporta-aviões modernos; a Tecnologies Hall, os foguetes do futuro e dois simuladores de vôo. Mission Control acompanha ao vivo as missões da Nasa.

LOWER MIDTOWN

Da Beaux Arts à Art Déco, a região logo abaixo do centro de Manhattan, conhecida por Lower Midtown, tem belos exemplares de arquitetura. A tranquila e residencial Murray Hill leva o nome da grande propriedade rural que lá existia. Na virada do século, era endereço de famílias importantes, como a do financista J.P. Morgan, cuja biblioteca, agora museu, mostra o esplendor da época. O ritmo se acelera na 42nd Street, perto do Grand Central Terminal, onde altos edifícios de escritórios ocupam as ruas. Mas poucos prédios novos se comparam ao terminal, em estilo Beaux Arts, ou à beleza Art Déco do Chrysler Building.

Porta de bronze, Fred F. French Building

PRINCIPAIS ATRAÇÕES

Ruas e Edifícios Históricos

Chanin Building ❹
Chrysler Building ❺
Daily News Building ❻
Fred F. French Building ⓬
Grand Central Terminal págs. 156- 7 ❷
Helmsley Building ❽
Home Savings of America ❸
Sniffen Court ⓯
Tudor City ❼

Museus e Galerias

Japan Society ⓫
Morgan Library & Museum págs. 164- 5 ⓮

Arquitetura Moderna

MetLife Building ❶
N 1 e 2 United Nations Plaza ❾
Nações Unidas *págs. 160-3* ❿

Igrejas

Church of the Incarnation ⓭

COMO CHEGAR

De metrô, pegue as linhas 4, 5 ou 6 na Lexington Ave até 42nd St-Grand Central. Os ônibus M15, M101/102, M1, M2, M3 e M4 percorrem as avenidas e os M34 e M42 cruzam a cidade.

0 metros 500

VEJA TAMBÉM

- ***Guia de Ruas***, mapas 9, 12, 13
- ***Onde Ficar*** págs. 287 -8
- ***Restaurantes*** págs. 306

LEGENDA

Mapa Rua a Rua
Estação de metrô

◁ **Torre revestida de aço inoxidável do Chrysler Building**

Rua a Rua: Lower Midtown

Uma caminhada pelas vizinhanças do Grand Central Terminal dá uma boa amostra da mistura de estilos arquitetônicos de Nova York. Recue para melhor apreciar os contornos dos edifícios mais altos e entre para conhecer belos interiores, de átrios modernos como os do Philip Morris Building e da Ford Foundation aos amplos espaços do Grand Central Terminal, passando pelos detalhes ornamentais do Home Savings Bank.

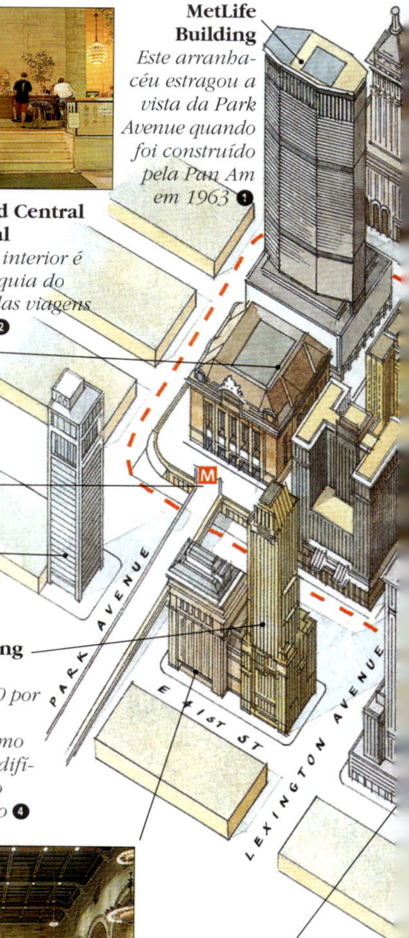

MetLife Building
Este arranha-céu estragou a vista da Park Avenue quando foi construído pela Pan Am em 1963 ❶

★ Grand Central Terminal
O amplo interior é uma relíquia do apogeu das viagens de trem ❷

metrô Grand Central 42nd Street (linhas S, 4, 5, 6, 7)

O Philip Morris Building é a sede da empresa de cigarros. Também funciona lá uma filial do Whitney Museum, especialista em arte moderna.

PONTOS ALTOS

- ★ Chrysler Building
- ★ Daily News Building
- ★ Grand Central Terminal
- ★ Home Savings of America

Chanin Building
Construído na década de 1920 por Irwing Chanin, magnata do ramo imobiliário, o edifício tem um belo saguão Art Déco ❹

Porta de bronze, Home Savings Bank

★ Home Savings of America
Antiga sede do Bowery Savings Bank, este é um dos mais elegantes prédios de bancos de Nova York. Foi projetado pelos arquitetos York & Sawyer para lembrar um palácio romanesco ❸

O Mobil Building tem fachada de aço inoxidável com padrões geométricos gravados em relevo. O prédio foi construído em 1955.

Helmsley Building
A entrada trabalhada reflete a riqueza da New York Central Railroad, primeira ocupante do prédio ❽

Caixa de correio do Chrysler Building

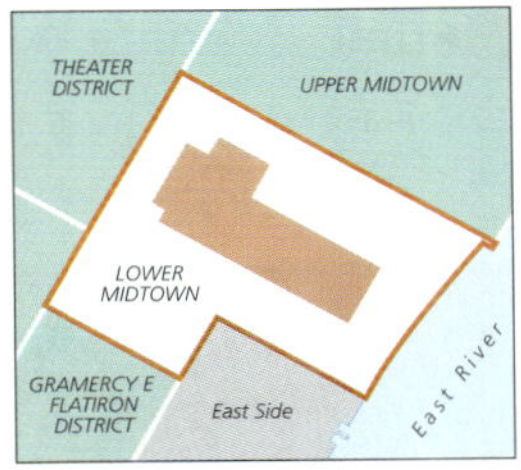

LOCALIZE-SE
Mapa de Manhattan págs. 15-6

LEGENDA

Percurso sugerido

0 metros 100

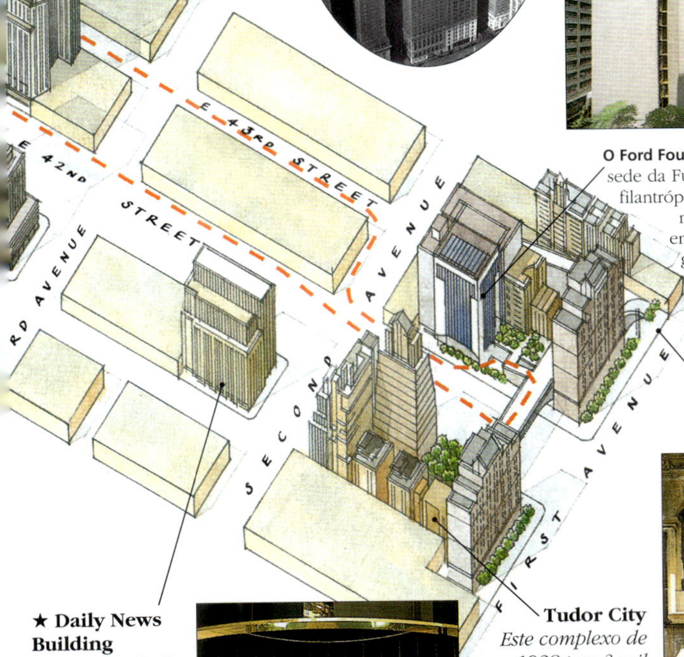

★ Chrysler Building
Com temas automotivos, este exemplo do estilo Art Déco foi construído em 1930 pela empresa Chrysler ❺

Operário descansa durante a construção do Chrysler Building

O Ford Foundation Building é a sede da Fundação Ford, braço filantrópico da empresa automobilística. O prédio em forma de cubo, de granito cinza-rosado, vidro e aço, possui um adorável jardim interno.

Ralph J. Bunche Park

★ Daily News Building
Antiga sede do jornal, em estilo Art Déco. No saguão há um enorme globo giratório ❻

Tudor City
Este complexo de 1928 tem 3 mil apartamentos. O estilo é Tudor americano com belos entalhes de pedra ❼

MetLife Building ❶

200 Park Ave. **Mapa** 13 A5.
42nd St-Grand Central.
horário comercial.

Saguão do MetLife Building

As esculturas no topo da estação de trem Grand Central Terminal tinham o céu como moldura até surgir este colosso, em 1963 –na época chamado Pan Am Building, projetado por Walter Gropius, Emery Roth and Sons e Pietro Belluschi–, e acabar com a vista da Park Avenue. Perto dele, a estação pareceu encolher e o desagrado foi geral. Maior edifício comercial do mundo na época, foi tão mal recebido que os planos de construir uma torre sobre o próprio terminal pararam aí.

É irônico que os céus de Nova York tenham sido bloqueados pela Pan Am, a empresa que deu a milhões de pessoas o acesso ao céu em seus aviões. Em 1927, quando foi fundada, Charles Lindbergh, recém-chegado de seu solitário vôo transatlântico, foi um dos pilotos e conselheiro sobre novas rotas. Por volta de 1936, a Pan Am criou a primeira linha de passageiros a cruzar o Pacífico e em 1947 introduziu a primeira volta ao mundo de avião.

O famoso heliporto no topo do edifício foi abandonado em 1977, depois que um acidente lançou uma chuva de fragmentos nas ruas vizinhas. Hoje a própria Pan Am acabou –antes, em 1981, o edifício foi vendido para a Metropolitan Life.

Grand Central Terminal ❷

Págs. 156 –7.

Home Savings of America ❸

110 E 42nd St. **Mapa** 9 A1. *42nd St- Grand Central.* *só com hora marcada.* ***Tel*** *Cipriani (212) 499 0599*

Este prédio de 1923 é considerado o melhor trabalho dos melhores arquitetos de bancos da década de 20. A York & Sawyer escolheu o estilo de basílica românica para os novos escritórios do Bowery Savings Bank (atual Home Savings of America). A entrada em arco leva ao vasto saguão, que tem teto alto com vigas, piso de mosaico e colunas de mármore que apóiam arcos de pedra.

Fachada do Home Savings of America

Entre as colunas ficam painéis de mosaicos de mármore não-polido da França e Itália. Os ricos detalhes incluem figuras simbólicas de animais, como um esquilo representando a frugalidade e um leão, o poder.

Chanin Building ❹

122 E 42nd St. **Mapa** 9 A1.
42nd St-Grand Central.
horário comercial.

Pedra trabalhada no Chanin Building

Quartel-general de um dos mais importantes empreiteiros de Nova York, Irwing Chanin, esta torre de 56 andares foi o primeiro arranha-céu da região do Grand Central, uma amostra do que viria a seguir. Foi projetada por Sloan & Robertson em 1929 e é um dos melhores exemplos do estilo Art Déco. Uma larga faixa de bronze decorada com aves e peixes percorre a extensão da fachada. A base de terracota é decorada com flores e folhas estilizadas e entrelaçadas. Foi o escultor do Radio City Music Hall, René Chambellan, quem criou os relevos e grades de bronze, portas de elevadores, caixas de correio, relógios e o desenho no piso. Os relevos do vestíbulo representam a carreira de Chanin.

Entalhe no saguão do Home Savings of America

Chrysler Building ❺

405 Lexington Ave. **Mapa** 9 A1. ***Tel*** *(212) 682-3070.* M *42nd St-Grand Central.* ◯ *horário comercial (7h-18h), somente saguão.*

Gárgula de aço inoxidável do Chrysler Building

Walter P. Chrysler começou sua carreira na oficina mecânica da Union Pacific Railroad, mas sua paixão por carros o ajudou a subir ao topo da nova indústria –em 1925, fundou a corporação que tem seu nome.O desejo de ter uma sede em Nova York que simbolizasse a empresa o levou a construir este prédio, associado para sempre à época áurea do automobilismo. Seguindo instruções de Chrysler, a torre Art Déco de aço inoxidável lembra a grade de um radiador, a série de recuos progressivos do prédio é ornada com tampas de radiador, volantes e automóveis estilizados e as gárgulas são inspiradas na figura do capô do Chrysler Plymouth 1929.

Embora tenha perdido o título de edifício mais alto do mundo para o Empire State Building, poucos meses depois de concluído, em 1930, o prédio de 77 andares e 320 metros de William Van Alen e sua coroa brilhante ainda estão entre os principais marcos da cidade.

A torre no topo foi mantida em segredo até o último momento. Construída dentro do prédio, em uma passagem de emergência, foi içada até sua posição e deixou o prédio mais alto que o do Bank of Manhattan, que acabara de ser concluído e era obra de H. Craig Severance, grande rival de Van Alen. Mas o trabalho do arquiteto não foi recompensado. A Chrysler o acusou de aceitar suborno dos empreiteiros e recusou-se a pagá-lo. A carreira de Van Alen nunca se recuperou da acusação.

O enorme saguão, que exibia modelos de carros da Chrysler no passado, foi totalmente restaurado em 1978. É luxuosamente decorado de mármore e granito de todo o mundo e tem guarnições de aço cromado. O vasto e maravilhoso teto de Edward Thumball mostra cenas dos transportes do fim da década de 1920.

Porta de elevador do Chrysler Building

Embora a Chrysler nunca tenha usado o prédio como sede, o nome ficou, tão firme quanto as gárgulas externas.

Entrada do Daily News Building

Daily News Building ❻

220 E 42nd St. **Mapa** 9 B1. M *42nd St-Grand Central.* ◯ *8h-18h seg-sex.*

O *Daily News* foi fundado em 1919 e por volta de 1925 a tiragem já chegava a 1 milhão. Era chamado, com certo desprezo, de "bíblia das empregadas domésticas", por destacar escândalos, celebridades e assassinatos, pelo estilo de leitura fácil e utilização abundante de ilustrações. Com o passar dos anos, o jornal foi aperfeiçoando sua fórmula, com bons resultados. Ele divulgou escândalos como o romance entre o rei Eduardo VIII da Inglaterra e a divorciada americana Wally Simpson e ficou conhecido pelas manchetes contundentes que resumiam o sentimento do público. A tiragem do jornal ainda está entre as mais altas dos EUA.

A sede, projetada por Raymond Hood em 1930, tem fileiras de tijolos marrons e pretos alternadas com janelas, criando o efeito de faixas verticais. O saguão foi cenário do *Planeta Diário* nos filmes do *Super-Homem* da década de 80. Nele está o maior globo do mundo. Linhas de bronze no piso indicam a direção de várias cidades e a posição dos planetas. À noite, os detalhes na entrada do prédio são iluminados a néon.

Atualmente o jornal encontra-se na 33rd Street, e ainda não se sabe o que acontecerá com o prédio.

Grand Central Terminal ❷

Em 1871, Cornelius Vanderbilt construiu uma estação de trem na 42nd Street. Foi reformada várias vezes, mas nunca deu conta do movimento e acabou demolida. A estação atual, o Grand Central Terminal, foi inaugurada em 1913 e se tornou portão de entrada e símbolo da cidade. Seus pontos altos são o salão principal, com enorme pé-direito, e a separação do trânsito de carros, pedestres e trens. O prédio tem estrutura de aço coberta de gesso e mármore. A Reed & Stem cuidou do planejamento e a Warren & Wetmore, do projeto geral. A reforma, feita pela Beyer Blinder Belle, foi espantosa.

Fachada de colunas na 42nd Street

Estátuas na Fachada da 42nd Street
Estátuas de Mercúrio, Hércules e Minerva, de Jules-Alexis Coutan, decoram a entrada principal.

O terminal é usado diariamente por meio milhão de pessoas. Uma escada rolante leva ao MetLife Building, que tem lojas especializadas e de conveniência.

Vanderbilt Hall, ao lado do Salão Principal, é um bom exemplo da arquiteutra Beaux Arts, com candelabros dourados e mármore rosa.

Cornelius Vanderbilt
O magnata das ferrovias era chamado de "Comodoro".

PONTOS ALTOS

- ★ Central de Informações
- ★ Grandes Escadarias
- ★ Salão Principal

Grand Central Oyster Bar
Este estabelecimento popular (pág. 306), com seus azulejos amarelos, é apenas um dos restaurantes da estação. A enorme praça de alimentação oferece refeições, lanches e bebidas para todos os gostos.

PREPARE-SE

E 42nd St na Park Ave. **Mapa** 13 A5. ***Tel*** *(212) 532-4900.* *4, 5, 6, 7, S para Grand Central.* *M1–5, M42, M98, M101-104, Q32.* *5h30-1h30 diariam.* *12h30 qua e sex (grátis); (212) 340-2347.* ***Guarda-volumes; achados e perdidos*** *(212) 340 2555* **www**.grandcentralterminal.com

★ Salão Principal
Esta vasta área de pedestres com teto abobadado exibe três grandes janelas em arco de cada lado, com 23m de altura cada uma.

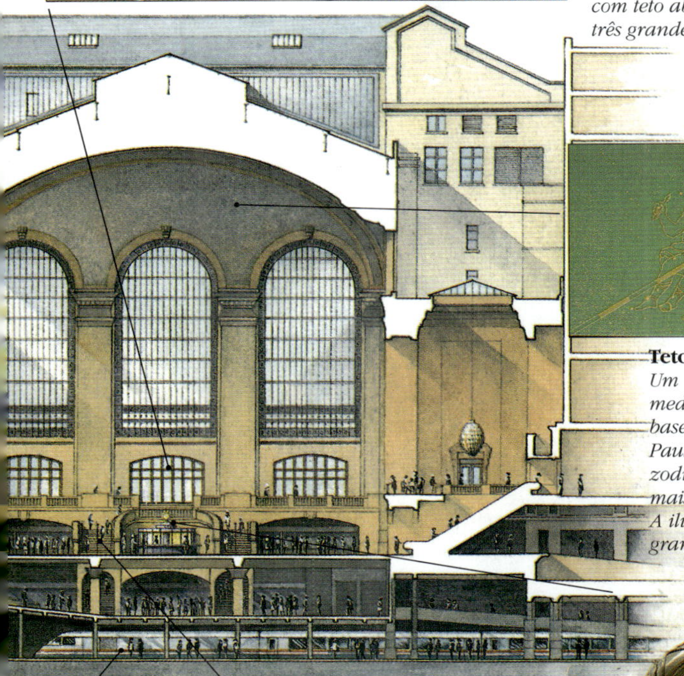

Teto Abobadado
Um manuscrito medieval serviu de base para o francês Paul Helleu desenhar o zodíaco, que contém mais de 2.500 estrelas. A iluminação destaca grandes constelações.

O Andar Inferior é ligado aos outros níveis por escadas, rampas e elevadores novos.

Grandes Escadarias
Agora há uma dupla desses dois lances de degraus de mármore inspirados na grande escadaria da Opéra de Paris, lembrando a grandeza do início das viagens de trem.

★ Central de Informações
Este relógio de quatro lados fica sobre o guichê de informações no salão principal.

Tudor City ❼

E 41st–43rd St entre 1st e 2nd Aves. **Mapa** 9 B1. Ⓜ *42nd St-Grand Central.* 🚌 *M15, M27, M42, M50, M104.* **www**.tudorcity.com

Esta tentativa precoce de planejamento urbano, realizada entre 1925 e 1928 pela Fred F. French Company, foi projetada para ser uma cidade de classe média dentro da cidade. Os aluguéis eram baixos, graças à "produção em larga escala". São 12 prédios com 3 mil apartamentos, hotel, lojas, restaurantes, agência de correio e dois pequenos parques privativos, tudo em estilo gótico Tudor.

O local escolhido era, em meados do século 19, reduto de criminosos conhecido como "Corcoran's Roost" (poleiro de Corcoran), por causa de Paddy Corcoran, líder da notória Rag Gang. À margem do rio East havia gasômetro, fábricas de cola, cervejarias e matadouros. Alguns ainda existiam quando Tudor City foi projetada e, para evitar sua visão, os prédios têm poucas janelas para o exterior.

Andares superiores da Tudor City

Helmsley Building ❽

230 Park Ave. **Mapa** 13 A5. Ⓜ *42nd St-Grand Central.* ◯ *office hours.*

Uma das mais belas vistas de Nova York está na Park Avenue, no local em que o Helmsley Building se eleva sobre o trânsito da avenida, que passa embaixo. Só há um defeito na paisagem: o MetLife Building, "caixote" construído para ser a sede da Pan Am em 1963 e que tirou do Helmsley Building sua moldura original, o céu.

Projetado por Warren & Whetmore em 1929, o Helmsley Building original era sede da New York Central Railroad Company. A proprietária atual é Leona Helmsley, esposa do falecido magnata do setor imobiliário Harry Helmsley, bilionário que começou sua carreira como contínuo. Leona aparecia em todos os anúncios da cadeia de hotéis Helmsley –até ser presa em 1989 por sonegação de impostos, em um processo que causou sensação. Dizem que o brilho exagerado que as últimas reformas deram ao prédio deve-se à preferência de Leona por excessos de decoração.

Espetáculo na Japan Society

1 & 2 United Nations Plaza ❾

Mapa 13 B5. Ⓜ *42nd St-Grand Central.* 🚌 *M15, M27, M42, M50, M104.*

Estas duas grandes e belas colunas de vidro espelhado azul-esverdeado estão dispostas em ângulo e o jogo de luz e reflexos nas laterais cintilantes e nos recuos suaves fazem com que pareçam uma obra de arte moderna. O interior de mármore e espelhos também é impressionante. As duas torres alojam modernos escritórios e no nº 1 fica também o Millennium United Nations Plaza Hotel –a lista de hóspedes sempre inclui delegados das Nações Unidas e muitas vezes chefes de Estado em visita à organização. Até as pressões da diplomacia internacional ficam mais suaves quando se pode boiar na piscina do terraço envidraçado e apreciar do alto a vista da cidade e da própria ONU.

Nações Unidas ❿

Págs. 160 –63.

Japan Society ⓫

333 E 47th St. **Mapa** 13 B5. ***Tel*** *(212) 832-1155.* Ⓜ *42nd St-Grand Central.* 🚌 *M15, M27, M50.* ***Gallery*** ◯ *11h-18h ter-qui, 11h-21h sex, 11h-17h sáb-dom.* **www**.japansociety.org

A sede da Japan Society, fundada em 1907 para promover o entendimento e o intercâmbio cultural entre Japão e Estados Unidos, foi financiada por John D. Rockefeller III ao custo de cerca de

Deuses romanos reclinados no relógio do Helmsley Building

US$ 4,3 milhões. O impressionante prédio negro com delicadas grades em forma de sol foi projetado em 1971 pelos arquitetos Junzo Yoshimura e George Shimamoto, de Tóquio. Contém auditório, centro de idiomas, biblioteca de pesquisas, uma galeria de exposições e os tradicionais e jardins no estilo oriental.

As exposições temporárias abertas ao público mostram diversos objetos de arte japoneses, de espadas a manuscritos. A organização promove espetáculos de artes cênicas, palestras, aulas de idioma e debates para executivos americanos e japoneses.

Fred F. French Building ⓬

521 5th Ave. **Mapa** 12 F5.
M *42nd St-Grand Central.*
horário comercial.

Construído em 1927 para ser a sede da mais conhecida empresa de imóveis da época, este é um projeto extremamente opulento. Foi criado pelo principal arquiteto da companhia, H. Douglas Ives, em colaboração com a

Vitrais de Tiffany na Church of the Incarnation

Sloan & Robertson, que também projetou o Chanin Building (pág. 152). O resultado final foi uma mistura de estilos do Oriente Próximo, antigo Egito e Grécia, com toques Art Déco.

Enfeites de louça coloridos decoram a parte superior da fachada, e a caixa-d'água fica escondida atrás de um andar falso. É um disfarce elaborado com relevos mostrando um sol nascente cercado de grifos, abelhas e símbolos das virtudes, como a integridade e o trabalho. Animais alados no estilo assírio sobre frisos de bronze ornamentam as entradas. Os temas exóticos prosseguem no saguão abobadado, com teto em várias cores e 25 portas de bronze douradas. Este foi o primeiro prédio a empregar índios canadenses caughnawaga como operários. Eles não tinham medo de altura e se tornaram muito procurados, ajudando a construir muitos dos mais famosos arranha-céus da cidade.

Saguão do Fred F. French Building

Church of the Incarnation ⓭

209 Madison Ave. **Mapa** 9 A2.
Tel *(212) 689-6350.* M *42nd St-Grand Central, 33rd St.* *11h-14h seg-sex (também 16h-19h ter, 17h-19h qua), 13h-16h sáb, 8h15-12h30 dom.* *12h15 e 18h30 qua, 12h45 sex, 8h30 e 11h dom.*
marcar hora.
www.churchoftheincarnation.org

Esta igreja episcopal data de 1864, quando a Madison Avenue era o endereço da elite. O exterior de pedra é típico daquele período. O interior contém, entre outras peças, uma bancada de carvalho para comunhão de Daniel Chester French, um mural de John La Farge, e vitrais de La Farge, Louis Comfort Tiffany, William Morris e Edward Burne-Jones.

Morgan Library & Museum ⓮

Págs. 164 –5.

Sniffen Court ⓯

150–158 E 36th St. **Mapa** 9 A2.
M *33rd St.*

Esta é uma agradável surpresa: um pátio interno com dez abrigos de carruagem, todas de tijolo, no estilo neo-românico, erguidas por John Sniffen por volta de 1850. As antigas construções estão em perfeito estado, no meio de um quarteirão movimentado de Nova York. O prédio no extremo sul era o estúdio da escultora Malvina Hoffman, e seus cavaleiros gregos decoram a parede externa.

Estúdio de Malvina Hoffman

Nações Unidas ⑩

Bandeira das Nações Unidas

Fundada por 51 países no fim da Segunda Guerra Mundial, em 1945, a Organização das Nações Unidas tem hoje 189 membros. Suas metas são preservar a paz mundial, promover a autodeterminação dos povos e o bem-estar social no mundo. Nova York foi escolhida como sede da ONU, e John D. Rockefeller Jr. doou US$ 8,5 milhões para a compra do terreno, à beira do rio East. O arquiteto encarregado foi o americano Wallace Harrison, que trabalhou com uma equipe internacional de consultores. O terreno de 7ha é uma zona internacional, com selos e correio próprios. A Assembléia Geral das Nações Unidas está prestes a aprovar uma grande reforma em seu complexo. Aconselha-se entrar em contato para checar o acesso ao local.

Sede das Nações Unidas

Prédio do Secretariado

No Conference Building ficam salas de reunião do Conselho de Segurança, do Conselho de Administração de Territórios e do Conselho Econômico e Social.

Conselho de Administração de Territórios

★ Conselho de Segurança
Os delegados e seus assistentes conferenciam à mesa em formato de ferradura; repórteres e funcionários da ONU ficam na mesa do centro.

Conselho Econômico e Social

★ Sino da Paz
Feito de moedas de 60 nações, este presente do Japão fica em um quiosque em forma de templo xintoísta.

Jardim de Rosas
Vinte e cinco variedades de rosas adornam os bem-cuidados jardins no rio East.

PONTOS ALTOS

- ★ Assembléia Geral
- ★ Conselho de Segurança
- ★ Figura Reclinada
- ★ Sino da Paz

★ **Figura Reclinada** *(1982)*
Esta estátua de bronze foi presente da Fundação Henry Moore.

PREPARE-SE

1st Ave com 46th St. **Mapa** 13 C5. ***Tel*** *(212) 963-8687.* 4, *5, 6, 7 e S para 42nd St-Grand Central Terminal.* *M15, M27, M42, M104.* *mar-dez: 9h30-16h45 seg-sex, 10h-16h30 sáb-dom; jan-fev: seg-sex.* *1° jan, President's Day, Eid, Ação de Graças, 25 dez (atividade limitada nos feriados de fim de ano).* *em 17 idiomas.* ***Palestras, filmes.*** **www**.un.org

Cores do Mundo
Bandeiras de todos os países-membros estão hasteadas diante do complexo da ONU.

★ **Assembléia Geral**
É o único órgão da ONU em que todos os países-membros estão representados. Realiza todo ano uma sessão regular de três meses.

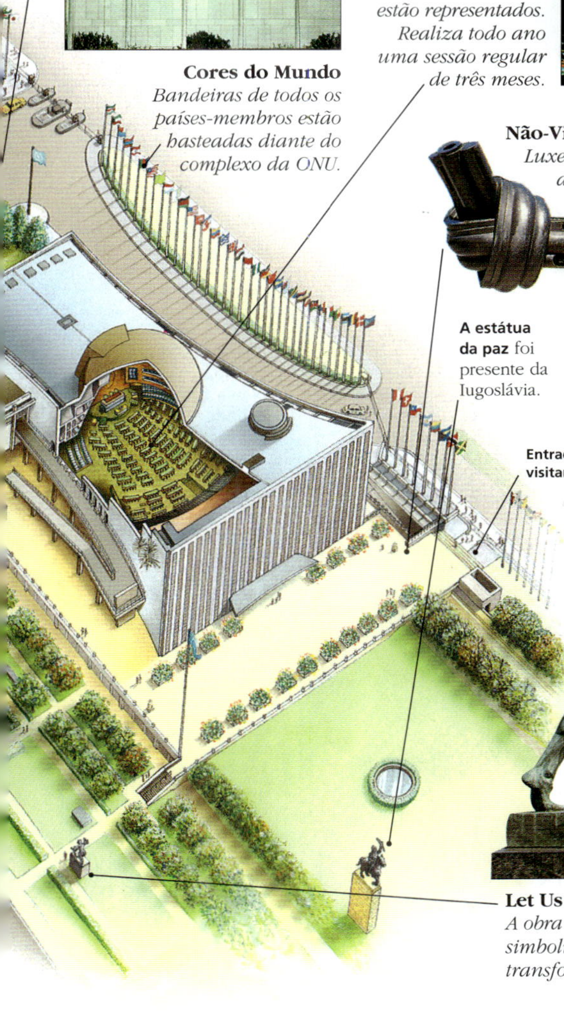

Não-Violência *(1988)*
Luxemburgo doou esta escultura do artista sueco Karl Fredrik Reutersward.

A estátua da paz foi presente da Iugoslávia.

Entrada de visitantes

Let Us Beat Swords Into Plowshares
A obra (1958) do russo Evgeny Vuchetich simboliza a meta da ONU ("Vamos transformar espadas em arados").

O Trabalho das Nações Unidas

Para alcançar seus objetivos, a Organização das Nações Unidas atua com três conselhos e uma Assembléia Geral da qual participam todos os países-membros. O Secretariado realiza o trabalho administrativo da organização. Nas visitas guiadas, é possível conhecer o Conselho de Segurança e observar brevemente um encontro.

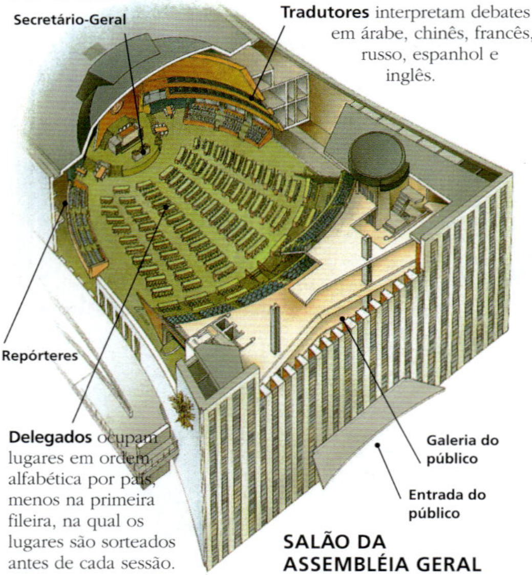

SALÃO DA ASSEMBLÉIA GERAL

ASSEMBLÉIA GERAL

A Assembléia Geral é o organismo que governa a ONU e mantém sessões ordinárias de setembro a dezembro todo ano. Também realiza sessões especiais, quando pedidas pelo Conselho de Segurança ou pela maioria dos membros. Todos os países-membros, qualquer que seja o tamanho, são representados por um voto simples. Na Assembléia Geral discute-se qualquer questão internacional levantada pelos membros ou pelos outros organismos da ONU. Ela não promulga leis, mas suas recomendações –que requerem aprovação de maioria de dois terços– têm influência na opinião mundial.

Antes de cada sessão, a ordem dos assentos da frente é sorteada entre as delegações. Todos os 1.898 lugares são equipados com fones de ouvido e tradução simultânea em várias línguas. A Assembléia Geral designa o secretário-geral (indicado pelo Conselho de Segurança), aprova orçamentos e elege os membros não-permanentes dos conselhos.

O Pêndulo de Foucault **(Holanda) oscila girando lentamente e prova a rotação da Terra sobre seu eixo**

Em conjunto com o Conselho de Segurança, nomeia também os juízes que integram a Corte Internacional de Justiça, com sede em Haia, na Holanda.

CONSELHO DE SEGURANÇA

O mais poderoso órgão da ONU é o Conselho de Segurança. Tem por objetivo garantir a paz e a segurança internacionais e intervém em crises nas diversas partes do mundo. É o único organismo a cujas decisões os países-membros são obrigados a obedecer e o único em sessão contínua.

Mural simbolizando a paz e a liberdade, de Per Krohg (Noruega)

Cinco de seus membros –China, França, Reino Unido, Rússia e Estados Unidos– são permanentes. Os outros são eleitos pela Assembléia Geral para mandatos de dois anos.

Quando surgem conflitos internacionais, o Conselho primeiro tenta um acordo pela mediação. Se houver confronto, pode dar ordem de cessar-fogo e impor sanções econômicas e militares. Também pode decidir enviar missões de paz da ONU às áreas em conflito, para separar as facções até que as questões sejam resolvidas por canais diplomáticos.

A intervenção militar é o último recurso do Conselho. Os soldados são transferidos conforme a necessidade –em locais como Chipre e Oriente Médio há quartéis fixos de tropas da ONU.

CONSELHO DE ADMINISTRAÇÃO DE TERRITÓRIOS

Este conselho, o menor de todos, é também o único organismo da ONU cuja carga de trabalho está diminuindo. Foi criado em 1945, para promover a independência pacífica de territórios sem autogoverno. Desde então, mais de 80 colônias se tornaram independentes e o número de pessoas em territórios dependentes caiu de 750 milhões para cerca de 3 milhões. Atualmente o órgão é composto dos cinco membros do Conselho de Segurança.

Mural de Zanetti (República Dominicana) no Conference Building descreve a luta pela paz

Sala do Conselho de Territórios

CONSELHO ECONÔMICO E SOCIAL

A função dos 54 membros do Conselho é melhorar o padrão de vida e promover o bem-estar social no mundo, metas que consomem 80% dos recursos da ONU. O Conselho prepara recomendações para a Assembléia Geral, agências especializadas da ONU e países membros. É assessorado por comissões que monitoram violações de direitos humanos, população, problemas econômicos regionais, narcóticos e direitos da mulher. Também trabalha em conjunto com a Organização Internacional do Trabalho, Organização Mundial de Saúde, Unicef e outras entidades humanitárias.

SECRETARIADO

Uma equipe internacional de 16 mil pessoas trabalha no Secretariado, cuidando das tarefas administrativas das Nações Unidas e prestando serviços a todos os conselhos, comissões e agências da organização. O Secretariado é chefiado pelo secretário-geral, que tem um papel-chave como porta-voz nos esforços da organização para manter a paz. O secretário-geral é eleito pela Assembléia Geral para um mandato de cinco anos.

EVENTOS IMPORTANTES NA HISTÓRIA DA ONU

Premiê soviético Kruchev fala à Assembléia Geral em 1960

A ONU não dispõe de força militar permanente e, para administrar disputas, depende da obediência voluntária e apoio dos membros. Assim, vem acumulando vitórias e fracassos no esforço para manter a paz. Em 1948, a ONU declarou a Coréia do Sul o governo legítimo de toda a Coréia e dois anos depois teve papel de destaque na defesa do país contra a Coréia do Norte. Em 1949, ajudou a negociar um cessar-fogo entre Holanda e Indonésia e promoveu a conferência que resultou na independência indonésia do domínio holandês, voltando em 2002 para supervisionar as eleições no Timor Leste.

Em 1964, uma força militar da ONU foi enviada a Chipre para assegurar a paz entre gregos e cipriotas, e ainda permanece ali. Problemas persistentes no Oriente Médio vêm mantendo as forças da ONU na região desde 1974, ano em que a República Popular da China, até então preterida em favor de Taiwan, foi aceita como país-membro da ONU. Na década de 1990, a ONU esteve fortemente envolvida na separação da Iugoslávia e mais recentemente nos conflitos do Afeganistão e do Iraque.

Em geral, há mais de seis de missões da ONU em andamento pelo mundo. A entidade recebeu o Prêmio Nobel da Paz em 1988 e em 2001.

OBRAS DE ARTE DA ONU

O prédio da ONU exibe muitas obras de arte e reproduções de importantes artistas, várias delas presentes dos países membros. A maioria aborda o tema da paz e da amizade internacionais. A legenda no quadro *A Regra de Ouro*, de Norman Rockwell, diz: "Faça aos outros o que gostaria que eles fizessem a você". Marc Chagall é o autor do vitral em homenagem ao secretário-geral Dag Hammarskjöld, morto em acidente durante uma missão de paz, em 1961. Uma escultura de Henry Moore embeleza o andar térreo. Também há obras de Cândido Portinari. Outro brasileiro, o arquiteto Oscar Niemeyer, contribuiu para o projeto do próprio prédio da ONU.

A Regra de Ouro **(1985), grande mosaico de Norman Rockwell**

Morgan Library & Museum ⓮

A Morgan Library foi reaberta em 2006 depois de um projeto de ampliação. A coleção, formada pelo banqueiro J. Pierpont Morgan, fica num magnífico edifício dos arquitetos McKim, Mead & White. O filho de Morgan, J. Pierpont Morgan Jr., a tornou uma instituição pública em 1924. Hoje ela tem uma das melhores coleções do mundo de manuscritos raros, gravuras, livros e encadernações, expostos num complexo que inclui a biblioteca original e a casa de Morgan Jr.

Exterior do prédio original da biblioteca

A Canção de Los *(1795)*
O poeta místico William Blake desenhou e gravou esta placa para uma de suas obras mais originais.

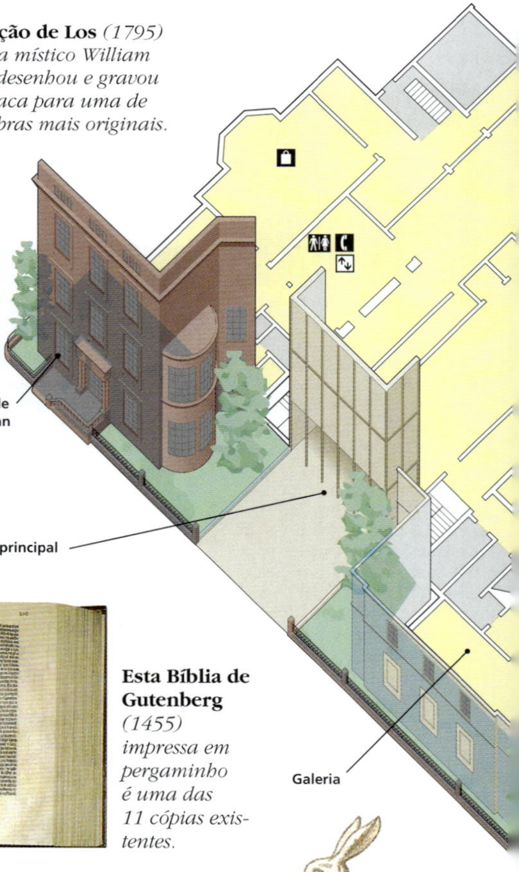

LEGENDA

- Espaço de exposição
- Área sem exposição

Esta Bíblia de Gutenberg *(1455) impressa em pergaminho é uma das 11 cópias existentes.*

Nursery Alice
Alice, a Lebre de Março e outros personagens de Lewis Carroll foram imortalizados nas clássicas ilustrações de John Tenniel (c. 1865).

PONTOS ALTOS

- ★ Salão Oeste
- ★ A Rotunda
- ★ Salão Leste

Concerto em Mi Bemol Maior para Trompa, de Mozart
As seis páginas que restam desta partitura foram escritas com diferentes cores.

PREPARE-SE

225 Madison Ave. **Mapa** 9 A2. ***Tel*** *(212) 685-0008.* M *6 para 33rd St; 4, 5, 6, 7 para Grand Central Terminal; B, D, F, Q para 42nd St.* *M1–5 crosstown M16, M34.* *10h30-17h ter-qui, 10h30-21h sex, 10h-18h sáb, 11h-18h dom.* *seg.*
www.themorgan.org

GUIA DA BIBLIOTECA

O estúdio e a biblioteca originais de Morgan contêm seus quadros, peças raras e objetos favoritos. Mostras temporárias apresentam alguns dos mais importantes artefatos culturais do mundo.

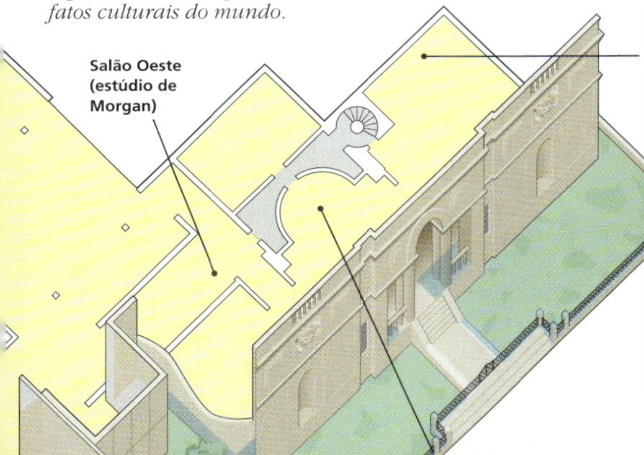

★ Salão Leste
As paredes são cobertas de alto a baixo por estantes com prateleiras triplas. Os murais mostram figuras históricas e o zodíaco.

★ A Rotunda *(1504)*
A entrada da biblioteca tem colunas de mármore e pilastras. O piso foi inspirado na Villa Pia dos jardins do Vaticano.

★ Salão Oeste
Obras de arte da Renascença e um teto de madeira florentina adornam este cômodo.

PIERPONT MORGAN

J.P. Morgan (1837-1913) foi, alémde financista influente, um dos maiores colecionadores de sua época. Manuscritos originais e livros raros eram sua paixão e a inclusão em sua coleção era considerada uma honra. Em 1909, quando Morgan pediu a doação do manuscrito de *Pudd'nhead Wilson*, Mark Twain respondeu: "Realiza-se uma de minhas maiores ambições".

Ermenegildo Zegna

UPPER MIDTOWN

A Nova York mais em evidência, com toda a sua diversidade, fica nesta área, a parte superior do centro de Manhattan, cheia de igrejas, museus, casas noturnas, famosos hotéis e lojas, arranha-céus inovadores e nichos onde vivem os ricos. Em meados do século 19, era endereço de famílias muito conhecidas, como Astor e Vanderbilt. Nos anos 50, a construção dos edifícios da Lever e Seagram entrou para a história arquitetônica da cidade: com as primeiras torres modernas, esse trecho de Park Avenue passou de residencial a comercial.

Cisitalia de 1946, no MoMA

PRINCIPAIS ATRAÇÕES

Ruas e Edifícios Históricos
Beekman Place 19
Fuller Building 22
General Electric Building 12
Roosevelt Island 20
Sutton Place 18
Villard Houses 10

Arquitetura Moderna
Citigroup Center 16
IBM Building 3
Lever House 14
Seagram Building 15
Trump Tower 2

Museus e Galerias
American Folk Art Museum 7
Museum of Arts and Design 6
Museum of Modern Art (MoMA) págs. 172–5 5
Museum of Television and Radio 8

Igrejas e Sinagogas
Central Synagogue 17
St. Bartholomew's Church 11
St. Patrick's Cathedral págs. 178–9 9
St. Thomas Church 4

Hotéis
Plaza Hotel 23
Waldorf–Astoria 13

Lojas
Bloomingdale's 21
Fifth Avenue 1

LEGENDA

Mapa Rua a Rua

M Estação de metrô

VEJA TAMBÉM

• ***Guia de Ruas***, mapas 12, 13–4

• ***Onde Ficar*** págs. 288–9

• ***Restaurantes*** págs. 306–8

COMO CHEGAR

Pegue a linha 6 do metrô para a 51st St; ou a 4, 5, ou 6 para 59th St; ou a N, R ou W para 60th St; ou ainda a E ou V para 53rd St-5th Ave ou 53rd St-Lexington. Os ônibus para a área são o M1–4, M15, ou M101–3. O M27, M50, M31 e o M57 cruzam a cidade.

Rua a Rua: Upper Midtown

A lojas luxuosas que viraram sinônimo da 5th Avenue surgiram à medida que a alta sociedade nova-iorquina se mudava mais para o norte da ilha. Em 1917, a Cartier's comprou a mansão do banqueiro Morton F. Plant em troca de um colar de pérolas, e o exemplo foi seguido por outras lojas famosas. Mas a área não é só o paraíso dos consumidores. Tem também três museus e estilos arquitetônicos variados.

Fifth Avenue
As carruagem lembram a elegância do passado ❶

O University Club foi fundado em 1899 como clube para cavalheiros.

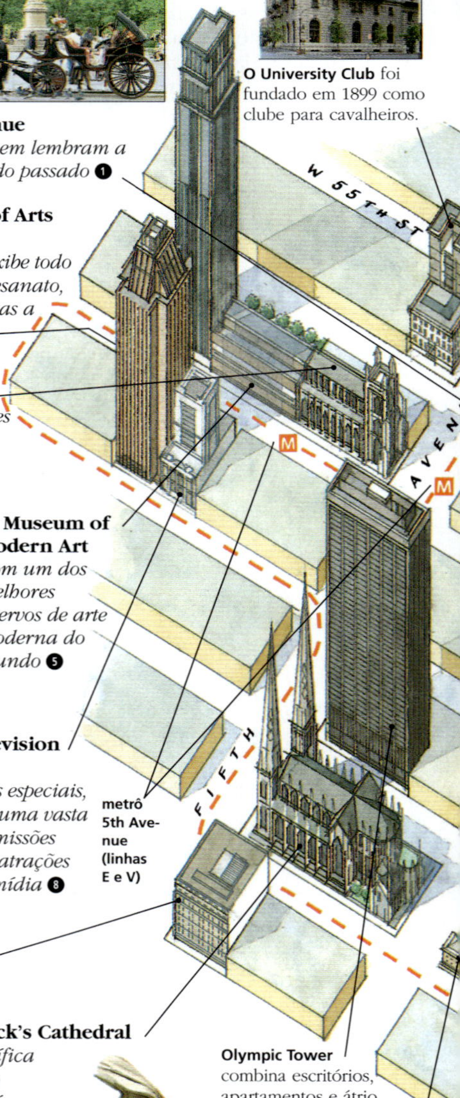

Museum of Arts & Design
O museu exibe todo tipo de artesanato, de cerâmicas a móveis ❻

St Thomas Church
Grande parte dos entalhes desta igreja é obra do escultor Lee Lawrie ❹

★ Museum of Modern Art
Com um dos melhores acervos de arte moderna do mundo ❺

Museum of Television and Radio
Exposições, filmes especiais, eventos ao vivo e uma vasta coleção de transmissões históricas são as atrações deste museu da mídia ❽

metrô 5th Avenue (linhas E e V)

A Saks Fifth Avenue vem oferecendo artigos de bom gosto a várias gerações de nova-iorquinos *(pág. 319)*.

★ St Patrick's Cathedral
Esta magnífica construção neogótica é a maior igreja católica dos EUA ❾

Olympic Tower combina escritórios, apartamentos e átrio com luz solar dentro de sua fachada polida.

Villard Houses
Estas cinco belas casas brownstone fazem parte do New York Palace Hotel ❿

PONTOS ALTOS

- ★ Museum of Modern Art
- ★ St. Patrick's Cathedral

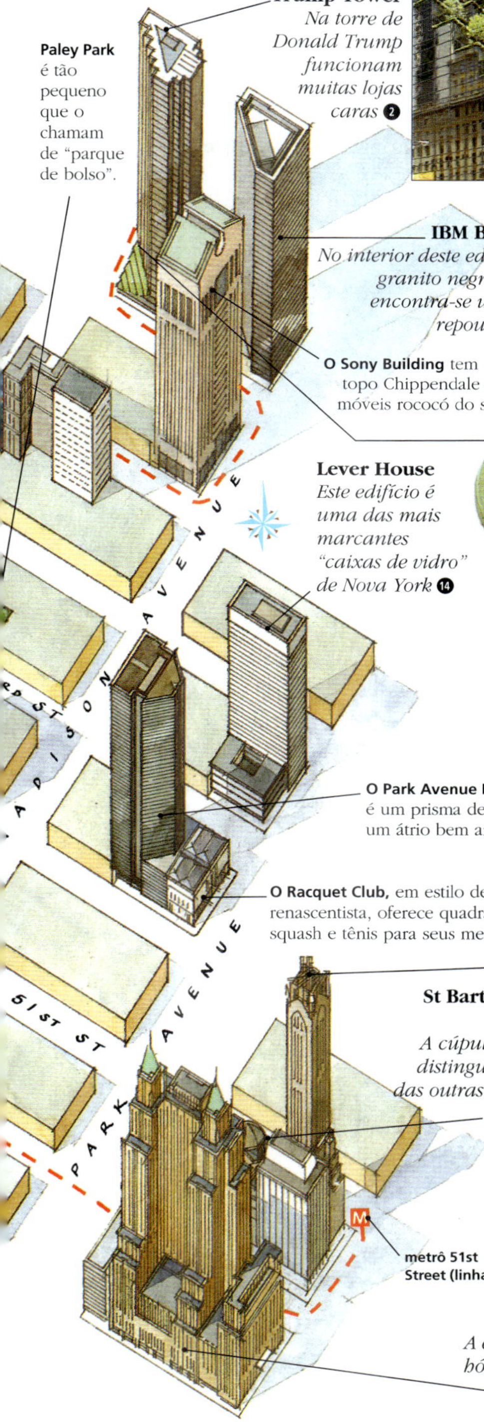

Trump Tower
Na torre de Donald Trump funcionam muitas lojas caras ❷

Paley Park é tão pequeno que o chamam de "parque de bolso".

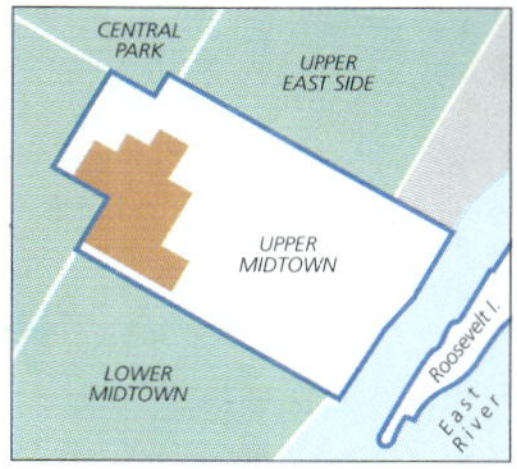

LOCALIZE-SE
Mapa de Manhattan págs. 14-5

LEGENDA

– – – Percurso sugerido

0 metros 100

IBM Building
No interior deste edifício de granito negro polido encontra-se um pátio repousante ❸

O Sony Building tem um típico topo Chippendale (estilo de móveis rococó do século 18.

Tiffany & Company é uma joalheria famosa por seu luxo discreto. A loja exibe muitas pedras preciosas *(pág. 329)*

Lever House
Este edifício é uma das mais marcantes "caixas de vidro" de Nova York ⓮

O Park Avenue Plaza é um prisma de vidro com um átrio bem arejado.

General Electric Building
O topo pontiagudo deste edifício construído em 1931 simboliza as ondas elétricas ⓬

O Racquet Club, em estilo de palazzo renascentista, oferece quadras de squash e tênis para seus membros.

St Bartholomew's Church
A cúpula bizantina distingue esta igreja das outras que existem na área ⓫

metrô 51st Street (linha 6)

Waldorf–Astoria
A elegância do Velho Mundo sempre atraiu hóspedes famosos para este hotel, entre eles o duque e a duquesa de Windsor ⓭

Vitrine da Bergdorf Goodman ***(pág. 319)***

Fifth Avenue ❶

Mapa 12 F3–F4. *5th Ave-53rd St, 5th Ave-59th St.*

Quando William Henry Vanderbilt construiu sua mansão na esquina da 5th Avenue com a 51st Street, em 1883, foi imitado por quase todas as famílias importantes de Nova York, como os Astor, Belmont e Gould, que também ergueram mansões opulentas em uma faixa que ia até o Central Park. Poucas foram preservadas para comprovar a grandiosidade da época.

Uma delas é a loja Cartier, nº 651, originalmente a casa de Morton F. Plant, milionário e membro do New York Yacht Club. À medida que o comércio subia a avenida –tendência que começou em 1906–, a sociedade também se mudava para locais mais ao norte da ilha. Em 1917, Plant instalou-se em uma nova mansão na 86th Street, depois de vender a antiga casa à Cartier por, ao que consta, um valioso colar de pérolas.

Desde então, a 5th Avenue é sinônimo de artigos de luxo. Da Cartier, na 52nd Street, até a Bergdorf Goodman e a Tiffany, na 57th Street, concentram-se as marcas que são símbolos de riqueza e posição social.

Interior da Trump Tower

Trump Tower ❷

725 5th Ave. **Mapa** 12 F3. ***Tel*** *(212) 832-2000.* *5th Ave-53rd St, 5th Ave–59th St.* **Jardim, lojas** *10h-18h seg-sáb, 12h-17h dom.* **Edifício** *8h-22h diariam.* ***Concertos.***

Esta cintilante torre de escritórios e apartamentos extremamente caros eleva-se acima de um exuberante pátio interno de seis andares, com muitas lojas exclusivas e cafés. Projetado em 1983 por Der Scutt, da Swanke, Hayden, Connell & Partners, a área pública tem mármore rosa, com cachoeira, espelhos e brilhos. Este é o exemplo mais chamativo da arquitetura atual para centros comerciais verticais. A torre é um resplandecente monumento à opulência erguido pelo empresário Donald Trump, ele próprio um símbolo dos exageros da década de 80 *(pág. 33)*.

O prédio vizinho, nº 727, é seu oposto. Lá funciona a Tiffany & Co., famosa joalheria fundada em 1837, de fachada simples azul e belas vitrinas. O prédio ficou ainda mais famoso com o filme *Bonequinha de Luxo*, com Audrey Hepburn –baseado no conto *Breakfast at Tiffany's*, de Truman Capote.

Entrada da exclusiva joalheria Tiffany

IBM Building ❸

590 Madison Ave. **Mapa** 12 F3. *5th Ave.* **Garden Plaza** *8h-22h diariam.* **Dahesh Museum of Art***; (212) 759 0606.* *11h-18h ter-dom (21h na 1º qui mês).* *feriados.* *(grátis 1ª quinta do mês).*

Este prédio de 43 andares foi projetado por Edward Larrabee Barnes. Concluído em 1983, é um brilhante prisma de cinco lados, de granito verde polido, com um ângulo mais saliente na fachada da 57th Street. O **Garden Plaza** é aberto ao público. Perto do átrio fica a *Massa em Levitação,* obra do escultor americano Michael Heizer –dentro de um tanque baixo de aço inoxidável, uma enorme laje de granito parece suspensa no ar.

O **Danesh Museum of Art** no 580 da Madison Avenue, possui pinturas, desenhos, impressões, photografias e esculturas de artistas populares europeus dos séculos 19 e 20.

St. Thomas Church ❹

1 W 53rd St. **Mapa** 12 F4. ***Tel*** *(212) 757-7013.* *5th Ave-53rd St.* *7h-18h diariam.* *frequente.* *após serviço das 11h e concertos* **www**.saintthomaschurch.org

É a segunda vez que esta igreja, que já se mudou quatro vezes, se instala neste endereço. Foi construída entre 1909 e 1914 para substituir a anterior, destruída em um incêndio, em 1905. Na igreja antiga foi realizada a maioria dos casamentos da alta sociedade de Nova York do final do século 19. O mais suntuoso foi a fabulosa cerimônia em que a herdeira Consuela Vanderbilt casou-se com um nobre inglês, o duque de Marlborough, em 1895.

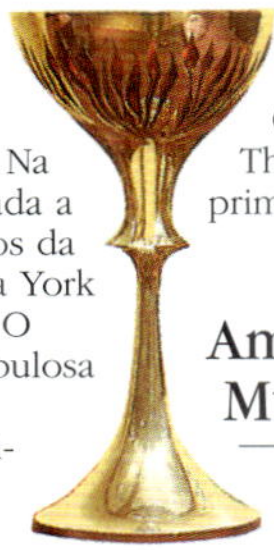

Cálice de prata no Design Museum

O prédio, em estilo gótico francês, tem uma única torre assimétrica e a nave é deslocada do centro, uma forma adotada para solucionar a questão da localização da igreja, em terreno de esquina. Os painéis totalmente brancos e ricamente entalhados que ficam atrás do altar foram projetados pelo arquiteto Bertram Goodhue e pelo escultor Lee Lawrie. Os entalhes do coro, dos anos 1920, representam invenções como o telefone, além das figuras dos presidentes Roosevelt e Wilson e do próprio Lawrie.

Museum of Modern Art ❺

Págs 172–5.

Museum of Arts & Design ❻

40 W 53rd St. **Mapa** 12 F4. ***Tel*** *(212) 956-3535.* *5th Ave-53rd St.* *10h-18h diariam (20h qui).* *feriados.* ***Palestras, filmes.*** **www**.madmuseum.org

Uma instituição cultural líder, este museu é dedicado a coleções e mostras de objetos que vão de argila e vidro a madeira, metal e fibras. Esta coleção permanente, inclui mais de 2 mil artefatos de artistas e designers do mundo todo. A loja do museu oferece aos visitantes a oportunidade de adquirir itens de primeira linha de fabricantes americanos.

O museu foi iniciado em um edifício de pedras marrons, na 23rd Street, em 1956, mas estará no número 2 da Columbus Circle, em Theatre District, até a primavera de 2008.

American Folk Art Museum ❼

45 W 53rd St. **Mapa** 12 F4. ***Tel*** *(212) 265-1040.* *5th Ave-53rd St.* *10h30h-17h30 ter-dom (19h30 sex).* **www**.folkartmuseum.org

Este é o lugar certo para se apreciar e estudar a arte folclórica americana. O American Folk Art Museum é o primeiro museu de arte *free-standing* construído em Nova York desde 1966. Projetado pela inovadora firma Tod Williams Billie Tsien & Associates e construído em 2001, sua estrutura é revestida de painéis de tombasil branco, uma liga leve de bronze. Com 2,787m2 para exposição em oito andares, o museu ainda mantém a Eva e a Morris Feld Gallery na Lincoln Square *(pág. 214).*

Museum of Television and Radio ❽

25 W 52nd St. **Mapa** 12 F4. ***Tel*** *(212) 621-6800.* *5th Ave-53rd St.* *12h-18h ter-dom (20h qui). Teatros e salas de projeção até 21h sex.* *feriados.* **www**.mtr.org

Neste museu, único do gênero, visitantes podem ver e ouvir o acervo de programas de entretenimento, esporte e documentários dos primórdios do rádio e da televisão até hoje. Pode-se ver os Beatles no início de carreira, a estréia de Elvis Presley na televisão, competições das Olimpíadas, documentários filmados durante a Segunda Guerra Mundial.

Os beatles Paul, Ringo e John no show de Ed Sullivan, em 1964

O catálogo computadorizado, dividido em seis temas, contém mais de 50 mil programas. As fitas selecionadas são vistas em pequenos aparelhos individuais. Nas áreas de projeção mais amplas e no teatro com 200 lugares são exibidas retrospectivas de artistas e diretores ou temas específicos. Há também áreas para exposição de fotos, cartazes e objetos.

O museu idealizado por William S. Paley, ex-diretor da rede de televisão CBS, foi inaugurado em 1975 como Museum of Broadcasting, na East 53rd Street. Fez tanto sucesso que logo precisou de mais espaço. Em 1991, foi transferido para este prédio high-tech de US$ 50 milhões que, segundo muitos, lembra um antigo estúdio de rádio.

Lucille Ball, estrela da TV nos anos 60

Museum of Modern Art ❺

Fachada do museu na 54th Street

O Museum of Modern Art tem um dos melhores e mais completos acervos de arte moderna do mundo. Fundado em 1929, é modelo para outros museus do gênero. Após um projeto de ampliação, o MoMA em Midtown foi reaberto em 2004. O novo edifício provê espaço para galerias em seis andares –quase o dobro do antigo. Extensões de vidro deixam entrar abundante luz natural e oferecem convidativas vistas do Jardim de Esculturas.

O Jardim de Esculturas
O Abby A. Rockefeller Sculpture Garden tem uma atmosfera de paz.

PONTOS ALTOS

★ As Senhoritas de Avignon, de Pablo Picasso

★ Noite Estrelada, de Vincent Van Gogh

O Mundo de Christina *(1948)*
Andrew Wyeth contrasta o horizonte esmagador com o cenário reproduzido em minúcias de sua vizinha aleijada.

Pássaro no Espaço
(c. 1928) A escultura de bronze de Constantin Brancusi captura a própria essência do vôo.

GUIA DAS GALERIAS

O Jardim de Esculturas fica no primeiro andar. As galerias de arte contemporânea, gravuras e comunicações, no segundo. Pinturas e esculturas são expostas no segundo, quarto e quinto pisos. Arquitetura, design, fotografia e desenhos, no sexto. Mostras temporárias, no terceiro e no sexto. Os filmes são exibidos no térreo.

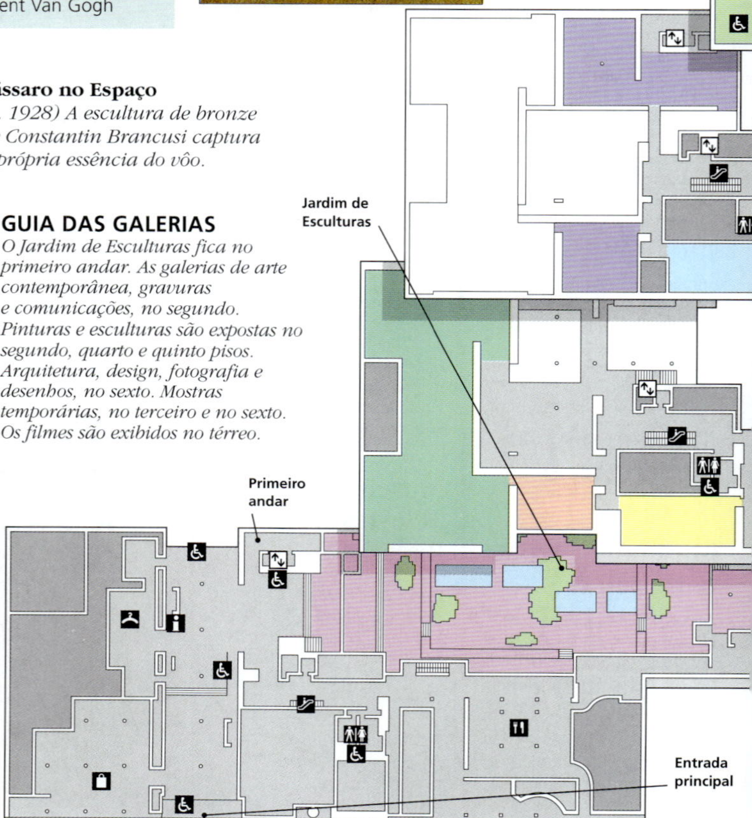

PREPARE-SE

11 West 53rd St entre Fifth Ave e Avenue of the Americas. **Mapa** 12 F4. ***Tel*** *(212) 708-9400.* *5th Ave-53rd St.* *M1–4, M27, M50.* *10h30-17h30 qua-seg, 10h30-20h sex.* *ter, 25 dez.* *grupos* **www**.moma.org

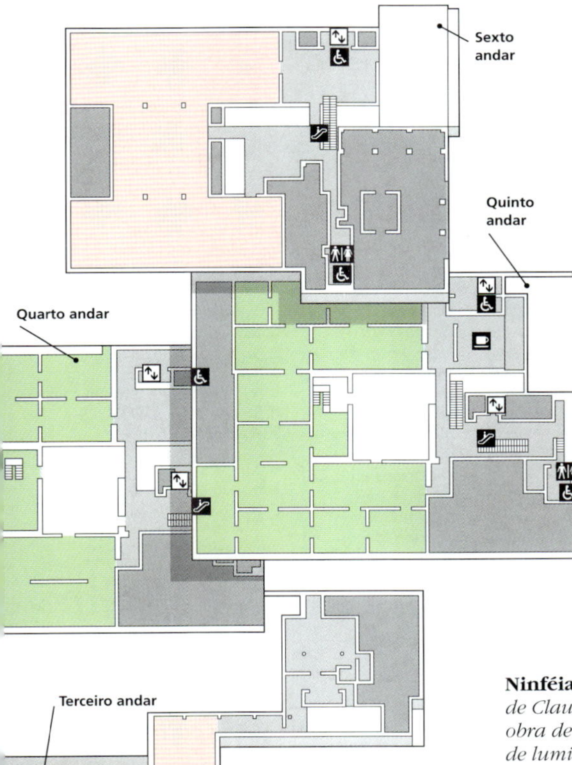

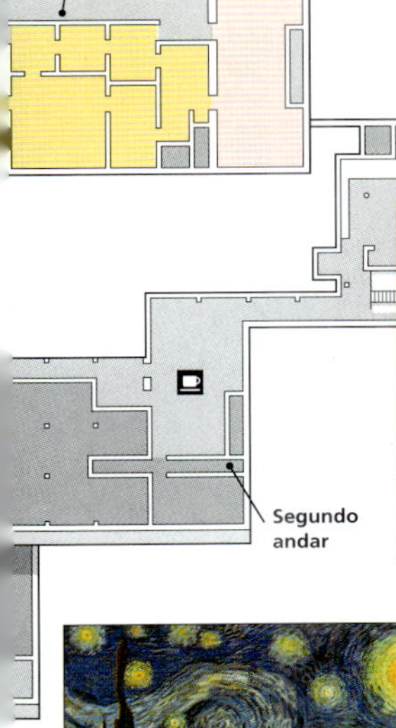

A Palhaça *(1896) Típico exemplo dos retratos de artistas parisienses feitos por Henri de Toulouse-Lautrec.*

Ninféias *(c. 1920) O último tríptico de Claude Monet é uma imensa obra de arte que cria um ambiente de luminosidade e serenidade.*

★ As Senhoritas de Avignon *O retrato das prostitutas pintado por Picasso em 1907 incluía dois clientes. O artista os retirou para expor com mais vigor seus sentimentos acerca das mulheres.*

LEGENDA

- Jardim das esculturas
- Arte contemporânea
- Comunicações
- Gravuras e livros ilustrados
- Arquitetura e design
- Desenhos
- Fotografia
- Pinturas e esculturas
- Exposições especiais
- Espaço sem exposição
- Espaço de acesso restrito

★ Noite Estrelada *(1889) O tamanho reduzido deste trabalho de Vincent van Gogh não diminui sua paixão. O cenário noturno turbulento é uma das telas mais vistas do acervo.*

Como Explorar o Acervo

O Museum of Modern Art tem um acervo de cerca de 100 mil obras, que variam dos clássicos pós-impressionistas até uma coleção inigualável de arte moderna e contemporânea, além de esplêndidas peças de design e obras-primas dos primórdios da fotografia e do cinema.

PINTURAS E ESCULTURAS DE 1880 A 1940

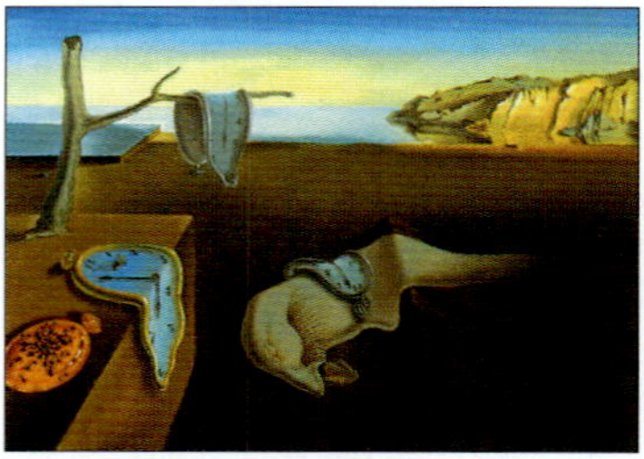

***A Persistência da Memória* (1931), do surrealista Salvador Dalí**

A arte geométrica dos construtivistas pode ser vista em obras de Lissitzky, Malevich e Rodchenko. A influência do grupo De Stijl é nítida em obras como *Broadway Boogie Woogi*, de Mondrian. Há várias obras de Matisse, como *Dança I* e *O Estúdio Vermelho*. Dalí, Miró e Ernst destacam-se entre as obras bizarras e estranhamente belas da coleção dos surrealistas.

O monumental *O Banhista*, de Paul Cézanne, e o apaixonado *Noite Estrelada*, de Vincent van Gogh, são duas das obras mais importantes do fim do século 19 no museu. Fauvismo e expressionismo estão muito bem representados por obras de Matisse, Derain, Kirchner e outros. Do início do século 20, *Senhoritas de Avignon*, de Pablo Picasso, marca a transição para uma nova visão da pintura, o cubismo.

O museu tem uma coleção sem igual de pinturas cubistas, oferecendo ótima visão geral do movimento que desafiou a percepção tradicional do mundo. Entre as obras estão *Menina com Bandolim*, de Picasso; *Homem com Violão e Soda*, de Georges Braque, e *Violão e Flores*, de Juan Gris. As obras dos futuristas, que deram ao cubismo movimento e cor para representar o agitado mundo moderno, incluem *Hieroglifo Dinâmico de Bal Tabarin*, de Gino Severini; *Dinamismo de um Jogador de Futebol*, de Umberto Boccion; e obras de Balla, Carrà e Villon.

PINTURA E ESCULTURA DO PÓS-GUERRA

A vasta exposição de arte do pós-guerra inclui obras de Bacon e Dubuffet, mas seu forte está nos trabalhos de artistas americanos.
A coleção de arte expressionista abstrata tem *One [Number 31, 1950]* de Jackson Pollock; *Mulher I*, de Willem de Kooning; *Agonia*, de Arshile Gorky; e *Vermelho, Marrom e Preto*, de Mark Rothko. Entre outras obras notáveis estão *Bandeira*, de Jasper Johns, e quadros de Robert Rauschenberg, como *Primeiro Salto de Desembarque* e *Cama*, feitos respectivamente com lixo urbano e roupa de cama. A coleção de arte pop inclui *Menina Afogando e Menina com Bola*, de Roy Lichtenstein, o famoso *Gold Marilyn Monroe*, de Andy Warhol, e *Ventilador Gigante*, de Claes Oldenburg. Obras posteriores a 1965 incluem quadros de Judd, Flavin, Serra e Beuys.

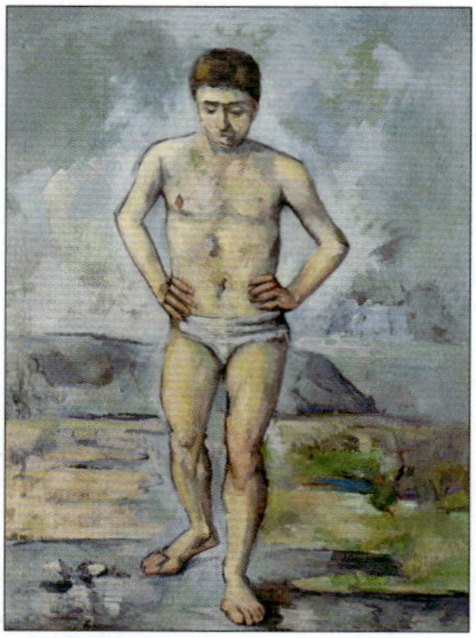

***O Banhista*, óleo do pintor impressionista francês Paul Cézanne**

DESENHOS E OUTRAS OBRAS EM PAPEL

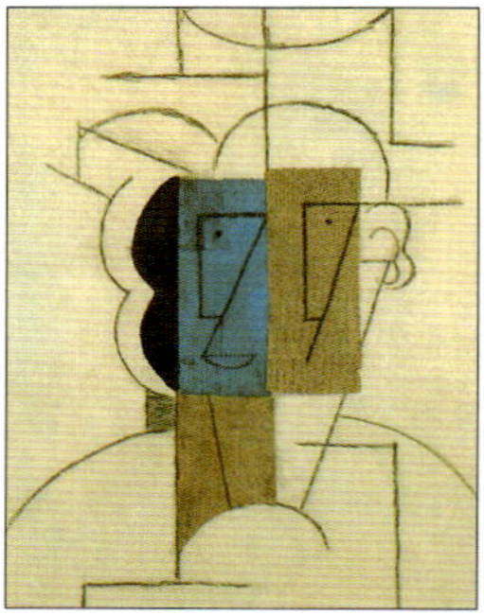

***Homem com Chapéu* (1912), de Picasso, colagem e carvão**

Mais de 7 mil ilustrações –de pequenos esboços a grandes obras do tamanho de murais– fazem parte do acervo do MoMA. Muitos desenhos empregam materiais tradicionais, como lápis, carvão, caneta, tinta, pastel e aquarela. Mas há também colagens e trabalhos que misturam papéis volantes, produtos naturais e artigos manufaturados.

O acervo apresenta um resumo do modernismo, do final do século 19 aos dias atuais, incluindo movimentos como o cubismo, o dadaísmo e o surrealismo. Desenhos de artistas famosos, como por exemplo Picasso, Miró e Johns, são exibidos lado a lado com uma quantidade cada vez maior de trabalhos de talentosos artistas das novas gerações.

GRAVURAS E LIVROS ILUSTRADOS

Índio Americano Tema II, de Roy Lichtenstein (1980)

Todos os movimentos artísticos significativos a partir da década de 1880 estão representados neste amplo acervo, no qual se pode admirar um resumo da arte da gravura. Com mais de 50 mil itens, a coleção apresenta peças amplamente variadas, produzidas com técnicas antigas e contemporâneas, como litografia, água-forte, serigrafia e xilogravura. Esses trabalhos são exibidos ao lado de outros, mais experimentais.

A seção de gravuras e livros ilustrados também expõe obras particularmente belas de Pablo Picasso, considerado o mais importante gravurista do século 20. Estão à mostra, ainda, diversas ilustrações e gravuras de artistas renomados como Redon, Munch, Matisse, Dubuffet, Johns, Lichtenstein e Warhol. Os trabalhos são exibidos nas galerias em sistema de rodízio.

FOTOGRAFIA

A seção de fotografia começa com sua invenção, por volta de 1840. Há fotos de artistas famosos, jornalistas, cientistas e empresários, e também de fotógrafos amadores.

Entre os destaques da coleção estão algumas das obras mais conhecidas de fotógrafos americanos e europeus, como Atget, Stieglitz, Lange, Arbus, Steichen, Cartier-Bresson e Kertesz. Encontram-se também diversas obras de fotógrafos contemporâneos, como Friedlander, Sherman e Nixon.

CINEMA

Com acervo de 10 mil filmes e 4 milhões de fotogramas, o museu apresenta programas muito variados, incluindo retrospectivas de diretores e atores, filmes de gêneros específicos e trabalhos experimentais, além de muitas outras exibições. A conservação dos filmes é uma peça-chave do trabalho desta seção. Atualmente, muitos diretores doam cópias de seus filmes, para ajudar a financiar este trabalho caro, mas vital.

Fotograma de Chaplin e Jackie Coogan em *O Garoto* (1921)

As exposições englobam os mais variados temas, tanto em cores como em preto-e-branco, mostrando paisagens delicadas e agradáveis, tristes cenas da desolação urbana, imagens abstratas e retratos estilizados, como os belos nus impressos em gelatina de prata do surrealista Man Ray. O conjunto mostra a história da arte da fotografia e é um dos melhores acervos que existem no mundo.

Domingo às Margens do Marne (1939), fotografia de Henri Cartier-Bresson

ARQUITETURA E DESIGN

O Museum of Modern Art de Nova York foi o primeiro a incluir objetos utilitários em seu acervo, que vão de utensílios domésticos, como equipamentos de som, cristais, tecidos, móveis e luminárias, a rolamentos industriais e chips de silício. A arquitetura é representada na coleção de maquetes, desenhos e fotos de edifícios, já construídos ou que ficaram só no projeto. Tipografia e cartazes estão na mostra de design gráfico. As obras maiores, que parecem peças de um museu de transportes, incluem o automóvel Cisitalia, de Pininfarina, e o helicóptero de Bell.

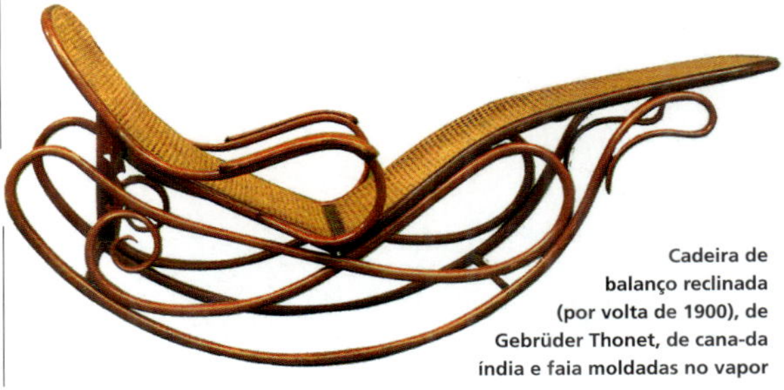

Cadeira de balanço reclinada (por volta de 1900), de Gebrüder Thonet, de cana-da-índia e faia moldadas no vapor

St. Patrick's Cathedral ❾

Págs 178–9.

Villard Houses ❿

457 Madison Ave (New York Palace Hotel). **Mapa** 13 A4. ***Tel*** *(800) NY PALACE.* M *51st St.* **www**.newyorkpalace.com **Urban Center** *10h-19h seg-qui, 10h-18h sex, 10h-17h30 sáb.* ***Tel*** *(212) 935 3595.* **www**.mas.org

Henry Villard foi um imigrante da Baviera que se tornou editor do *New York Evening Post* e fundador da ferrovia Northern Pacific Railroad. Em 1881, comprou o terreno em frente à St Patrick's Cathedral e contratou o escritório de arquitetura McKim, Mead & White para projetar uma casa para ele e outras para vender. O resultado é um conjunto de seis casas de quatro andares, construídas em volta de um pátio central que se abre para a rua e a igreja. A ala sul destinava-se a Villard, mas dificuldades financeiras o forçaram a vendê-la antes que a obra fosse terminada. A propriedade passou para a arquidiocese da Igreja Católica. Na década de 1970, a arquidiocese pensou em derrubar as casas, mas acabou vendendo-as para a cadeia de hotéis Helmsley, que foi autorizada a erguer acima delas os 51 andares do Helmsley Palace (atual New York Palace) Hotel. A parte central hoje compreende a entrada formal do hotel e o Villard Bar & Lounge, de onde os grandes salões da suíte Villard podem ser admirados.

O **Urban Center** ocupa toda a ala norte e sua livraria é o melhor lugar para comprar livros sobre arquitetura local.

St Bartholomew's Church

St. Bartholomew's Church ⓫

109 E 50th St. **Mapa** 13 A4. ***Tel*** *(212) 378-0222.* M *51st St.* *8h-18h diariam (19h30 qui e 20h30 dom).* *frequente* ***Palestras, concertos.*** *após serviço das 11h dom.* *(212) 888 2664* **www**.stbarts.org

Chamada carinhosamente pelos nova-iorquinos de "St Bart's", esta estrutura bizantina, com seus tijolos rosados, terraço aberto e cúpula de fundo dourado com desenhos em várias cores trouxe animação e variedade à Park Avenue em 1919.

O arquiteto Bertram Goodhue incorporou ao desenho o pórtico românico e as colunas de mármore (na capela) projetados por Stanford White para a St Bartholomew's Church original, de 1903, na Madison Avenue.

A programação musical da igreja é famosa, assim como seu grupo de teatro, que monta aqui três produções ao ano.

Villard Houses, hoje entrada do New York Palace Hotel

General Electric Building ⓬

570 Lexington Ave. **Mapa** 13 A4. M *Lexington Ave.* *ao público.*

Em 1931, a firma Cross & Cross foi contratada para projetar um arranha-céu que combinasse com a vizinha St Bartholomew's Church. Não era tarefa fácil, mas o resultado foi aplaudido por todos. As cores foram escolhidas para contrastar e harmonizar ao mesmo tempo, e o desenho da torre complementa a cúpula policromática da igreja.

Da esquina da Park Avenue com a 50th Street, observe as duas construções e veja como ficam bem juntas. O General Electric Building é uma obra de arte e parte integrante da paisagem –uma pérola Art Déco com saguão de cromo e mármore e topo em pontas, símbolo de "ondas de rádio".

General Electric Building, na Lexington Avenue

Caminhe um quarteirão na Lexington Avenue para ver um local muito visitado por fãs do cinema. Foi lá que Marilyn Monroe ficou para sempre na memória do público ao posar com o vestido branco rodado sobre o respiradouro do metrô da Lexington Avenue, em *O Pecado Mora ao Lado.*

Waldorf-Astoria 13

301 Park Ave. **Mapa** 13 A5. ***Tel*** *(212) 355-3000.* M *Lexington Ave, 53rd St.* *Ver* ***Onde Ficar*** *pág. 289.* **www**.waldorf.com

Este clássico da Art Déco, que ocupa todo um quarteirão, foi projetado pela Schultze & Weaver em 1931. O Hotel Waldorf-Astoria original, na 34th Street, foi demolido para abrir espaço

Winston Churchill e o filantropo nova-iorquino Grover Whalen no Waldorf-Astoria, em 1946

para o Empire State Building.

Até hoje um dos hotéis de maior prestígio de Nova York, o Waldorf-Astoria traz à mente a época mais sofisticada da história da cidade. As torres gêmeas de 190 metros, onde o duque e a duquesa de Windsor moraram, hospedam desde 1931 todos os presidentes dos EUA quando vão a Nova York. O gigantesco relógio do saguão, criado para a Feira Mundial de Chicago em 1893, é uma peça do hotel original. O piano que fica no salão de coquetéis Peacock Alley pertenceu a Cole Porter, quando morava nas exclusivas Towers do hotel.

Lever House 14

390 Park Ave. **Mapa** 13 A4. M *5th Ave-53rd St.* **Saguão e edifício** *ao público.* *Ver* ***Restaurantes e Bares*** *pág. 308.*

Imagine Park Avenue tomada de prédios residenciais tradicionais –e depois imagine a sensação quando se viram estes prédios refletidos no primeiro arranha-céu com paredes de vidro da cidade, um dos edifícios mais influentes da era moderna. O projeto, da Skidmore, Owings

O tanque d'água do Four Seasons, no Seagram Building

& Merrill, consiste em dois blocos retangulares de aço inoxidável e vidro, um disposto na horizontal e outro colocado na vertical, com a luz fluindo de todos os lados. O projeto simples e brilhante tinha a intenção de simbolizar os produtos da Lever Brothers –sabão e artigos de limpeza.

Por mais revolucionário que fosse em 1952, hoje o Lever House parece um anão entre as imitações em volta, mas mantém sua importância como inovador da arquitetura. Seu novo restaurante é um cenário VIP.

Lever House, na Park Avenue

Seagram Building 15

375 Park Ave. **Mapa** 13 A4. M *5th Ave-53rd St.* *9h-17h seg-sex.* *Ver* **Restaurantes e Bares** *pág. 309.*

Samuel Bronfman, ex-presidente da fábrica de bebidas Seagram, pretendia construir um prédio comercial comum, mas sua filha arquiteta, Phyllis Lambert, convenceu-o a procurar o *melhor* –Mies van der Rohe.

O resultado, considerado por muitos o mais refinado entre os diversos edifícios modernos da década de 50, consiste em dois retângulos de bronze e vidro que deixam a luz penetrar.

O exclusivo restaurante Four Seasons *(pág. 289)*, um marco da cidade, fica no prédio. O arquiteto Philip Johnson criou um espaço digno de nota, com um tanque d'água no centro de um deles e uma escultura de Richard Lippold no outro.

Funcionários de escritório almoçam no átrio do Citigroup Center

Citigroup Center 16

153 E 53rd St. **Mapa** 13 A4. M *53rd St-Lexington Ave.* *7h-23h diariam.* **St. Peter's Lutheran Church** *619 Lexington Ave.* ***Tel*** *(212) 935-2200.* *9h-21h diariam.* *12h15 seg-sex, 18h qua, 8h45 e 11h dom.* **Jazz** *17h dom.* ***Concertos*** *12h qua.* **York Theater at St. Peter's**; ***Tel*** *(212) 935-5820.* **www**.saintpeters.org

Uma torre revestida de alumínio apoiada sobre estacas, com teto angular, faz do Citigroup Center um prédio único, que causou sensação quando foi inaugurado, em 1978. O desenho da base incorporou a St Peter's Lutheran Church. A igreja fica separada do prédio –uma escultura de granito embaixo da lateral da torre. Entre para ver o impressionante interior e a Erol Beker Chapel, da escultora Louise Nevelson.

A igreja é famosa pelos concertos de órgão, vesperais de jazz e apresentações de teatro. O topo inclinado do Citigroup nunca armazenou energia solar, seu propósito inicial, mas tornou o edifício um marco da cidade.

St Patrick's Cathedral ❾

Fachada da 5th Avenue

A Igreja Católica pretendia usar este local como cemitério, mas em 1850 o arcebispo John Hughes decidiu construir uma catedral. Muitos estranharam a idéia de erguer uma igreja tão longe, na época, dos limites da cidade, mas Hughes foi em frente. O arquiteto James Renwick é o responsável pela mais bela construção neogótica da cidade e a maior catedral católica dos EUA. Com capacidade para 2.500 pessoas, foi completada em 1878, mas as torres foram acrescentadas mais tarde, entre 1885 e 1888.

Lady Chapel ★
Esta capela homenageia a Virgem Santíssima. Os vitrais das janelas retratam os mistérios do rosário.

Pietà
O escultor americano William O. Partridge criou esta estátua, que fica ao lado da Lady Chapel, em 1906.

★ Baldaquino
O grande baldaquino que se eleva sobre o altar-mor é feito de puro bronze. Estátuas de santos e profetas adornam as quatro pilastras que sustentam o dossel.

PONTOS ALTOS

- ★ Baldaquino
- ★ Portas de Bronze
- ★ Grande Órgão e Rosácea
- ★ Lady Chapel

Fachada da Catedral
A parede externa é de mármore branco. As torres atingem 101 metros acima da calçada.

Estações da Via Sacra
Entalhados na Holanda em pedra de Caen, estes relevos ganharam o primeiro prêmio na categoria de arte religiosa na Feira Mundial de Chicago, em 1893.

PREPARE-SE

5th Ave and 50th St.
Mapa 12 F4. ***Tel*** *(212) 753-2261.* *6 para 51st St.; E, F para Fifth Ave.* *M1–4, M27, M50.* *7h30-20h30 diariam.* *frequent seg-sáb; 7h, 8h, 9h, 10h15, 12h, 13h, 16h, 17h30 dom.*
Concertos, palêstras.

Santuário de St Elizabeth Ann Seton
A estátua e as cenas em bronze descrevem a vida da fundadora das Irmãs de Caridade, primeira americana canonizada (pág. 76).

Grande Órgão ★ e Rosácea
Com 8 metros de diâmetro, a janela em formato de rosa brilha sobre o grande órgão, que tem mais de 7 mil tubos.

★ Portas de Bronze
As grandes portas maciças pesam 9 mil quilos e são adornadas com estátuas que representam figuras religiosas de Nova York.

Central Synagogue ⓱

652 Lexington Ave. **Mapa** 13 A4. ***Tel*** *(212) 838–5122.* *51st St, Lexington Ave.* *12h-14h ter-qua.* *12h45 qua.* *18h sex, 10h sáb (jul-ago), 10h30 sáb (set-jun),* **www**.centralsynagogue.org

Esta é a sinagoga de Nova York que funciona há mais tempo no mesmo prédio. Foi projetada em 1870 por Henry Fernbach, primeiro arquiteto judeu influente dos EUA, que também projetou alguns dos mais elegantes prédios de ferro fundido do SoHo. Completamente restaurada após um incêndio, a Central Synagogue é considerada o melhor exemplo da moderna arquitetura mourisca-islâmica da cidade. O templo, fundado em 1846 por 18 imigrantes recém-chegados, chamava-se Ahawath Chesed (Amor de Misericórdia) e ficava na Ludlow Street, Lower East Side, localização bem mais humilde.

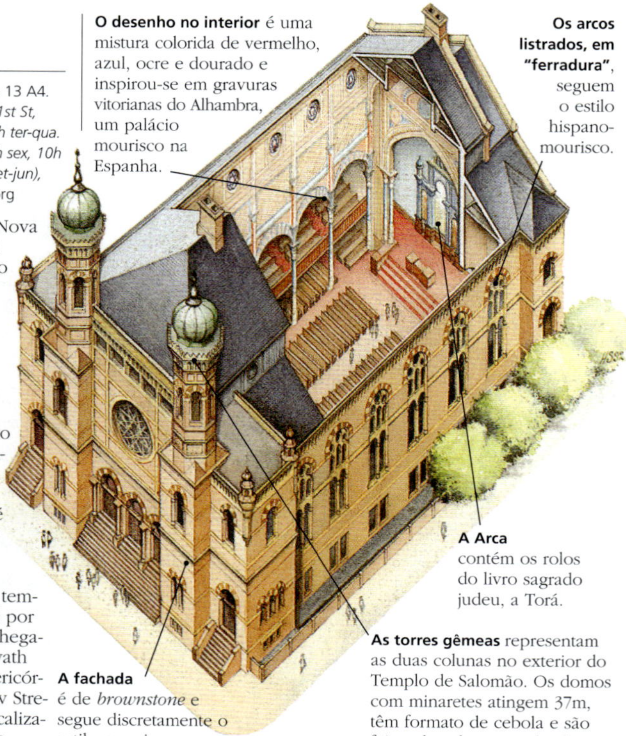

Sutton Place ⓲

Mapa 13 C3. *59th St,* 51st St. M15, M31, M57

Sutton Place é um bairro por onde não passa trânsito pesado. É bastante agradável, composto de elegantes prédios de apartamentos de poucos andares e casas projetadas por arquitetos de renome. A chegada da sociedade de Nova York, na década de 1920, transformou a área, antes um aglomerado de fábricas e conjuntos habitacionais. O nº 3 da Sutton Square é residência do secretário-geral das Nações Unidas.

Olhando além da Sutton Square e da 59th Street, enxerga-se Riverview Terrace, uma rua privativa de frente para o rio, com cinco *brownstones* cobertas de hera. Dos pequenos parques no final da 55th Street avistam-se o rio e a Queensboro Bridge.

Mesmo com a forte oposição dos moradores, o Bridgemarket abriu em 2000. Localizado entre as duas grandes abóbadas sob a Queensboro Bridge, conta com uma enorme Terence Conran (artigos para casa), dois restaurantes Guastavino, além de um Food Emporium. Está sendo considerada a construção de uma praça com fonte.

Parque em Sutton Place, com vista da Queensboro Bridge e Roosevelt Island

Beekman Place ⓳

Mapa 13 C5. *59th St,* 51st St. M15, M31, M57

Menor que Sutton Place e ainda mais tranquilo é Beekman Place, um enclave privativo com dois quarteirões de casas da década de 1920 e alguns prédios de apartamentos. Entre seus moradores estão Gloria Vanderbilt, Rex Harrison, Irving Berlin e membros da família Rockefeller.

Turtle Bay Gardens, duas vilas de *brownstones* construídas na segunda metade do século 19, esconde um charmoso jardim italiano. Entre seus moradores famosos estiveram os atores Katherine Hepburn e Tyrone Power, o compositor Stephen Sondheim e o escritor E. B. White.

Roosevelt Island ⑳

Mapa 14 D2. Ⓜ *59th St. Tram, Roosevelt Island station (F).* **www**.rioc.com

Desde 1976, um bondinho suspenso atravessa o rio East e chega a Roosevelt Island, passeio que oferece uma vista da cidade e da Queensboro Bridge. Perto da estação do bondinho fica o que restou da Blackwell Farmhouse, fazenda que existiu no local entre 1796 e 1804 e deu nome à ilha até a década de 1920, quando chegaram as construtoras. A ilha teve o nome de Welfare Island (ilha da Previdência) devido aos muitos hospitais, asilos e manicômios que lá existiram.

Em 1927, Mae West ficou presa oito dias na penitenciária da ilha, depois de uma "performance obscena". Ela pediu e conseguiu que lhe trouxessem sua lingerie de seda para usar sob o uniforme da prisão. As ruínas do hospital do século 19 ainda existem, assim como o farol erguido em 1872 por um interno do asilo.

O bonde parte da 2nd Avenue com a 60th Street e oferece um excitante passeio com algumas belas vistas de cidade.

Letreiro da loja Bloomingdale's

Bloomingdale's ㉑

1000 3rd Ave. **Mapa** 13 A3. ***Tel*** *(212) 705-2000.* Ⓜ *59th St.* 🕒 *10h-20h30 seg-sex, 10h-19h sáb, 11h-19h dom. Ver* ***Compras*** *pág 319.* **www**.bloomingdales.com

Houve um tempo nos anos 80 em que "Bloomies" era sinônimo de prazer. Fundada pelos irmãos Joseph e Lyman Bloomingdale em 1872, esta famosa loja de departamentos era considerada loja de artigos de segunda até que a ferrovia elevada da 3rd Avenue foi desativada, nos anos 1960. Ela então tornou-se o máximo em compras sofisticadas. No final dos anos 80, mudou de dono e pediu concordata. Embora não tenha mais o brilho do passado, a Bloomingdale's continua a ser uma das lojas mais bem providas da cidade. Uma segunda loja foi aberta recentemente no 504 Broadway, no SoHo.

Fuller Building ㉒

41 E 57th St. **Mapa** 13 A3. *Peter Findlay Gallery.* ***Tel*** *(212) 644-4433; James Goodman Gallery.* ***Tel*** *(212) 593-3737.* 🕒 *10h-18h ter-sáb.* Ⓜ *59th St.*

Este belo prédio de 1929, com elegantes torres em preto, cinza e branco, projetado pela Walker & Gillette, é um exemplo de design geométrico Art Déco. As imponentes estátuas de cada lado do relógio na entrada são de Elie Nadelman. Entre para apreciar os intricados mosaicos dos pisos ladrilhados –um painel mostra a antiga sede da Fuller Company's, no Flatiron Building, na Fifth Avenue *(pág. 127)*. O Fuller Building é uma colméia de galerias de arte exclusivas, a maioria abre para o público diariamente.

Estátuas do relógio acima da entrada do Fuller Building

Fachada do Plaza Hotel, em estilo renascentista francês

Plaza Hotel ㉓

5th Ave.*& Central Park South.* **Mapa** 12 F3 Ⓜ *59th St. Fechado para reforma até 2007.*

O Plaza foi projetado por Henry J. Hardenbergh, também autor do Dakota *(pág. 216)* e do Waldorf-Astoria original. Completado em 1907 ao custo exorbitante de US$ 12,5 milhões, foi proclamado o "melhor hotel do mundo", com seus 800 quartos, 500 banheiros, salão de baile de dois andares, cinco escadarias de mármore e apartamentos de 14 a 17 quartos para famílias como os Vanderbilt e Gould *(pág. 49)*.

A estrutura de 18 andares de ferro fundido lembra um *château* renascentista francês em escala maior. Grande parte da decoração do interior veio da Europa. O Palm Court tem paredes espelhadas e entalhes das quatro estações nas colunas.

Ainda que profusamente restaurado por seu proprietário anterior, Donald Trump, o edifício está em reforma. Ele reabrirá, provavelmente no final de 2007, com 80 quartos, e o restante do edifício convertido em luxuosos apartamentos.

UPPER EAST SIDE

Na virada do século, a alta sociedade mudou-se para o Upper East Side e lá permanece até hoje. Suas mansões Beaux Arts hoje são museus e embaixadas –a elite agora prefere morar nos prédios de apartamentos da Fifth e Park Avenues. Lojas e galerias ocupam a Madison Avenue. Mais para leste, a região inclui o que restou da comunidade alemã, perto da East 80th Street, da húngara ao sul e uma miniatura da Boêmia, com sua população tcheca, abaixo da 78th Street. Muitos descendentes dos imigrantes originais estão deixando a área, mas as igrejas, restaurantes e lojas permanecem.

Urna africana, Metropolitan Museum

Saguão do Solomon R. Guggenheim Museum visto do alto

PRINCIPAIS ATRAÇÕES

Ruas e Edifícios Históricos

Gracie Mansion ⓰
Henderson Place ⓮
Seventh Regiment Armory ❿

Museus e Galerias

Asia Society ❾
Cooper-Hewitt National Design Museum ❸
Frick Collection págs. 202–3 ❽
Jewish Museum ❷
Metropolitan Museum of Art págs. 190 – 7 ❻
Mount Vernon Hotel Museum and Garden ⓭
Museum of the City of New York ⓳
National Academy Museum ❹
Neue Galerie New York ❶
Society of Illustrators ⓬
Solomon R. Guggenheim Museum págs. 188–9 ❺
Whitney Museum of American Art págs. 200–1 ❼

Igrejas e Sinagogas

Church of the Holy Trinity ⓱
St. Nicholas Russian Orthodox Cathedral ⓲
Temple Emanu-El ⓫

Parques e Praças

Carl Schurz Park ⓯

Estátua de Diana, National Academy of Design

LEGENDA

- Mapa Rua a Rua
- M Estação de metrô

VEJA TAMBÉM

- ***Guia de Ruas,*** mapas 12–13, 16–18, 21
- ***Passeio pela East Side*** págs. 264–5
- ***Onde Ficar*** págs. 289
- ***Restaurantes*** págs. 308–9

COMO CHEGAR

De metrô, os trens 4 e 5 da Lexington Ave passam por 59th e 86th Sts. O trem local (nº 6) também passa por 68th, 77th e 96th Sts. O F pára na 63rd St, o N, R e W na 5th Ave e 59th St. Os ônibus são o M1, M2, M3 e M4 na 5th/Madison Avenues, M101/103 na Lexington/3rd Avenues e o M15 na 1st /2nd Avenues. Os ônibus M66, M72, M79, M86 e M96 cruzam a cidade

Rua a Rua: Museum Mile

Muitos museus de Nova York concentram-se no Upper East Side, a ponto de um grupo de ruas ganhar o apelido de "Museum Mile" (Milha dos Museus). Estes museus têm sede em construções que variam das antigas mansões das famílias Frick e Carnegie até o moderno Guggenheim, projeto de Frank Lloyd Wright. As exposições são tão diversas quanto a arquitetura, abrangendo velhos mestres da pintura, artes decorativas e fotografia. No centro fica o Metropolitan Museum of Art. Muitos museus ficam abertos até tarde nas terças-feiras e alguns têm entrada grátis.

Jewish Museum
Uma das mais expressivas coleções de objetos relacionados ao judaísmo está reunida neste museu: moedas, objetos arqueológicos e artefatos cerimoniais ❷

Cooper-Hewitt National Design Museum ★
Obras de cerâmica, cristal, móveis e tecidos estão representadas neste museu ❸

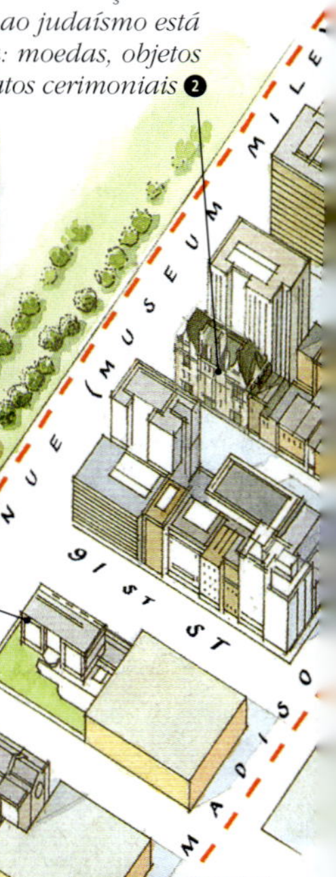

A Church of the Heavenly Rest foi construída em 1929, em estilo gótico. A madona no púlpito é obra da escultora Malvina Hoffman.

National Academy Museum
A academia, fundada em 1825, mudou-se para este prédio em 1940. O belo acervo inclui pinturas e esculturas de seus membros ❹

A Graham House é um prédio de apartamentos com esplêndida entrada Beaux Arts. Foi construído em 1892.

★ Solomon R. Guggenheim Museum
À noite, iluminado por holofotes, este museu projetado por Frank Lloyd Wright ganha a cor púrpura. Pegue o elevador até o topo e desça a rampa apreciando o acervo, que inclui belas obras da arte moderna ❺

PONTOS ALTOS

★ Cooper-Hewitt Museum

★ Solomon R. Guggenheim Museum

A fachada do Squadron A. Armoury é tudo o que restou do prédio militar original. É uma das paredes do playground da Hunter High School, escola construída para combinar com o estilo do arsenal.

LOCALIZE-SE
Mapa de Manhattan págs. 14 -15

LEGENDA

Percurso sugerido

0 metros 100

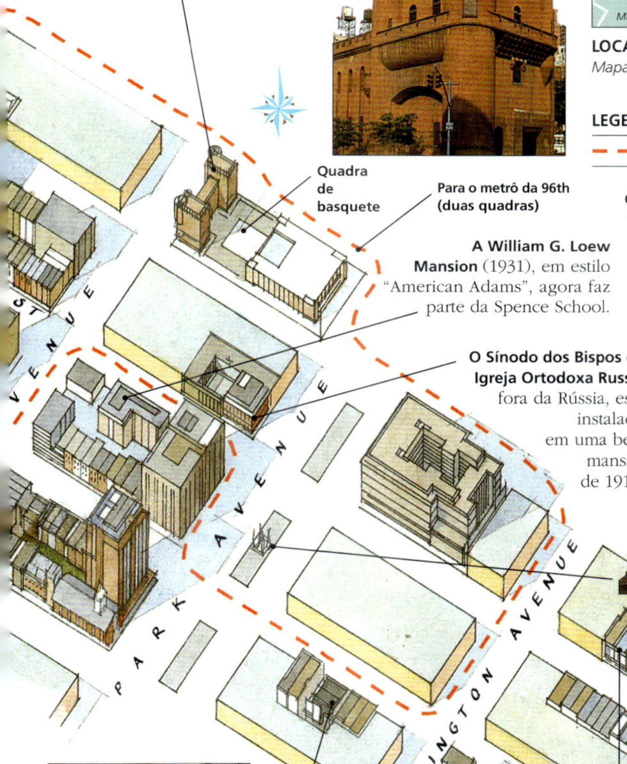

Quadra de basquete

Para o metrô da 96th (duas quadras)

A William G. Loew Mansion (1931), em estilo "American Adams", agora faz parte da Spence School.

O Sínodo dos Bispos da Igreja Ortodoxa Russa, fora da Rússia, está instalado em uma bela mansão de 1918.

Night Presence IV (1972), obra moderna em aço enferrujado de Louise Nevelson, parece deslocada entre seus vizinhos sérios e tradicionais da Park Avenue.

Os nos 120 e 122 da East 92nd Street são duas das poucas casas de madeira que ainda existem na cidade. As casas foram construídas em 1859 e 1871 e têm um charmoso toque italiano.

Os Irmãos Marx passaram a infância em um apartamento de três dormitórios no prédio nº 179 da East 93rd Street.

Neue Galerie New York ❶

1048 5th Ave at E 86th St. **Mapa** 16 F3. ***Tel*** *(212) 628-6200.* Ⓜ *86th St.* 🚌 *M1–4.* ◯ *11h-21h sex, 11h-18h sáb-seg, qui.* ● *feriados.* 🚫 *Café 9h-18h seg-qua, 9h-21h qui-dom.* **www**.neuegalerie.org

Este museu foi fundado pelo negociante de arte Serge Sabarsky e pelo filantropo Ronald Lauder. Seu objetivo é reunir, pesquisar e expor o melhor da arte decorativa alemã e austríaca do começo do século 20.

A estrutura em estilo Beaux Arts Luís XIII foi finalizada em 1914, pela Carrère & Hastings, que também projetou e construiu a New York Public Library *(pág. 146)*. O edifício tornou-se um marco e é considerado uma das construções mais distintas da Fifith Avenue. Antes ocupada pela sra. Cornelius Vanderbilt III, a mansão foi comprada por Lauder e Sabarsky em 1994.

A entrada fica no piso térreo, que abriga uma livraria e o Café Sabarsky, inspirado nos cafés vienenses de antigamente. O segundo piso é dedicado aos trabalhos de Klimt, Schiele, Wiener e Werkstätte. No outro piso estão expostos os trabalhos da Der Blaue Reiter (que reunia artistas como Klee e Kandinsky), a Bauhaus (Feininger, Schlemmer) e a Die Brücke (Mies van der Rohe, Breuer).

Jewish Museum ❷

1109 5th Ave. **Mapa** 16 F2. ***Tel*** *(212) 423-3200.* Ⓜ *86th St, 96th St.* 🚌 *M1–4.* ◯ *11h-17h45 dom-qua, 11h-20h qui 11h-15h sex.* ● *sáb, feriados públicos e judaicos.* **www**.thejewishmuseum.org

Esta requintada casa projetada para Felix M. Warburg, financista e líder da comunidade judaica, pelo arquiteto C.P.H. Gilbert em 1908, lembra um *château* francês. Nela se encontra um dos maiores acervos de arte, cerimonial e objetos ligados à história dos judeus. Uma reforma duplicou o espaço para exposições. O trabalho de pedra da ampliação foi feito pela mesma empresa que construiu a St John the Divine Cathedral *(págs. 226-7)*.

Os objetos vêm de todas as partes do mundo. As peças cobrem um período de 4 mil anos e incluem coroas de Torá, candelabros, taças, pratos, rolos de pergaminho e muitos objetos cerimoniais.

Há uma arca de Torá da Coleção Benguiat, uma parede de faiança removida de uma sinagoga persa do século 16 e *Holocausto*, de George Segal. As mostras temporárias retratam a vida dos judeus e sua experiência ao redor do mundo.

Jarro e bacia de Istambul, século 19, no Jewish Museum

Cooper-Hewitt National Design Museum ❸

2 E 91st St. **Mapa** 16 F2. ***Tel*** *(212) 849-8400.* Ⓜ *86th St, 96th St.* 🚌 *M1–4.* ◯ *10h-17h ter-qui (21h sex e 18h sáb), 12h-18h dom.* ● *feriados.* **www**.ndm.si.edu

Este museu ocupa a casa que foi do industrial Andrew Carnegie e possui uma das maiores coleções de design do mundo, reunida pelas irmãs Hewitt –Amy, Eleanor e Sarah. O museu foi inaugurado em 1897, na Cooper Union *(pág. 120)*. O Smithsonian Institution, de Washington, adquiriu o acervo em 1967 e a Carnegie Corporation ofereceu a mansão para alojá-lo.

Carnegie queria que sua casa fosse a "mais modesta, simples e espaçosa de Nova York". Ainda assim, foi pioneira na instalação de

Entrada do Cooper-Hewitt Museum

aquecimento central, elevador e ar-condicionado. Repare na magnífica escada de madeira, os ricos painéis e entalhes, além do solário.

National Academy Museum ❹

1083 5th Ave. **Mapa** 16 F3. ***Tel*** *(212) 369-4880.* Ⓜ *86th St.* 🚌 *M1–4.* ◯ *12h-17h qua-qui, 11h-18h sex-dom.* ● *feriados.* **www**.nationalacademy.org

Mais de 6 mil pinturas, desenhos e esculturas, com obras de Thomas Eakins, Winslow Homer, Raphael Soyer e Frank Lloyd Wright, compõem o acervo da National Academy Museum, fundada em 1825 por um grupo de artistas. O objetivo do grupo era (e ainda é) formar artistas e expor seus trabalhos. A casa, um prédio atraente com pisos de mármore decorado e tetos de gesso trabalhado, foi doada em 1940 por Archer Huntington, patrono das artes e filantropo. O grande vestíbulo da entrada tem uma estátua de Diana, obra da escultora Anna Hyatt Huntington.

Estátua de Diana no vestíbulo da National Academy Museum

Solomon R. Guggenheim Museum ❺

Págs. 188 –9.

Metropolitan Museum of Art ❻

Págs. 190–97.

Whitney Museum of American Art ❼

Págs. 200–01.

Frick Collection ❽

Págs. 202–03.

Asia Society ❾

725 Park Ave. **Mapa** 13 A1. ***Tel*** *(212) 288-6400. Events: 517 ASIA.* *68th St.* *11h-18h ter-dom (21h sex).* *feriados.* *12h30 ter-sáb, 18h sex, 14h30 dom.*
www.asiasociety.org

Escultura da região sul asiática, na Asia Society

Fundado por John D. Rockefeller III, em 1956, para divulgar a cultura asiática nos Estados Unidos, a entidade é um fórum de 30 países, do Japão ao Irã, da Ásia Central à Austrália.

O prédio de oito andares (1981), de granito vermelho, foi projetado por Edward Barnes. Após uma reforma completa em 2001, o museu ganhou muito mais espaço. Uma galeria é dedicada à coleção particular de Rockefeller, reunida por ele e sua mulher nas viagens que faziam ao Oriente.

Mostras alternadas apresentam objetos de arte asiática. A Asia Society tem uma programação animada, com filmes, espetáculos de dança, concertos, palestras e uma livraria com bom estoque.

Saguão de entrada do Seventh Regiment Armory

Seventh Regiment Armory ❿

643 Park Ave. **Mapa** 13 A2. ***Tel*** *(212) 452-3067.* *68th St.* *seg-sex apenas hora marcada.* *feriados.* *(212) 744-4107.*

Desde 1812, o Seventh Regiment desempenha função importante nas guerras dos Estados Unidos. Era um corpo de elite composto de filhos de famílias proeminentes. Por trás das sombrias paredes externas, há salas extraordinárias repletas de mobiliário da era vitoriana, *objets d'art* e lembranças da história do regimento.

O projeto de Charles W. Clinton, ex-integrante do regimento, previu escritórios com vista para a Park Avenue e um salão de treinamento que atravessa o quarteirão, até a Lexington Avenue. Entre as salas de recepção estão a Veterans' Room e a Louis Comfort Tiffany Library. O salão de treinamento, além de alojar o Winter Antiques Show *(pág. 53)*, é um dos locais mais usados para os bailes de caridade da cidade.

Temple Emanu-El ⓫

1 E 65th St. **Mapa** 12 F2. ***Tel*** *(212) 744-1400.* *68th St, 63rd St.* *10h-17h dom-sex, 12h30-16h45 sáb (últ adm sex 15h30)* *feriados judaicos.* *5h30 dom-qui, 17h15 sex, 10h30 sáb.*
www.emanuelnyc.org

Este impressionante edifício de 1929 é uma das maiores sinagogas do mundo, capaz de acomodar 2.500 pessoas só no santuário principal. É a sede da mais antiga congregação reformista de Nova York, e frequentada pelos membros mais ricos da sociedade judaica. Entre os muitos detalhes bonitos estão as portas de bronze que dão acesso à Arca, representando uma Torá aberta. A Arca também tem vitrais com cenas bíblicas e os símbolos tribais das casas de Israel. Estes símbolos também aparecem num grande arco recuado que emoldura uma janela circular, aspecto mais destacado da fachada que dá para a 5th Avenue.

A sinagoga fica no local da antiga mansão da sra. William Astor, lendária anfitriã da sociedade de Nova York. Ela mudou-se para Upper East Side após uma disputa familiar com seu sobrinho que morava ao lado. Sua adega de vinhos e três lareiras de mármore ainda permanecem na sinagoga.

Arca da Torá no Temple Emanu-El

Solomon R. Guggenheim Museum ❺

Além de abrigar um dos melhores acervos de arte moderna e contemporânea do mundo, o prédio do Guggenheim Museum é, por si só, uma obra-prima. Projetada por Frank Lloyd Wright, a fachada lembra uma concha e tornou-se um dos marcos de Nova York. A rampa em espiral parte da cúpula, passando por obras importantes dos principais artistas dos séculos 19, 20 e 21. O exterior do museu, afetado por rachaduras, está passando por grandes obras de restauração. A reforma, iniciada em março de 2005, continuará até 2007, mas ao longo desse período o museu vai continuar aberto.

Fachada na 5th Avenue

Paris pela Janela
As cores vibrantes da obra-prima de Marc Chagall, de 1913, brilham na tela, dando lugar a imagens de uma cidade mágica e misteriosa onde nada é exatamente aquilo que parece ser.

Mulher Passando Roupa *(1904)*
Esta pintura de Pablo Picasso é a imagem perfeita do trabalho duro e do cansaço.

Vaca Amarela *(1911)*
Esta obra de Franz Marc foi influenciada pelo movimento alemão de volta à natureza.

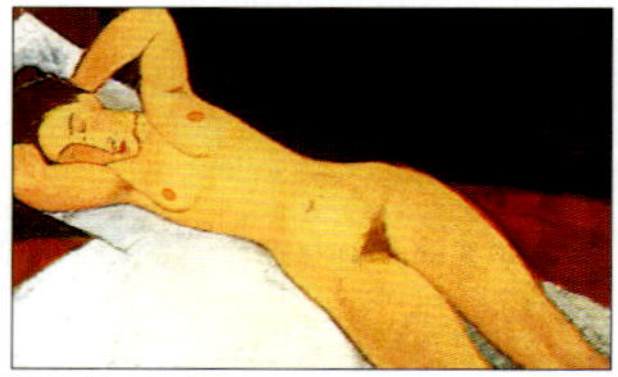

Nu *(1917)*
Esta figura é típica do trabalho estilizado de Amedeo Modigliani.

GUIA DO MUSEU

A Grande Rotunda apresenta mostras especiais. A Pequena Rotunda expõe obras de impressionistas. As novas galerias da Torre apresentam exposições de peças contemporâneas e da coleção permanente. O terraço de esculturas fica no quinto andar. A coleção do museu é exposta em sistema de revezamento.

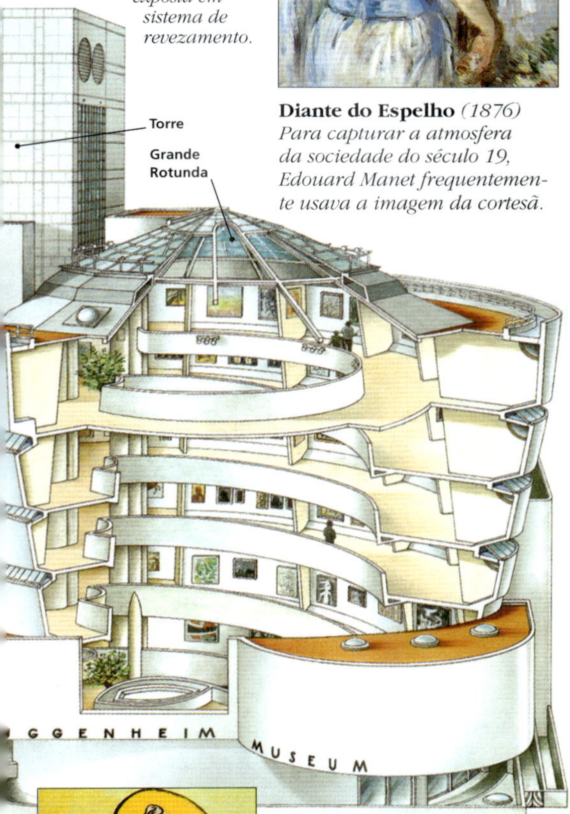

Diante do Espelho *(1876) Para capturar a atmosfera da sociedade do século 19, Edouard Manet frequentemente usava a imagem da cortesã.*

PREPARE-SE

1071 5th Ave at 89th St. **Mapa** 16 F3. ***Tel*** *(212) 423-3500.* M *4, 5, 6 para 86th St.* *M1, M2, M3, M4.* *10h-17h45 sáb-qua, 10h-19h45 sex.* *25 dez, 1° jan.* ***Concertos, palestras, performances.*** **www**.guggenheim.org

Mulher Segurando um Vaso *Fernand Léger incorporou elementos do cubismo a este trabalho de 1927.*

Linhas Negras *(1913) Este é um dos primeiros trabalhos de Vasily Kandinsky com a arte "não-objetiva".*

Mulher de Cabelo Amarelo *(1931) A figura da amante de Picasso aparece com frequência em seus trabalhos.*

FRANK LLOYD WRIGHT

Wright é considerado o maior inovador da arquitetura americana. As casas em estilo *prairie* (das pradarias) e os prédios de escritórios de concreto e tijolos de vidro são típicos de sua obra. Wright recebeu a incumbência de construir o museu em 1942 e o prédio foi completado pouco antes de sua morte, em 1959. É seu único edifício em Nova York.

Interior da Grande Rotunda do Guggenheim

Metropolitan Museum of Art ❻

Criado em 1870 por artistas e filantropos que queriam uma instituição de arte para competir com as européias, este museu possui o que talvez seja o mais amplo acervo do mundo ocidental –partindo dos tempos pré-históricos e chegando aos dias de hoje. Inaugurado neste local em 1880, abriga coleções de todos os continentes. Parte do primeiro andar, em reforma; será reaberta em 2007 com uma nova galeria dedicada à arte romana e etrusca.

Entrada do Metropolitan Museum of Art

★ Gertrude Stein *(1905-6)*
Este retrato da escritora americana é de Picasso. O rosto, que parece uma máscara, mostra a influência das artes africana e romana.

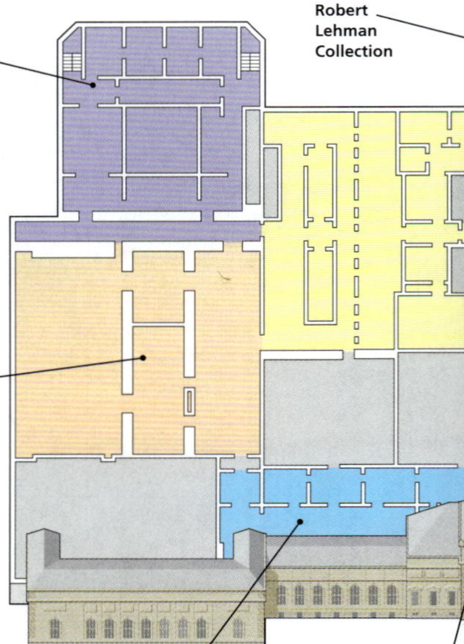

Robert Lehman Collection

Máscara Pendente
O reino de Benin, na África, era famoso por sua arte. Esta máscara foi feita no século 16.

Homem Sentado com Harpa
Arte das ilhas Cíclades, por volta de 3000 a.C.

Festa de Núpcias em Cana
Este painel do século 16 é de Juan de Flandes e faz parte da Linsky Collection.

GUIA DA GALERIA

As galerias permanentes expõem obras de 19 seções, e existem salas para mostras temporárias. A área central do primeiro e segundo andares é reservada a pintura, escultura e arte decorativa européias. O Costume Institute situa-se no térreo, diretamente abaixo das galerias dedicadas à arte egípcia, no primeiro andar.

Busto de Diderot *(1773) Jean-Antoine Houdon fez esta obra para um conde russo.*

★ Retrato da Princesa de Broglie *Este retrato, pintado em 1853, foi a última obra de J. A. D. Ingres.*

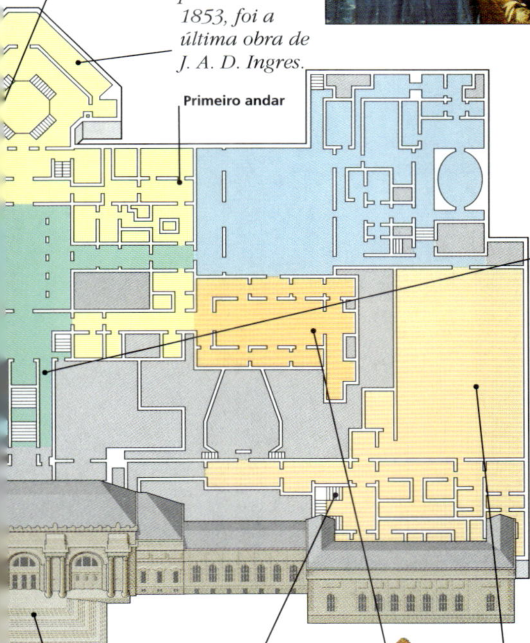

PREPARE-SE

1000 Fifth Ave. **Mapa** 16 F4. *(212) 535-7710.* *4, 5, 6 para 86th St.* *M1, M2, M3, M4.* *9h30-17h30 dom, ter-qui; 9h30-21h sex, sáb.* *25 dez, 1º jan, Ação de Graças.* ***Concertos, palestras, exibição de filmes/vídeos.***
www.metmuseum.org

Galerias Bizantinas
Este painel de mármore da Grécia dos Bálcãs (c.1250) com um grifo é uma das peças em exposição nas Galerias Bizantinas.

PONTOS ALTOS

- ★ Galerias Bizantinas
- ★ Retrato da Princesa
- ★ Retrato de Gertrude Stein, de Pablo Picasso
- ★ Templo de Dendur

LEGENDA

- Pintura, escultura e artes decorativas européias
- Arte da África, Oceania e Américas
- Arte moderna
- Arte norte-americana
- Arte egípcia
- Arte grega e romana
- Arte medieval e bizantina
- Armas e armaduras
- Espaço sem exposição

Armadura Inglesa
Peça feita para sir George Clifford por volta de 1580.

★ Templo de Dendur *(15 a.C.) O imperador Augusto construiu este templo de três salas. Nos relevos, é representado fazendo oferendas.*

Metropolitan Museum of Art: Andares Superiores

Marrakech
Esta obra de 1964 é uma das pinturas "marroquinas" de Frank Stella. Dentro de um quadrado, listras formam o foco principal da pintura.

Jardim de Esculturas
Estas esculturas, na ala dedicada à arte moderna, são trocadas todos os anos.

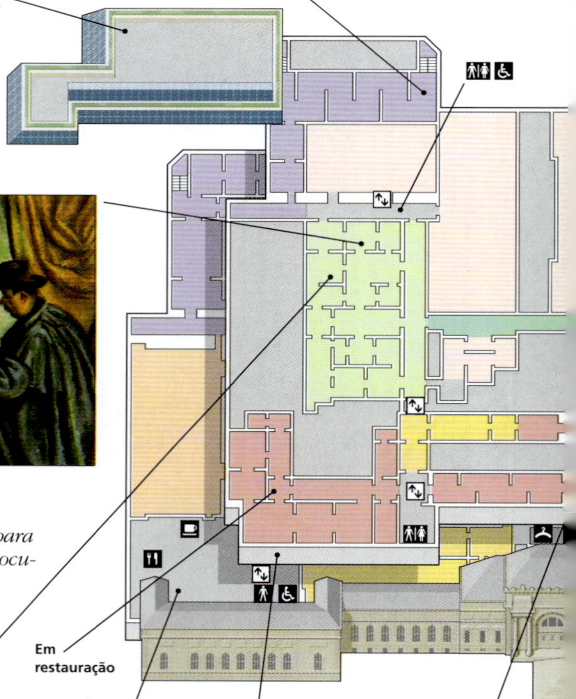

Jogadores de Cartas *(1890)*
Paul Cézanne abandona suas paisagens e naturezas-mortas para compor a cena de camponeses ocupados com um jogo de cartas.

★ Ciprestes *(1889)*
Vincent van Gogh pintou este quadro um ano antes de morrer. As pinceladas em espirais marcaram suas últimas obras.

PONTOS ALTOS

- ★ Auto-Retrato de Rembrandt (1660)
- ★ Ciprestes, de Vincent van Gogh
- ★ Díptico, de Jan van Eyck
- ★ George Washington Atravessando o Delaware, de Leutze

Ser Alado com Cabeça de Águia Polinizando a Árvore Sagrada *(900 a.C.)*
Este relevo veio de um palácio assírio.

★ Díptico *(1425-30)*
Jan van Eyck foi um dos primeiros mestres da pintura a óleo. As cenas da Crucificação e Juízo Final mostram que também foi um precursor do realismo.

★ Washington Cruzando o Delaware
Em 1852, Emmanuel G. Leutze pintou esta cena pouco exata da famosa travessia do rio por Washington e seus soldados.

LEGENDA

- Pintura, escultura e arte decorativa européia
- Arte da África, Oceania e Américas
- Arte antiga islâmica e do Oriente Próximo
- Arte do século 20
- Arte norte-americana
- Arte asiática
- Arte grega e romana
- Instrumentos musicais
- Desenhos, gravuras e fotografia
- Espaço sem exposição
- Exposições especiais

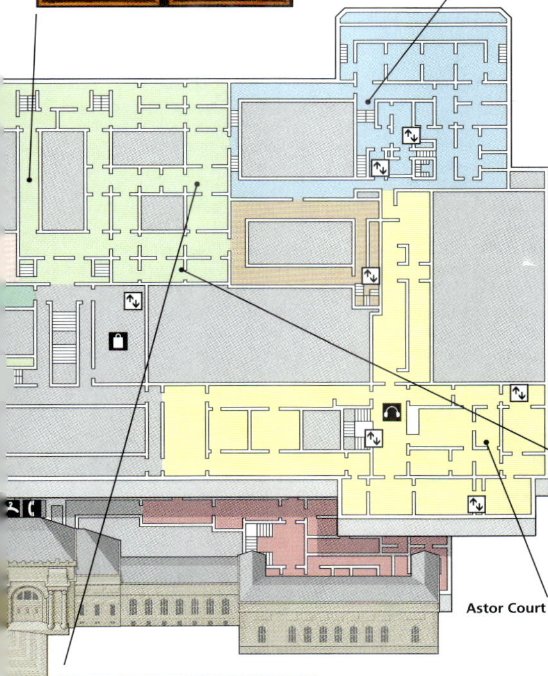

Morte de Sócrates *(1787)*
Jacques-Louis David mostra Sócrates prestes a tomar veneno para não renunciar a suas crenças.

★ Auto-Retrtato *(1660)*
Rembrandt pintou quase cem auto-retratos. Neste, ele tinha 54 anos.

ASTOR COURT

Em 1979, 27 jardineiros da China, responsáveis pelos históricos jardins de Souzhou, viajaram para Nova York para plantar uma réplica de jardim no estilo Ming no Metropolitan Museum. Foi o primeiro intercâmbio cultural entre os EUA e a República Popular da China. O resultado é um jardim tranquilo para meditação, o equivalente ocidental ao Jardim do Mestre das Redes de Pesca, de Souzhou.

Como Explorar o Metropolitan Museum

Entre os tesouros do museu estão uma vasta coleção de arte americana e mais de 2.500 pinturas da Europa, entre elas obras-primas de Rembrandt e Vermeer. Há também muitas peças islâmicas e a maior coleção de arte egípcia do mundo fora do Cairo.

ARTE DA ÁFRICA, OCEANIA E AMÉRICAS

Máscara funerária de ouro pintado (séculos 10-14) da necrópole de Batán Grande, no Peru

Nelson Rockefeller construiu a Ala Michael C. Rockefeller em 1982, em memória de seu filho, que morreu durante uma expedição em busca de obras de arte na Nova Guiné. Suas vitrines expõem uma esplêndida coleção de mais de 1.600 objetos da África, ilhas do Pacífico e Américas.

Entre as obras africanas há esculturas de marfim e bronze do Benin, bem como esculturas de madeira das tribos dogon, bamana e senufo, do Mali. Do Pacífico vieram entalhes dos asmat, da Nova Guiné, e artefatos decorativos e máscaras das ilhas da Melanésia e Polinésia. Do México, da América Central e do Sul, há peças de ouro, pedra e cerâmica da era pré-colombiana. A ala exibe ainda belos artefatos dos inuits e outros grupos dos EUA.

ARTE NORTE-AMERICANA

O retrato de George Washington feito por Gilbert Stuart, o quadro *Comerciantes de Peles Descendo o Missouri*, de George Caleb Bingham, o famoso retrato *Madame X*, de John Singer Sargent, e o monumental *Washington Cruzando o Delaware*, de Emanuel Leutze, estão entre os marcos da Ala Norte-Americana. Nela se encontra um dos melhores acervos do mundo da pintura dos EUA, além de escultura e artes decorativas do período colonial até o início do século 20. Os destaques vão dos elegantes vasos neoclássicos de Paul Revere até às inovadoras peças de vidro da Tiffany & Co. Entre os móveis há canapés, cadeiras e mesas de jantar, estantes e escrivaninhas dos maiores centros de marcenaria como Boston, Newport e Philadelphia.

Entre os salões de época, com mobília e peças de madeira originais, estão a taverna onde Washington comemorou seu último aniversário e a elegante sala de visitas em estilo prairie, de Minnesota, projetada por Frank Lloyd Wright para Francis W. Little em Waysata em 1912.

O Charles Engelhard Court é um pátio interno tomado de belas peças de arquitetura, como a arcada decorada com vitrais e mosaicos da casa de Louis C. Tiffany e a fachada de 1924 de uma agência do United States Branch Bank, de Wall Street.

ARTE ANTIGA ISLÂMICA E DO ORIENTE PRÓXIMO

Enormes esculturas de pedra de animais alados com cabeça humana, guardiões do palácio do rei assírio Ashurnasirpal II, do século 9 a.C., estão postadas na entrada das galerias do Oriente Próximo. Lá se encontra um acervo que cobre 8 mil anos, rico em bronzes do Irã, marfins de Anatólia, esculturas da Suméria e obras sassânidas e aquemênidas. Uma galeria adjacente, atualmente em reforma, terá a arte islâmica do século 7 ao 19: obras do Egito, Síria e Mesopotâmia, miniaturas das cortes da Pérsia e Índia, tapetes dos séculos 16 e 17 e uma sala com objetos da Síria do século 18.

Misteriosa e rara cabeça de cobre procedente do Oriente Próximo e datada de 3000 a.C.

ARMAS E ARMADURAS

Cavaleiros com armaduras completas investem uns contra os outros em um pátio. É uma das seções preferidas pelas crianças e por todas as pessoas que apreciam romances medievais.

Há armaduras, floretes e sabres com cabos de pedras preciosas, armas de fogo incrustadas de marfim e madrepérola, estandartes e escudos heráldicos coloridos.

Pistola do imperador Carlos V, do Sacro Império Romano (século 16)

Entre os destaques estão a armadura do pirata sir George Clifford, protegido da rainha Elizabeth I. Também é possível apreciar a armadura colorida de um shogun japonês do século 14 e a coleção de revólveres do Velho Oeste que pertencia ao fabricante de armas Samuel Colt.

ARTE ASIÁTICA

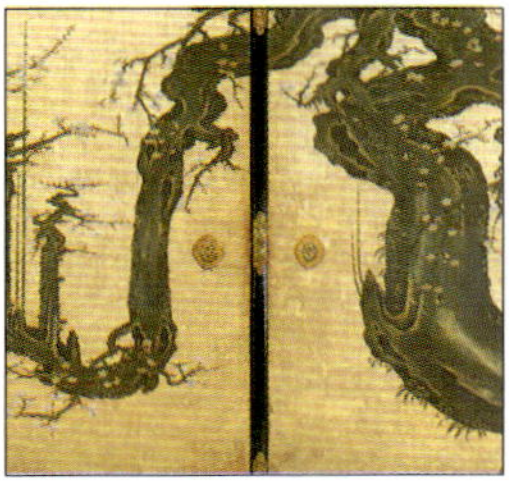

Velha Ameixeira, biombo de papel japonês do início do período Edo (por volta de 1650)

Uma série de galerias contém obras-primas da arte chinesa, japonesa, coreana, indiana e do Sudeste da Ásia, datando do segundo milênio a.C. até o século 20. Um jardim chinês da dinastia Ming, em escala natural, foi plantado por jardineiros de Souzhou, no primeiro intercâmbio cultural entre EUA e China. O museu também possui uma das melhores coleções de pinturas Sung e Yuan do mundo. Esculturas monumentais, estátuas budistas, belas cerâmicas e obras de jade fazem parte da importante mostra de obras de arte da China antiga.

Todos os gêneros da arte japonesa estão representados em um fascinante conjunto de 11 galerias, com obras de laca, cerâmicas, pinturas, esculturas, tecidos e telas exibidos em ordem cronológica e temática. As galerias da Índia, do Sudeste da Ásia e da Coréia mostram esculturas soberbas e outras artes destas regiões.

COSTUME INSTITUTE

Esta galeria, pioneira no gênero, sempre mantém em exposição parte das 75 mil peças de sua coleção de roupas, que vai do século 17 até o presente. A coleção possui amostras de tudo o que foi moda nesse período, desde os vestidos ricamente bordados do fim do século 17 até os vestidos de noite rosa-choque de Elsa Schiaparelli, acompanhados de chapéus, echarpes, luvas, bolsas e outros acessórios. Há também modelos de Worth, Quant e Balenciaga, assim como trajes das eras napoleônica e vitoriana, figurinos dos balés russos e até uma sunga de lantejoulas de David Bowie.

A parte regional da coleção exibe trajes folclóricos vindos da Europa, Ásia, África e Américas.

O conhecimento das técnicas de conservação do Costume Institute é tão vasto que seus funcionários assessoram a Nasa na limpeza dos trajes dos astronautas.

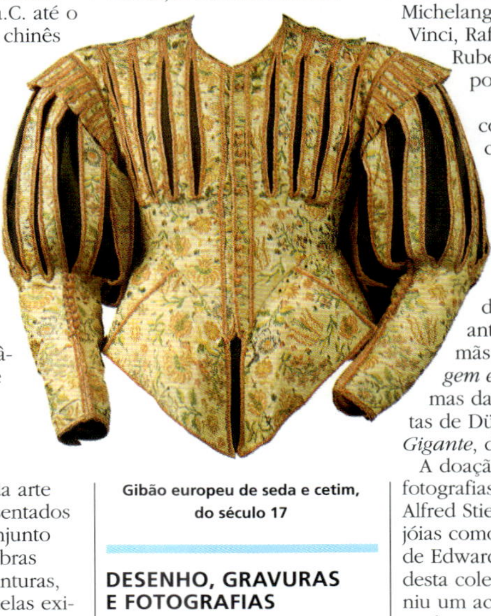

Gibão europeu de seda e cetim, do século 17

DESENHO, GRAVURAS E FOTOGRAFIAS

Uma nova galeria expõe peças selecionadas do acervo de desenhos, gravuras, esboços e fotografias do Metropolitan Museum.

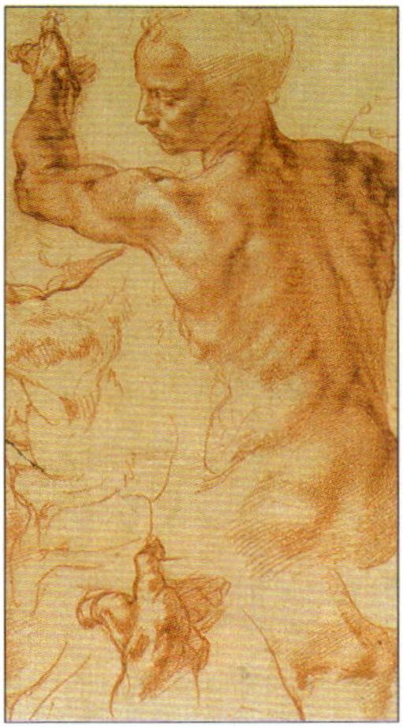

Esboços de Michelangelo de uma profetisa para o teto da Capela Sistina (1508))

A coleção de desenhos é especialmente rica em arte italiana e francesa do século 15 ao século 19. As obras são exibidas em sistema de revezamento devido à sensibilidade do papel à luz.

Entre os destaques dos 11 mil desenhos estão obras de Michelangelo, Leonardo da Vinci, Rafael, Ingres, Goya, Rubens, Rembrandt, Tiepolo e Seurat.

A enciclopédica coleção de gravuras, com 1,5 milhão de imagens individuais (e 14 mil livros ilustrados), inclui obras importantes de todos os mestres da arte, desde uma das mais antigas xilografias alemãs, intitulada A *Virgem e o Menino*, até algumas das obras mais perfeitas de Dürer, além de *O Gigante*, de Goya.

A doação da coleção de fotografias do marchand Alfred Stieglitz proporcionou jóias como *O Ferro de Passar*, de Edward Steichen. A partir desta coleção, o museu reuniu um acervo que também se destaca pelas obras modernistas do período entre guerras

Obras de vida curta, como cartazes e anúncios, também integram a coleção da seção.

ARTE EGÍPCIA

Uma das melhores e mais apreciadas alas do museu é a do Egito Antigo, que exibe milhares de objetos do acervo, desde o período pré-histórico até o século 8. Estes objetos variam de um fragmento de jaspe mostrando os lábios de uma rainha do século 15 a.C. até o Templo de Dendur. Outros achados arqueológicos impressionantes, na maioria produto de expedições financiadas pelo próprio museu no início do século, incluem esculturas da rainha Hatshepsut, que se apoderou do trono de Tebas no século 16 a.C., cem relevos do reinado de Amenófis IV e figuras encontradas em túmulos, como o hipopótamo azul que se tornou símbolo do museu.

Fragmento da cabeça de uma rainha

PINTURA, ESCULTURA E ARTES DECORATIVAS DA EUROPA

O ponto alto do museu é sua deslumbrante coleção de 3 mil pinturas européias. Entre as obras italianas estão

***Jovem com Jarro d'Água* (1660), de Jan Vermeer**

A Última Comunhão de São Jerônimo, de Botticelli, e o *Retrato de um Jovem*, de Bronzino. As telas alemãs e flamengas estão entre as melhores do mundo, como *Os Ceifeiros*, de Brueghel, várias obras de Rubens e Van Dyck, mais de uma dezena de Rembrandts e mais Vermeers que qualquer outro museu. O acervo também contém obras-primas dos artistas espanhóis El Greco, Velázquez e Goya, e dos franceses Poussin e Watteau. Algumas das melhores telas do impressionismo e também do pós-impressionismo estão lá: 34 Monets, incluindo *Terraço em Sainte-Adresse*, 18 Cézannes e Ciprestes, de Vincent van Gogh.

Na Ala Kravis e galerias adjacentes estão obras da coleção de 60 mil esculturas e objetos decorativos da Europa, como a estátua de mármore de Adão, de Tullio Lombardo, uma estatueta de bronze de um cavalo empinando, segundo molde de Leonardo, e dezenas de peças de Degas e Rodin. Entre as reconstituições de cenários de época há um pátio de um castelo espanhol do século 16 e uma série de interiores de casas francesas do século 18. O Petrie European Sculpture Court destaca esculturas italianas e francesas em um belíssimo jardim inspirado nos de Versalhes, na França.

ARTE GREGA E ROMANA

Um sarcófago romano de Tarsus, doado em 1870, foi a primeira obra de arte do acervo do museu. Ele pode ser visto nas bem-restauradas galerias grega e romana, juntamente com impressionantes painéis de parede removidos de uma vila que foi soterrada pela lava do Vesúvio em 79 d.C., espelhos etruscos, bustos romanos, requintados objetos de cristal e prata e centenas de vasos gregos. A estátua monumental de um jovem do século 7 a.C. mostra a tendência ao naturalismo na escultura, e *Velha no Mercado* demonstra como os gregos dominavam o realismo por volta do século 2 a.C.

Ânfora de Exekias mostra um casamento (século 6 a.C.)

COLEÇÃO LEHMAN

A coleção particular de arte do banqueiro Robert Lehman, uma das melhores do mundo, foi para o museu em 1969. A Ala Lehman é uma formidável pirâmide de vidro que abriga uma coleção extraordinariamente variada, rica em mestres da antiguidade e peças do século 19, como pinturas, desenhos e bronzes da Fran-

MINIATURAS DE UM TÚMULO EGÍPCIO

Em 1920, a tocha levada por um um pesquisador do museu iluminou uma sala fechada há 2 mil anos, no túmulo do nobre Meketre. Nela estavam 24 miniaturas perfeitas de seu dia-a-dia, para garantir o conforto na outra vida: a casa e o jardim, barcos e gado. O próprio Mekutra aparece em seu barco, cheirando uma flor de lótus e apreciando a música de seus cantores e harpista.

Um painel do vitral *Morte da Virgem*, da catedral de Saint-Pierre (século 12), de Troyes, França

ça, cristais venezianos, móveis e peças esmaltadas. Entre as telas, estão obras dos mestres do norte da Europa, pinturas alemãs e espanholas e trabalhos pós-impressionistas e fovistas de mestres franceses.

ARTE MEDIEVAL

O acervo medieval do Metropolitan inclui obras dos séculos 4 ao 16, mais ou menos da queda de Roma ao início da Renascença. A coleção está dividida entre o museu principal e sua filial mais ao norte de Manhattan, o Cloisters *(págs. 236-9)*. No prédio principal há um cálice que antigamente se acreditou ser o Santo Graal, seis placas de prata bizantinas mostrando cenas da vida de Davi, um púlpito de 1301 de Giovanni Pisano, na forma de águia e várias esculturas da Virgem e o Menino. Também estão expostos jóias, vasos litúrgicos, vitrais, esmaltes e marfins, além de tapeçarias dos séculos 14 e 15.

INSTRUMENTOS MUSICAIS

O mais antigo piano do mundo, violões de Andrés Segovia e uma cítara no formato de pavão são alguns dos destaques de uma coleção ampla e por vezes peculiar de instrumentos musicais que abrange seis continentes e data da pré-história até o presente. Os instrumentos ilustram a história da música e de suas apresentações. A maioria está bem conservada e ainda funciona bem.

Merecem menção especial os instrumentos das cortes européias da Idade Média e da Renascença, violinos, espinetas e cravos raros incrustados com materiais preciosos e uma tradicional oficina de violinos, totalmente equipada; também há tambores da África, *pipas* ou alaúdes da Ásia e flautas dos nativos norte-americanos. Os visitantes dispõem de equipamentos para ouvir os instrumentos tocando músicas de sua época.

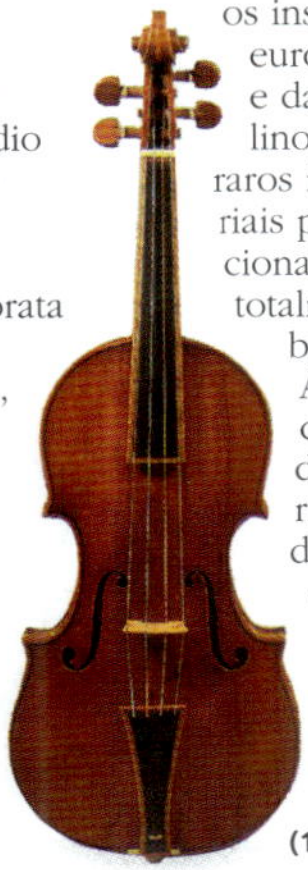

Violino Stradivarius (1691), de Cremona, Itália

ARTE MODERNA

Desde a fundação, em 1870, o museu vem adquirindo obras de arte contemporâneas, mas não foi antes de 1987 que se construiu uma ala permanente para a arte do século 20 –chamada de Ala Lila Acheson Wallace. Outros museus de Nova York possuem coleções maiores, mas esta figura entre as melhores. Obras da Europa e da América, de 1900 em diante, são exibidas em três níveis, começando com europeus como Picasso, Kandinsky e Bonnard. O ponto forte do acervo está na coleção de arte moderna norte-americana, com obras da escola nova-iorquina "The Eight", entre eles John Sloan, de modernistas como Charles Demuth e Georgia O'Keeffe, do regionalista Grant Wood, do expressionista abstrato Willem de Kooning e de pintores como Clyfford Still.

***A Cavalgada Noturna de Paul Revere* (1931), de Grant Wood**

Áreas especiais mostram móveis e obras de metal Art Nouveau e Art Déco, uma grande coleção de obras em papel de Paul Klee e a Galeria de Esculturas, com estátuas em grande escala.

Entre as jóias estão o retrato que Picasso pintou de Gertrude Stein; *Nasturtiums* e "*Dança 1*", de Matisse; *I Saw the Figure 5 in Gold*, de Demuth; *Ritmo de Outono*, de Pollock; e o último autoretrato de Andy Warhol.

O Cantor Roof Garden, no topo desta ala, exibe a cada ano uma instalação diferente de escultura contemporânea, ainda mais impressionante por ter como pano de fundo os arranha-céus de Nova York e o Central Park.

Capa de livro (1916), por N.C. Wyeth

Society of Illustrators ⓬

128 E 63rd St. **Mapa** 13 A2. ***Tel*** *(212) 838-2560.* *Lexington Ave.* *10h-20h ter, 10h-17h qua-sex, 12h-16h sáb.* *feriados.* *restrito.* **www**.societyillustrators.org

Esta associação foi criada em 1901 para promover a arte da ilustração. Sua lista de membros célebres incluía Charles Dana Gibson, N.C. Wyeth e Howard Pyle. O objetivo inicial era promover a educação pública e organizar exposições ocasionais. Em 1981 inaugurou o Museum of American Illustration em duas galerias. Exposições temáticas mostram a história da ilustração e há uma exibição anual das melhores ilustrações americanas do período.

Mount Vernon Hotel Museum ⓭

421 E 61st St. **Mapa** 13 C3. ***Tel*** *(212) 838-6878.* *Lexington Ave, 59th St.* *11h-16h ter-dom (ter em jun e jul: 6h-21h).* *ago, feriados.* **www**.mvhm.org

Construído em 1799, o Mount Vernon Hotel Museum and Garden já foi uma pousada para nova-iorquinos que buscavam refúgio da agitação da cidade –o que na época era possível só no extremo sul da ilha. A construção de pedra se localiza na propriedade que pertencia a Abigail Smith, filha do presidente John Adams.

O prédio foi comprado pela Colonial Dames of America em 1924 e transformado em uma charmosa recriação de uma casa federalista. Guias com trajes de época acompanham os visitantes pelas salas, mostrando os tesouros, entre eles porcelanas chinesas, tapetes Aubusson, arcas Sheraton e um sofá Duncan Phyfe. Em um dos quartos fica um berço e brinquedos de criança. Em volta da casa há um agradável jardim no estilo do século 18.

Henderson Place ⓮

Mapa 18 D3. *86th St.* *M31, M86*

Casas Queen Anne em Henderson Place

Hoje cercado por blocos de apartamentos, este enclave de casas geminadas de tijolos vermelhos no estilo Queen Anne foi construído em 1882. As casas foram projetadas para ser uma comunidade isolada. O projeto da Lamb & Rich exibe, no telhado de ardósia, cumeeiras, frontões triangulares, parapeitos, chaminés e janelas da água-furtada que formam desenhos. Há um torreão no canto de cada bloco.

Vista do Carl Schurz Park

Carl Schurz Park ⓯

Mapa 18 D3. *86th St.* *M31, M86*

Criado em 1891, este parque às margens do rio East oferece uma grande área para pedestres sobre a East River Drive, de onde se tem uma bela vista do rio e das águas turbulentas do Hell Gate (portão do inferno), local em que o rio se encontra com o estreito de Long Island. O parque homenageia Carl Schurz, ex-secretário do Interior. A entrada do parque se chama John Finlay Walk, em homenagem ao editor do *New York Times*. Nos dias de sol, os gramados ficam cheios de gente que vem apreciar uma das áreas verdes mais agradáveis da cidade.

Gracie Mansion ⓰

East End Ave at 88th St. **Mapa** 18 D3. ***Tel*** *(212) 570-4751.* *86th St.* *M31, M86.* *abr-meados nov: 10h, 11h, 13h, 14h qua apenas para visitas guiadas agendadas.*

A graciosa casa de 1799 com varandas de madeira é a residência oficial do prefeito. Construída pelo rico comerciante Archibald Gracie, é um dos melhores exemplos de estilo federal de Nova York.

Comprada pela Prefeitura em 1887, esta foi a primeira sede do Museum of the City of New York. Em 1942 tornou-se residência oficial do prefeito, quando Fiorello LaGuardia a

Frente da Mansão Gracie

preferiu à casa anterior dos prefeitos, um palácio de 75 cômodos. Ele dizia que, mesmo mais modesta, Gracie Mansion ainda era luxuosa demais para ele. Apelidado de Little Flower (de "Fiorello"), combateu a corrupção e reformou a cidade.

Church of the Holy Trinity ⑰

316 E 88th St. **Mapa** 17 B3. ***Tel*** *(212) 289-4100.* Ⓜ *86th St.* *9h-17h seg-sex, 7h30-14h dom.* *8h45 ter, 8h, 9h, 11h, 18h dom.* **www**.holytrinity-nyc.org

Entrada em arco da Church of the Holy Trinity

Situada em meio a jardins tranquilos, esta igreja de tijolos dourados e terracota foi construída em 1889, no estilo renascentista francês. Possui um dos mais belos campanários de Nova York, onde está instalado um relógio de ferro batido com ponteiros de bronze. A entrada em arco é ricamente decorada com imagens de santos e profetas.

O prédio foi doado por Serena Rhinelander em memória de seu pai e de seu avô. O terreno fazia parte da fazenda Rhinelander, que pertenceu à família por cem anos.

Descendo a rua, no nº 350, fica o Centro Infantil Rhinelander, também uma doação, que é sede da Sociedade de Auxílio às Crianças.

St. Nicholas Russian Orthodox Cathedral ⑱

15 E 97th St. **Mapa** 16 F1. ***Tel*** *(212) 876-2190.* Ⓜ *96 St.* *marcar hora.* *10h, 18h sáb, 10h, 17h Sun (Russo).* **www**.russianchurchusa.org

Esta é a verdadeira "Moscou no Hudson". Construída em 1902 no estilo barroco moscovita, a igreja tem cinco cúpulas coroadas com cruzes e ladrilhos azuis e amarelos, e a fachada revestida de tijolos vermelhos e pedras brancas. Os primeiros frequentadores foram russos-brancos que fugiram dos tumultos em seu país, em sua maioria intelectuais e aristocratas que logo se tornaram parte da sociedade de Nova York.

Atualmente a catedral atende a uma comunidade dispersa e a congregação é pequena. As missas são celebradas em russo, com grande pompa.

O santuário central tem colunas de mármore com guarnições azuis e brancas. Anteparos de madeira revestidos de ouro cercam o altar. A catedral é uma boa surpresa para quem passeia por esta parte tranquila de Manhattan.

Cúpulas da St Nicholas Russian Orthodox Cathedral

Fachada do Museum of the City of New York

Museum of the City of New York ⑲

1220 5th Ave at 103rd St. **Mapa** 21 C5. ***Tel*** *(212) 534-1672.* Ⓜ *103rd St.* *10h-17h ter-dom.* *1º jan, Ação de Graças, 25 dez.* ***Doações.*** **www**.mcny.org

Inaugurado em 1923, na Gracie Mansion, este museu conta a história de Nova York desde os primeiros tempos até os dias de hoje.

Em 1932 mudou para este belo prédio em estilo colonial georgiano. É famoso por suas salas de época, como o dormitório de John D. Rockefeller. Exposições especiais sobre diversos temas, como história da moda e do teatro, ocorrem em rodízio durante o ano. Há uma coleção de brinquedos que inclui uma casa de bonecas do século 18 e um teatro que é uma obra-prima.

Galerias recentemente reformadas têm foco no comércio, com peças das coleções do museu apresentadas no contexto do desenvolvimento de Nova York como centro comercial. A Galeria Alexander Hamilton tem móveis e quadros que pertenceram ao primeiro-secretário do Tesouro dos EUA.

No subsolo há uma coleção com antigos equipamentos de bombeiros, pinturas, mapas e gravuras relacionados com a história da cidade.

Whitney Museum of American Art ❼

O Whitney Museum é a vitrine por excelência da arte americana dos séculos 20 e 21. Foi fundado em 1930 pela escultora Gertrude Vanderbilt Whitney, depois que o Metropolitan Museum recusou sua coleção de obras de artistas vivos, entre eles Bellows e Hopper. Em 1966, o museu mudou-se para esta pirâmide invertida, um projeto de Marcel Breuer. A exposição bienal de novos trabalhos do Whitney é a mais significativa mostra das novas tendências da arte americana.

A fachada em blocos sobrepostos do Whitney Museum

Green Coca-Cola Bottles
Esta obra de Andy Warhol, de 1962, é uma reflexão sobre a produção em massa e o monopólio.

The White Calico Flower
As flores de Georgia O'Keeffe têm qualidades abstratas, como nesta obra de 1931.

Little Big Painting
Esta obra (1965) de Roy Lichtenstein é uma crítica a expressionistas e abstratos.

Early Sunday Morning *(1930)*
Edward Hopper frequentemente retrata o vazio da vida urbana nos EUA.

GUIA DO MUSEU
As galerias Leonard e Evelyn Lauder, no quinto andar, têm coleções permanentes de obras de Calder, O'Keeffe e Hopper. Exposições temporárias ocupam o térreo, o segundo, terceiro e quarto andares.

Dempsey and Firpo
Em 1924, George Bellows retratou assim uma das mais famosas lutas de boxe do século.

PREPARE-SE

945 Madison Ave. **Map** 17 A5. ***Tel*** *(800) WHITNEY.* 6 para *77th St.* *M1–4, 30, M72, M79.* *11h-18h qua-qui, sáb-dom, 13h-21 sex.* *feriados.* ***Palestras, exibições de filmes e vídeos.*** **www**.whitney.org

Three Flags *(1958)*
O uso que Jasper Johns faz de objetos familiares em formas abstratas influenciou o surgimento da Pop Art.

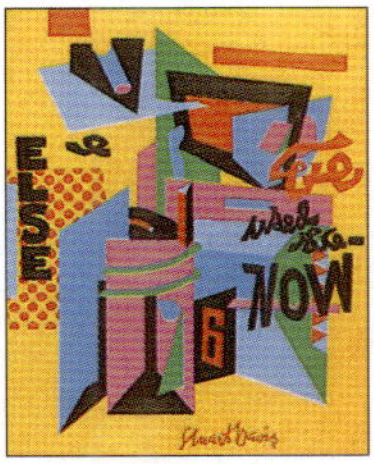

Owh! In San Paõ *(1951)*
Nesta pintura de Stuart Davis, formas abstratas misturam-se com letras para criar um estilo norte-americano único e distinto.

Circus *(1926–31)*
Esta obra de Alexander Calder está sempre em exposição.

Tango *(1919)*
Esta é a melhor das esculturas de madeira do polonês Elie Nadelman.

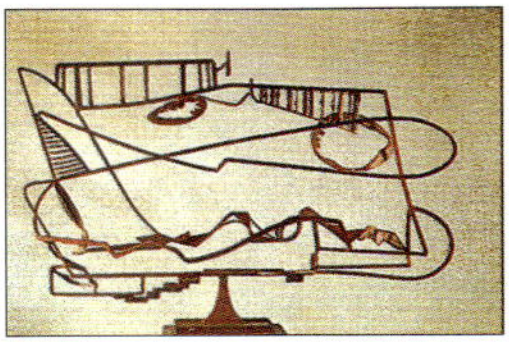

Hudson River Landscape *(1951)*
Esta escultura de aço é uma das obras influentes de David Smith.

Frick Collection ❽

A inestimável coleção de objetos de arte do magnata do aço Henry Clay Frick (1849-1919) está exposta em um cenário doméstico, em meio aos móveis da mansão luxuosa em que morava, proporcionando uma visão rara de como viviam os muito ricos na era de ouro de Nova York. Frick queria fazer da coleção um memorial a si mesmo e legou a casa à nação. No acervo estão mestres da pintura, móveis franceses, esmaltes de Limoges e tapetes orientais.

Fachada da Frick Collection, na 5th Avenue

Porto de Dieppe (1826)
J.M.W. Turner recebeu críticas por retratar este porto do norte da Europa banhado em luz.

The Polish Rider
A identidade do cavaleiro neste retrato equestre, pintado por Rembrandt em 1655, é desconhecida. A paisagem sombria cria uma atmosfera de perigo.

★ Sir Thomas More *(1527)*
Este retrato foi pintado por Hans Holbein oito anos antes de Thomas More ser executado por traição.

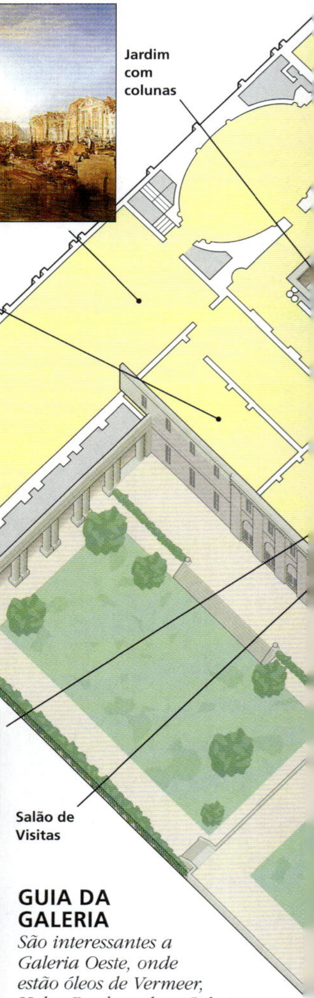

PONTOS ALTOS

- ★ Alameda no Parque St James, de Thomas Gainsborough
- ★ Lady Meux, de James McNeill Whistler
- ★ Oficial e Garota Sorridente, de Johannes Vermeer
- ★ Sir Thomas More, de Hans Holbein

GUIA DA GALERIA
São interessantes a Galeria Oeste, onde estão óleos de Vermeer, Hals e Rembrandt; a Galeria Leste, com obras de Van Dyck; o Salão Oval, com Whistlers; a Biblioteca e a Sala de Jantar, dedicadas às obras inglesas; e o Salão de Visitas, com Ticianos, Bellinis e Holbeins.

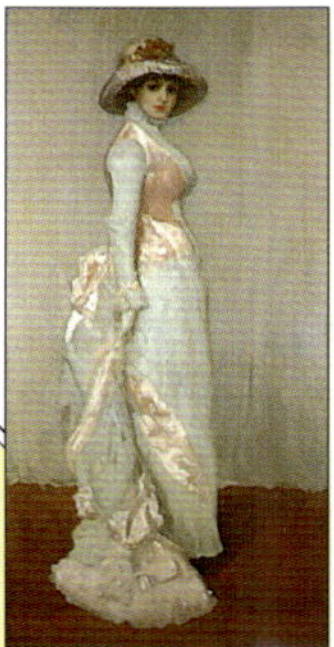

★ Lady Meux *(1881)*
Antes de se casar com um barão da cerveja, a jovem Lady Meux era atriz. Este é o segundo dos três retratos que Whistler fez dela.

PREPARE-SE

1 E 70th St. **Mapa** 12 F1. ***Tel*** *(212) 288-0700.* *6 para 68th St.* *M1, M2, M3, M4.* *10h-18h ter-sáb, 11h-17 dom* *maioria dos feriados.* *(menores de 10 anos não entram).* ***Concertos, palestras, filmes/vídeo.*** **www**.frick.org

★ Oficial e Garota Sorridente
(1655-60) Johannes Vermeer destaca-se entre os pintores holandeses do século 17 pela forma ousada como usava luz e sombras.

LEGENDA

- Espaço de exposição
- Outros espaços

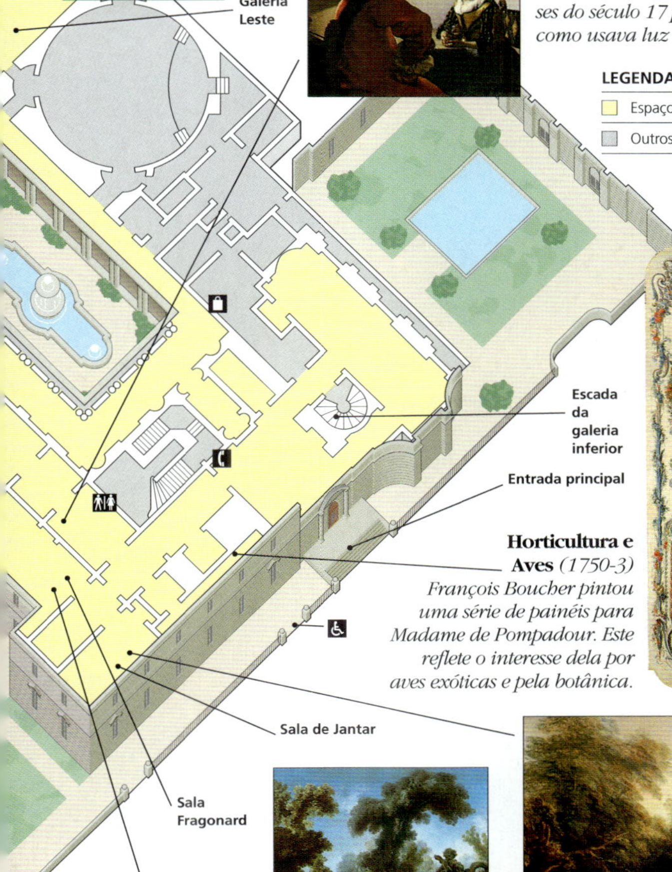

Horticultura e Aves *(1750-3)*
François Boucher pintou uma série de painéis para Madame de Pompadour. Este reflete o interesse dela por aves exóticas e pela botânica.

★ Alameda no Parque St James
As três figuras centrais nesta paisagem (1783) de Gainsborough podem ser as filhas de George III.

A Perseguição
A obra integra O Progresso do Amor, *de Jean-Honoré Fragonard, pinturas que descrevem o desenvolvimento de um namoro idealizado.*

CENTRAL PARK

O "Quintal da Cidade" foi criado em 1858 por Frederick Law Olmsted e Calvert Vaux num local ocupado por pedreiras, fazendas, brejos e choupanas. Dez milhões de caçambas de pedra e terra transformaram o local no exuberante parque de 340ha que vemos hoje. Há morros, lagos e prados, pontuados por toda parte por afloramentos do alicerce rochoso de Manhattan, e mais de 500 mil árvores e arbustos. O parque foi crescendo e hoje tem playgrounds e rinques de patinação, quadras e espaços para atividades, desde xadrez e croquê até concertos e eventos. É proibido entrar de carro nos fins de semana, para deixar espaço à vontade para ciclistas, skatistas in-line e para quem quer correr.

Estátuas, Delacorte Theater *(pág. 206)*

PRINCIPAIS ATRAÇÕES

Prédios Históricos
Belvedere Castle ❸
The Dairy ❶

Monumentos e Estátuas
Bethesda Fountain and Terrace ❺
Bow Bridge ❹
Strawberry Fields ❷

Lagos e Jardins
Central Park Wildlife Conservation center ❼
Conservatory Garden ❽
Conservatory Water ❻

VEJA TAMBÉM

• ***Guia de Ruas***, maps 12, 16, 21

www.centralparknyc.org

COMO CHEGAR

As linhas A, B, C e D do metrô seguem a lateral oeste do parque, com estações na 59th, 72nd, 81st, 86th, 96th, e 103rd Sts. Pela estação da 59th St/Columbus Circle passam as linhas 1 e 9, e as linhas 2 e 3, que param na 110th Street; as linhas N, R, W, param na 57th St e 5th Ave ao sul do parque. Os ônibus M1, M2, M3, e M4 percorrem o lado leste do parque; o M10 o lado oeste, e o M5 o sul.

LEGENDA

Mapa de passeio

Ⓜ Estação do metrô

Um Passeio pelo Central Park

Um curto passeio a pé, da 59th à 79th Streets, passa por muitos dos pontos mais agradáveis do Central Park, do arborizado Ramble até a área do Bethesda Terrace. Ao longo do percurso podem-se ver lagos artificiais e algumas das 30 graciosas pontes em arco que ligam os cerca de 93 quilômetros de trilhas e alamedas. Durante o verão, o parque serve de refúgio aos moradores, pois é bem mais fresco que as ruas à sua volta.

★ Strawberry Fields
Um dos pontos mais visitados, esta área sossegada foi criada em memória de John Lennon, que morava aqui perto ❷

★ Bethesda Fountain and Terrace
Esta esplanada ricamente ornamentada dá vista para o lago e as margens arborizadas do Ramble ❺

O Wollman Rink foi restaurado por Donald Trump, nos anos 1980, para as futuras gerações de patinadores.

Central Park Wildlife Center
Três zonas climáticas abrigam mais de cem espécies de animais ❼

Lago

Plaza Hotel (pág. 181)

Frick Collection (págs. 202-3)

★ The Dairy
Este prédio em estilo gótico vitoriano abriga o Centro de Visitantes. É bom começar o passeio por aqui e pegar o calendário de eventos do parque ❶

A Estátua de Hans Christian Andersen é um dos pontos preferidos pelas crianças. Fica no lado esquerdo do Conservatory Water –aqui, no verão, são contadas histórias.

Bow Bridge
Esta ponte de ferro fundido liga o Ramble a Cherry Hill por um gracioso arco de 18m que cruza o lago ❹

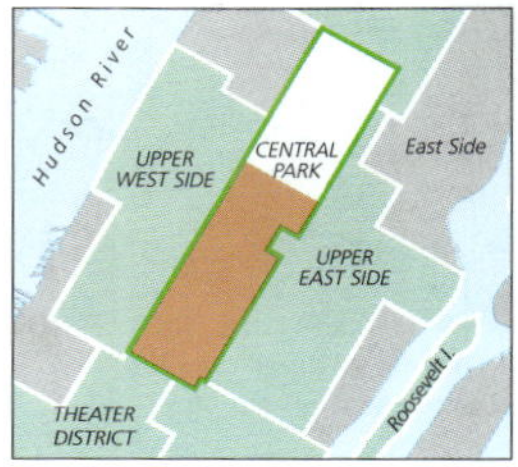

LOCALIZE-SE
Mapa de Manhattan págs. 14-5

PONTOS ALTOS

- ★ Dairy
- ★ Strawberry Fields
- ★ Belvedere Castle
- ★ Bethesda Fountain
- ★ Conservatory Water

Alice no País das Maravilhas está imortalizada em bronze no norte do Conservatory Water. Aqui estão seus amigos o Gato-que-Ri, o Chapeleiro Maluco e o Rato Silvestre. As crianças se divertem escorregando de seu banco-cogumelo.

Dakota Building (pág. 218)

San Remo Apartments (pág. 214)

American Museum of Natural History (págs. 216-7)

Metropolitan Museum (págs. 190-97)

Obelisco

O Ramble é uma faixa arborizada de 15ha cruzada por trilhas e regatos. É um paraíso para os ornitólogos –mais de 250 espécies de aves foram identificadas, pois fica na rota de migração do Atlântico.

Reservatório

Guggenheim Museum (págs. 188-9)

★ Belvedere Castle
Dos terraços os visitantes têm uma vista sem igual da cidade e do parque. Dentro das paredes de pedra fica o Central Park Learning Center ❸

★ Conservatory Water
Todos os sábados, de março a novembro, há corridas de barcos de brinquedo. Muitas das embarcações ficam guardadas na casa de barcos vizinha ao lago ❻

O Carrossel, na área do parque dedicada às crianças

The Dairy ❶

Mapa 12 F2. ***Tel*** *(212) 794-6564.* Ⓜ *Fifth Ave.* ◯ *10h-17h ter-dom.* ***Exibição de slides.*** 🛍 **www.**centralparknyc.org

Atual Centro de Visitantes do parque, este charmoso prédio de pedra natural foi projetado como parte da área infantil, que incluía playground, carrossel, casa de boneca e estábulo. Em 1873, vacas pastavam no prado em frente ao Dairy (Leiteria), onde também havia uma ovelha e seus cordeiros, galinhas, galinhas-d'angola e pavões. As crianças da cidade podiam tomar leite fresco. Com o passar dos anos, o Dairy deteriorou-se e foi usado como depósito até ser restaurado em 1979, com base em fotografias e desenhos originais. O Dairy é o melhor lugar para começar um passeio pelo parque, pois fornece mapas e a programação dos eventos. Os menos atléticos podem alugar tabuleiros de xadrez e damas para jogar nas mesas fixas do *kinderberg,* a pequena "colina das crianças".

Strawberry Fields ❷

Mapa 12 E1. Ⓜ *72nd St.*

A restauração desta seção do parque, que tem o formato de uma lágrima, foi o tributo de Yoko Ono à memória de seu marido, John Lennon. Eles moravam no edifício Dakota *(pág. 218),* que dá vista para este ponto do parque. O projeto recebeu doações de todas as partes do mundo. No piso há um mosaico com a palavra *Imagine* (título de uma das mais famosas composições de Lennon), presente da cidade de Nápoles, na Itália.

Este trecho do parque foi projetada por Vaux e Olmsted para ser um amplo espaço aberto. Atualmente é um jardim com 161 espécies de plantas, como rosas, bétulas –e morangos *(strawberries).*

O Central Park e, ao fundo, prédios de apartamentos sofisticados

Belvedere Castle ❸

Mapa 16 E4. ***Tel*** *(212) 772-0210.* Ⓜ *81st St.* ◯ *10-17h ter-dom.* 📷 ♿ *só para o andar principal.*

Este castelo, com todas as torres a que tem direito, no topo de Vista Rock, proporciona uma das melhores paisagens do parque e da cidade, no mirante do telhado. Dentro fica o Central Park Learning Center, com a divertida Discovery Chamber, uma sala onde as crianças aprendem sobre a vida selvagem que pode ser observada dentro do parque.

Do castelo, olhando para o norte, pode-se ver o Delacorte Theater, onde são apresentadas peças de Shakespeare todos os verões, com participação especial de grandes estrelas *(pág. 347).* O teatro foi doação do editor George T. Delacorte. Fundador da editora Dell, Delacorte era um filantropo com senso de diversão e a ele se devem muitos dos prazeres existentes no parque.

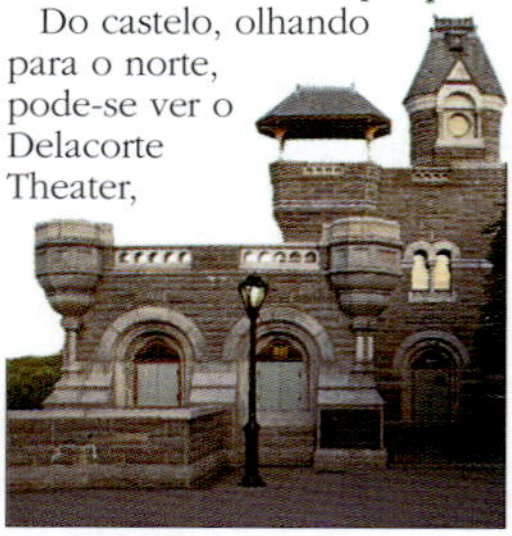

Belvedere Castle com seu mirante sobre o parque

Bow Bridge ❹

Mapa 16 E5. Ⓜ *72nd St.*

Bow Bridge é uma das sete pontes de ferro fundido originais do parque, e uma das mais bonitas. Foi projetada por Vaux como um arco unindo as duas grandes seções do lago. No século 19, quando se costumava patinar no lago durante o inverno, uma bola vermelha içada no campanário de Vista Rock avisava que o gelo estava pronto. A ponte dá uma visão ampla do parque e dos prédios que o margeiam a leste e oeste.

Gravura da Bethesda Fountain and Terrace em 1864

Bethesda Fountain and Terrace ❺

Mapa 12 E1. Ⓜ *72nd St.*

A fonte foi inaugurada em 1873. A estátua, *Anjo das Águas,* marcou a abertura do Aqueduto Croton, em 1842, que proporcionou à cidade o primeiro abastecimento constante de água potável. O nome foi inspirado na história bíblica do anjo bondoso no lago Bethesda, em Jerusalém. Situado entre o lago e a alameda principal, este é o coração arquitetônico do parque, um elemento formal na paisagem naturalista. Os detalhes em estilo espanhol, como a escada dupla esculpida e os ladrilhos e frisos, são obra de Jacob Wrey Mould.

Esta esplanada é um dos melhores locais para relaxar e apreciar o movimento.

Conservatory Water ❻

Mapa 16 F5. Ⓜ *77th St.*

Mais conhecido como Model Boat Pond (Lago dos Barcos em Miniatura), todos os fins de semana há corridas de barquinhos.

No extremo norte do lago, uma escultura de Alice no País das Maravilhas faz a alegria das crianças. A obra foi encomendada por George T. Delacorte. O próprio Delacorte aparece em caricatura como o Chapeleiro Maluco. Na margem oeste são realizadas leituras de histórias perto da estátua de Hans Christian Andersen –ele lê *O Patinho Feio* enquanto o herói da história caminha a seus pés. As crianças gostam de escalar a estátua.

O Conservatory Water tem outra ligação com a literatura: foi lá que Holden Caulfield, personagem de J. D. Salinger, contou seus problemas aos patos em *O Apanhador no Campo de Centeio.*

Central Park Wildlife Center ❼

Mapa 12 F2. ***Tel*** *(212) 439-6500.* Ⓜ *Fifth Ave entre 63rd e 66th sts.* *10h-17h seg-sex, 10h-17h30 sáb-dom; nov-mar: 10h-16h30 diariam. última admissão 30 min antes fechar.*
www.centralparkzoo.com

Reaberto em 1988, depois de quatro anos de reformas, este pequeno zoológico é muito elogiado pela utilização humanitária e criativa de seu espaço. Mais de 130 espécies de animais estão representadas em três zonas climáticas: os trópicos, a calota polar e a costa da Califórnia. Em uma úmida floresta equatorial, macacos e pássaros vivem em liberdade, enquanto pinguins e ursos-polares habitam a paisagem ártica, visível acima e abaixo da água.

No Tisch Children's Zoo as crianças podem chegar perto de cabras, carneiros, vacas e porcos. Junto à entrada fica o amado Delacorte Clock, que toca canções infantis a cada meia hora, enquanto animais musicais de bronze (como uma cabra que toca flauta de pã) circulam em torno dele. Perto do Toward Willowdell Arch fica o memorial a Balto, líder dos huskies que fizeram uma heróica jornada pelo Alasca levando soro para uma epidemia de difteria.

Estátua de Balto, o heróico cão husky, Central Park Wildlife Center

Urso- polar no Central Park Wildlife Center

Conservatory Garden ❽

Mapa 21 B5. Ⓜ *Central Pk N, 103rd St.* ***Tel*** *(212) 860-1382.* *8h-anoitecer.*

O Vanderbilt Gate, na Fifth Avenue, é a entrada de um parque de 2,4ha com três jardins formais, cada um num estilo de paisagem diferente. O Central Garden, com um grande gramado, cercas de teixo, macieiras silvestres e uma pérgola de glicínias, recria um estilo italiano. O South Garden, transbordante de plantas perenes, representa um estilo inglês, com uma estátua de bronze no tanque refletor de Mary e Dickon, do livro de Frances Hodgson Burnett *O Jardim Secreto.* Mais adiante há uma encosta com milhares de flores silvestres nativas. O North Garden, em estilo francês, disposto em volta da *Fonte das Três Dançarinas Virgens* apresenta uma exposição curta, mas notável, de plantas da estação.

UPPER WEST SIDE

Esta área virou residencial por volta de 1870, quando a ferrovia elevada na Ninth Avenue *(pág. 26-7)* tornou possível a ligação com o centro da cidade. O Dakota, primeiro prédio de apartamentos de luxo da cidade, foi erguido aqui em 1884. Os edifícios se espalharam pela Broadway e pelo Central Park West, e as ruas transversais, da década de 1890, ainda preservam belas séries de *brownstones*. A área é agitada e diversificada, com várias instituições culturais, incluindo o American Museum of Natural History, o Lincoln Center e o novo complexo da Columbus Circle para a Time Warner e a CNN.

Máscara, Museum of Natural History

PRINCIPAIS ATRAÇÕES

Ruas e Prédios Históricos

Columbus Circle 7
Pomander Walk 13
Riverside Drive and Park 14
The Dakota 9
The Dorilton 17
Twin Towers of Central Park West 1

Museus e Galerias

American Museum of Natural History págs. 216–17 11
Children's Museum of Manhattan 15
Hayden Planetarium 12
New-York Historical Society 10

Teatros

Avery Fisher Hall 6
Lincoln Center for the Performing Arts 2
Lincoln Center Theater 5
Metropolitan Opera House 4
New York State Theater 3

Hotéis e Restaurantes

Hotel des Artistes 8
The Ansonia 16

COMO CHEGAR

De metrô, as linhas A, B, C, D, 1 ou 9 vão até Columbus Circle, a 1, 2, 3 ou 9 até a Broadway, ou a B e C até Central Park West. De ônibus, pegue o M10 (Central Park West), M7, M11, M104, M5, M66 ou M72 cruzam as principais avenidas.

0 metros 500

VEJA TAMBÉM

- ***Guia de Ruas***, mapas 11, 15
- ***Onde Ficar*** págs. 290–91
- ***Restaurantes*** págs. 309–10

LEGENDA

Mapa Rua a Rua

Estação de metrô

◁ **Fachada do nº 14 de Riverside Drive**

Rua a Rua: Lincoln Center

A criação do Lincoln Center deve-se a dois fatores: a falta de uma sede adequada para a Metropolitan Opera House e a Filarmônica de Nova York e a necessidade de recuperação de uma vasta área no lado oeste de Manhattan. A idéia de se reunir em um mesmo complexo várias formas diferentes de arte parece natural hoje em dia, mas na década de 1950 foi considerada uma ousadia e um risco. O Lincoln Center é um sucesso e recebe 5 milhões de pessoas por ano. Na área em volta moram muitos artistas e apreciadores de arte.

★ Lincoln Center for the Performing Arts
Dança, música e teatro reúnem-se neste belo complexo. A fonte que reflete o prédio é um ótimo lugar para sentar e apreciar o movimento ❷

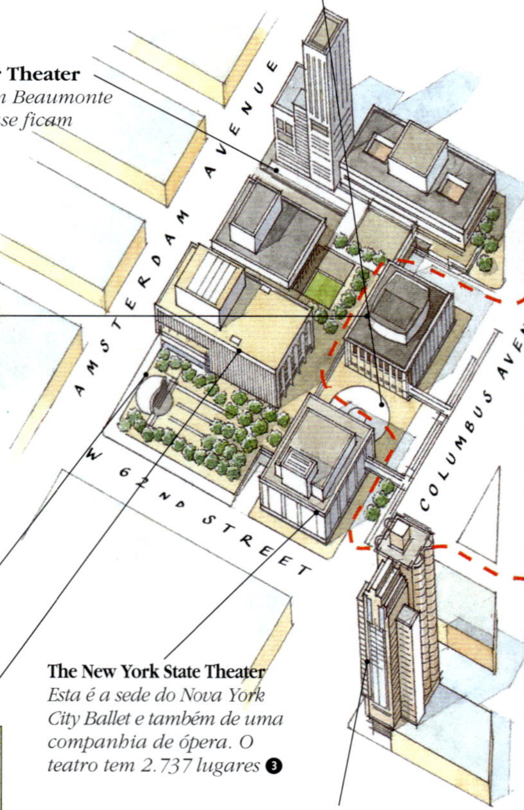

Lincoln Center Theater
Os teatros Vivian Beaumont e Mitzi E. Newhouse ficam neste prédio ❺

O compositor **Leonard Bernstein** concebeu seu famoso musical *West Side Story*, baseado no tema de Romeu e Julieta, nas ruas pobres em volta do local onde hoje fica o Lincoln Center. A atuação de Bernstein foi fundamental para a construção do complexo.

Na Concha Acústica Guggenheim realizam-se concertos gratuitos.

The New York State Theater
Esta é a sede do Nova York City Ballet e também de uma companhia de ópera. O teatro tem 2.737 lugares ❸

Metropolitan Opera House
O destaque do Lincoln Center é o teatro de ópera. O café acima do saguão proporciona belas vistas da praça ❹

O College Board Building é uma pérola Art Déco com apartamentos e os escritórios do College Board (exames obrigatórios para entrar nas universidades).

American Folk Art Museum Colchas de retalhos (quilt) e pintura naif integram o acervo deste museu.

Quilt antigo

James Dean morou em um apartamento de um quarto no andar superior do n 19 da West 68th St.

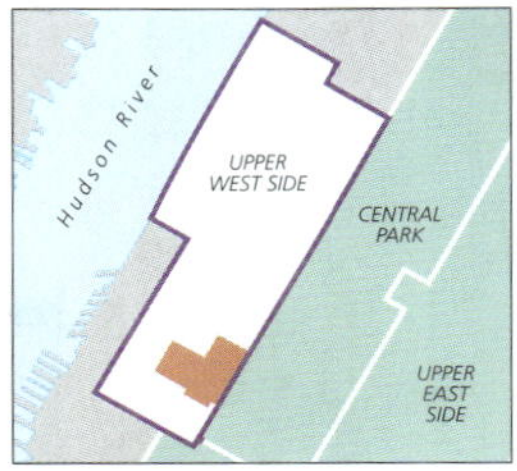

LOCALIZE-SE
Mapa de Manhattan págs. 14-5

LEGENDA

— — — Percurso sugerido

0 metros 100

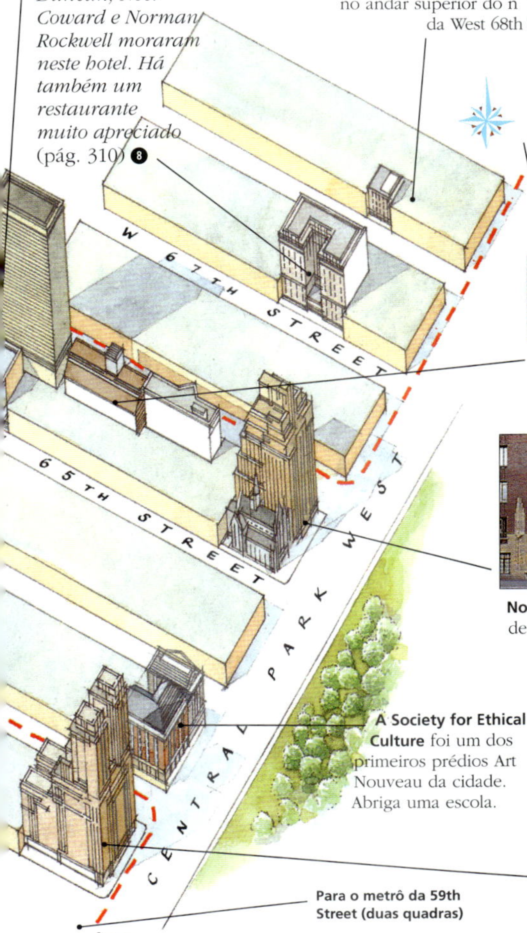

★ Hotel des Artistes
Os artistas Isadora Duncan, Noel Coward e Norman Rockwell moraram neste hotel. Há também um restaurante muito apreciado (pág. 310) ❽

Para o metrô da 72nd Street (duas quadras)

Uma estação da ABC-TV para novelas fica neste prédio que parece um castelo e já foi um arsenal.

No n 55 de Central Park West fica o prédio de apartamentos Art Déco que foi cenário do filme *Os Caça-Fantasmas*.

A Society for Ethical Culture foi um dos primeiros prédios Art Nouveau da cidade. Abriga uma escola.

Para o metrô da 59th Street (duas quadras)

Em Central Park West moram pessoas famosas, que gostam da privacidade de seus apartamentos exclusivos.

Century Apartments
As torres gêmeas do Century são visíveis do parque, o que faz delas um marco da cidade ❶

PONTOS ALTOS

★ Lincoln Center

★ Hotel des Artistes

San Remo, um prédio residencial com torres projetado por Emery Roth

Twin Towers of Central Park West ❶

Mapa 12 D1, 12 D2, 16 D3, 16 D5. *59th St-Columbus Circle, 72nd St, 81St, 86th St.* *ao público.*

Entre os muitos marcos da paisagem de Nova York estão os quatro prédios de apartamentos com torres gêmeas situados em Central Park West. Construídos entre 1929 e 1931, pouco antes de a Depressão pôr fim a esse tipo de obra luxuosa, os prédios são hoje um dos endereços mais caros de Nova York. Muito admirado hoje em dia por sua graça e detalhes arquitetônicos, o projeto aproveitou uma brecha na lei de urbanização, que permitia a construção de edifícios de apartamentos mais altos, desde que tivessem torres e recuos.

Entre os inquilinos do San Remo (n° 145) já estiveram Dustin Hoffman, Paul Simon e Diane Keaton. Rejeitada pela comissão dos moradores, Madonna foi morar perto, no n° 1 da West 64th Street. As torres do The Eldorado (n° 300), também projetadas por Emery Roth, são coroadas por pináculos futuristas que se elevam como foguetes. A lista de moradores famosos do prédio incluiu Groucho Marx e Marilyn Monroe. O Majestic (n° 115) e o Century (n° 25) são clássicos em Art Déco de Irwin S. Chanin.

Lincoln Center for the Performing Arts ❷

Mapa 11 C2. ***Tel*** *(212) 546-2656.* *66th St.* *(212) 875-5350.* *Ver **Divirta-se** pág. 350-51.* **www**.lincolncenter.org

Em maio de 1959, o presidente Eisenhower foi a Nova York especialmente para lançar uma pá de terra, Leonard Bernstein ergueu a batuta, a Filarmônica e o coral Julliard apresentaram o *Halleluyah Chorus* –e assim nasceu o mais importante centro cultural da cidade.

O Lincoln Center logo ocupou 6ha da região de favelas que foi cenário de *West Side Story*, o musical clássico de Bernstein. A fonte da praça é de Philip Johnson e a escultura *Figura Reclinada*, de Henry Moore.

O Jazz at Lincoln Center está criando uma moderna instalação para shows, que fará parte de um maior e novo complexo em Columbus Circle.

Praça central do Lincoln Center

New York State Theater ❸

Lincoln Center. **Mapa** 11 D2. ***Tel*** *(212) 870-5560.* *66th St.* *Ver **Divirta-se** pág. 346–7.* **www**.nycballet.com

A sede do New York City Ballet e da New York City Opera, uma trupe dedicada à apresentação de óperas a preços populares, é um projeto de Philip Johnson, de 1964.

Esculturas gigantescas de mármore branco de Elie Nadelman dominam o vasto saguão de quatro andares. O teatro tem 2.800 lugares. Por ter lustres e candelabros com imitação de diamantes dentro e fora do prédio, ganhou o apelido de "pequeno porta-jóias".

Metropolitan Opera House ❹

Lincoln Center. **Mapa** 11 D2. ***Tel*** *(212) 362-6000.* *66th St.* *Ver **Divirta-se** pág. 350–51.* **www**.metopera.org; **www**.abt.org

Sede da Metropolitan Opera Company e do American Ballet Theater, o Met é certamente o mais espetacular dos prédios do Lincoln Center e também o ponto de destaque da praça. Cinco grandes janelas em arco deixam à vista o luxuoso vestíbulo e dois brilhantes murais de Marc Chagall (que ficam cobertos na parte da manhã, para protegê-los do sol). O interior tem escadas curvas de mármore branco, quilômetros de tapetes vermelhos macios e os

Concerto na concha Guggenheim, em Damrosch Park, perto do Met

requintados candelabros de cristal que são içados até o teto antes de cada espetáculo. Todos os cantores famosos já passaram por seu palco, inclusive Maria Callas, Jessye Norman e Luciano Pavarotti. As noites de estréia são ocasiões de gala a que comparecem muitas estrelas. A concha acústica Guggenheim, em Damrosch Park, é o local onde são realizados espetáculos gratuitos. O ponto alto é o Festival ao Ar Livre do Lincoln Center.

Lincoln Center Theater ❺

Lincoln Center. **Mapa** 11 C2. ***Tel*** *(212) 362-7600 (Beaumont e Newhouse), (212) 870-1630 (Biblioteca). 800-432 7250 (ingressos)* M *66th St.* *Ver* ***Divirta-se*** *págs. 350–51.* **www**.lct.org

Os dois teatros que compõem este complexo inovador –o Vivian Beaumont, com mil lugares, e o menor e mais aconchegante Mitzi E. Newhouse, com 280 lugares– apresentam peças ecléticas e muitas vezes espetáculos experimentais.

Alguns dos melhores autores de Nova York já apresentaram suas peças no Beaumont. O espetáculo que inaugurou o teatro, em 1962, foi *Depois da Queda*, de Arthur Miller.

O tamanho do Newhouse é adequado a peças do tipo oficina, mas lá também acontecem grandes sucessos, a exemplo da produção *Esperando Godot*, de Samuel Beckett, com Robin Williams e Steve Martin.

O complexo também abriga o acervo da New York Public Library for the Performing Arts com cilindros de apresentações antigas no Met, programas e partituras.

Avery Fisher Hall ❻

Lincoln Center. **Mapa** 11 C2. ***Tel*** *(212) 875-5030.* M *66th St.* *Ver* ***Divirta-se*** *pp350–51.* **www**.newyorkphilharmonic.org

Localizado na extremidade norte do Lincoln Center Plaza, o Avery Fisher Hall é o lar da mais antiga orquestra dos EUA, a Filarmônica de Nova York. Também abriga eventos do próprio Lincoln Center e do Mostly Mozart Festival.

Em 1962, quando o local foi aberto como Philharmonic Hall, os críticos reclamaram da acústica. Diversas modificações estruturais, porém, colocaram o Avery Fisher Hall em pé de igualdade com algumas das melhores salas de concerto clássico de todo o mundo.

Pagando uma pequena taxa, o público pode assistir a ensaios nas manhãs de quinta-feira, no auditório de 2.738 assentos.

Columbus Circle ❼

Columbus Circle, New York. **Mapa** 12 D3. M *59th St.* ***Concertos*** *(212) 258 9800.* **www**.jazzatlincolncenter.org

Uma estátua de mármore do explorador Cristóvão Colombo, encimando uma alta coluna de granito, domina esta praça urbana no canto do Central Park. O monumento é um dos poucos remanescentes originais deste círculo –que se tornou um dos maiores projetos arquitetônicos da história de Nova York.

Novos arranha-céus multiuso foram erguidos, atraindo empresas nacionais e estrangeiras. O megagrupo de comunicações Time Warner instalou seu QG em um edifício de 80 andares. Com 260 mil m², o prédio possui locais para diversão, restaurantes (Per Se e Jean-George Vongerichten's Steakhouse) e lojas (Hugo Boss, Williams-Sonoma e Borders Book), além do sexto hotel da cadeia Mandarin Oriental.

O Time Warner Center também abriga o Jazz at Lincoln Center. As duas salas de espetáculo –o Frederic P. Rose Concert Hall e o Allen Room–, juntamente com um clube de jazz e um centro educacional, compõem a melhor instalação dedicada a apresentações de jazz em todo o mundo.

Outros importantes edifícios em Columbus Circle são a Hearst House, projetada pelo arquiteto britânico Norman Foster, o Trump International Hotel e o Maine Monument.

Hotel des Artistes ❽

1 W 67th St. **Mapa** 12 D2. ***Tel*** *(212) 877-3500 (café).* M *72nd St.*

Construído em 1918 por George Mort Pollard, este prédio de dois andares pretendia ser um conjunto de estúdios para pintores, mas atraiu artistas de outras áreas, como Alexander Woollcott, Norman Rockwell, Isadora Duncan, Rodolfo Valentino e Noel Coward. O Café des Artistes é conhecido pelos murais místicos e românticos de Howard Chandler Christy e pela ótima cozinha.

Figura decorativa no Hotel des Artistes

American Museum of Natural History ⓫

Este é um dos maiores museus de história natural do mundo. A partir do prédio original de 1877, o complexo se expandiu –atualmente ocupa quatro quarteirões e contém mais de 30 milhões de espécimens e artefatos. As seções mais concorridas são a dos dinossauros e o Milstein Family Hall of Ocean Life, recentemente reformado. O novo Rose Center for Earth and Space abriga o Hayden Planetarium *(pág. 218)*.

A entrada, na 77th Street

PONTOS ALTOS

- ★ Barossauro
- ★ Baleia-Azul
- ★ Canoa Haida
- ★ Estrela da Índia

★ Estrela da Índia
Esta gema de 563 quilates é a maior safira "estrela azul" do mundo. Encontrada no Sri Lanka, foi doada ao museu por J.P. Morgan em 1900.

GUIA DA GALERIA

Entre pelo segundo andar para ver a exposição de barossauros e mostras sobre povos e animais da África, Ásia e América do Sul. No primeiro andar ficam as exposições sobre vida nos oceanos, meteoros, minérios e o Hall of Biodiversity. Nativos americanos, pássaros e répteis ocupam o terceiro andar; dinossauros, peixes fossilizados e mamíferos primitivos, o quarto andar.

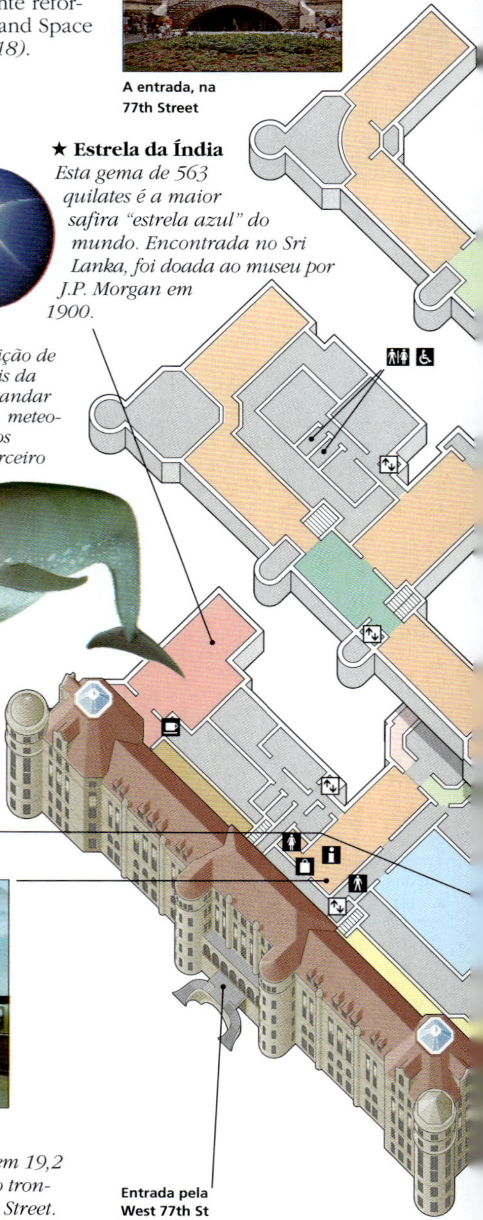

★ Baleia-Azul
É o maior de todos os animais, vivos ou extintos, podendo superar 100 toneladas. Esta réplica baseia-se numa fêmea capturada em 1925 na América do Sul.

Entrada pela West 77th St

★ Canoa Haida
Esta canoa de guerra dos índios haidas tem 19,2 metros de comprimento e foi entalhada no tronco de um cedro. Fica no saguão da 77th Street.

PREPARE-SE

Central Park West at 79th St. **Mapa** 16 D5. ***Tel*** *(212) 769-5100.* *B, C para 81st St.* *M7, M10, M11, M79, M104.* *10h-17h45 diariam (Rose Center até 20h45 1ª sex mês).* **www.**amnh.org

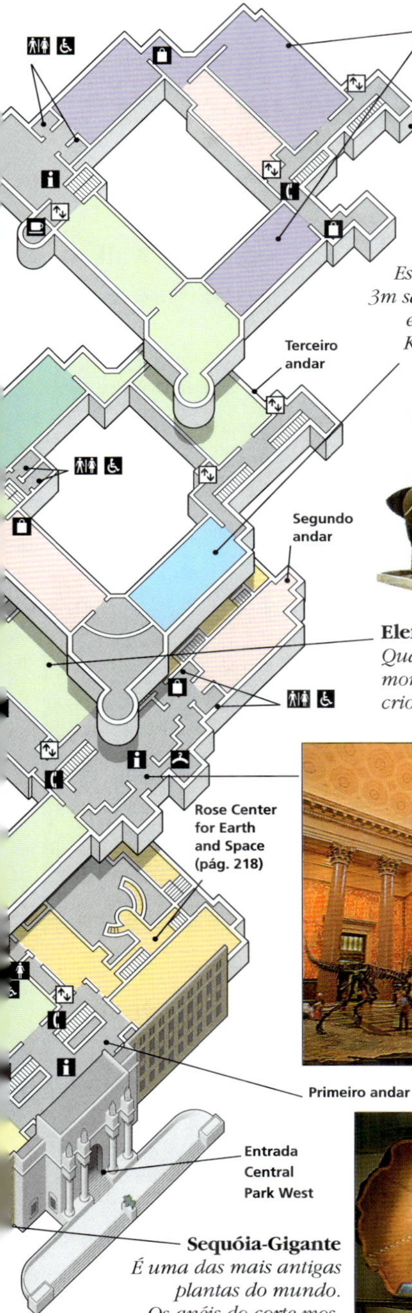

Dragões Komodo

Estes lagartos de até 3m são os maiores que existem. Vivem em Komodo e ilhas na Indonésia.

Elefantes Africanos

Quatro dos elefantes deste grupo foram caçados e montados na década de 1920 por Carl Akeley, que criou o Salão de Mamíferos Africanos do museu.

★ Barossauro

Esta peça, que mostra os esqueletos de uma mãe barossauro protegendo seu bebê do ataque de um predador, foi montada a partir de fósseis originais. O dinossauro, que era vegetariano, viveu há 140 milhões de anos.

Sequóia-Gigante

É uma das mais antigas plantas do mundo. Os anéis do corte mostram que o tronco, de mais de 4,8m de diâmetro, tem 1.342 anos.

LEGENDA

- Dinossauros e outros fósseis de vertebrados
- Pássaros
- Peixes
- Mamíferos
- Meteoritos e pedras preciosas
- `Culturas da humanidade
- Biologia humana e evolução
- Anfíbios e répteis
- Meio ambiente e ecologia
- Rose Center for Earth and Space
- Exposições especiais
- Espaço sem exposição

The Dakota 9

1 W 72nd St. **Mapa** 12 D1.
M *72nd St.* *to the public.*

O nome e o estilo demonstram que este prédio de apartamentos ficava no "oeste longínquo" quando J. Hardenbergh, o arquiteto responsável pelo Hotel Plaza, o projetou em 1880-4. Foi o primeiro prédio residencial de luxo da cidade e, no começo, era cercado de barracos de posseiros e os animais domésticos andavam soltos por aqui. Feito sob encomenda para Edward S. Clark, herdeiro da fábrica de máquinas de costura Singer, é atualmente um dos endereços de maior prestígio da cidade.

Os 65 apartamentos já tiveram muitos donos famosos, entre eles Judy Garland, Leonard Bernstein e Boris Karloff, cujo fantasma, dizem, assombra o lugar. O Dakota foi cenário de *O Bebê de Rosemary* e do assassinato do ex-beatle John Lennon. Sua viúva, Yoko Ono, ainda mora no prédio.

Cabeça de índio entalhada na entrada do Dakota

New-York Historical Society 10

170 Central Park West. **Mapa** 16 D5. ***Tel*** *(212) 873-3400.* M *81st St.*
Galerias *10h-18h ter-sáb.*
Biblioteca *10h-17h ter-dom (ter-sex verão).* *feriados.*
www.nyhistory.org

Fundada em 1804, a Sociedade tem um vasto acervo de pesquisa e é o museu mais antigo da cidade. Sua coleção

O Rose Center for Earth and Space

inclui material histórico relativo à escravidão e à guerra civil, uma coleção de jornais do século 18, todos os 435 originais de *Pássaros da América*, de Audubon, e a mais extensa coleção do mundo de lustres Tiffany. Há também peças de mobília e pratarias.

American Museum of Natural History 11

Págs. 216-17.

Hayden Planetarium 12

Central Park West at 81st St.
Mapa 16 D4. ***Tel*** *(212) 769-5100, ingressos para o Space Show: (212) 769-5200.* M *81st St.*
www.amnh.org/rose

No lado norte do American Museum of Natural History *(pág. 216-7)*, o planetário é a peça central do espetacular Rose Center for Earth and Space, projetado por Polshek and Partners. Instalado em uma esfera de 26m de diâmetro, o Hayen Planetarium conta com uma sala de projeção de alta tecnologia sobre o espaço, o Cosmic Pathway, rampa em espiral com uma linha do tempo que reconta 13 bilhões de anos de evolução e uma sala de projeção sobre o Big Bang. O Hall of Planet Earth explora a história geológica do planeta com amostras de rochas, computadores de última geração e vídeos explicando o funcionamento da Terra. As exposições no Hall of the Universe apresentam as descobertas da astrofísica moderna. Quatro seções contam com mostras interativas. Vista à noite, a fachada do Rose Center é de uma impressionante simplicidade, enquanto as exposições internas demonstram que, como o astrônomo Carl Sagan disse, "somos feitos de matéria estelar".

Pomander Walk 13

261–7 W 94th St. **Mapa** 15 C2.
M *96th St.*

Ao olhar pelo portão temos uma agradável surpresa –uma dupla fileira de casinhas construídas em 1921 para parecerem com o cenário londrino de uma popular peça de teatro de mesmo nome. Muitos artistas de cinema moraram aqui, entre eles Rosalind Russell, Humphrey Bogart e as irmãs Gish.

Fachada de uma casa de Pomander Walk

Riverside Drive and Park 14

Mapa 15 B1–B5, 20 D1–D5.
M *79th St, 86th St, 96th St.*

Riverside Drive é uma das ruas mais atraentes da cidade –bastante ampla e agradavelmente sombreada, dela se tem vistas excelentes do rio Hudson. Algumas das luxuosas casas originais permanecem em meio a prédios de apartamentos mais recentes. Procure os números 40 a 46, 74 a 77, 81 a 89 e 105 a 107, que são projetos do fim do século

19 do arquiteto Clarence F. True. Suas cumeeiras curvas e janelas em arco combinam com a rua sinuosa e com o rio.

O prédio residencial de 1914 no n° 243, chamado de Cliff Dweller's Apartments (apartamentos dos moradores do penhasco), tem frisos mostrando os índios que habitavam as cavernas rochosas do Arizona. Riverside Park foi projetado em 1880 por Olmested, um dos idealizadores do Central Park *(págs. 204-7)*.

Monumento ao Soldado e ao Marinheiro em Riverside Park

Children's Museum of Manhattan ⓯

212 W 83rd St. **Mapa** 15 C4.
Tel *(212) 721-1234.* M *79th St, 81st St, 86th St.* *10h-17h qua-sex, 9h-17h sáb-dom.(jul-ago: ter-dom).* *feriados.*
www.cmom.org

Este museu interativo foi fundado em 1973, seguindo o princípio de que as crianças aprendem melhor brincando. O Body Odyssey mostra a elas do que são feitas, numa jornada por dentro do corpo cheia de informações científicas. O HP Inventor Center transporta as crianças ao reino digital, onde podem repensar, revisar e refazer projetos de design. O Time Warner Media Center transforma crianças em operadores de câmera, noticiaristas, animadores e técnicos de um estúdio de TV de última geração. No teatro de 150 lugares apresentam-se artistas convidados e contadores de histórias, nos fins de semana e feriados. Aos sábados crianças podem fazer seus próprios livros.

Entrada do Children's Museum

Também há um teatro menor com peças gratuitas e uma área especial –a Word Play– para os que ainda estão aprendendo a falar.

The Ansonia ⓰

2109 Broadway. **Mapa** 15 C5.
M *72nd St.* *ao público.*

Esta jóia Beaux Arts foi construída em 1899 por William Earl Dodge Stokes, herdeiro da fortuna da Phelps Dodge Company, que trouxe o arquiteto Paul E. M. Duboy da França para criar um edifício que rivalizasse com o Dakota. Ohotel foi transformado em condomínio em 1992. As características mais marcantes do edifício são a torre redonda na esquina e o teto de mansarda em dois níveis, adornado com janelas de água-furtada simples e duplas. O prédio original tinha um jardim no telhado (com o minizôo de Dodge, contendo patos, galinhas e um urso domesticado) e duas piscinas. As paredes do hotel, que abafam sons, logo fizeram dele o preferido entre as estrelas dos musicais. Florenz Ziegfeld, Arturo Toscanini, Enrico Caruso, Igor Stravinsk e Lily Ponds foram hóspedes frequentes.

O torreão arredondado que distingue o Ansonia Hotel

The Dorilton ⓱

171 W 71st St. **Mapa** 11 C1.
M *72nd St.* *ao público.*

Detalhes suntuosos e um alto e marcante teto de mansarda adornam este prédio de apartamentos. No lado da West 71st Street fica uma passagem na altura do nono andar. Para o gosto moderno, o Dorilton exibe gloriosos excessos, mas quando foi construído, em 1902, o Architectural Record comentou que a "visão do prédio faz xingar os homens fortes e mulheres fracas encolherem-se aterrorizadas".

Sacada do Dorilton, apoiada em figuras encurvadas

O que diriam então os críticos do Alexandria Condominium, n 135 da West 70th Street, a uma quadra de distância? Construído em 1927 e chamado de Pythian Temple, ganhou o nome atual graças à profusão de motivos egípcios na fachada da antiga loja maçônica. Muitos foram removidos quando o prédio foi convertido em condomínio, mas ainda se pode ter uma idéia de como eram os desenhos originais: folhas de lótus, hieróglifos, colunas ornamentadas, bestas míticas e, no teto, dois faraós sentados.

MORNINGSIDE HEIGHTS E HARLEM

Morningside Heights, uma área perto do rio Hudson, é o local da Columbia University e duas das mais belas igrejas da cidade. Mais para leste, na fronteira com o Harlem, fica Hamilton Heights, a mais famosa comunidade negra dos EUA. Como o Harlem não é o bairro mais seguro de Nova York, vale a pena vir aqui no domingo de manhã *(pág. 369)*. Um bom passeio começa em Hamilton Heights, segue para leste até St Nicholas Historic District, com uma pausa para apreciar o coro gospel da Abyssinian Baptist Church, e termina com um *brunch* no estilo sulista ou um almoço no Sylvia's, o mais famoso restaurante do Harlem.

S. Francisco de Assis, no Museo del Barrio

Vitral do Cotton Club, representando Louis Armstrong

PRINCIPAIS ATRAÇÕES

Ruas e Prédios Históricos
City College of the City University of New York ⑦
Columbia University ①
Grant's Tomb ⑥
Hamilton Grange National Memorial ⑧
Hamilton Heights Historic District ⑨
Low Library ③
Mount Morris Historical District ⑰
St. Paul's Chapel ②
St. Nicholas Historic District ⑩

Museus e Galerias
Museo del Barrio ⑲
Schomburg Center for Research into Black Culture ⑫
Studio Museum in Harlem ⑯

Teatros
Apollo Theater ⑮
Harlem YMCA ⑬

Igrejas
Abyssinian Baptist Church ⑪
Cathedral of St. John the Divine págs. 226–7 ④
Riverside Church ⑤

Parques e Praças
Marcus Garvey Park ⑱

Restaurantes
Sylvia's ⑭

Coluna de pedra entalhada da St John the Divine Cathedral

VEJA TAMBÉM

• ***Guia de Ruas***, mapas 19–21
• ***Onde Ficar*** pág. 272–3
• ***Harlem Walk*** págs. 291
• ***Restaurantes*** pág. 310

LEGENDA
Mapa Rua a Rua
M Estação de metrô

COMO CHEGAR

De metrô, tome na 7th Ave/Brodway a linha 1 ou a 9 para a 116th St, Columbia University. Os ônibus M4, M5, M11 e M104 servem a Columbia. Para o Harlem, tome as linhas A, B, C, D, 2 ou 3 para a 125th St ou os ônibus M1, M2, M7 ou M100/101.

Rua a Rua: Columbia University

Uma grande universidade é feita não só de prédios, mas também de espírito. Depois de admirar a arquitetura, descanse um pouco no pátio quadrangular em frente à Low Library e observe os futuros líderes dos Estados Unidos em jeans, reunindo-se e conversando entre as aulas. Em volta do campus, tanto na Broadway quanto na Amsterdam Avenues, ficam as cafeterias e bares onde os estudantes travam debates filosóficos, discutem os assuntos do dia ou simplesmente relaxam.

Alma Mater foi esculpida por Daniel Chester French em 1903 e sobreviveu a uma bomba em ato de protesto em 1968.

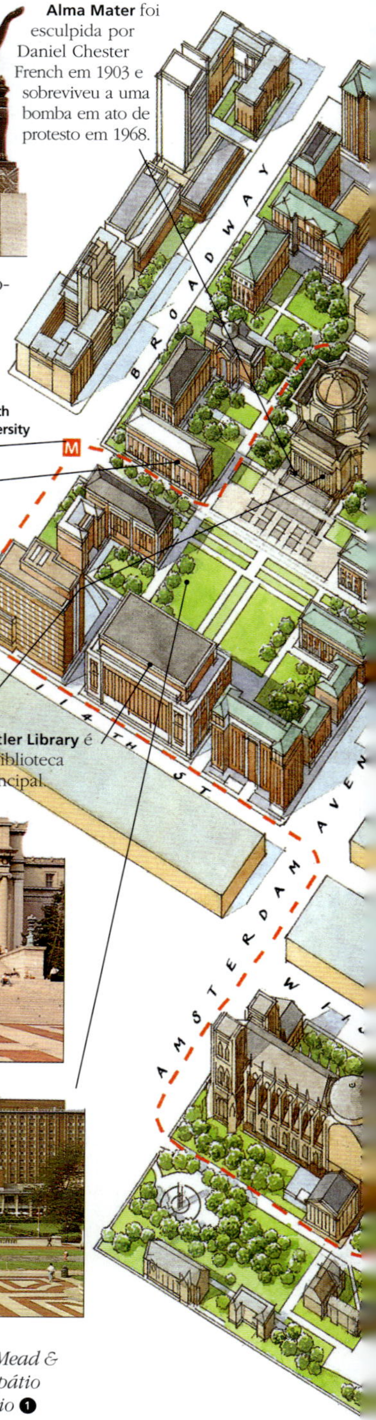

Estação do metrô 116th Street-Columbia University (linhas 1, 9)

A School of Journalism é um dos muitos prédios projetados pela McKim, Mead & White. Fundada em 1912 pelo editor Joseph Pulitzer, outorga todo ano o prêmio Pulitzer aos melhores da literatura e do jornalismo.

Butler Library é a biblioteca principal.

Low Library
Com sua fachada imponente e a alta cúpula, esta biblioteca domina o pátio quadrangular. Foi projetada pela McKim, Mead & White em 1895-7 ❸

★ Central Quadrange
Os prédios mais antigos foram projetados pela McKim, Mead & White e construídos, em nível mais alto, ao redor do pátio central. Esta foto mostra a Butler Library vista do pátio ❶

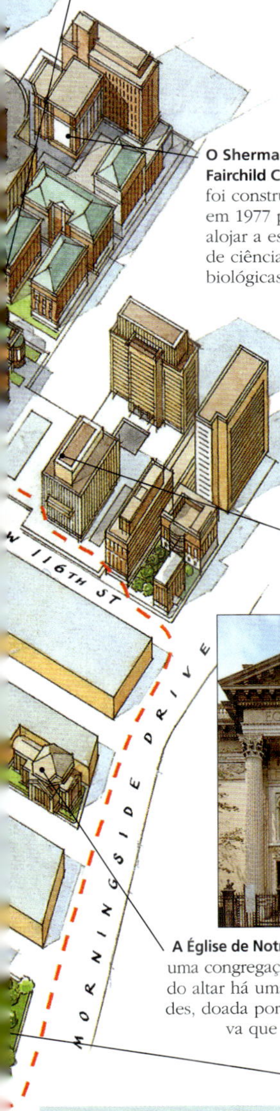

St Paul's Chapel

Esta igreja é um projeto de 1907 dos arquitetos Howells & Stokes. Tem belos trabalhos de madeira e um magnífico interior abobadado, cheio de luz e com excelente acústica ❷

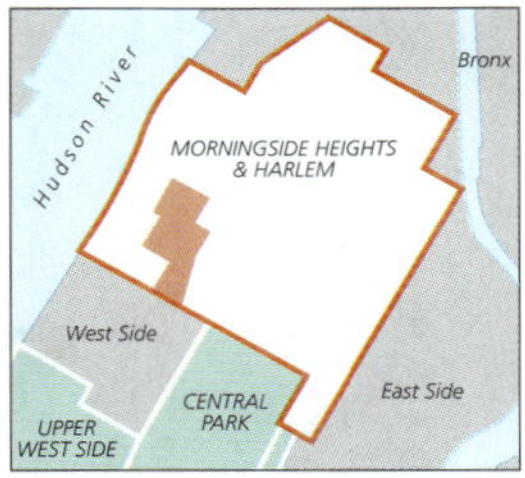

LOCALIZE-SE

Mapa de Manhattan págs. 14- 15

LEGENDA

— — — Percurso sugerido

0 metros 100

O Sherman Fairchild Center foi construído em 1977 para alojar a escola de ciências biológicas.

As manifestações estudantis levaram a Columbia University para as páginas dos jornais em 1968. Os estudantes protestavam contra o plano da universidade de construir um ginásio no vizinho Morningside Park e acabaram levando a escola a escolher outro local.

A Église de Notre-Dame foi construída para uma congregação de língua francesa. Atrás do altar há uma réplica da gruta de Lourdes, doada por uma mulher que acreditava que seu filho fora curado aqui.

★ Cathedral of St John the Divine

Quando estiver concluída, esta catedral neogótica será a maior do mundo. Mesmo com um terço da estrutura ainda por construir, já tem espaço para 10 mil pessoas ❹

Entalhe de pedra que decora a fachada da catedral.

PONTOS ALTOS

- ★ Cathedral of St. John the Divine
- ★ Columbia University

***A estátua Alma Mater* na Low Library, Columbia University**

Columbia University ❶

Entrada principal pela W 116th St e Broadway. **Mapa** 20 E3. ***Tel** (212) 854-1754.* M *116th St-Columbia University.* *11h, 2h seg-sex.* **www**.columbia.edu

Este é o terceiro endereçode uma das mais antigas universidades dos EUA. Fundada em 1754 como King's College, ficava perto de onde era o World Trade Center.

Em 1814, quando surgiu a proposta de mudança para o norte da cidade, no lugar de verba a administração da universidade ganhou do governo um terreno avaliado em US$ 75 mil para construir a nova sede. Preferiu arrendá-lo e erguer a nova escola numa área próxima, entre 1857 e 1897. Só em 1985 o terreno foi afinal vendido ao arrendatário, a Rockefeller Center Inc., por US$ 400 milhões.

O campus atual foi iniciado em 1897 no local do manicômio Bloomingdale. O arquiteto Charles McKim concebeu a universidade pairando sobre um terraço, acima do nível da rua. Seus gramados e praças espaçosos contrastam com a correria da cidade.

Na última contagem, havia mais de 20 mil estudantes no campus. Columbia, membro da Ivy League (associação das universidades de alto nível do país), destaca-se pelas escolas de Direito, Medicina e Jornalismo. Entre os ilustres que a frequentaram estão 50 prêmios Nobel e nomes como Isaac Asimov e J.D. Salinger. Do outro lado da rua fica a Barnard College, faculdade de artes altamente seletiva.

St. Paul's Chapel ❷

Columbia University. **Mapa** 20 E3. ***Tel** (212) 854-1487, sobre concertos* M *116th St-Columbia Univ.* *10h-23h seg-sáb (período letivo), 10h-16h (férias escolares).* *dom.*

Abóbada de tijolos no interior da St Paul's Chapel

O prédio de maior destaque em Columbia, de 1904, é um misto de Renascença italiana, bizantino e gótico. A abóbada interna tem desenhos de tijolo vermelho envelhecido e toda a capela é banhada pela luz que vem do alto.

Os concertos de órgão gratuitos são uma excepcional oportunidade para apreciar a beleza e a acústica da igreja. O órgão de tubos Aeolian-Skinner é famoso pela bela sonoridade.

Fachada da St Paul's Chapel

Low Library ❸

Columbia University. **Mapa** 20 E3. M *116th St-Columbia University.*

A biblioteca fica num prédio clássico com colunas, construído no alto de três lances de escadas de pedra, e foi doada por Seth Low, ex-reitor da universidade. A estátua diante do prédio, *Alma Mater*, de Daniel Chester French, presenciou muitas manifestações estudantis contra a guerra do Vietnã. O prédio foi dividido em escritórios e a rotunda é usada em atos acadêmicos e cerimoniais. Os livros foram transferidos em 1932 para a Butler Library, do outro lado do pátio quadrangular. O acervo total da biblioteca da universidade soma cerca de 6 milhões de volumes.

Cathedral of St. John the Divine ❹

Págs 226 –7.

Riverside Church ❺

490 Riverside Dr at 122nd St. **Mapa** 20 D2. ***Tel** (212) 870-6700.* M *116th St-Columbia Univ.* *10h30-17h ter-dom.* *10h45 dom.* *com autorização.* ***Concertos de carrilhão**; (212) 870-6784; 12h, 15h dom. **Teatro**; (212) 864-2929.* **www**.theriversidechurchny.org

Com estrutura de aço de 21 andares e exterior gótico, esta igreja inspirada na catedral de Chartres foi inaugurada com pompa em 1930 por John D. Rockefeller. O Laura Spelman Rockefeller Memorial Carillon é o maior do mundo, com 74 sinos, e homenageia a mãe de Rockefeller. O sino das horas,

Pátio principal da Columbia University e Low Library

de 20 toneladas, é o maior e mais pesado sino de carrilhão já fundido. O órgão, com seus 22 mil tubos, está entre os maiores do mundo.

Nos fundos da segunda galeria está uma figura de Jacob Epstein, *Cristo em Majestade*, moldada em gesso e coberta de folhas de ouro. Outra estátua de Epstein, *Madona e o Menino*, fica no pátio perto do claustro. Os painéis do anteparo do altar homenageiam oito homens e mulheres cujas vidas exemplificam os ensinamentos de Cristo. Entre eles estão Sócrates, Michelangelo, Florence Nightingale e até Booker T. Washington.

Para uma reflexão silenciosa, entre na pequena e isolada Christ Chapel, inspirada em uma igreja românica do século 11, na França. Para uma bela vista de Upper Manhattan e redondezas, tome o elevador até o 20 andar e depois suba os 140 degraus até a plataforma de observação no topo do campanário, a 120m de altura –nunca suba quando os sinos estiverem tocando.

Riverside Church, de 21 andares, vista do norte

Mural no túmulo de Grant, mostrando Grant (à direita) e Robert E. Lee

Grant's Tomb ❻

W 122nd St and Riverside Dr.
Mapa 20 D2. ***Tel*** *(212) 666-1640.*
116th St-Columbia Univ. *M5.*
9h-17h diariam. *1° jan, Ação de Graças, 25 dez.*
www.nps.gov/gegr

Este monumento grandioso é uma homenagem ao 18° presidente dos EUA, Ulysses S. Grant, comandante das forças da União na guerra civil.

O mausoléu contém os restos de Grant e de sua mulher, cumprindo assim o último desejo do general, de ser enterrado junto dela. Depois da morte de Grant, em 1885, mais de 90 mil americanos contribuíram com US$ 600 mil para a construção deste monumento, inspirado na tumba de Mausolo, em Halicarnasso, uma das sete maravilhas da Antiguidade. O túmulo foi inaugurado no 75° aniversário de Grant, em 27 de abril de 1897. O desfile de 50 mil pessoas e uma flotilha com dez navios de guerra americanos e cinco europeus durou mais de sete horas.

O interior foi inspirado no túmulo de Napoleão, em Paris. Cada sarcófago pesa 8,5 toneladas. Duas salas de exposição descrevem a vida pessoal de Grant e sua carreira militar e política. Nas fachadas norte e leste do prédio, 17 bancos de mosaico com curvas sinuosas destoam da arquitetura formal do túmulo. Foram desenhados no início da década de 1970 por um artista do Brooklyn, o chileno Pedro Silva, e construídos por 1.200 voluntários locais, sob sua supervisão. Os bancos foram inspirados na obra do arquiteto espanhol Antonio Gaudí, em Barcelona. Os mosaicos tratam de vários assuntos, dos povos inuit até os táxis de Nova York, passando pelo Pato Donald.

General Grant em campanha na guerra civil

A pouca distância do túmulo de Grant fica outro monumento, mais simples. Uma urna sem adornos sobre um pedestal marca o local em que uma criança caiu no rio e se afogou. Seu pai colocou uma placa que diz: "Erigido em memória de uma criança amável, St Clair Pollock, morta em 15 de julho de 1797, aos 5 anos".

Cathedral of St John the Divine ❹

Fachada oeste, estilo gótico

Iniciada em 1892 e até hoje em obras, esta catedral, quando estiver concluída, será a maior do mundo. O interior tem mais de 180 metros de comprimento e 45 metros de largura. O projeto inicial, em estilo românico, era de Heins e LaFarge, mas em 1911 Ralph Adams Cram assumiu a obra e criou a nave gótica e a fachada oeste. Métodos medievais de construção, como o uso de arcobotantes de pedra, estão sendo empregados na catedral, onde também há espetáculos de teatro, música e arte de vanguarda.

Coro
Cada coluna do coro tem 17m de altura e é de granito cinzento polido.

Nave
Com altura de 30m, os pilares da nave são encimados por graciosos arcos de pedra.

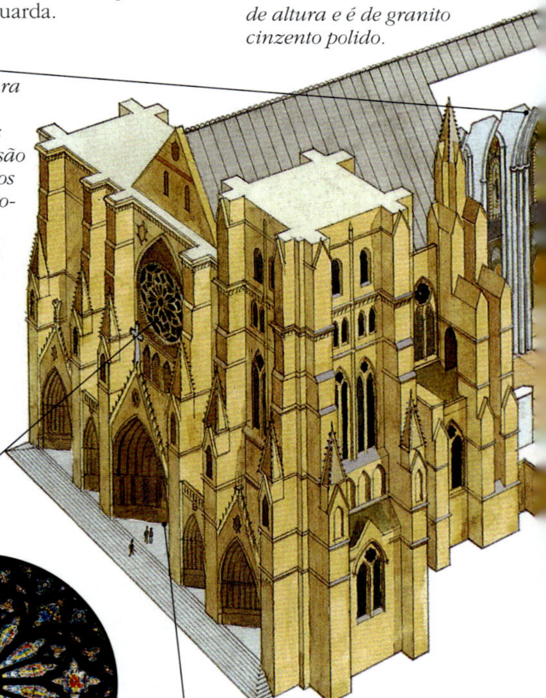

Rosácea ★
Completado em 1933, o desenho estilizado da Grande Rosácea simboliza as muitas facetas da igreja cristã.

★ Entrada da Fachada Oeste
Os portais da fachada oeste são adornados com belos relevos de pedra. Alguns são recriações de esculturas religiosas medievais, outros têm temas modernos. Esta visão apocalíptica dos arranha-céus de Nova York, obra do escultor local Joe Kincannon, parece quase uma profecia dos eventos de 11 de setembro de 2001 (pág. 54).

PONTOS ALTOS

- ★ Altares Laterais
- ★ Entrada da Fachada Oeste
- ★ Fonte da Paz
- ★ Rosácea

★ Fonte da Paz
Esta escultura é uma criação de Greg Wyatt e representa a natureza de várias formas. Fica na Great Lawn, na área sul da catedral.

PREPARE-SE

1047 Amsterdam Ave at W 112th St. **Mapa** 20 E4. ***Tel*** *(212) 316-7540.* *1, 9 para Cathedral Pkwy (110th St).* *M4, M11, M60, M104.* *7h-18h seg-sáb, 13h-19h dom.* *Vésperas 18h dom.* ***Doações.*** ***Concertos, palestras, peças, exposições de arte, jardins.*** **www**.stjohndivine.org

Batistério
O batistério gótico tem influências italianas, francesas e espanholas.

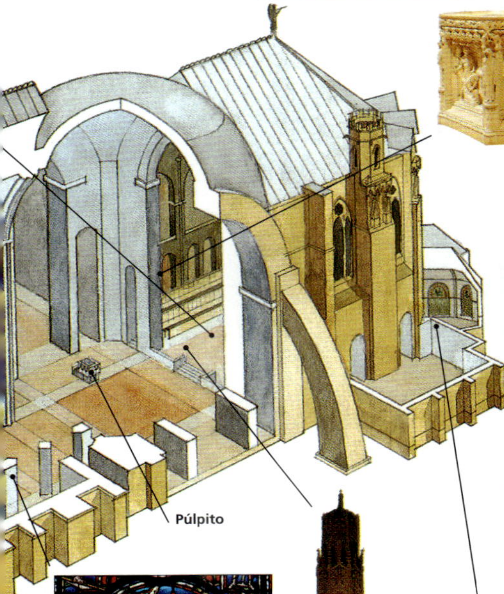

O PROJETO

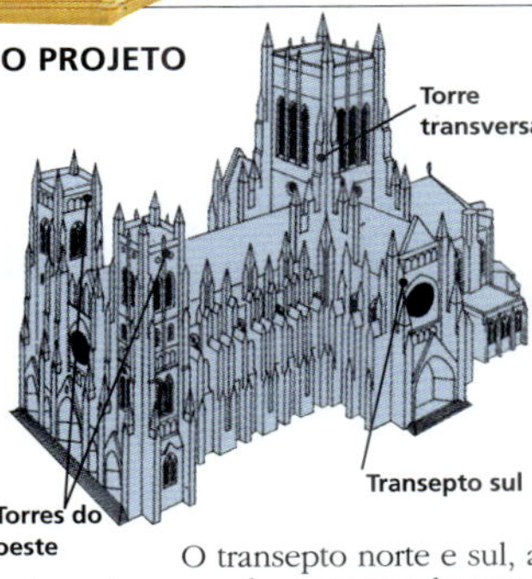

O transepto norte e sul, a torre transversal e as torres do oeste ainda precisam ser terminadas. Quando os recursos forem levantados, ainda levará mais 50 anos para a catedral ser concluída.

★ Altares Laterais
Os vitrais nos altares laterais são dedicados ao esforço humano. O dos esportes elogia a habilidade e a força.

Bishop's Chair
Este trono episcopal é igual ao da capela de Henrique VII, em Westminster.

St Ambrose Chapel
Esta capela, que tem nome de um bispo italiano do século 4, é decorada com objetos de ferro em estilo renascentista.

CRONOLOGIA

- **1823** Projeto para Washington Square
- **1873** Alvará aprovado
- **1888** Concorrência para o projeto da catedral vencida por Heins & LaFarge
- **1891** Local escolhido é chamado de Cathedral Parkway
- **1892** 27 de dezembro (S. João), pedra fundamental
- **1909** Púlpito projetado por Henry Vaughan
- **1911** Projeto de Cram substitui os anteriores
- **1916** Começa a obra da nave
- **1941** Obra interrompida pela Segunda Guerra Mundial, só retomada em 1978
- **1978–89** Terceira fase da construção; inauguração do Stonemasons' Yard e levantamento da torre sul
- **2001** Incêndio destrói o interior e o teto do transepto norte

1800 | 1850 | 1900 | 1950 | 2000

City College of the City University of New York ❼

Entrada principal pela W. 138th St. and Convent Ave. **Mapa** 19 A2. ***Tel*** *(212) 650-7000.* M *137th St-City College.* **www**.ccny.cuny.edu

Instalado em uma colina vizinha a Hamilton Heights, o pátio quadrangular gótico original desta universidade, um dos campi da City University, construído entre 1903 e 1907, é impressionante. O material usado foi o xisto de Manhattan, produto das escavações para a abertura do metrô. Nos prédios contemporâneos em volta do pátio reúnem-se atualmente quase 15 mil alunos.

O City College não é mais gratuito, mas oferece mensalidades baixas. Três quartos dos estudantes vêm de grupos minoritários e muitos deles são o primeiro membro da família a frequentar faculdade.

Shepard Archway, no City College of the City University of New York

Hamilton Grange National Memorial ❽

287 Convent Ave. **Mapa** 19 A1. ***Tel*** *(212) 283-5154.* M *137th St-City College.* *9h-17h sex-dom.* *feriados.* *de hora em hora.* **www**.nps.gov/hagr

Espremido entre uma igreja e um prédio de apartamentos fica um dos edifícios de maior valor histórico da cidade. Nesta casa de madeira com colunas, de 1802, morava Alexander Hamilton, um dos arquitetos do sistema de governo federalista, primeiro-secretário do Te-

Estátua de Alexander Hamilton em Hamilton Grange

souro e fundador do National Bank. É dele o rosto que aparece nas notas de US$ 10. Hamilton passou seus dois últimos anos de vida no Grange. Ele morreu em duelo com seu rival político, Aaron Burr, em 1804.

A casa foi adquirida pela St Luke's Episcopal Church em 1889 e removida para este local "temporário", onde está aberta, mas à espera de reforma e instalações definitivas.

Hamilton Heights Historic District ❾

W 141st–W 145th St. e Convent Ave. **Mapa** 19 A1. M *137th St-City College.*

Neste local ficavam as propriedades rurais das famílias ricas de Nova York. Também conhecida como Harlem Heights, a área foi urbanizada a partir de 1880, seguindo a instalação da ferrovia elevada *(pág. 26)*. O isolamento da área, no alto de uma colina no Harlem, tornou-a atraente.

A parte conhecida como Sugar Hill era a preferida da elite do Harlem –os músicos Count Basie, Duke Ellington e Cab Calloway, o lutador de boxe Sugar Ray Robinson, cinco vezes campeão mundial dos pesos médios, e Thurgood Marshall, o juiz da Suprema Corte, moraram aqui.

As belas casas geminadas de pedra, de três e quatro andares, foram construídas entre 1886 e 1906 em vários estilos que misturam influências românicas, flamengas e Tudor. Ainda em ótimas condições, muitas são ocupadas por professores do City College, aqui perto.

Casas em Hamilton Heights

St. Nicholas Historic District ❿

202–250 W 138th & W 139th St. **Mapa** 19 B2. M *135th St (B, C).*

Em forte contraste com as redondezas, estes dois quarteirões de construções, conhecidos como King Model Houses, foram erguidos em 1891, quando o Harlem era considerado vizinho de Nova York. Eles ainda representam um dos melhores exemplos de casas geminadas da cidade.

O incorporador, David King, escolheu três escritórios de arquitetura de ponta, que tiveram sucesso em misturar seus diferentes estilos para

Casas no St Nicholas District

Adam Clayton Powell Jr. atuou na campanha pelos direitos civis

criar um todo harmonioso. O mais famoso deles era o McKim, Mead & White, responsável pela Pierpont Morgan Library *(págs. 164-5)* e pelas Villard Houses *(pág. 1746)*, ao qual coube a fileira mais ao norte de palacetes renascentistas de tijolo. Essas casas têm entrada no piso térreo, o que não ocorre na maioria das casa nova-iorquinas típicas. Há terraços com grades de ferro trabalhado e também medalhões decorativos em relevo sobre as janelas.

Os edifícios georgianos desenhados por Price and Luce foram construídos de tijolo e pedra branca. O conjunto de edifícios de James Brown Lord, também georgianos no estilo arquitetônico, parece mais próximo do vitoriano, com belas fachadas de tijolo vermelho.

Negros bem-sucedidos, como os músicos Eublie Blake e W. C. Handy, se instalaram nessas casas nas décadas de 1920 e 30, motivo pelo qual a região recebeu o apelido de Striver's Row (rua dos esforçados).

Abyssinian Baptist Church ⓫

132 W. 138th St. **Mapa** 19 C2. ***Tel*** *(212) 862-7474.* M *135th St (B, C, 2, 3).* *9h, 11h dom. Para grupos de 10 ou mais pessoas é necessário reservar antes.*
www.abyssinian.org

A mais antiga igreja de negros de Nova York, fundada em 1808, ficou famosa por seu carismático pastor, Adam Clayton Powell Jr. (1908-72), que se tornou deputado e líder dos direitos civis. Sob sua liderança, tornou-se a mais rica e poderosa igreja negra dos EUA. A igreja, um prédio gótico de 1923, dá boas-vindas aos visitantes apropriadamente vestidos para os cultos de domingo e para ouvir o soberbo coro gospel.

Schomburg Center for Research into Black Culture ⓬

515 Malcolm X Blvd. **Mapa** 19 C2. M *135th St. (2, 3).* ***Tel*** *(212) 491-2200.* *horários variam.* *seg, dom, feriados.* *(212) 491-2207.*
www.schomburgcenter.org

Alojado em um conjuntode prédios contemporâneos inaugurado em 1991, este é o maior centro de pesquisas da cultura negra e africana dos EUA. O enorme acervo foi reunido pelo negro de ascendência porto-riquenha Arthur Schomburg (já morto), após ouvir de um professor que nunca existiu uma "história negra". A Carnegie Corporation comprou o acervo em 1926 e o doou à New York Public Library –Schomburg foi nomeado curador em 1932. A biblioteca tornou-se ponto de encontro informal para o renascimento da literatura negra na década de 20, do qual participaram Langston Hughes, W.E.B. Du Bois, Zora Neale Hurston e muitos outros grandes escritores da época. Também realizava reuniões literárias e sessões de leitura de poesia.

Kurt Weill, Elmer Rice e Langston Hughes no Schomburg Center

As excelentes instalações da Schomburg Library permitem a boa conservação e fácil acesso aos tesouros do arquivo, como livros raros, fotos, vídeos, objetos de arte e gravações. Também funciona como centro cultural e possui um teatro e duas galerias que apresentam exposições variadas de arte e fotografia.

Harlem YMCA ⓭

180 W 135th St. **Mapa** 19 C3. ***Tel*** *(212) 281-4100.* M *135th St (2, 3).*

O sociólogo W.E.B. Du Bois

Paul Robeson e muitos outros estrearam no palco desta filial da Associação Cristã de Moços (YMCA, em inglês), na década de 1920. O grupo teatral Krigqa Players foi criado em 1928 por W. E. B. Du Bois para combater a imagem depreciativa dos negros nos espetáculos da Brodway. O "Y" também hospedou recém-chegados ao Harlem que depois ficaram famosos, como o escritor Ralph Ellison.

Cantores de gospel apresentam-se no Sylvia's no brunch de domingo

Sylvia's ⓮

328 Lenox Ave. **Mapa** 21 B1. ***Tel*** *(212) 996-0660.* *125th St (2, 3).* **www**.sylviassoulfood.com

O mais famoso restaurante de pratos tradicionais dos negros americanos no Harlem serve frango ensopado e frito, costeletas apimentadas, feijão-fradinho, couve fresca, inhame caramelado, torta de batata-

doce e outras delícias sulistas *(pág. 310)*. O *brunch* (café-almoço) de domingo é servido com o acompanhamento de cantores de gospel.

Reserve algum tempo para explorar o mercado na esquina da 125th Street com a Lenox Avenue (em frente ao Sylvia's). As barracas vendem roupas, jóias e objetos de arte africanos.

Apollo Theater ⓯

253 W 125th St. **Mapa** 21 A1. ***Tel*** *(212) 531-5304/5 (eventos); (212) 531-5337 (tours).* *125th St.* *para espetáculos.* *apenas grupos.* *Ver* ***Divirta-se*** *pág. 353.* **www**.apollotheater.com

O Apollo foi aberto em 1913 como teatro de ópera só para brancos. Ficou famoso quando Frank Schiffman, um empresário branco, assumiu a direção, em 1934. Ele abriu o teatro a todas as pessoas e o transformou na mais conhecida vitrine do Harlem, com apresentações de grandes artistas negros, como Dinah Washington, Bessie Smith, Billie Holiday e Duke Ellington.

Apollo Theater

As noites de quarta-feira, reservadas aos amadores, tiveram início em 1935; havia uma longa lista de inscritos e a platéia determinava o vencedor. Dessas noites partiram para o sucesso Sarah Vaughan, Pearl Bailey, James Brown e Gladys Knight, entre outros. Os shows de calouros ainda existem.

O Apollo era o teatro mais frequentado pelas bandas de swing e depois da Segunda Guerra uma nova geração de músicos, como Charlie "Bird" Parker, Dizzy Gillespie e Thelonious Monk, manteve viva a sua tradição musical. Resgatado da decadência e redecorado na década de 1980, o Apollo ainda apresenta grandes artistas negros e as noites dos amadores.

Studio Museum in Harlem ⓰

144 W 125th St. **Mapa** 21 B2. ***Tel*** *(212) 864-4500.* *125th St (2, 3).* *12h-18h qua-sex e dom, 10h-18h sáb.* *feriados.* *Doações.* ***PAlestras, programação infantil, filmes.*** **www**.StudioMuseum.org

Este museu foi fundado em 1967 em um sótão no trecho norte da 5th Avenue com o objetivo de se tornar o principal centro de reunião e exposição de arte e artefatos afro-americanos.

A instalação atual, um prédio de cinco andares localizado na principal rua comercial do Harlem, foi doado ao museu pelo New York Bank for Savings, em 1979. O novo museu foi inaugurado em 1982. Em dois andares, há galerias para exposições temporárias sobre artistas e temas culturais. Outras três galerias são dedicadas à exibição permanente de obras dos principais artistas negros.

Galeria do Studio Museum in Harlem

Os arquivos fotográficos contêm os mais completos registros existentes sobre o Harlem. Uma porta lateral dá para um jardim de esculturas.

Além de exposições excelentes, o Studio Museum também organiza um programa nacional de artistas-residentes, além de palestras, seminários, programas para crianças e festivais de filmes. Uma ótima lojinha vende livros e artesanato da África.

Mount Morris Historical District 17

W 119th–W 124th Sts. **Mapa** 21 B2. M *125th St (2, 3).*

Dá para perceber logo que as casas em estilo vitoriano do fim do século 19 situadas perto do Marcus Garvey Park já foram grandiosas. Esta era a região preferida dos judeus alemães que progrediam na vida e deixavam a pobreza do Lower East Side. Mas o tempo não poupou esta área, que mostra sinais de decadência.

Permanecem aqui umas poucas igrejas interessantes, como a St. Martin's Episcopal Church. Há também algumas interligações de credos: a Mount Olivet Baptist Church, nº 201 da Lenox Avenue, já foi o Temple Israel, uma das sinagogas mais imponentes da cidade; e na Ethiopian Hebrew Congregation, antiga mansão no nº 1 da West 123rd Street, um coro de gospel canta em hebraico aos sábados.

St Martin's Episcopal Church, na Lenox Avenue

Marcus Garvey Park 18

120th–124th Sts. **Mapa** 21 B2. M *125th St (2, 3).*

O pomposo líder nacionalista negro Marcus Garvey

Neste parque que se estende por dois quarteirões de área verde fica a última torre de vigia de incêndios de Nova York, estrutura aberta de ferro fundido construída em 1856, com escada em espiral para a plataforma de observação. O sino embaixo da plataforma soava o alarme. Mas é melhor apreciá-la a distância, caso você fique em dúvida quanto à sua segurança. Antigo Mount Morris Park, o parque agora homenageia Marcus Garvey. Garvey chegou da Jamaica em 1916 e fundou a Universal Negro Improvement Association, que promoveu a auto-ajuda e o orgulho racial, criando um movimento de retorno à África.

Museo del Barrio 19

1230 5th Ave. **Mapa** 21 C5. ***Tel*** *(212) 831-7272.* M *103rd St, 110th St.* *11h-17h qua-dom (20h qui).* *1° jan, Ação de Graças, 25 dez.* www.elmuseo.org

Fundado em 1969, este é o único museu da América do Norte dedicado à arte latino-americana, especializado na cultura de Porto Rico. As exposições destacam pinturas e esculturas contemporâneas, arte folclórica e artefatos históricos. As estrelas do acervo permanente são os cerca de 240 santos entalhados em madeira. As exposições mudam com frequência, mas há frequentemente alguns dos santos em exibição. A coleção pré-colombiana contém artefatos raros do Caribe. Situado no limite da "Museum Mile", o trecho cheio de conhecidos museus no Upper East Side, esta casa busca diminuir a distância entre a Nova York dos ricos e famosos e a herança cultural de El Barrio (antigo Spanish Harlem).

Arte folclórica do Museo del Barrio: um dos Três Reis Magos (esq.) e a Mão Onipotente

FORA DO CENTRO

Embora oficialmente façam parte da cidade, os outros bairros de Nova York são muito diferentes de Manhattan, tanto na aparência quanto no espírito. São áreas residenciais de onde estão ausentes os arranha-céus que caracterizam Nova York. A diferença é tanta que, quando têm de ir a Manhattan, os moradores dizem que vão "à cidade". Mas têm muitas atrações, como o maior zoológico da cidade, museus, praias e estádios. Veja nas páginas 266-7 um roteiro de passeio pelo Brooklyn.

PRINCIPAIS ATRAÇÕES

Ruas e Edifícios Históricos

Alice Austen House 27
George Washington Bridge 3
Grand Army Plaza 18
Historic Richmond Town 24
Morris-Jumel Mansion 2
Park Slope Historic District 19
Wave Hill 5
Yankee Stadium 10

Museus e Galerias

Audubon Terrace 1
Brooklyn Children's Museum 16
Brooklyn Museum págs. 250-53 21
Jacques Marchais Center of ibetan Art 25
Museum of the Moving Image and Kaufman Astoria Studio 14
New York Hall of Science 13
PSI Museum of Moderna Art (MoMA), Queens 15
Snug Harbor Cultural Center 26
The Cloisters págs 236-9 4
Van Cortlandt House Museum 6

Parques e Jardins

Bronx Zoo págs. 244-5 9
Brooklyn Botanic Garden 22
Flushing Meadow-Corona Park 12
New York Botanical Garden págs. 242-3 8
Prospect Park 20

Teatros

Brooklyn Academy of Music 17

Cemitérios

Woodlawn Cemetery 7

Praias

City Island 11
Coney Island 23
Jamaica Bay Wildlife Refuge Center 28
Jones Beach State Park 29

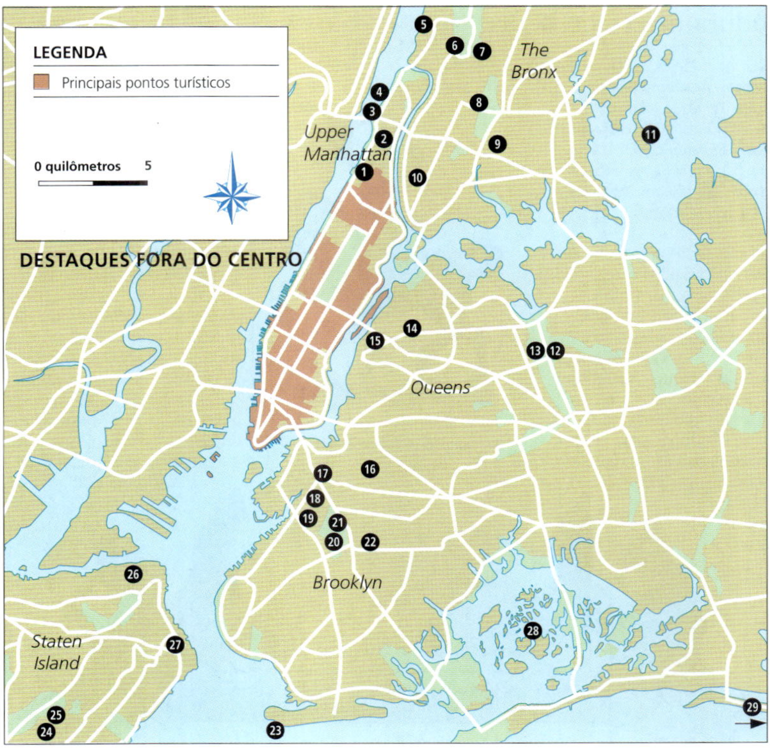

◁ Jamaica Bay

Upper Manhattan

Foi em Upper Manhattan (o extremo norte da ilha) que os colonizadores holandeses do século 18 estabeleceram suas fazendas. Hoje uma área suburbana muito diferente do alvoroço que predomina no centro de Manhattan, é um bom lugar para escapar do movimento e desfrutar um passeio tranquilo pelos vários museus e pontos turísticos. O Cloisters *(págs. 236-9)* possui um magnífico acervo de arte medieval exposto em prédios europeus originais daquele período, comprados e depois reconstituídos. Uma parte da história de Nova York pode ser visitada na Morris-Jumel Mansion, na parte norte do Harlem. Foi nesta casa, um de seus quartéis-generais, que George Washington preparou a defesa de Manhattan, na guerra de 1776.

Fachada da American Academy of Arts and Letters

Audubon Terrace ❶

Broadway at 155th St. *157th St.* **American Academy of Arts and Letters**; ***Tel*** *(212) 368-5900.* *13h-16h qui-dom.* **Hispanic Society of America**; *(212) 926-2234.* *10h-16h30 ter-sáb, 13h-16h dom.* *feriados.* ***Doações.*** www.hispanicsociety.org

O nome deste complexo de edifícios clássicos renascentistas projetado por Charles Pratt Huntington em 1908 homenageia o naturalista John James Audubon, antigo dono do terreno. Audubon está enterrado no Trinity Cemetery, nas proximidades. Sua lápide, uma cruz céltica, tem gravadas as imagens de sua bem-sucedida carreira: os pássaros que pintou, sua palheta e pincéis, suas espingardas.

O complexo foi financiado pelo primo do arquiteto, Archer Milton Huntington. Seu sonho era que fosse um centro cultural e de estudos. A praça central contém estátuas esculpidas por sua mulher, Anna Hyatt Huntington.

O Audubon Terrace contém dois museus especializados que merecem uma visita.

A American Academy of Arts and Letters foi criada para homenagear escritores, artistas e compositores americanos, e mais 75 membros honorários do exterior. Dela fizeram parte os escritores John Steinbeck e Mark Twain, os pintores Andrew Wyeth e Edward Hopper e o músico Aaron Copland. A biblioteca (para estudantes, com hora marcada) tem obras raras.

Porta de bronze da Academia

O museu e biblioteca da Hispanic Society of America baseia-se na coleção pessoal de Archer M. Huntington. A galeria principal, em estilo renascentista espanhol, contém obras de Goya, El Greco e Velázquez. Há exposições mensais de março a maio e, em um domingo no fim de outubro, o prédio fica aberto ao público.

Próximo daqui fica uma interessante igreja, Church of Our Lady of Esperanza, que fica em uma colina, no 624 W 156th Street, parte do Audubon Park. Sua construção foi instigada pela Señora de Barril, esposa do cônsul-geral da Espanha em Nova York, para as pessoas de origem latina de Nova York. Custeada pelo magnata Archer Milton Huntington, a igreja foi finalizada em 1912 e ampliada na década de 1920.

Estátua de El Cid, de Anna Hyatt Huntington, no Audubon Terrace

Morris-Jumel Mansion ❷

Corner W 160th St and Edgecombe Ave. **Tel** *(212) 923-8008.* *163rd St.* *10h-16h qua-dom.* *feriados.* *marcar hora.* **www**. morrisjumel.org

Este é um dos poucos prédios de Nova York anteriores à Guerra da Independência. Sede de um museu com nove salas de época restauradas, foi erguido em 1765 para o tenente-coronel Roger Morris. George Washington usou a casa como quartel-general provisório na defesa de Manhattan, em 1776.

A casa foi comprada e reformada em 1810 por Stephen Jumel, comerciante franco-caribenho, e sua mulher, Eliza, e mobiliada com peças trazidas de suas muitas viagens à França. No quarto de Eliza está a cadeira delfim, supostamente vendida por Napoleão. A ascensão social e os casos amorosos de Eliza escandalizaram a sociedade. Diz um boato que em 1832 ela deixou o marido sangrar até morrer para herdar sua fortuna. Depois casou com Aaron Burr, que tinha 77 anos, e divorciou-se três anos depois, no dia em que ele morreu.

O exterior da casa da Geórgia, no estilo de Palladio, com madeiras dos lados, pórtico clássico e ala octogonal, foi restaurado. O acervo do museu inclui várias peças originais de Jumel.

O vão de 1.065m da George Washington Bridge

George Washington Bridge ❸

175th St. **www**.panynj.gov

O arquiteto francês Le Corbusier a chamou de "o único local gracioso nesta desordenada cidade". Embora não seja famosa como a do Brooklyn, esta ponte, obra do engenheiro Othmar Ammann e do arquiteto Cass Gilbert, tem características e história peculiares. Os planos de erguer uma ponte ligando Manhattan a Nova Jersey ficaram no papel por mais de 60 anos, até que o governo municipal conseguiu os US$ 59 milhões necessários para o projeto. Ammann sugeriu que a ponte fosse rodoviária, em vez de ferroviária, o que barateou muito o projeto. As obras começaram em 1927 e a ponte só foi inaugurada em 1931. Os primeiros a atravessá-la foram dois patinadores do Bronx. Hoje a George Washington Bridge é uma ligação vital para o tráfego diário e constante das pessoas que trabalham em Manhattan. No projeto inicial as duas torres seriam revestidas de alvenaria, mas faltou dinheiro, e ficou à mostra o esqueleto de uma estrutura de 183m de altura e 1.065m de comprimento. Ammann também previu a construção de uma segunda pista, abaixo da primeira, e ela foi adicionada à ponte em 1962, aumentando muito sua capacidade. Passam por ela 53 milhões de carros por ano.

Farol sob a Washington Bridge

Abaixo da torre leste fica um farol salvo de demolição em 1951 por pressão pública. Milhares de nova-iorquinos jovens e crianças do mundo todo, fãs de O *Pequeno Farol Vermelho e a Grande Ponte Cinza*, escreveram pedindo para salvar o farol. A autora, Hildegarde Hoyt Swift, construiu as histórias em torno de seus dois marcos favoritos de Nova York. A ponte também abriga a maior bandeira americana desfraldada do mundo, hasteada nos feriados.

Morris-Jumel Mansion, construída em 1765, com seu pórtico original

The Cloisters ❹

Págs. 236–9.

The Cloisters ❹

O Cloisters visto do Fort Tryon Park

Este museu de arte medieval famoso em todo o mundo fica em um prédio construído em 1934-8, com restos de claustros, capelas e salões medievais. O escultor George Barnard fundou o museu em 1914, John D. Rockefeller Jr. financiou a compra da coleção pelo Metropolitan Museum of Art em 1925 e depois doou as instalações atuais, no Fort Tryon Park, e também o terreno em Nova Jersey, ao lado do rio Hudson, bem em frente ao museu.

Efígie do Túmulo de Jean d'Alluye *Este túmulo imortaliza o cruzado do século 13.*

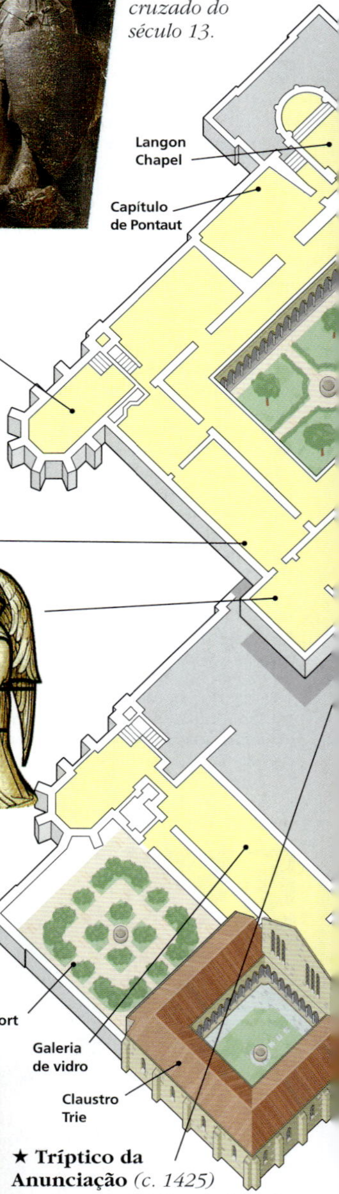

★ Tapeçarias do Unicórnio. *Este conjunto de tapeçarias tecidas em Bruxelas por volta de 1500, muito bem preservado, mostra a caça e captura do mítico unicórnio.*

Vitrais de Boppard (1440/7) *Abaixo da figura de Santa Catarina, anjos mostram o brasão dos toneleiros, dos quais a santa era padroeira.*

PONTOS ALTOS

- ★ Belles Heures de Jean, duque de Berry
- ★ Tapeçarias do Unicórnio
- ★ Tríptico da Anunciação, de Robert Campin

★ Tríptico da Anunciação *(c. 1425) Este pequeno tríptico de Robert Campin de Tournai, um magnífico exemplar da pintura flamenga primitiva, fica na Sala Campin.*

Claustro de Saint-Guilhem
A intricada decoração floral doscapitéis é o destaque deste claustro.

PREPARE-SE

Fort Tryon Park. ***Tel** (212) 923-3700.* *A para 190th St (saída elevador).* *M4.* *mar-out: 9h30-17h15 ter-dom; nov-fev 9h30-16h45 ter-dom.* *1° jan, Ação de Graças, 25 dez.* ***Doações**.* *Proibido vídeo.* *reservas antecipadas.* *mai-out: 10h-16h30 ter-dom.* ***Concertos**.* **www**.metmuseum.org

Afresco da Virgem e Menino
Este afresco do século 12 veio da igreja catalã de San Juan de Tredós.

LEGENDA

- Espaço de exposições
- Nenhuma exposição

Claustro Cuxa
Este claustro do século 12 reconstruído exibe detalhes e motivos arquitetônicos românicos.

Virgem Entronizada e o Menino
Esta escultura entalhada em marfim foi feita na Inglaterra durante o século 13.

MAPA DA GALERIA

O museu está organizado em ordem semicronológica. Começa com o período românico (1000) e segue até o período gótico (1150 a 1520). As esculturas, vitrais, pinturas e jardins ficam no andar inferior. As Tapeçarias do Unicórnio, no superior.

★ Belles Heures
Este livro de orações, encomendado por Jean, Duc de Berry, está numa instalação rotativa de livros e fólios exoticamente iluminados.

Como Explorar o Cloisters

Famoso principalmente pelas obras de arquitetura e escultura românicas e góticas, o acervo do Cloisters também inclui manuscritos com iluminuras, vitrais, pinturas e obras de metal, esmalte e marfim. Entre as tapeçarias está a célebre série Unicórnio. O esplêndido conjunto medieval do Cloisters não tem paralelo na América do Norte.

Rosário de madeira flamengo do século 16, parte do Tesouro

ARTE ROMÂNICA

Crucifixo espanhol em tamanho natural do século 12

Animais fantásticos e figuras humanas, flores de acanto e arabescos ornamentam as colunas por todo o museu. A maioria segue o estilo românico, que floresceu nos séculos 11 e 12. O museu possui numerosos exemplares da arquitetura e arte românicas, com os arcos imponentes e arredondados e os detalhes intrincados típicos do estilo. Capitéis enfeitados e o calor do mármore rosa caracterizam o Claustro Cuxa, do século 12, que veio dos Pirineus, na França. Um grifo, um dragão, um centauro e um basilisco são algumas criaturas que desfilam no Arco Narbonne.

Em estilo mais solene, o recinto do altar-mor que veio da igreja de San Martín, em Fuentidueña, Espanha, é uma abóbada arredondada de 3 mil blocos de calcário. É decorado com um afresco da Virgem e o Menino que data do século 12, e um Cristo coroado de ouro mostrando o triunfo sobre a morte.

Há mais de 800 anos monges beneditinos e cistercienses sentavam-se nos frios bancos de pedra do Capítulo de Pontaut. Por volta do século 19, o local estava abandonado e servia de estábulo. Sua abóbada de estrias é uma antecipação do estilo gótico, que surgiria mais tarde.

ARTE GÓTICA

À solidez da arte românica seguiu-se o estilo gótico (de 1150 até 1520), mais aberto, com arcos aguçados, janelas com vitrais brilhantes e esculturas tridimensionais. As representações góticas da Virgem e o Menino mostram grande habilidade artesanal.

As janelas brilhantemente coloridas da Capela Gótica mostram cenas e figuras das histórias bíblicas. Entre as esculturas em tamanho natural nos túmulos está a efígie de Jean d'Alluye, cavaleiro das cruzadas. No fim do século 18,

Teto abobadado do Capítulo de Pontaut

o local original deste túmulo, a abadia de La Clarté-Dieu, na França, foi atacado por revolucionários, que fizeram da estátua a ponte de um riacho.

Na Sala Boppard, as vidas dos santos são contadas em maravilhosos vitrais alemães do fim do período gótico.

O *Altar da Anunciação*, de Robert Campin, obra no estilo flamengo, é o destaque da Sala Campin, decorada com móveis que se supõem terem sido de uma rica família do século 15.

JARDINS MEDIEVAIS

Há mais de 300 variedades de plantas cultivadas na Idade Média nos jardins do Cloisters. O Claustro Bonnefont tem um herbário com plantas aromáticas, medicinais e culinárias. O Claustro Trie tem exemplares das plantas mostradas nas *Tapeçarias do Unicórnio* e uma descrição sobre o uso das flores no simbolismo medieval: rosa (Virgem Maria), amor-perfeito (Santíssima Trindade) e margarida (olhos de Cristo).

Claustro Bonnefont

TAPEÇARIA

As tapeçarias do Cloisters, cheias de ricas imagens e simbolismos, estão entre os mais apreciados tesouros do museu. As quatro tapeçarias dos *Nove Heróis* ostentam o brasão de Jean, duque de Berry, irmão do rei da França e patrono das artes na Idade Média. Elas compõem um dos dois únicos conjuntos do fim do século 14 que ainda existem –o outro pertencia a Louis, duque d'Anjou, irmão de Jean.

Nove grandes heróis do passado –três pagãos, três hebreus, três cristãos– são mostrados entre membros da corte medieval, como cardeais, cavaleiros, damas e músicos.

Em outra sala fica a magnífica *Caçada do Unicórnio*, série de sete tapeçarias tecidas por volta de 1500 em Bruxelas com a descrição da caçada simbólica e captura, por uma virgem, do mítico unicórnio.

Embora tenham sido usadas até para proteger árvores frutíferas de geadas no século 19, estas tapeçarias estão surpreendentemente bem conservadas. Também impressionam pelos detalhes, com literalmente centenas de plantas e animais retratados em minúcias. A história descrita nas tapeçarias pode ser interpretada como uma fábula de amor palaciano ou uma alegoria da Crucificação e Ressurreição de Cristo.

Músicos da corte entretêm Júlio César, na tapeçaria dos Nove Heróis

TESOURO

Na época medieval, os objetos preciosos eram, por segurança, guardados em santuários. Nos Cloisters, encontram-se no Tesouro.

O acervo inclui vários livros de rezas com iluminuras góticas, que eram usados nas preces particulares da nobreza. São exemplos o *Belles Heures* dos irmãos Limbourg, feito para Jean, duque de Berry, em 1410, e a versão reduzida, do tamanho da mão, feita por volta de 1325 por Jean Pucelle, mestre do estilo gótico, para a rainha da França.

Outros objetos religiosos vão de uma Virgem de marfim inglês do século 13 ao altar esmaltado com ouro e prata do século 14 que se acredita ter pertencido à rainha Elizabeth da Hungria, além de incensórios, cálices e crucifixos.

Entre as curiosidades estão o Cálice do Macaco, uma grande taça esmaltada, provavelmente feita no século 15 para a corte de Borgonha, que mostra macacos travessos roubando um mercador adormecido. Há ainda um rosário entalhado, do tamanho de uma noz, um saleiro do século 13 em forma de barco e um baralho completo do século 15.

Imagens e símbolos de caçada retratados em um baralho do século 15

O salão oeste do Van Cortlandt House Museum

Bronx

O Bronx já foi um subúrbio próspero e sua avenida principal, a Grand Concourse, era antigamente margeada por luxuosos prédios de apartamentos. Hoje em dia, tornou-se um triste símbolo da decadência urbana. Ainda assim, vale a pena visitá-lo, para conhecer as suas comunidades étnicas e áreas ainda muito charmosas, como Riverdale, no extremo norte. Duas grandes atrações da região são o jardim zoológico e o jardim botânico de Nova York. Também há um novo campo de golfe em Ferry Point Park, e o Fulton Fish Market foi transferido para cá. O Yankee Stadium, com mais de 50 anos, ainda atrai muitos amantes do beisebol *(pág. 360)*.

Wave Hill ❺

W 249th St. and Independence Ave, Riverdale. ***Tel*** *(718) 549-3200.* Ⓜ *231st St. then bus Bx7, 10.* ◯ *9h-17h30 ter-dom (21h qua jun-jul, 16h30 meados out-meados abr).* 🎟 *grátis ter, 9h-12h sáb, dez-fev.* 🚶 *14h15 dom.* 🛍 **www**.wavehill.org

Quando o concreto da cidade começar a pesar, visite esta propriedade, um oásis de 11ha de calma e beleza, com uma bela vista de Nova Jersey do outro lado do rio Hudson. Construída pelo conservacionista e financista George W. Perkins, Wave Hill já teve vários moradores ilustres, como Theodore Roosevelt, Mark Twain e Arturo Toscanini. Perkins também era dono das casas vizinhas e construiu no local um centro de recreação subterrâneo completo, inclusive com cancha de boliche, e um túnel que saía dentro do prédio principal.

A casa e o terreno podem ser visitados. Concertos são realizados com frequência, principalmente no grande Salão de Armas, projetado em 1928 para Bashford Dean, que na época era curador do acervo de armas e armaduras do Metropolitan Museum of Art.

Os jardins originais foram projetados pelo paisagista vienense Albert Millard. Há também estufas, gramados, hortas e bosques. Há muitas e variadas exposições, que vão da escultura à horticultura.

O Riverdale Park, ao lado, tem bosques atraentes e belas trilhas às margens do rio.

Interior do grande Salão de Armas de Wave Hill

Van Cortlandt House Museum ❻

Van Cortlandt Park. ***Tel*** *(718) 543-3344.* Ⓜ *242nd St, Van Cortlandt Park.* ◯ *10h-15h ter-sex, 11h-16h sáb, dom (últ adm: 30 min antes fechar).* ⬤ *feriados, 26 nov.* 🎟 *grátis qua.* 📷 🚶 🛍 *ver* ***A História de Nova York*** *págs. 20-21.* **www**.vancortlandthouse.org

Fachada da Van Cortlandt House

Esta propriedade rural de estilo georgiano-colonial de 1748, restaurada, feita em pedra bruta, é o mais velho edifício do Bronx e foi residência da família de Frederick van Cortlandt, um rico nova-iorquino que tinha relações com muitas famílias influentes da época.

A sala de jantar foi usada como um dos quartéis-generais de George Washington e o terreno atrás da casa foi cenário de escaramuças durante a Guerra Revolucionária.

A mobília é da época e há uma bela coleção de louça de Delft e um dormitório holandês do século 17 completo.

No exterior, procure os rostos esculpidos nas pedras angulares acima das janelas.

Woodlawn Cemetery 7

Webster Ave and E. 233rd St.
Tel *(718) 920-0500.* Ⓜ *Woodlawn.*
8h30-17h diariam.
feriados.
www.thewoodlawncemetery.org

Outra forma de conhecer a história social de Nova York é visitando o Woodlawn Cemetery, onde muitos nova-iorquinos ricos e ilustres estão enterrados. As lápides e os memoriais se destacam no belo cenário. Junto com vários outros familiares seus, F.W. Woolworth foi sepultado lá, em um mausoléu quase tão elaborado quanto o prédio que leva seu nome. A câmara mortuária de Herman Armour, o magnata da carne, lembra um pernil.

Entrada do mausoléu dos Woolworth

Outros notáveis enterrados neste cemitério são o prefeito Fiorello LaGuardia, Roland Macy, fundador da loja de departamentos, o escritor Herman Melville e a lenda do jazz Duke Ellington.

New York Botanical Garden 8

Págs 242–3.

Bronx Zoo/Wildlife Conservation Park 9

Págs 244–5.

Yankee Stadium 10

E 161st St at River Ave, Highbridge.
Tel *(718) 293-6000.* Ⓜ *161st St.*
12h diariam (exceto em tardes de jogo); reservar antes.
*Ver **Divirta-se** pág 360.*
www.yankees.com

Esta é a sede do time de beisebol New York Yankees. Entre os seus heróis estão dois dos maiores astros do beisebol de todos os tempos: Babe Ruth e Joe DiMaggio (famoso também por ter casado com a atriz Marilyn Monroe em 1954). Em 1921, o canhoto Babe Ruth, com o característico uniforme de listras finas dos Yankees, fez o primeiro *home run* desse estádio –contra o Boston Red Sox, sua antiga equipe. O estádio foi concluído dois anos mais tarde por Jacob Ruppert, o dono dos Yankees, e ficou conhecido como "a casa que Ruth construiu".

Joe DiMaggio joga no Yankee Stadium, em 1941

O Stadium foi ampliado na década de 1970 e agora abriga 54 mil pessoas, para esportes, shows e outros eventos. Uma das maiores concentrações anuais é a das Testemunhas de Jeová: em 1950, 123.707 pessoas compareceram num único dia. Em 1965 o papa Paulo VI celebrou missa para mais de 80 mil pessoas. Foi a primeira visita de um papa à América do Norte –a segunda foi a de João Paulo II em 1979, também no Stadium.

Os Yankees continuam sendo uma das principais equipes da American League. Assistir a um jogo de beisebol é uma grande experiência em Nova York. Existem cinco lojas de produtos Yankee Clubhouse na cidade, onde podem ser adquiridos ingressos para o campeonato todo ou para jogos isolados.

City Island 11

Ⓜ *6 para Pelham Bay Park, depois Bx29 para City Island.* **Museu** 190 Fordham St. *13h-17h dom.*
Tel *(718) 885 0008*
www.cityislandmuseum.org

Situado além da praia mais a nordeste do Bronx e cercado por Long Island Sound, City Island é um pequeno posto náutico com ares de Nova Inglaterra, que oferece uma agradável mudança de cenário. Tem belas marinas cheias de veleiros e seus restaurantes de frutos-do-mar são excelentes. Vários vencedores da **Americas Cup** foram construídos em seus estaleiros. O **City Island Museum** fica num dos edifícios mais antigos da ilha, a velha Public School 17, erguida sobre um antigo cemitério indígena num ponto elevado da ilha.

City Island é ligado por uma ponte ao Bronx. Ao norte no continente fica Orchard Beach, uma baía de areia branca com cabines de banho da década de 1930. A praia é bastante frequentada pelos moradores, por isso às vezes pode estar cheia demais de gente e suja.

Rebocador antigo, atracado em um dos píeres de City Island

New York Botanical Garden ❽

Hibiscus

O jardim botânico de Nova York ocupa 250 acres de encantadora beleza. Das mais gloriosas estufas vitorianas dos Estados Unidos aos 12 acres do Everett Children's Adventure Garden, tudo está vivo e pronto para ser descoberto. Um dos maiores e mais antigos jardins botânicos do mundo, o Garden tem 50 jardins especiais e coleções de plantas, além de 50 acres de floresta preservada. Obelo conservatório Enid A. Haupt foi restaurado como *A World of Plants*, com florestas tropicais enevoadas e incríveis formações desérticas.

Entrada do Enid A. Haupt Conservatory

Rock Garden
Afloramentos de rocha, córregos, uma cachoeira e um lago cercado de flores criam um hábitat alpino para plantas do mundo inteiro. ④

Floresta Histórica
Uma das últimas áreas da floresta natural de Nova York, inclui carvalhos, freixos brancos, tulipeiros e vidoeiros ⑤

Everett Children's Adventure Garden *Aqui as crianças observam a ecologia e as maravilhas da flora* ⑧

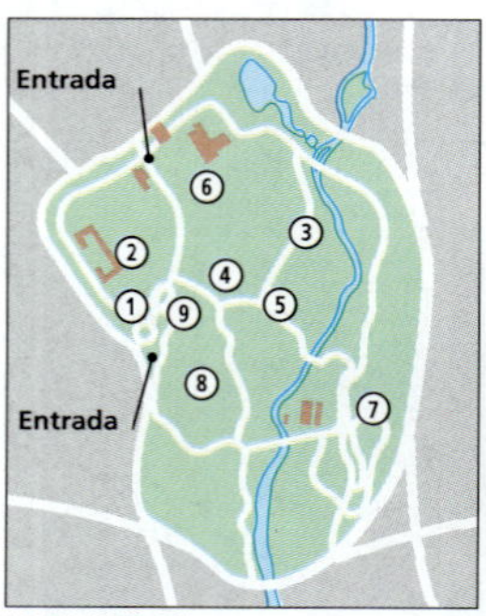

LOCALIZE-SE

Peggy Rockefeller Rose Garden
Mais de 2.700 roseiras foram plantadas neste jardim, criado em 1988 de acordo com projeto original de 1915 ⑦

Palms of the Americas Gallery
Domo de vidro de 30 metros com cem majestosas palmeiras. Em volta do espelho d'água há plantas tropicais.

PREPARE-SE

Kazimiroff Blvd, Bronx River Parkway (Exit 7W). ***Tel*** *(718) 817-8700.* *4, D to Bedford Park Blvd.* *Bx26.* *abr-out: 10h-18h ter-dom; nov-mar: 10h-17h ter-dom.* *seg, feriados hols.* *grátis qua e 10h-12h sáb.* **Conferências www.**nybg.org

O conservatório Enid A. Haupt consiste de 11 galerias de vidro interligadas, abrigo do *A World of Plants*, que inclui florestas tropicais, desertos, plantas aquáticas e exposições sazonais ①

Garden Cafe
Este é um agradável lugar para uma refeição. Pode-se comer do lado de fora, em terraços que dão para os belos jardins ⑥

Jane Watson Irwin Perennial Garden
Florações perenes estão plantadas de acordo com altura, sombra e época de desabrochamento ②

Leon Levy Visitor Center
Este moderno pavilhão, aberto em 2004, possui loja, café e centro de orientação para os visitantes ⑨

Tram
Em um passeio de meia hora pelos jardins, são dadas informações sobre programas de pesquisa horticulturais, educacionais e botânicos. Em alguns pontos os passageiros podem descer para explorar os jardins ③

Bronx Zoo ❾

Aberto em 1899, o Bronx Zoo é o maior zôo urbano dos EUA, com mais de 4 mil animais representando 500 espécies, que vivem em reproduções realistas de seus hábitats naturais. O Zoo desenvolve um notável trabalho de preservação de espécies ameaçadas, como o rinoceronte-peludo e o leopardo-da-neve. Seus 265 acres de bosques, regatos e pastagens incluem um zoológico infantil (sazonal) e um trem que dá a volta ao parque. Visitantes também podem conhecê-lo a pé. Para ter uma visão do alto das várias áreas, pegue o bondinho Skyfari (também abre sazonalmente).

★ Congo Gorilla Forest
Esta premiada réplica de uma floresta chuvosa da África central tem a maior população de Western Lowland gorillas nos Estados Unidos e é lar de outros animais.

★ African Plains
Cães Selvagens, zebras, leões, guepardos e gazelas cruzam as planícies africanas. Um fosso separa predadores e presas.

Passeios de Camelo
Há atrações temporárias para as crianças, como este passeio de camelo.

★ JungleWorld
Em condições controladas, esta floresta tropical abriga mamíferos, pássaros e répteis da Ásia, separados dos visitantes por ravinas, regatos e penhascos.

Macacos do JungleWorld

Baboon Reserve
O passeio ao longo de um leito seco de rio mostra a vida selvagem em uma montanha da Etiópia.

Children's Zoo
As crianças podem engatinhar em túnel de marmotas, subir em teia de aranha, vestir uma casca de tartaruga, brincar e alimentar os animais.

PREPARE-SE

Fordham Rd /Bronx River Pkwy. ***Tel*** *(718) 367-1010.* M *2, 5 to Pelham Pkwy.* *para Fordham Station.* *Bx9, Bx12, Bx19, Bx22, Bx36, Bx39, Bx40, Bx42, BxM11 expresso, Q44.* *nov-mar: 10h-16h30 diariam; abr-out: 10h-17h diariam (17h30 sáb e dom).* *qua doações.* ***Zoológico infantil*** abr-out. **www.**bronxzoo.com

PONTOS ALTOS

★ African Plains

★ Congo Gorilla Forest

★ JungleWorld

★ Tiger Mountain

★ Wild Asia

★ World of Birds

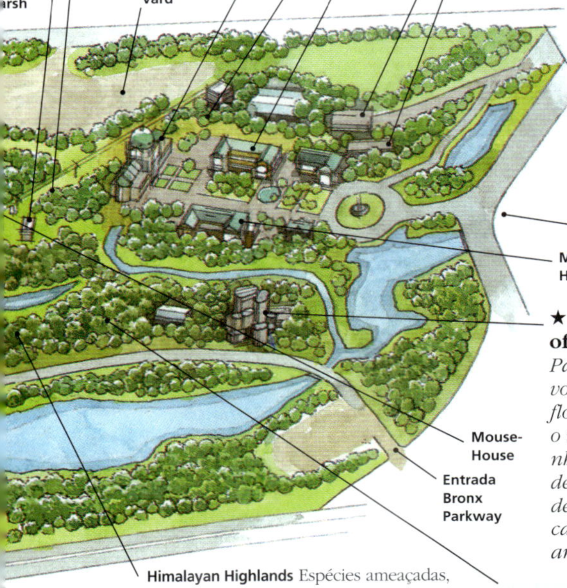

★ World of Birds
Pássaros exóticos voam num ambiente de floresta tropical, em que o visitante pode caminhar. De um rochedo de fibra de vidro de 15m cai uma cachoeira artificial.

Calau-grande

★ Wild Asia
De maio a outubro o trenzinho percorre florestas e campinas deste hábitat asiático, onde rinocerontes, tigres e cavalos selvagens passeiam livremente.

★ Tiger Mountain
Estes magníficos animais podem ser vistos o ano todo. Apenas alguns centímetros de vidro separam os visitantes dos tigres.

Queens

O Queens, um bairro grande e espalhado, tem uma ampla variedade de atrações e áreas residenciais e comerciais, incluindo Long Island City, uma região em que tem crescido o número de novos museus e restaurantes cheios de charme. O desenvolvimento desta parte da cidade acelerou-se a partir de 1909, quando a construção da Queensboro Bridge facilitou o acesso. No Queens ficam os dois principais aeroportos da cidade, JFK e La Guardia. Também se encontram aqui vários enclaves étnicos, entre eles o Astoria, dos gregos, e algumas comunidades asiáticas, principalmente em Flushing.

Mutoscope de 1900, no Museum of the Moving Image

Flushing Meadow-Corona Park ⓬

Willets Point-Shea Stadium. *ver* ***Divirta-se*** *pág. 361.*

Local das duas Feiras Mundiais de Nova York, este parque atualmente oferece extensas áreas para piquenique e uma grande variedade de atrações. Entre elas está o Shea Stadium, de 50 mil lugares, sede do time de beisebol New York Mets e palco frequente de espetáculos de rock.

É também em Flushing Meadow que fica o US Tennis Center, onde é disputado o Torneio Aberto dos EUA. No resto do ano, as quadras são abertas aos futuros Agassis, Grafs e Everts. Na década de 1920, esta área era chamada de Corona Dump, um depósito de aparência horrível, com pântanos salgados e grandes pilhas de lixo em combustão. Em O *Grande Gatsby,* o escritor F. Scott Fitzgerald apelidou-a de "vale das cinzas". A área exalava o mau cheiro do lixo em decomposição e, à noite, o fogo constante irradiava uma luz vermelha. Robert Moses, secretário de Parques de Nova York, promoveu a transformação do local. Uma montanha de lixo foi removida e o rio, totalmente canalizado. O pântano foi drenado e um novo sistema de esgotos instalado. O propósito da reforma era arrumar o local para abrigar a Feira Mundial de 1939, na qual um mundo à beira da guerra saudava a idéia ilusória da paz.

A Unisfera, símbolo da Feira Mundial de 1964, ainda domina o que restou do recinto. A imensa bola oca de aço verde, construída pela US Steel Corporation, tem 12 andares de altura e pesa 350 toneladas.

Unisfera da Feira Mundial de 1964, no Flushing Meadow-Corona Park

New York Hall of Science ⓭

46th Ave and 111th St Flushing Meadow, Corona Park. ***Tel*** *(718) 699-0005.* *111th St.* *set-jun: 9h30-14h seg-qui, 9h30-17h sex, 10h-18h sáb-dom; jul-ago: 9h30-17h seg-sex, 10h-18h sáb-dom.* *Labor Day, 25 dez.* **www**.nyscience.org

O pavilhão construído para a Feira Mundial de 1964 é agora um museu de ciência e tecnologia. Nele se podem manipular as peças em exposição, que tratam dos fenômenos da cor, luz etc. As crianças se divertem com as telas gigantes e as exibições de vídeo interativo.

Parede de concreto do New York Hall of Science

Museum of the Moving Image and Kaufman Astoria Studio ⓮

35th Ave at 36th St, Astoria. **Museu** ***Tel*** *(718) 784-0077.* *36th St.* **Steinway Museum** *11h-17h qua, qui, 11h-20h sex, 11h-18h30 sáb, dom. Apresentações: 19h30 sex, tardes e anoitecer sáb-dom.* *14h sáb-dom.* *Memorial Day, Ação de Graças, 25 dez.* **Estúdio**. *ao público.* **www**.movingimage.us

No apogeu da indústria cinematográfica de Nova York, Rodolfo Valentino, W.C. Fields, os irmãos Marx e Gloria Swanson estrelaram filmes produzidos no Astoria Studio, aberto em 1920 pela Paramount. Quando a indústria se mudou para a Califórnia, o Exército assumiu o estúdio, onde fez filmes de treinamento entre 1941 e 1971.

O complexo ficou vazio até 1977, quando a Astoria Motion Picture and Television

Cartaz do Museum of the Moving Image

Foundation foi criada para preservá-lo. O musical *O Mágico Inesquecível*, de Sidney Lumet, com Michael Jackson e Diana Ross, foi rodado aqui e ajudou a pagar a restauração. Agora o estúdio é o mais bem equipado para produção na costa leste.

Em 1981, um dos prédios foi convertido no Museum of the Moving Image, com um acervo que aborda a produção, promoção e exibição de filmes para cinema e TV, assim como um salão especial para conferências.

Há muitos objetos em exibição, como as carruagens de *Ben Hur* e o figurino de *Jornada nas Estrelas*. O acervo permanente contém mais de 85 mil artefatos para cinema. O museu está passando por uma reforma de US$ 25 milhões que duplicará seu tamanho e incluirá um jardim para exposições externas.

PS1 MoMA, Queens ⓯

22–25 Jackson Ave at 46th Ave, Long Island City. **Tel** *(718) 784-2084.* M *E, V para 23rd St-Ely Ave; 7 para 45 Road-Courthouse Square; G para Court Sq. ou 21 St-Van Alst.* *B61, Q67.* *12h-18h qui-seg . 1° jan, 25 dez.* **www**.ps1.org

Instalado em uma escola primária, o PS1 foi fundado em 1971, como parte de um programa para transformar prédios abandonados em espaços para exibições e ateliês de artistas. Afiliado ao Museum of Modern Art *(págs. 172-5)*, o museu é uma das mais antigas instituições norte-americanas dedicadas apenas à arte moderna. Mostras temporárias são exibidas juntamente com obras permanentes, diversas delas interativas. No verão há apresentações de música no pátio.

Brooklyn

Coreto no Prospect Park ***(pág. 248)***

Se o Brooklyn fosse uma cidade independente, seria a quarta maior do país. A área tem uma personalidade própria. Grandes nomes do ramo do entretenimento –como Mel Brooks, Phil Silvers, Woody Allen e Neil Simon, entre outros– já renderam diversas homenagens a seu bairro de origem, com grande afeição e humor.

O Brooklyn é uma grande mistura de povos –tem desde índios vindos do oeste dos EUA até judeus hassídicos, russos, italianos e árabes, convivendo lado a lado. Além da mistura étnica, outras atrações do Brooklyn estão nos distritos residenciais históricos de Park Slope e Brooklyn Heights.

Brooklyn Children's Museum ⓰

145 Brooklyn Ave. **Tel** *(718) 735-4400.* M *Kingston (C, 3).* *11h-18h sáb-dom; set-jun: 13h-18h qua-sex; jul-ago: 13h-18h ter-sex.* *feriados.* **Rooftop Theater** *18h30-20h sex, 10h-17h sáb-dom.* *feriados.* **www**.bchildmus.org

O Brooklyn Children's Museum, fundado em 1899, foi o primeiro museu a ser projetado especialmente para crianças. Desde então, já serviu de modelo, inspiração e consultor para a criação de mais de 250 museus infantis em todo o mundo. Fica em um prédio subterrâneo high tech especialmente projetado, construído em 1976. É um dos mais imaginativos e avançados museus para crianças do mundo.

O prédio, que foi recentemente reformado e dobrou de tamanho, é um labirinto de passagens interligadas –um enorme cano de drenagem que liga os quatro níveis. A ênfase está no envolvimento e nas exposições que se pode tocar. Há inúmeras curiosidades a serem descobertas, e os pequenos visitantes são estimulados a experimentar, criar e brincar com elas. Há até um piano em que se pode andar, como o do filme *Quero Ser Grande*, irresistível para crianças de todas as idades.

Exposições e eventos especiais são organizados de forma a ajudar as crianças a aprender sobre o planeta, resolver seus problemas e medos, entender outras culturas e descobrir o passado. Os gritos de surpresa e as risadas que se ouvem a todo instante são um bom indício do sucesso e da criatividade do museu na maneira de ensinar crianças e adultos de coração jovem.

Máscara no Brooklyn Children's Museum

Fachada da Brooklyn Academy of Music

Brooklyn Academy of Music ⓱

30 Lafayette Ave. **Tel** *(718) 636-4100.* *Atlantic Ave, Nevins St (M, N, Q, R, W, 2, 3, 4, 5).* **www**.bam.org *Ver* ***Divirta-se*** *pág. 350.*

Sede da Brooklyn Philharmonic, a academia (mais conhecida como BAM) é o principal e mais antigo centro cultural da região e foi fundada em 1858. Nela se realizam com frequência grandes apresentações, em geral tendências inovadoras, experimentais e de vanguarda.

O prédio clássico de 1908 projetado por Herts & Tallant e inaugurado com uma magnífica montagem da ópera *Fausto*, estrelada pelo lendário tenor napolitano Enrico Caruso. A lista de figuras ilustres que aqui estiveram é enorme, entre elas a atriz Sarah Bernhardt, a bailarina Anna Pavlova, os músicos Pablo Casals e Sergei Rachmaninoff, os poetas Edna St Vincent Millay e Carl Sandburg e o estadista Winston Churchill. Muitos grupos internacionais, como a inglesa Royal Shakespeare Company, incluem a academia em suas turnês.

O BAM Next Wave Festival tem apresentado artistas contemporâneos, como os músicos Philip Glass e David Byrne, e os coreógrafos Pina Bausch e Mark Morris. A BAM também dirige o vizinho Majestic Theater, um cinema reformado para eventos de dança, teatro e música. Os BAM Rose Cinemas exibem filmes independentes novos e a BAMcinématek dedica-se a clássicos, retrospectivas, festivais e pré-estréias.

Grand Army Plaza ⓲

Plaza St com Flatbush Ave. *Grand Army Plaza (2, 3).* **Arco** *para exposições ocasionais.*

O Soldier's and Sailor's Arch, na Grand Army Plaza

Frederick Law Olmsted e Calvert Vaux construíram este grande espaço oval em 1870, na entrada do Prospect Park. O Soldier's and Sailor's Arch e suas esculturas foram acrescentadas em 1892, como tributo ao Exército da União. O busto de John F. Kennedy é o único monumento oficial a esse presidente em Nova York.

Em junho, a praça sedia o Welcome Back to Brooklyn Festival, dedicado às pessoas, que nasceram na região e depois se mudaram.

Fachada da Brooklyn Public Library, na Grand Army Plaza

Park Slope Historic District ⓳

De Prospect Park W na altura de Flatbush Ave, até 8th/7th/5th Aves. *Grand Army Plaza (2, 3), 7th Ave (F).*

Relevo do Montauk Club

Este maravilhoso enclave de belas casas vitorianas desenvolveu-se ao lado do Prospect Park no fim do século passado. Era um endereço conveniente para os profissionais de classe média alta que trabalhavam em Manhattan, por sua proximidade da ponte do Brooklyn, inaugurada em 1883. As ruas sombreadas são compostas por casas de dois a cinco andares em todos os estilos arquitetônicos populares no final do século 19. Algumas têm as torres, torreões e arabescos bem representativos da época. As mais bonitas são as de estilo neo-românico, com entradas em arcos arredondados.

O Montauk Club, nº 25 da 8th Avenue, combina o estilo do palácio Ca' d'Oro, de Veneza, com frisos e gárgu-las inspirados nos índios montauk, que dão nome a esse clube do século 19.

Prospect Park ⓴

Grand Army Plaza, Prospect Park (B, Q). *e informações (718) 287 3400.* **www**.prospectpark.org

Os arquitetos Olmsted e Vaux consideravam este parque de 1867 melhor que seu projeto anterior, o Central Park *(pág. 203-9)*. Long Meadow, uma faixa de amplos gramados e belas vistas, é a mais longa área verde contínua de Nova York. Olmsted queria que as pessoas experimentassem uma "sensação de alívio ao entrar no parque, deixando para trás o confinamento e os limites das ruas apinhadas da cidade". Um século mais tarde, a sensação é a mesma.

Entre as muitas notáveis atrações estão as colunatas do Croquet Shelter, de Stanford White, e as lagoas e chorões do Vale of Cashmere. Music Grove, coreto de influência japonesa, abriga durante o verão concertos musicais, de jazz a música clássica.

A figura mais apreciada do parque é Camperdown Elm, olmo antigo e retorcido que foi plantado em 1872. Os fundos para manter esta e todas as outras árvores são levantados pela sociedade Amigos de Prospect Park. O antigo olmo já inspirou muitos poetas e pintores. Prospect Park tem ampla variedade de paisagens, de jardins clássicos cheios de estátuas a ravinas rochosas com riachos. A visita guiada por um guarda do parque é a melhor maneira de conhecê-lo.

Cavalo de carrossel, Prospect Park

Brooklyn Museum 21

See pp250–53.

Brooklyn Botanic Garden 22

900 Washington Ave. ***Tel*** *(718) 623-7200.* M *Prospect Pk (B, Q), Eastern Pkwy (2, 3).* **Área** *abr–set: 8h-18h ter-sex (10h sáb-dom e feriados); out-mar: 8h-16h30 (10h sáb-dom feriados).* *1º jan, Labor Day, Ação de Graças, 25 dez* *mar-meados nov: grátis ter; 10h-12h sáb; meados nov-fev: grátis para menores de 16 anos seg-sex.* **www**.bbg.org

Embora não seja grande em tamanho, este jardim de 20ha contém muitas surpresas. A área foi criada pelos irmãos Olmsted, em 1910, e inclui desde uma tradicional horta de ervas medicinais até uma das maiores coleções de rosas da América do Norte. A principal atração é um jardim japonês completo, com colina e lago, mais uma casa de chá e um santuário xintoísta. Do fim de abril e início de maio, o parque resplandece com as delicadas flores das cerejeiras japonesas; neste período realiza-se um festival de cultura, comida e música típicas japonesas.

Abril é também a época em que os turistas podem apreciar a Magnolia Plaza, na qual 80 árvores exibem flores brancas contra o pano de fundo dos narcisos de Boulder Hill.

No Fragrance Garden, os canteiros são elevados e as plantas com perfume e textura mais destacados têm etiquetas em braile, para que cegos possam identificá-las.

Uma estufa guarda uma das maiores coleções de bonsais dos EUA e algumas árvores raras das florestas tropicais, que permitem aos cientistas produzir remédios essenciais.

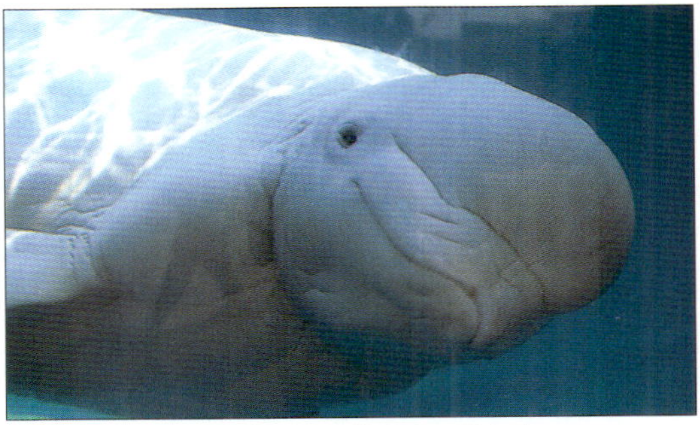

Baleia-branca do Aquário de Nova York, em Coney Island

Tanque de lírios do Brooklyn Botanic Garden

Coney Island 23

M *Stillwell Ave (D, F, Q), W 8th St (F, Q).* **Aquário de Nova York** Surf Ave com W 8th St, Coney Island. ***Tel*** *(718) 265-FISH.* *10h-17h seg-sex, 10h-17h30 sáb, dom e feriados (jun-ago: até 18h seg-sex, 19h sáb, dom e feriados; nov-mar: até 16h30 diariam).* *últ adm: 45 min antes fechar.* **www**.nyaquarium.com **Coney Island Museum** 1208 Surf Ave, nr W 12th St. ***Tel*** *(718) 372 5159.* *12h-17h sáb-dom.* **www**.coneyislandusa.com

Em meados do século 19, o poeta do Brooklyn Walt Whitman compôs vários poemas em Coney Island, na deserta costa atlântica de então. Por volta de 1920, Coney Island passou a se auto-intitular "O Maior Parque de Atrações do Mundo". Três imensas áreas para feiras construídas por volta de 1904 (Luna Park, Dreamland e Steeplechase Park) ofereciam uma combinação de atrações de arrepiar o cabelo e de praias próximas. O metrô em 1920 e o calçadão em 1921 garantiram a popularidade de Coney Island's durante a Grande Depressão.

Um destaque é o **New York Aquarium**, em 14 acres (6ha) junto ao mar, com 350 espécies. O **Coney Island Museum** tem objetos, relíquias de antigas atrações e suvenires. Coney Island ainda é atraente: o calçadão oferece vistas do mar e a montanha-russa Cyclone faz todos gritarem. A Mermaid Parade (junho) é um grande evento anual.

Brooklyn Museum ㉑

Fachada norte, projetada por McKin, Mead & White

Em 1897, quando foi inaugurado, o prédio do Brooklyn Museum, projetado para ser o maior edifício cultural do mundo, era a maior realização da firma de arquitetura McKim, Mead & White. Ainda que só um sexto do projeto tenha sido concluído, o museu é uma das mais marcantes instituições culturais dos Estados Unidos, com acervo permanente de cerca de 1,5 milhão de objetos mantidos em uma grande estrutura de 52.080m².

LEGENDA

- Arte da África e Américas
- Arte da Ásia
- Gravuras, desenhos e fotografias
- Murais de Williamsburg
- Arte clássica e egípcia
- Artes decorativas
- Pinturas e esculturas
- Exposições especiais
- Espaço sem exposição

★ Figura Feminina
Com 5 mil anos, esta rara estatueta é um dos destaques do impressionante acervo egípcio do museu.

Jarra Chinesa
Peixes azuis e plantas aquáticas adornam esta jarra de cerâmica da dinastia Yuan, do século 14.

★ Coroa com Contas
Esta coroa da Nigéria do século 19 é o símbolo principal do reino iorubá.

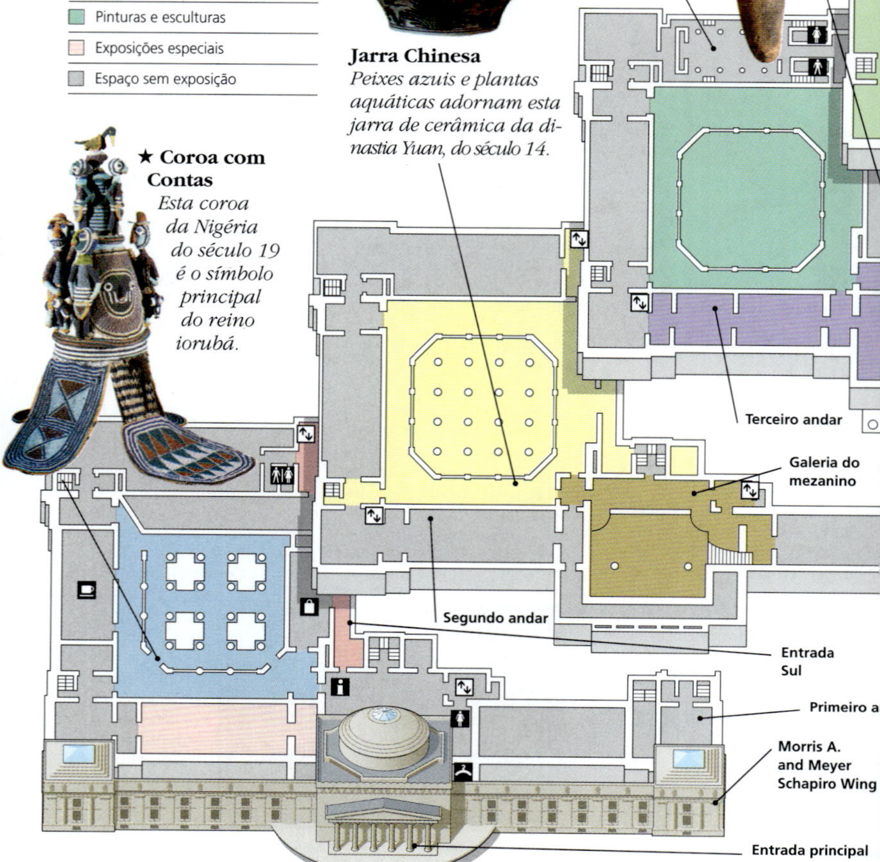

★ Estudo ao Ar Livre *(1889)*
O retrato que Sargent fez do pintor Paul Helleu e de sua mulher Alice foi pintado quando o casal visitou a família de Sargent em Fladbury.

PREPARE-SE

200 Eastern Pkwy, Brooklyn. **Tel** *(718) 638-5000.* M *2, 3 para Eastern Parkway/Brooklyn Museum.* *B41, B69, B67, B71.* *10h-17h qua-sex, 11h-18h sáb, 11h-23h 1° sáb mês, 11h-18h dom.* *1° jan, Ação de Graças, 25 dez.* ***Doações.***
Concertos, palestras.
www.brooklynmuseum.org

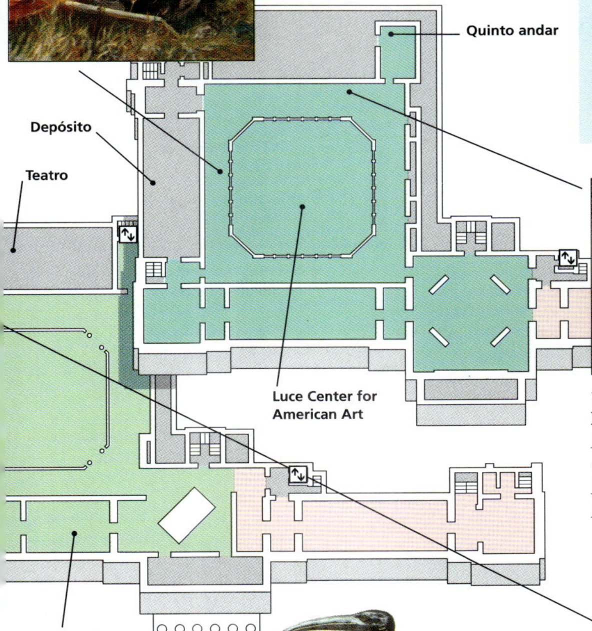
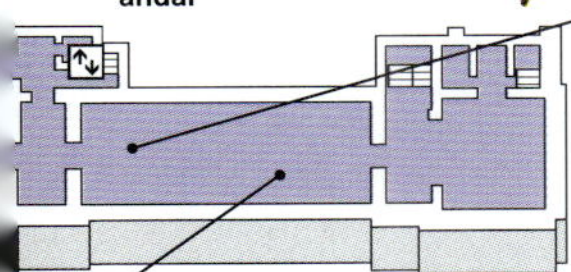

★ Cena de Inverno no Brooklyn *(1820)*
Este quadro de Francis Guy mostrando o centro do Brooklyn é da American Identities Collection.

Sala de Fumar Mourisca *(1865)*
Esta sala é de uma casa em West 54th Street, comprada por J.D. Rockefeller em 1884.

Ataúde de Íbis *(332-330 a.C.)*
O pássaro sagrado do antigo Egito mereceu um ataúde de folhas de ouro e prata.

Alexandre, o Grande
O líder militar foi retratado em alabastro no século 1 a.C.

GUIA DA GALERIA

O acervo está distribuído em cinco andares: arte da África e Américas está no primeiro andar; arte da Ásia no segundo; artes clássica, egípcia, pintura européia e escultura no terceiro; artes decorativas no quarto; e americana no quinto. Há espaços reservados para as mostras especiais.

PONTOS ALTOS

- ★ Coroa com Contas
- ★ Cena de Inverno no Brooklyn, de Francis Guy
- ★ Estudo ao Ar Livre, de John Singer Sargent
- ★ Figura Feminina

Como Explorar o Acervo

O Brooklyn Museum abriga um dos mais belos acervos de arte dos Estados Unidos. Seus pontos fortes são uma notável coleção de arte indígena do sudoeste dos EUA, 28 salas com reconstituições de época, exemplos da arte egípcia antiga e islâmica; e pinturas importantes dos EUA e Europa.

Torso de Buda sentado em calcário, da Índia (final do século 3)

ARTE DA ÁFRICA, PACÍFICO E AMÉRICAS

O Brooklyn Museum abriu um precedente nos EUA ao expor, em 1923, objetos africanos como obras de arte, em vez de simples artefatos. Desde então, a coleção de arte africana não parou de crescer, em valor e em quantidade.

Entre os objetos raros em exposição estão um gongo de marfim entalhado do Benin, do século 16, um dos cinco do gênero que existem no mundo.

O museu também abriga vasta coleção de obras de arte indígena americana, incluindo totens, tecidos e cerâmicas. Os desenhos na túnica de pele de cervo de um chefe da tribo pé-preto descrevem sua bravura e audácia na batalha.

Também as tradições artísticas da antiga América estão representadas por tecidos peruanos, peças de ouro da América Central e esculturas mexicanas. Há uma túnica maravilhosamente preservada do Peru, de 600 d.C., tecida com pontos tão apertados que seus vibrantes desenhos simbólicos parecem pintados, em vez de trançados da forma tradicional.

A coleção de arte da Oceania inclui esculturas das ilhas Salomão, Papua-Nova Guiné e Nova Zelândia.

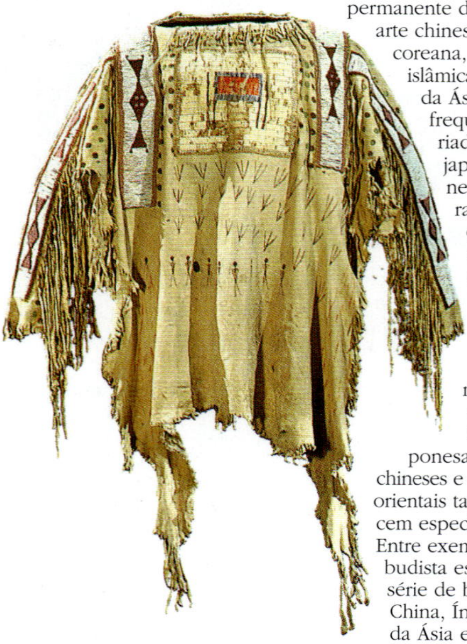

Roupa de pele de cervo da tribo pé-preto, decorada com espinhos e contas de vidro (século 19)

ARTE DA ÁSIA

As exposições do acervo permanente do museu de arte chinesa, japonesa, coreana, indiana, islâmica e do Sudeste da Ásia são muito frequentes e variadas. Pinturas japonesas e chinesas, miniaturas indianas e obras de caligrafia islâmica são mostradas junto com esculturas, tecelagem e cerâmica. As obras da arte folclórica japonesa, os esmaltes chineses e os tapetes orientais também merecem especial atenção. Entre exemplos de arte budista estão uma série de budas da China, Índia e Sudeste da Ásia e o estandarte de um templo tibetano do século 14, com uma mandala pintada em cores luminosas.

ARTE DECORATIVA

O destaque da seção de artes decorativas é uma série de 28 esplêndidas reproduções de salas de períodos da história americana.

A mais antiga é a da casa do século 17 de um holandês de Brooklyn, com sala de visitas, de jantar e dormitório com as chamadas "camas-caixotes" na parede em frente à lareira. O Salão de Fumar mourisco da *brownstone* de John D. Rockefeller é um exemplo da vida luxuosa na Nova York do fim do século passado. Em total contraste, a sala mais recente é o estúdio Art Déco de um apartamento de 1928-30 da Park Avenue, com um pequeno bar escondido atrás de um painel –era a época da Lei Seca *(págs. 30-1)*.

Jarro de cromo Normandie, de Peter Muller-Munk (1935)

Também está em exposição uma ampla seleção de móveis, cerâmicas, objetos de vidro, estanho, prata e outros metais, incluindo um jarro da década de 30 cujo formato foi inspirado nas chaminés do transatlântico *Normandie*.

ARTE EGÍPCIA, CLÁSSICA E DO ANTIGO ORIENTE MÉDIO

Reconhecida como uma das mais belas do mundo, a coleção de arte egípcia contém muitas obras-primas. Começa com uma figura feminina de 3500 a.C. e inclui esculturas, estátuas, pinturas e relevos de túmulos, além de acessórios de funerais. Entre estes, o mais incomum é o ataúde de um íbis, provavelmente encontrado no grande cemitério de animais de Tuna el-Gebel, na região central do Egito. O íbis era uma ave sagrada que representava o deus Tot –o ataúde é feito de prata maciça e madeira coberta com chapas de ouro, com cristais no lugar dos olhos do pássaro. Essas galerias foram reformadas e modernizadas.

Entre as peças das civilizações romana e grega estão estátuas, cerâmicas, bronzes, jóias e mosaicos.

Nas exposições do antigo Oriente Próximo e Médio há grande número de cerâmicas e 12 relevos de alabastro do palácio do rei Assurnasirpal II, da Assíria, de 883-859 a.C. Eles mostram o rei lutando, supervisionando colheitas e purificando a "árvore sagrada", um importante ícone da religião assíria.

PINTURA E ESCULTURA

Esta seção contém obras do século 14 até o presente, incluindo uma coleção famosa de arte francesa do século 19, com obras de Degas, Rodin, Monet, Cézanne, Matisse e Pissarro. Inclui também uma das maiores coleções de pinturas coloniais da Espanha e uma das melhores coleções de pinturas da América do Norte existentes nos Estados Unidos.

Pierre de Wiessant **(c. 1886), do grupo Os Burgueses de Calais, de Auguste Rodin**

Entre as peças de arte americana do século 20 está *Ponte do Brooklyn*, de Georgia O'Keeffe.

O Jardim de Esculturas tem uma coleção de ornamentos arquitetônicos resgatados de prédios demolidos de Nova York, incluindo estátuas removidas da Pennsylvania Station original.

GRAVURA, DESENHO E FOTOGRAFIA

A seção de gravuras mostra obras de vários mestres, desde uma xilogravura rara de Durer, intitulada *Grande Carruagem Triunfal*, e obras de Piranesi até uma excelente coleção de impressionistas e pós-impressionistas. Na coleção, obras de Toulouse-Lautrec e Mary Cassatt, uma das poucas mulheres, e a única americana, a participar do movimento impressionista.

Há litogravuras de James McNeill Whistler, gravuras de Winslow Homer e uma notável seleção de desenhos de Fragonard, Paul Klee, Van Gogh, Picasso e Gorky, muitos em preto-e-branco.

Rotherbide **(1860), água-forte de James McNeill Whistler**

A coleção de fotografias consiste principalmente de trabalhos de fotógrafos americanos do século 20, incluindo um retrato de 1924 de Mary Pickford feito por Edward Steichen e instantâneos de Margaret Bourke-White, Berenice Abbott e Robert Mapplethorpe. Para conservá-las, todas essas fotografias são constantemente trocadas.

Relevos de arenito de Tebas, Egito (c. 760-656 a.C.), representando o grande deus Amon-Ra e sua consorte Mut

Staten Island

Além do famoso passeio de balsa, Staten Island e suas atrações não são muito conhecidas dos nova-iorquinos em geral. Os moradores sentem-se tão ignorados, de fato, que falam até em separar-se da cidade. Os visitantes que se aventuram além do terminal de balsas, no entanto, têm a agradável surpresa de encontrar colinas, lagos e estufas em vastos espaços abertos, belas paisagens da enseada e prédios bem preservados que datam dos primeiros tempos de Nova York. Uma das melhores e mais bonitas atrações é um acervo de arte tibetana que fica escondido dentro de uma réplica de um templo budista.

Historic Richmond Town ㉔

441 Clarke Ave. ***Tel*** *(718) 351-1611.* *S74 from ferry.* *set-jun: 13h-17, qua-dom; jul-ago: 10h-17h qua-sáb, 13h17h dom.* *1º jan, dom Páscoa, Ação de Graças, 25 dez.* **www**.historicrichmondtown.org

Colônia da General Store

Hoje são 29 prédios, 14 deles abertos ao público, na única vila histórica e museu ao ar livre de Nova York. O primeiro nome foi Cocclestown, do marisco típico da região *(cockle)*, que, para desgosto de quem morava lá, mudou para "Cuckoldstown" (cidade dos enganados). No final da Guerra da Independência, já tinha mudado para Richmondtown. Foi capital até que Staten Island se tornou parte de Nova York, em 1898, e vem sendo preservada como exemplo de um povoado dos primeiros tempos da cidade.

A Voorlezer House, construída na época da colonização holandesa, é a escola primária mais antiga da área. A Stephens General Store, aberta em 1837, era também agência de correio. A restauração da loja incluiu até o conteúdo das prateleiras.

O complexo, bem restaurado, ocupa 40 hectares e inclui um galpão para carroças, um tribunal de 1837, casas, várias lojas e uma taverna. Há também algumas oficinas onde atividades rurais tradicionais são mostradas aos visitantes.

A St Andrew's Church, construída em 1708, e seu antigo cemitério ficam no outro lado do rio Mill Pond. O Historical Society Museum ocupa o antigo escritório do juiz e escrivão. Não deixe de visitar a sala de brinquedos.

Voorlezer House, em Richmond Town

Jacques Marchais Museum of Tibetan Art ㉕

338 Lighthouse Ave. ***Tel*** *(718) 987-3500.* *S74 da balsa.* *13h-17h qua-dom.* *feriados.* **www**.tibetanmuseum.org

Num cenário muito tranquilo, no topo de uma colina, encontra-se uma das maiores coleções particulares de arte tibetana fora do Tibete.

O prédio principal é a réplica de um mosteiro de montanha, com um altar autêntico em três andares, coroado com figuras de ouro, prata e bronze. O segundo prédio é uma biblioteca. O jardim tem algumas esculturas em pedra, com Budas em tamanho natural. O museu foi construído em 1947 pela sra. Jacques Marchais, comerciante de objetos de arte da Ásia. O dalai-lama visitou o local em 1991.

Escultura sagrada do Jacques Marchais Museum of Tibetan Art

Quiosque no Snug Harbor Cultural Center

Snug Harbor Cultural Center ㉖

1000 Richmond Terrace. ***Tel*** *(718) 448-2500.* *S40 da balsa até Snug Harbor Gate.* **Pisos** *amanhecer-anoitecer diariam.* **Galeria de arte** *10h-17h ter-dom.* *doações.* **Children's Museum** *12h17h (11h-17h verão) ter-dom.* *1º jan, Ação de Graças, 25 dez.* *restrito.* **www**.snug-harbor.org

Fundado em 1801 como um abrigo para marinheiros idosos e hoje um centro de artes, Snug Harbor é um complexo de 28 prédios históricos em vários estágios de restauração. Há cinco majestosas jóias em estilo grego, datando de 1831 a 1880. O mais antigo, Main Hall, é hoje o Centro de

Visitantes. Ele leva ao **Newhouse Center for Contemporary Art**, mas os navios que decoram os vitrais das janelas lembram sua origem. Os outros prédios abrigam o premiado **Staten Island Children's Museum** e o Veterans Memorial Hall, usado para espetáculos. No verão, há shows e um festival anual de esculturas no gramado. O centro tem ainda o jardim botânico de Staten Island, com sua coleção de orquídeas e belos jardins de rosas.

Snug Harbor é a herança de um marinheiro escocês, Robert Richard Randall, que ficou rico na Guerra da Independência. Randall deixou sua fortuna de herança para marinheiros. O local foi comprado para dar-lhes uma bela vista do mar.

Clear Comfort, onde Alice Austen morou

Alice Austen House 27

2 Hylan Blvd. ***Tel*** *(718) 816-4506.* *S 51 da balsa até Hylan Blvd.* *12h17h qui-dom; jardins: até o anoitecer.* *jan, fev,, feriados.* ***Doações*** *restrito.* **www**.aliceausten.org

Esta pequena cabana construída por volta de 1690 tem o peculiar nome de Clear Comfort. Ela foi a casa da fotógrafa Alice Austen, nascida em 1866, que viveu aqui a maior parte da vida. Austen documentou o dia-a-dia da ilha, de Manhattan e também suas viagens a outras partes do país e à Europa. Ela perdeu tudo o que tinha no crash da Bolsa de Valores, em 1929, e foi forçada a se mudar, aos 84 anos, para um asilo de indigentes. Um ano depois, seu talento como fotógrafa foi finalmente reconhecido num artigo na revista *Life* que lhe rendeu o suficiente para ir para uma clínica particular. Ela deixou 3.500 negativos que cobrem o período entre 1880 e 1930. A Friends of Alice Austin House organiza atualmente exposições que reúnem os melhores trabalhos da fotógrafa.

Mais Longe do Centro

A vila de Broad Channel, em Jamaica Bay

Jamaica Bay Wildlife Refuge Center 28

Cross Bay Blvd at Broad Channel. ***Tel*** *(718) 318-4340.* *Broad Channel (A).* *amanhecer-anoitecer; centro de visitantes: 8h30-17h diariam.* *sazonal (ligue antes)* **www**.nps.gov/gate

Os pântanos e terras altas desta reserva cobrem uma área quase igual a Manhattan. Mais de 3 mil espécies de pássaros vivem aqui, em períodos ou o ano todo. Situada na principal rota migratória do Atlântico, a melhor época para visitas é primavera e outono, quando os céus ficam repletos de bandos de gansos e patos. Os guardas do parque guiam excursões e caminhadas ecológicas nos fins de semana –é bom usar roupas e sapatos próprios e levar uma câmera fotográfica com lente zoom e binóculos, para aproveitar ao máximo o passeio. A única cidade é Broad Channel, com um pequeno grupo de casas enfileiradas ao longo do Cross Bay Boulevard. O acesso ao Wildlife Refuge Center e a uma faixa de calçadões e praias na vizinha Rockaway é feito por metrô, diretamente do centro de Manhattan.

Jones Beach State Park 29

Beaches. *o ano todo.* *final mai-Labor Day.* ***Tel*** *(516) 785-1600.* **www**.nysparks.state.ny.us/parks *Long Island Railroad: Penn Station para Jones Beach; trens (final mai-Labor Day); (718) 217-5477.* **Jones Beach Theater**; *(516) 221-1000.*

Jones Beach foi criação do secretário Robert Moses, do Departamento de Parques de Nova York (*pág. 246*), que em 1929 transformou esta estreita restinga na praia mais popular e acessível de Long Island. Há dunas, ondas fortes do lado do Atlântico e águas tranquilas do lado da baía. Há também minigolfe, piscinas, restaurantes e o **Jones Beach Theater**, que apresenta concertos ao ar livre durante o verão.

O Robert Moses State Park fica em Fire Island, a próxima ilha a leste, que tem mais de 48km de extensão e menos de 800m. Algumas áreas da ilha são totalmente preservadas e desabitadas, com longas extensões de areia branca, ótima para caminhadas e ciclismo em um ambiente de tranquilidade.

O público que frequenta Fire Island é pequeno e variado –há os solteiros que procuram companhia do sexo oposto, famílias em busca de locais sossegados e é também um dos lugares favoritos da comunidade gay de Nova York.

Banhistas em Jones Beach

SETE PASSEIOS A PÉ

Passear a pé por Nova York é uma excelente maneira de conhecer o lado humano da cidade. As 16 páginas seguintes exibem o charme de Nova York em sete roteiros para passeios a pé. Esses passeios variam de uma excursão pelos circuitos literários e artísticos de Greenwich Village e SoHo *(págs. 260-1)* até uma ida além da ponte do Brooklyn, para ver paisagens espetaculares e a Nova York do século 19 *(págs. 266-7)*. Além destes passeios detalhados, cada uma das 15 áreas descritas na seção *Área por Área* deste guia inclui um mapa *Rua a Rua* com sugestões de passeios curtos pelas atrações mais interessantes. Há muitos grupos que fazem caminhadas turísticas pela cidade, de uma visão séria da história arquitetônica a uma excursão para ver os fantasmas da Broadway. Para mais detalhes sobre passeios, veja a página 369 ou consulte a revista *Time Out New York*. Ainda que as taxas de criminalidade estejam diminuindo, cuide de seus pertences como em toda cidade grande *(págs. 372-3)*, planeje o percurso com antecedência e caminhe durante o dia.

Escultura da US Custom House, Lower Manhattan

Pátio do Jardim Chinês no Metropolitan Museum of Art, Upper East Side *(págs. 264-5)*

Esplanada Riverfront, Brooklyn *(pág. 260-1)*

◁ **Descansando na Grove Street, Greenwich Village *(pág. 260-1)***

Passeio de 90 Minutos pelo Lower East Side

Esse passeio pela velha região dos imigrantes, que deram a Nova York seu sabor único, ilustra a cara sempre mutável da cidade, conforme suas áreas vão sendo redescobertas e um conjunto de novos moradores substitui os antigos. Você irá deparar com uma variedade de culturas e culinárias. Aos domingos notaM-se bem a cor local. Mais sobre Lower East Side nas páginas 92-9.

O Lower East Side

Comece pela East Houston Street, a fronteira entre o Lower East Side e o East Village, onde encontrará boa parte da melhor cozinha tradicional judaica na Yonah Schimmel Knish Bakery ① (137) e na Russ & Daughters ② (179), dirigida pelo bisneto do fundador e famosa pelo peixe defumado e pelo caviar. A Katz's Delicatessen ③ (205) está no local há mais de cem anos. Siga pela Norfolk Street e vire à direita para ver o Angel Orensanz Center ④, no edifício de sinagoga mais antigo de Nova York. Depois vire à direita na Rivington e verá outra sinagoga, a Shaarai Shomoyim First Romanian-American Congregation ⑤ (89), num belo edifício de tijolos de 1890. O interior, embora um pouco gasto, ainda é impressionante.

O Lower East Side foi redescoberto por jovens modernos e hoje abriga butiques, clubes e restaurantes da moda. Na Rivington, novas lojas de moda dividem o quarteirão com as antigas. À esquerda, na Orchard Street, fica o tradicional centro do Jewish Lower East Side. Os carrinhos de ambulantes foram retirados e as bancas na calçada vendem muitas mercadorias baratas, mas há lojas que dão descontos para artigos de couro e roupas de grife. Todas fecham aos sábados, por isso domingo é o dia mais agitado.

Ferro de 1885, do Lower East Side Tenement Museum ⑥

Parada obrigatória para quem gosta de história é o Lower East Side Tenement Museum ⑥ (90 Orchard). Uma moradia original foi restaurada e mostra como três famílias imigrantes viveram de 1874 até a década de 1930.

Volte e cruze a Broome Street pela Orchard e verá a Guss Pickles ⑦ (85-7), novo local de uma antiga loja que inspirou o filme de 1988 *Amor à Segunda Vista*. Os clientes fazem fila para comprar os picles expostos em barris.

Volte até a Broome e vire à esquerda para ver a Kehila Kedosha Janina Synagogue and Museum ⑧ (280 Broome), fascinante congregação com um museu no andar superior.

Vire de novo à esquerda ao longo de Eldridge e depois da Canal Street verá a grande Eldridge Street Synagogue ⑨ (12), primeira sinagoga da Europa do Leste em Nova York, reaberta após uma exaustiva restauração.

DICAS DE PASSEIO

Saída: *East Houston St.*
Extensão: *3,2km.*
Ao chegar lá: *Pegue o metrô F ou V para Second Avenue; desça em East Houston, em Eldridge. Outras paradas: F para Delancey, J, M, Z para Essex. O ônibus M15 pára em East Houston e na esquina de Delancey com Allen Street, M14 A e M9 seguem pela Essex Street. Voltando de Chinatown-Little Italy, a estação Canal Street é servida pelos trens J, M, N, Q, R, W e 6.*
Locais para uma parada: *Os cafés de Little Italy oferecem café e tortas deliciosas. Para algo mais substancial, vá até a Sweet-n-Tart, na Mott Street, 20, se quiser comida chinesa; para comida italiana, vá até a Mulberry Street, no Il Cortile (125) ou no Il Palazzo (151). Para laticínios judaicos como os blintzes, tente o Ratner's Dairy Restaurant no nº 138 da Delancey Street.*

Venda da roupas no mercado da Orchard Street

A Guss, loja de picles ⑦

Chinatown

Volte até a Canal Street, parando para ver a agulha do Chrysler Building e a vista da cidade a distância, a partir de Eldridge. Vire à esquerda e atravesse a Bowery, onde ainda há várias joalherias, remanescentes do Diamond District ⑩ original da cidade. Ao prosseguir, verá que as lojas dão lugar a barracas que vendem uma exótica seleção de verduras e açougues com patos assados na vitrine.

Venda de pretzel na Orchard Street

Na Canal Street 200 fica a Kam Man Food Products. É um dos maiores mercados chineses da área, um local fascinante de visitar. Vire à esquerda da Canal para a Mott Street e saberá que está no centro de Chinatown por causa das placas de néon. Até os bancos e cabines de telefone têm formato de pagodes. Aqui há centenas de restaurantes, desde quiosques embutidos na parede até alta cozinha, todos oferecendo sabores incomuns. Se quiser um pouco de conforto espiritual, visite o Eastern States Buddhist Temple ⑪ na Mott Street (646).

Na Bayard Street, vire à esquerda para ver pôsteres políticos chineses e mensagens no Mural da Democracia. Depois volte e ande até a Mulberry Street. A curva junto ao Columbus Park era o Mulberry Bend ⑫, outrora famoso pelas gangues de assassinos e pela violência.

Loja italiana em Little Italy ⑬

Little Italy

Suba a Mulberry Street em direção à Grand Street e de repente estará em Little Italy ⑬. Embora pequeno em área, e invadido por Chinatown, este é um colorido bloco de restaurantes antigos, cafeterias e lojas que vendem massa caseira, frios, pão e doces. A população italiana foi diminuindo ao longo dos anos, mas ainda há um grupo fiel de comerciantes, decididos a manter a atmosfera italiana do local. Seu ponto forte é a Mulberry Street entre Broome Street e Canal Street, com algumas poucas lojas na Grand Street perto da Mulberry. Mas se continuar andando pela Grand logo estará de volta a Chinatown.

O grande evento do ano é a Festa di San Gennaro, que leva o nome do santo padroeiro de Nápoles. São onze noites de setembro em que a Mulberry Street junta gente do local e visitantes, que vão ver os desfiles e comer comida italiana nas barracas com fileiras de deliciosas linguiças e frios.

Produtos alimentícios da Kam Man, na Canal Street, 200

Passeio de 90 Minutos por Greenwich Village e SoHo

Este passeio pelo labirinto das ruas de Greenwich Village passa por locais onde os mais conhecidos escritores e artistas de Nova York viveram, trabalharam e se divertiram, e termina com uma volta pelas galerias e museus do SoHo, onde artistas atuais mostram sua obra. Veja mais detalhes sobre pontos turísticos de Greenwich Village nas págs. 108-15, e do SoHo, nas págs. 102-7.

Fachada de Washington Mews ⑬

O escritor Mark Twain, que morou na 10th Street

West 10th Street

Perto da esquina da 8th Street e 6th Avenue ① há lojas de roupas, de discos e livrarias. Suba a 6th até a West 9th Street para ver o Jefferson Market Courthouse ②.

Vire à direita na West 10th Street ③ até o Alexander Onassis Center for Hellenic Studies, um centro de estudos da cultura grega. Uma passagem diante deste prédio antigamente levava ao Tile Club, local de reunião de artistas do Tenth Street Studio, onde Augustus Saint-Gaudens, John LaFarge e Winslow Homer viviam e trabalhavam. Mark Twain morou no n° 24 e Edward Albee, no n° 50.

Cruzando a 6th Avenue chega-se a Milligan Place ④, grupo de casas do século 19, e Patchin Place ⑤, onde viveu o poeta e. e. cummings.

Mais adiante fica o bar Ninth Circle ⑥ que, quando foi aberto, em 1898, era chamado de "Regnaneschi's" e foi tema do quadro *Sábado à Noite do Regnaneschi*, de John Sloan. Lá, num espelho, o dramaturgo Edward Albee viu pela primeira vez a pergunta "Quem tem medo de Virgina Woolf?".

DICAS PARA O PASSEIO

Ponto de partida: *8th St/6th Ave.*
Extensão: *3,2km.*
Como chegar: *de metrô, tome as linhas A, B, C, D, E, F ou V para West 4th St-Washington Square Station (saída pela 8th Street). Os ônibus M2 e M3 da 5th Ave param na 8th St. De lá, ande uma quadra até a 6th. O ônibus M5 circunda Washington Square e volta à 6th Ave e 8th St.*
Pontos de descanso: *o Pink Tea Cup, n° 42 da Grove St, é um bom lugar para almoçar. O SoHo Kitchen & Bar, n° 103 da Greene St, lugar da moda, tem excelente carta de vinhos.*

Entrada do Chumley's ⑩

Greenwich Village

Siga à esquerda até Waverly Place, passando pela livraria Three Lives (154 West 10th St), local de reuniões literárias do Village, e caminhe até Christopher Street e o Northern Dispensary ⑦.

Siga a Grove Street, ao longo do Christopher Park, até Sheridan Square, o agitado centro do Village. À esquerda, o Circle Repertory Theater ⑧, onde estrearam as peças de Lanford Wilson, está fechado.

Cruze a 7th Avenue e siga à esquerda até a Grove Street. Na esquina da Bedford Street, não perca "Twin Peaks" ⑨ (120 Bedford), que na década de 1920 era asilo de artistas. Vire à direita na Bedford até a entrada sem placa do n° 86, onde fica o Chumley's ⑩ (86), um bar que não mudou muito desde que era clandestino (*pág. 30*). Os escritores Dylan Thomas, Ernest Hemingway, William Faulkner, J.D. Salinger, Jack Kerouac e muitos outros costumavam beber aqui. As paredes são cobertas pelas capas de seus livros. No n° 751/2 fica a casa mais estreita do Village, onde morou a poeta feminista Edna St Vincent Millay.

Suba a Carmine até a 6th Avenue e vire à direita na Waverly Place. No n° 116 ⑪, morava Anne Charlotte Lynch, uma professora de inglês que realizava reuniões semanais em sua casa para amigos como Herman Melville e Edgar Allan Poe, que lá fez a primeira leitura de *O Corvo*.

Um desvio de meia quadra à esquerda leva à MacDougal Alley ⑫, antigas cocheiras reformadas onde Gertrude Vanderbilt Whitney mantinha seu estúdio.

Washington Square

De volta à MacDougal, vire à esquerda na Washington Square North para ver as mais belas casas em linhas gregas do país –tijolos vermelhos, com balaustradas de mármore e colunas na entrada. O escritor Henry James usou como cenário para seu *Washington Square* a casa de n° 18, de sua avó.

Washington Square Park e Arch

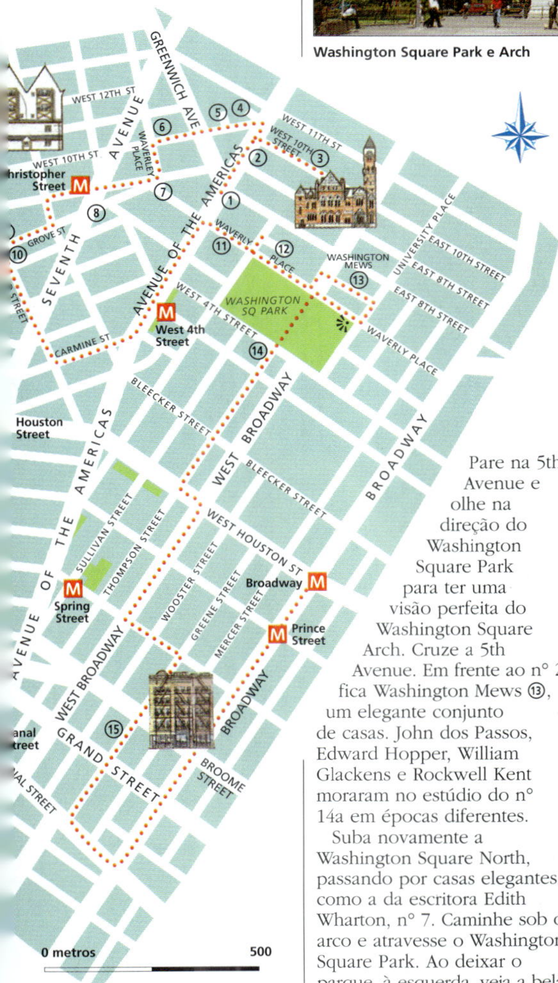

LEGENDA

- Percurso do passeio
- Boa vista
- Estação de metrô

Pare na 5th Avenue e olhe na direção do Washington Square Park para ter uma visão perfeita do Washington Square Arch. Cruze a 5th Avenue. Em frente ao n° 2 fica Washington Mews ⑬, um elegante conjunto de casas. John dos Passos, Edward Hopper, William Glackens e Rockwell Kent moraram no estúdio do n° 14a em épocas diferentes.

Suba novamente a Washington Square North, passando por casas elegantes, como a da escritora Edith Wharton, n° 7. Caminhe sob o arco e atravesse o Washington Square Park. Ao deixar o parque, à esquerda, veja a bela Judson Memorial Church and Tower ⑭ de Stanford White, e o Loeb Student Center. Este centro era uma pensão, "casa de gênios", e foi lá que Theodore Dreiser escreveu *Uma Tragédia Americana*.

SoHo

Desça a Thompson, típica rua do Village cheia de clubes, cafés e lojas. Vire à esquerda na Houston, o extremo norte do SoHo, e à direita em West Broadway, onde começam a aparecer com mais frequência as galerias da cidade, ao lado de algumas butiques muito chiques e modernas.

Entre à esquerda na Spring Street para ver mais lojas tentadoras e depois à direita na Greene Street ⑮, coração do Cast-Iron Historic District. Atualmente, muitos de seus prédios alojam várias pequenas galerias.

Ao virar à esquerda no final da Green Street para pegar a Canal Street, o final do SoHo, veja como a atmosfera de Nova York muda rapidamente. Esta barulhenta rua é cheia de camelôs e lojas de artigos eletrônicos baratos. Siga o movimento por duas quadras e vire à esquerda na Broadway. Compradores entusiasmados podem virar à direita na Spring St em NoLita, onde há aspirantes a designers modernos

Cast-Iron, na Greene Street ⑮

Subway

5 Ave ue 42 St St tion
D
F
7
S

Passeio de Duas Horas pelo Upper East Side

Um passeio pela parte norte da 5th Avenue e redondezas passa pelos mais belos exemplos da idade do ouro de Nova York, na virada do século. O desvio para o velho bairro alemão de Yorkville leva a um passeio pelas margens do rio até Gracie Mansion, a residência oficial do prefeito, de 1799. Para mais detalhes sobre os pontos turísticos do Upper East Side, veja as págs. 182-203.

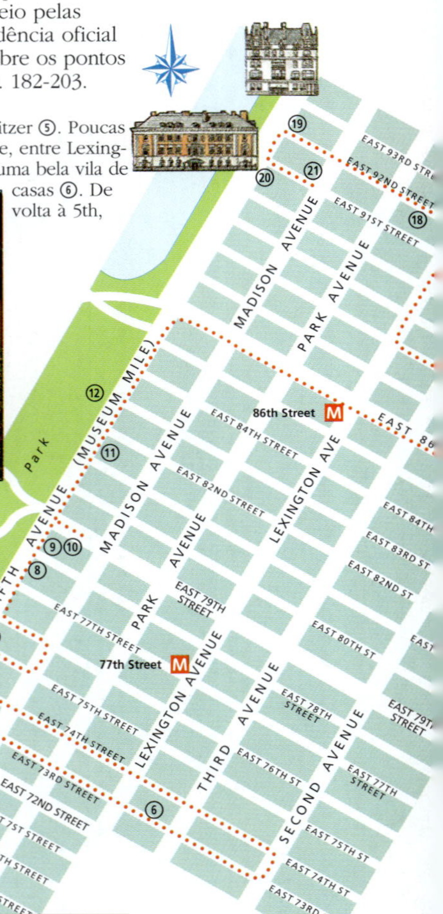

LEGENDA

- • • • Percurso
- Boa Vista
- M Estação de metrô

Do Frick ao Met

Comece pela mansão Frick ①, construída para o magnata do carvão Henry Clay Frick em 1913-4. Reserve tempo para ver a coleção de arte lá exposta *(págs. 202-3)*. Muitas mansões como esta foram erguidas à medida que as famílias de Nova York disputavam umas com as outras pela melhor imitação de Versalhes, de castelos do vale do Loire e até de *palazzos* venezianos. A maioria das que ainda existem se tornaram museus e instituições. O prédio de apartamentos em frente é a moradia típica dos nova-iorquinos ricos de agora.

Igreja da Holy Trinity ⑰

Na 70th Street ficam duas das principais galerias de arte da cidade, a Knoedler & Co e a Hirschl & Adler ② (21), Suba a Madison até a esquina da 72nd Street, onde está a grande loja Polo-Ralph Lauren ③, que fica na casa renascentista francesa de 1898 que pertenceu a Gertrude Rhinelander Waldo.

Volte na direção da 5th e veja na 72nd dois prédios de pedra do fim do século passado, que já abrigou o Lycée Français de Nova York ④. Prossiga na 5th Avenue até a 73rd Street. Vire à direita para o nº 11, casa de Joseph Pullitzer ⑤. Poucas quadras adiante, entre Lexington e 3rd, fica uma bela vila de casas ⑥. De volta à 5th, caminhe até a 75th Street para ver, no nº 1, a casa de Edward S. Harkness, da Standard Oil. É agora o Commonwealth Fund ⑦. No nº 1 da East 78th, o castelo em estilo francês erguido no século 18 pelo "barão do tabaco", James B. Duke, é hoje o New York University Institute of Fine Arts ⑧. Na esquina da 79th Street e 5th, a embaixada francesa ⑨ fica na casa onde morava o financista Payne Whitney e no nº 2 da East 79th encontra-se o Ukrainian Institute of America ⑩. Na ponta da 82nd Street fica a Duke-Semans House ⑪, uma das poucas mansões ainda em mãos de particulares. Reserve um dia inteiro só para o Metropolitan Museum of Art ⑫, na 82nd Street.

Ukrainian Institute of America ⑩

Carl Schurz Park Promenade

Yorkville

Vire à direita na 86th Street para ver o que resta da Yorkville alemã –Bremen House ⑬, Atravesse a 2nd Avenue e entre à direita para chegar ao Heidelberg Café e à deli alemã Schaller & Weber ⑭. Para relaxar, vá à Mocca Hungarian ou a M. Rohr's Cafe, na Second Avenue.

Rio East e Gracie Mansion

Henderson Place ⑮, na East End Avenue, é um conjunto de 24 casas de tijolos vermelhos no estilo Queen Anne. O Carl Schurz Park, em frente, presta homenagem ao mais importante imigrante alemão, editor da *Harper's Weekly* e do *New York Post*. Da esplanada do parque, na River Drive, tem-se uma bela vista de Hell Gate, onde se unem o Harlem, o estreito de Long Island e a baía de Nova York. De lá também se podem ver os fundos da Gracie Mansion ⑯, residência oficial do prefeito. A trilha pela cerca oeste mostra a mansão de outro ângulo. Vá para a esquerda, até a 88th Street, passe pela Church of the Holy Trinity ⑰ e, da Lexington Avenue, vá para a 92nd Street e veja duas raras casas de madeira de Manhattan ⑱.

Casas de madeira na 92nd Street ⑱

DICAS PARA O PASSEIO

Ponto de partida: *Frick Collection.*
Extensão: *4,8km.*
Como chegar: *tome o metrô 6 para a 68th Street e Lexington e caminhe três quadras até a 5th Avenue. Ou então tome o ônibus M1, M2, M3 ou M4 da Madison Avenue para 70th Street e caminhe uma quadra.*
Pontos de descanso: *os cafés nos museus Whitney e Guggenheim são agradáveis. O M. Rohr's Cafe fica no 303 E85/2nd Avenue e o Mocca Hungarian no 1588 2nd Ave/82nd. Ou prove o Heidelberg Café na 2nd, saída da 86th Street. A Madison Avenue, entre 92nd e 93rd Streets, tem bons lugares, inclusive a Sarabeth's Kitchen, que serve* brunch *nos fins de semana.*

Cooper-Hewitt Museum ⑳

Carnegie Hill

De volta à 5th Avenue, desça e passe pela Felix Warburg Mansion, de 1908, atualmente o Jewish Museum ⑲, e prossiga até a enorme casa de Andrew Carnegie, que é hoje o Cooper-Hewitt Museum ⑳. Construída em 1902 no estilo de um solar campestre inglês, a casa deu à área o nome informal de Carnegie Hill. A James Burden House ㉑ nº 7, erguida em 1905 para Adele Sloan, herdeira da fortuna Vanderbilt, tem escada em espiral sob uma clarabóia de vitrais que era chamada no passado de "escada para o céu". No nº 9, a casa do financista Otto Kahn, em estilo renascentista italiano, era muito apreciada, tinha varanda com entrada para carros e pátio interno. É atualmente uma escola, a Convent of the Sacred Heart School.

Passeio de Três Horas pelo Brooklyn

Atravessando a ponte mais famosa de Nova York chega-se a Brooklyn Heights, o primeiro subúrbio da cidade. Esta área tem uma atmosfera do século 19, misturada a toques da cultura do Oriente Médio. A esplanada à beira do rio tem lindas vistas de Manhattan. Veja mais detalhes sobre pontos turísticos do Brooklyn nas págs. 247-53.

Corpo de bombeiros na Old Fulton Street

Fulton Ferry Landing

Com 1km de extensão, a ponte do Brooklyn oferece uma vista fantástica de Nova York e a chance de tirar ótimas fotos. Tome um táxi ou, se tiver tempo, atravesse a pé.

Já no Brooklyn, siga o sinal para Tillary Street, à direita, depois vire à direita no pé da escada e tome a primeira trilha através do parque. Desça Cadman Plaza West ① e passe sob o Brooklyn-Queens Expressway, onde a Cadman se transforma na Old Fulton Street. Pode-se ver a ponte à direita, caminhando-se na direção do rio, na Water Street, e para o ponto de embarque do Fulton Ferry ②. Durante a guerra contra os ingleses, as tropas de Washington fugiram de lá para Manhattan. Em 1814 era o ponto de embarque da balsa que ligava o Brooklyn à ilha de Manhattan, o que acabou fazendo da rural Brooklyn Heights uma área residencial. A área tem muita personalidade e é um lugar popular para se morar. À direita fica o River Café ③, restaurante com boa cozinha e uma vista que faz dele um dos melhores de Nova York. Dê a volta para passar pela antiga Eagle Warehouse ④, de 1893.

Eagle Warehouse ④

Brooklyn Heights

Do ponto de embarque da balsa, vire à direita e suba a íngreme Everitt Street até Columbia Heights, em Middagh Street na área de Brooklyn Heights. No nº 24 ⑤ fica uma das casas mais velhas, de 1824. Vire à direita na Willow e depois à esquerda na Cranberry. Neste ponto, as casas vão de velhos prédios de madeira a *brownstones* de tijolos no estilo federal. Não fossem os carros e uns poucos prédios modernos, seria puro século 19.

Muitas pessoas famosas moraram no local. Truman Capote escreveu o roteiro de *Bonequinha de Luxo* e *A Sangue Frio* no porão do nº 70 de Willow Streeet e Arthur Miller foi dono do n 155. Walt Whitman morou na Cranberry Street, quando era editor do *Brooklyn Eagle*. Escolheu a diagramação de *Leaves of Grass* em uma tipografia perto da esquina de Cranberry e Fulton. As casas que existem aqui se chamam Whitman Close.

Vire à direta para o Hicks. A família Hicks, de ricos fazendeiros, virou designação de matuto. Vire à esquerda na Orange Street até chegar à Plymouth Church ⑥, do pastor Henry Beecher. Sua irmã,

Entrada do River Café ③

Truman Capote com um amigo de penas

Harriet Beecher, escreveu *A Cabana do Pai Tomás*. Ao redor da Henry e Pineapple, na Clark Street, olhe as marquises dos hotéis locais, como o Towers. Siga até Columbia Heights, onde Norman Mailer morou no nº 142 ⑦. Outro morador foi Washington Roebling, arquiteto da ponte do Brooklyn.

LEGENDA

- Percurso do passeio
- Boa vista
- Estação de metrô

Promenade

Na Montague, passeie pelo Promenade ⑧, a esplanada às margens do rio. Uma placa na entrada marca o local de Four Chimneys, a casa onde George Washington morou durante a batalha de Long Island. Siga em frente e tenha uma fantástica vista de Lower Manhattan. Aprecie o cenário, depois volte para a Montague. Aqui, faça um rápido desvio à direita para o Montague Terrace ⑨, onde o poeta W.H. Auden morou no no 1. Thomas Wolfe terminou *Of Time and the River* quando vivia no no ⑤.

Estátua do pregador Henry Ward Beecher ⑥

DICAS PARA O PASSEIO

Ponto de partida: *ponte do Brooklyn.*
Extensão: *5,5km.*
Como chegar: *tome o metrô 4, 5 ou 6 na Lexington Avenue para Brooklyn Bridge-City Hall (a mais perto da ponte). O ônibus M15 da 2nd Avenue também pára em City Hall. Na volta, tome o trem 2, 3, 4 ou 5 do metrô de Borough Hall, ou 2, 3, 4, 5, B, D, Q, M, N, R ou W de Atlantic Avenue.*
Pontos de descanso: *Teresa's, nº 80 da Montague Street, tem pratos poloneses a bons preços. Tente o Henry's End, nº 44 da Henry Street, para um jantar em Brooklyn Heights, ou o The Soul Spot, nº 302 da Atlantic Ave, para um jantar caribenho barato.*

O velho bonde da Montague Street, que levava ao rio e à balsa

Montague e Clinton Streets

De volta à Montague Street, caminhe para o centro de Brooklyn Heights, com seus cafés e butiques. O time de beisebol Brooklyn Dodgers ganhou esse nome por se esquivar *(dodge)* do trânsito dos bondes naquela rua. Vá até a esquina de Montague e Clinton para ver o vitral da Church of St Ann, de 1834, e a Holy Trinity ⑩. Caminhe uma quadra para a esquerda na Clinton até Pierrepont Street, onde fica a Brooklyn Historical Society ⑪. Uma quadra adiante, na Court Street, está o Borough Hall ⑫, de 1849, e o metrô de volta a Manhattan.

O Dodgers ganhou esse nome por se esquivar (dodge) de bondes

Atlantic Avenue

Outra opção é, da Clinton Street, andar cinco curtas quadras até Atlantic Avenue. Uma curva à esquerda leva a uma fila de empórios do Oriente Médio, como Sahadi Imports ⑬, nº 187, com grande variedade de alimentos e a Damascus Bakery, nº 195, com pães deliciosos. Várias lojas vendem livros, publicações, fitas e CDs arábes. Chegando à Flatbush Avenue, olhe à esquerda o prédio da Brooklyn Academy of Music ⑭ e a grande fachada do Williamsburg Savings Bank. Procure os avisos para o metrô que cruza o rio.

Waterfront em 90 Minutos

Da Battery Park City Esplanade com amplas vistas e condomínios de luxo até as magníficas escunas atracadas no South Street Seaport, esse passeio no waterfront mostra o fantástico legado marítimo de Nova York. A selva de concreto, a alguns quarteirões terra adentro, parece muito distante, assim como o lamento das buzinas e dos silvos dos ônibus circulares, que é abençoadamente amortecido. Caminhe pela ponta verdejante do Battery Park para se dar conta de que Manhattam é, de fato, uma ilha. Para mais detalhes de Lower Manhattan veja págs. 64-79.

Estátua da Liberdade vista do passeio no waterfront

Fotografias no Museum of Jewish Heritage ⑤

Battery Park City
Comece a caminhada pela Esplanade ①, perto de Rector Place Park, a oeste da estação de metrô Rector Street. Do outro lado do Hudson River surge a silhueta de New Jersey. Vá até South Cove ②, onde terá uma visão da Estátua da Liberdade como tiveram mais de 100 milhões de imigrantes em sua chegada. Visite o Robert F. Wagner, Jr. Park ③, que tem o nome de um ex-prefeito de Nova York. Grandes extensões de gramados, tílias, e pavilhões convidativos nos levam ao "cinturão verde" da linha costeira de Lower Manhattan. Vá até o belvedere de Wagner Park ④ para observar o Hudson. Aqui, painéis informativos registram a história da navegação de Nova York, quando imponentes escunas e vapores costeiros percorriam essas águas.

Battery Place
Em Battery Place, visite o Museum of Jewish Heritage ⑤ *(pág. 77)* e o Garden of Stones ao ar livre, um espaço calmo e elegante, com mudinhas de carvalho-anão brotando das pedras. Como Manhattan é a incontestável rainha dos edifícios altos, visite o Skyscraper Museum ⑥, uma maravilha de aço inoxidável. Admire a história dos arranha-céus e os atuais projetos do mundo todo, além da maquete original do antigo World Trade Center, criado em 1971.

Superfícies brilhantes e ângulos agudos no Skyscraper Museum ⑥

Castle Clinton, forte do século 19, construído para defender o porto ⑨

Battery Park
No caminho para o Battery Park, visite o Pier A ⑦, que foi tudo que restou do quartel marítimo de bombeiros de 1886. Visitantes importantes, ao chegarem pelo mar, costumavam ser saudados com jatos d'água que os barcos de incêndio bombeavam para cima. O relógio da torre do píer marcava as horas para o sistema marítimo. Continue pela linha costeira e procure o American Merchant Mariners Memorial ⑧, uma escultura de soldados puxando das águas um companheiro desesperado, baseada em fotografias de um ataque a um navio americano na Segunda Guerra Mundial. Vá até o monumento Castle Clinton ⑨, um forte erguido durante a Guerra de 1812. Depois, ele se tornou casa de ópera, teatro e aquário, e hoje é museu. Caminhe pelo parque, onde você pode descansar em bancos à sombra das árvores. Continue até a State Street, vire à direita em Whitehall, e depois à esquerda até a South Street, passando pelo Battery Maritime Building ⑩, no estilo Beaux Arts.

Merecido descanso numa cafeteria, em South Street Seaport ⑬

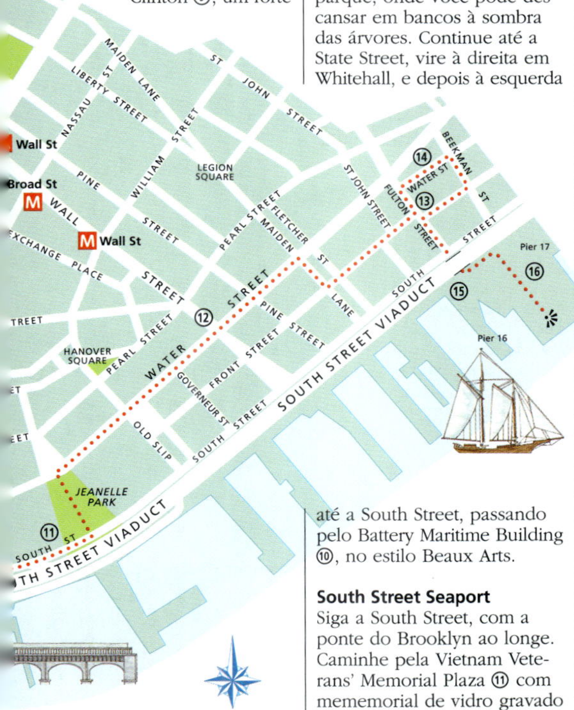

LEGENDA

- • • • Trajeto do passeio
- Vista panorâmica
- M Estação de metrô

0 metros 300

South Street Seaport
Siga a South Street, com a ponte do Brooklyn ao longe. Caminhe pela Vietnam Veterans' Memorial Plaza ⑪ com mememorial de vidro gravado com palavras comoventes de soldados para seus entes queridos. Vá para o norte pela Water Street, que tem esse nome porque marcava onde era a beira da água, e passe o Old Slip; todas as ruas com "slip" no nome são as que os barcos usavam para aportar entre os píers. A oeste, levante os olhos para a famosa Wall Street ⑫ *(págs. 66-7)* enquanto a atravessa, para ver as agulhas da Trinity Church *(pág. 68)*. Vire à direita em Maiden Lane, depois à esquerda até Front Street, calçada com pedras, que desemboca em South Street Seaport ⑬ *(págs. 82-5)*, caracterizada pelos mastros de madeira e velas dos grandes navios do porto. Explore a história da navegação de Nova York no South Street Seaport Museum e depois perambule pela Fulton Street, ladeada de lojas, até a Water Street. Dê uma espiada na Bowne & Co Stationers no nº 211 ⑭, uma charmosa papelaria antiga, com prensas manuais do século 19. Ande até o Pier 16 para uma olhada no Maritime Crafts Center ⑮, onde pintores e escultores trabalham em figuras de proa e entalhes. Siga até o Pier 17 ⑯, cheio de lojas e cafeterias. Enquanto caminha pelo píer de madeira, vire para trás e tenha uma vista memorável de Manhattan – mastros de velhas escunas em contraste com os arranha-céus da cidade. Termine o passeio no Paris Café, no Meyer's Hotel, de 1873 *(pág. 83)*.

DICAS

Ponto de partida: *The Esplanade perto de Rector Place.*
Extensão: *3,2km*
Como chegar: *Pegue o metrô 1/9 ou R/W para Rector Street. Vá para oeste na Rector Street, atravesse a ponte em West Street para Rector Place, e caminhe até The Esplanade.*
Pontos de parada: *Gigino, em Wagner Park , no 20 Battery Place, oferece comida italiana saborosa ao ar livre.*

East Village em 90 Minutos

Originalmente, fazenda da família Stuyvesant, esta área histórica tem, agora, um apelo diferente com suas agremiações musicais e artísticas, além de muitos dos bares e restaurantes étnicos interessantes e baratos da cidade. Conta também com uma área residencial sossegada, com comércio e criatividade, o que se reflete nas lojas de discos, cafeterias vegans, lojas de artesanado e boates com música ao vivo, em constante mudança. Para mais detalhes dos pontos em East Village, ver págs. 116-21.

Astor Place

Ao lado da estação de metrô Astor Place fica um cubo de aço preto chamado *Alamo* ① - ponto de encontro de estudantes e skatistas. Siga para a Third Avenue pelos grandes edifícios que formam a Cooper Union ② (*pág. 120*). Esta faculdade, que oferece bolsas de estudos, foi fundada em 1859, por Peter Cooper, um negociante analfabeto mas bem-sucedido que popunha a educação gratuita. Em frente fica o Continental ③, local de música ao vivo onde se apresentaram grupos como Iggy Pop e Guns N' Roses. No East Village, a 8th Street se torna St. Mark's Place ④, um ex-ponto de jazz, depois hippie e punk. Com tantas cafeterias na calçada e vendedores de rua, esta é uma das áreas de pedestre mais movimentada de Manhattan. A St. Mark's Ale House ⑤ à direita, antigo The Five Spot, era onde músicos e poetas se reuniam na década de 1960. Perto fica Trash and Vaudeville ⑥, uma loja de roupas que antes foi o Bridge Theater. O local foi fechado e reaberto diversas vezes por causa de atos controvertidos. Yoko Ono organizou happenings, e a bandeira americana foi queimada em protesto contra a guerra, em 1967. Em St. Mark's Place nºs 19 a 25 ⑦ havia um local judeu, depois dominado pela máfia italiana, até que Andy Warhol criou ali a boate Electric Circus, na década de 1960. Entre as bandas que tocaram aqui estava The Velvet Underground. Para apreciar seus álbuns, pare na Kim's Video ⑧, que dispõe de músicas e filmes obscuros.

Moradores em comemoração do Ukrainian Day

Little Ukraine

Vire à esquerda na Second Avenue, que reúne a maior e mais antiga população ucraniana dos EUA, com restaurantes, bares e centros, como o Ukrainian National Home ⑨, à direita (140), e o barato restaurante 24 horas Veselka ⑩, na esquina. Subindo a Second Avenue fica a conhecida (e mais cara) Second Avenue Deli ⑪, obrigatória para quem gosta de fígado picado.

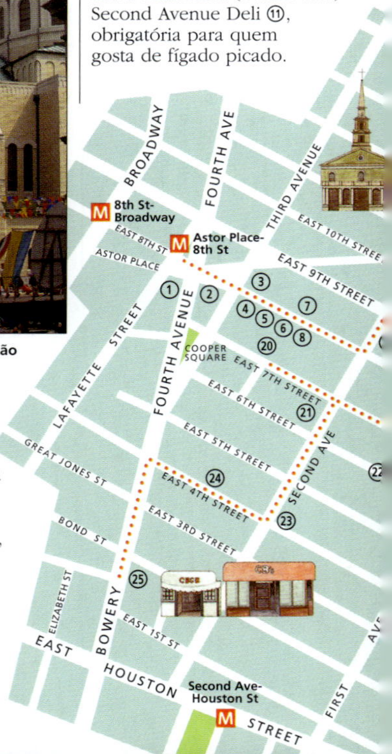

DICAS

Ponto de partida: *The Alamo.*
Extensão: *2,8km*
Como chegar: *Pegue o metrô 6 para Astor Place. Ou os ônibus M101, M102, ou M103.*
Pontos de parada: *muitos lugares bons em St. Mark's Place, mas tente o Jules Bistro (francês) entre a 1st e a 2nd Avenues, e DoJo East (bom preço) entre a 2nd e a 3rd Avenues.*

Loja Trash and Vaudeville, local que foi famoso por atos controvertidos ⑥

Elegância da padaria Veniero's ⑬ do início do século XX

Para apreciar o que foi uma parte essencialmente judia da cidade, a calçada exibe astros do teatro iídiche.

Atravessando na diagonal fica a St. Mark's-in-the- Bowery Church ⑫ (*pág. 121*). Erguida em 1795, esta igreja era a capela privativa do governador holandês Peter Stuyvesant, que foi enterrado aqui. Mais recentemente, os Black Panthers e os Young Lords se reuniam aqui, e Allen Ginsberg e outros escritores famosos contribuíram para The Poetry Project, que ainda existe. À direita, a 11th Street leva à Veniero's ⑬, elegante padaria italiana que conserva muitos detalhes originais, como o teto estampado à mão. Vire à direita e depois à esquerda na 10th Street, passe a Turkish Bath House ⑭, de três andares, até chegar à ponta norte do Tompkins Square Park ⑮ (*pág. 121*).

Olmo em Tomkins Square Park, um memorial Hare Krishna ⑯

LEGENDA

••• Percurso do passeio

M Estação de metrô

0 metros 200

Tompkins Square Park

De 1834, esta quadra testemunhou todos os tipos de ativismo político. No meio do parque fica um olmo sagrado ⑯ que celebra a primeira cerimônia Hare Krishna em solo americano. O grande jazzista Charlie Parker morou do outro lado da rua, de 1950 a 1955 ⑰. Siga pelo canto sudoeste na 7th Street onde no nº 7A ⑱ é servido café-da-manhã 24 horas. Descendo o quarteirão, o Turntable Lab 04 ⑲ vende equipamento para DJ e discos de vinil. Se ficar com sede, siga em direção à Second Avenue até a McSorley's Old Ale House ⑳, um dos bares mais antigos da cidade, que oferece cerveja "clara" e "escura". Volte à Second Avenue e vire à direita e veja onde ficava (105) o velho Fillmore East Auditorium ㉑. Cenário clássico do rock, apresentou lendas como The Doors, Jimi Hendrix, Janis Joplin e Pink Floyd. The Who estreou aqui a ópera-rock *Tommy*. Na 6th Street fica a "Indian Restaurant Row" ㉒, onde há uma competição entre casas de curry. Descendo a Second Avenue você vai passar pela A Salt and Battery ㉓, uma lanchonete de peixe com fritas, sede de Joe "the Boss" Masseria, chefe da máfia italiana na década de 1920. Vire à direita na 4th Street onde o bar KGB ㉔, à direita, é uma instituição literária. Dobre à esquerda na Bowery até o antigo endereço do CBGB & OMFUG ㉕, ou Country, Bluegrass, Blues & Other Music For Uplifting Gormandizers que fechou em 2006 –berço de bandas como Talking Heads.

"Indian Restaurant Row" – melhor rua para um curry de Bengala ㉒

Harlem em 90 Minutos

Poucos bairros de Nova York têm uma história cultural tão rica quanto o Harlen e seu legado afro-americano. Este passeio começa em Strivers' Row, uma das poucas áreas onde haviam habitações a preços razoáveis nas décadas de 1920 e 1930, quando a região floresciа com manifestações intelectuais e criatividade. Você conhecerá renomadas igrejas gospel, clubes de jazz e blues, e acaba no Apollo Theater, famosa vitrine do Harlen para novos artistas. Para mais detalhes do Harlen, ver págs. 220-31.

Strivers' Row

A área arborizada na 138th Street, entre a Seventh e a Eighth Avenues, é o St. Nicholas Historic District, mais conhecido como Strivers' Row ①. Nas décadas de 1920 e 1930, ricos e influentes profissionais negros, na procura de uma vida melhor, mudaram-se para casas projetadas por renomados arquitetos, como James Brown Lord e McKim, Mead & White. Ainda se podem ler as placas de alguns portões: "Rua particular; cavalos a passo". Um curto desvio à esquerda na Seventh Avenue (Adam Clayton Powell, Jr. Boulevard) e à direita na 139th Street leva a West 139th Street ②. Em 1932, Billie Holiday (com 16 anos) se mudou para o nº 108, antes de conseguir seu primeiro trabalho de cantora na "Jungle Alley", uma boate próxima.

Entrada decorada em Strivers' Row ①

Abyssinian Baptist Church

Vire à direita na Lenox Avenue e à direita na 138th Street até chegar à Abyssinian Baptist Church ③ *(pág. 229)*, famosa internacionalmente pela magnífica cerimônia gospel dominical. Fundada em 1921 e nomeada pelos afro-americanos do Oriente como sua primeira congregação, esta igreja acolheu pastores notáveis, como Adam Clayton Powell, Jr. Ali perto, na West 137th Street, fica Mother Zion ④, primeira igreja de negros de Nova York e uma das mais antigas dos EUA. Como parte do Underground Railroad (rota de fuga para escravos), adquiriu o apelido de "Freedom Church". Siga até a Countee Cullen Regional Library onde Madam C.J. Walker fundou a Walker School of Hair ⑤. Com uma bem-sucedida linha de cosméticos e de um sistema de alisamento de cabelos, Walker venceu pelo próprio esforço e foi uma das primeiras mulheres milionárias do país. Fez doações para muitas obras de caridade afro-americanas, como a National Association of Colored People (NAACP) e o

Apollo Theater, famoso por programas de TV e atos lendários ⑭

Tuskegee Institute. Depois de sua morte, em 1919, a filha A'Leila transformou o salão num centro intelectual para artistas, acadêmidos e ativistas, que receceu o nome de "The Dark Tower" em homenagem ao poema de protesto do escritor Countee Cullen. Perto da esquina da Lenox Avenue fica o Schomburg Center for Research into Black Culture ⑥ *(pág. 229)*, uma biblioteca nacional de pesquisa, cujo nome é homenagem a um acadêmico nascido em Porto

Rico, que doou sua coleção particular à biblioteca e foi curador dela por seis anos. Atravessando a Lenox Street na West 136th Street fica a Montgomery ⑦, uma extravagante loja de roupas femininas com peças exclusivas. Mas abaixo, no nº 267, está "Niggerati Manor" ⑧, uma pensão de artistas, chamada assim por Zora Neale Hurston, que aqui morou quando colaborava com Wallace Thurman, Aaron Douglas e Bruce Nugent na *Fire!!*, uma

Famoso restaurante Sylvia's, com autêntica comida soul ⑪

revista dedicada a jovens artistas negros. Volte pelo Adam Clayton Powell, Jr. Boulevard e desça até a "Jungle Alley" ⑨, antiga atração na noite do Harlem, que contava com diversos bares, boates, cabarés e fornecedores clandestinos de bebida. A volta pela 131st Street levará você à casa (235) de Marcus Garvey ⑩, líder importante e proponente ferrenho da unidade, da independência econômica e do orgulho dos negros. Retorne ao Adam Clayton Powell, Jr. Boulevard e vire à esquerda na 127th Street até chegar ao Sylvia's Restaurant ⑪ *(pág. 230)*, que se auto-intitula "Queen of Soul Food". Da mesma família desde 1962, o Sylvia's serve autênticos pratos sulistas, a exemplo de frango frito, peixe-gato e churrasco de costela. Fique na Lenox Avenue até chegar à 125th Street, onde encontrará Lenox Lounge ⑫ local em que se apresentaram Billie Holiday, Miles Davis e John Coltrane. Também abriga o Zebra Room, lugar de jazz frequentado por James Baldwin e Malcolm X. No meio do quarteirão seguinte fica o Studio Museum in Harlem ⑬ *(págs. 230-31)*, com exposições de arte contemporânea, programas, conferências e apresentações de artistas afrodescendentes. Vale a pena pesquisar o acervo na busca de pôsteres e livros.

Exibição de arte no Schomberg Center for Research into Black Culture ⑥

A grande cantora de jazz Billie Holiday ②

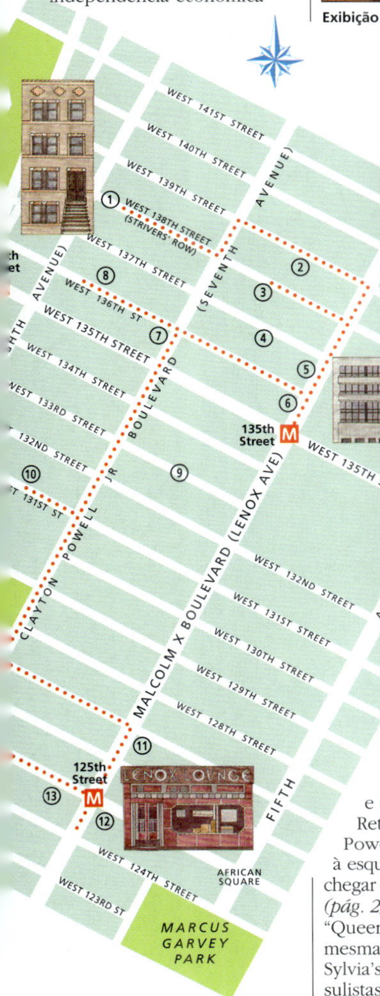

LEGENDA

• • • Trajeto do passeio

M Estação de metrô

Apollo Theater

Na West 125th Street fica o famoso Apollo Theater ⑭ *(pág. 230)*, onde, desde 1934, "surgem estrelas e criam-se lendas". Entre tais artistas há estilos que variam desde Ella Fitzgerald até James Brown. A partir de 1987, o programa "Amateur Night at the Apollo" passou a ser televisionado em rede nacional. Foi assim que o teatro se tornou o terceiro destino turístico mais concorrido em Manhattan.

Billie Holiday estreou no "Jungle Alley" ⑨

DICAS

Ponto de partida: *Strivers' Row.*
Extensão: *2,8km*
Como chegar: *Metrô 2 ou 3 para 135th St com Lenox Ave, depois vá a pé para o norte até a 138th St e para oeste até a Seventh Ave. Ou tome os ônibus M2, M7 ou M10 para 135th St e ande até a Seventh Ave.*
Pontos de parada: *Sylvia's na 127th com Lenox, cozinha sulista. Jimbo's Hamburger Joint na 125th com Lenox tem ótimos hambúrgueres e fritas.*

ALL STAR
1500

INDICAÇÕES AO TURISTA

ONDE FICAR

Com uma oferta de mais de 65 mil quartos de hotel, Nova York tem lugar para todos os tipos de visitantes. Mesmo os mais luxuosos não chegam a ser tão caros quanto os de Paris ou Londres, mas a boa novidade para os turistas é que está aumentando o número de hotéis econômicos. Muitos estão mais para o simples que para o charmoso, mas o preço é bom. Outras opções baratas são os apart-hotéis e pensões em casas de família, além dos albergues e acomodações da Associação Cristã de Moços (YMCA). Depois de inspecionar mais de 200 hotéis, escolhemos os melhores em seu gênero. *Como Escolher um Hotel (págs. 280-91)* contém informações detalhadas e ajuda a decidir com base nas exigências de cada um. Muitos hotéis têm endereço de website que possibilita fazer reservas de quarto pela internet.

Piano de Cole Porter, no bar do Waldorf-Astoria *(pág. 289)*

Banheiro do Paramount, um hotel no Theater District *(pág. 277)*

ONDE PROCURAR

O East Side, mais ou menos entre a 59th e a 77th Streets, é a localização tradicional dos hotéis mais luxuosos, mas a recuperação de marcos do centro de Manhattan (Midtown), como o St Regis, e novos hotéis de cadeias do Extremo Oriente, como o Peninsula Group, ampliaram a competição nesta faixa de preços.

Quem viaja a negócios prefere Midtown, sobretudo os hotéis de preços moderados na Lexington Avenue, perto do Grand Central Terminal. Os que preferem locais calmos, com fácil acesso a Midtown, dirigem-se à área de Murray Hill, ao passo que os fãs de teatro podem tirar proveito da renovação da região de Times Square. Hotéis perto de teatros são uma grande vantagem, pois os espetáculos em geral terminam todos no mesmo horário e é difícil tomar táxi.

Próximo a Herald Square há bons hotéis a preços módicos, conveniente para quem quer ir às compras. Boutiques bacanas floresceram no SoHo e Meatpacking District, onde há também bons restaurantes e bares e lojas chiques.

O New York & Co (Convention and Visitors Bureau) publica um folheto grátis, atualizado anualmente, chamado *The New York Hotel Guide*, com tarifas, números de telefone grátis e de fax. Seus funcionários dão sugestões de hotéis, mas não fazem reservas.

PREÇOS DE HOTEL

Alguns hotéis oferecem tarifas promocionais e descontos nas épocas de menor movimento. Por exemplo, os executivos deixam os hotéis na sexta-feira –assim, é possível aproveitar os pacotes de fim de semana, inclusive nos hotéis de luxo *(ver Ofertas Especiais, pág. 278)*. Outra boa opção, que vem se expandindo, são os apart-hotéis, em todas as faixas de preço. Oferecem mais espaço do que um apartamento normal –além de fogão e geladeira. A maioria acomoda até quatro pessoas, motivo de seu grande sucesso entre as famílias que visitam a cidade. Lembre-se de que a localização influi no custo.

Café Botanica, no Essex House Hotel *(pág. 286)*

DESPESAS EXTRAS

Para calcular seus gastos com hospedagem em Nova York, não basta levar em consideração os preços dos quartos expostos na recepção. Adicione o equivalente a 13,625% de impostos e mais uma taxa de ocupação de US$ 2 por noite.

Vários hotéis agora incluem o café-da-manhã no preço. Isso representa uma grande economia, pois um café-da-manhã padrão custa cerca de US$ 5 por pessoa,

Telefones no saguão, para ligar para os hóspedes nos quartos

◁ Turistas consultando um guia na movimentada New York Street

Suíte no Millennium *(pág. 286)*

mais taxas, preço que pode chegar a US$ 30 nos hotéis de luxo. Para economizar, vá à *deli* (sanduíches e frios) ou *coffee shop* (café) mais próximas e deixe o hotel para os cafés-da-manhã de negócios.

A taxa por uso de telefone nos hotéis sempre é cara. É muito mais barato usar o telefone público no saguão, principalmente para ligações internacionais.

É costume dar gorjetas nos Estados Unidos. Funcionários que carregam bagagem esperam no mínimo US$ 1 por peça –nos hotéis de luxo, mais. Não é preciso dar gorjeta à concierge por serviços normais, como chamar táxi ou fazer reservas para jantar, mas devem-se recompensar os serviços excepcionais.

Quando pedir comida ou bebida no quarto, veja no cardápio se a conta que vem junto já inclui o serviço. Se isso não acontecer, a gorjeta adequada é de 15-20%.

Quem viaja sozinho vai perceber que o preço do apartamento *single* (muitas vezes o mesmo que para casal) é pelo menos 80% do preço da *double room*.

INSTALAÇÕES

Embora Nova York seja barulhenta, você não terá dificuldade para dormir. A maioria dos hotéis da cidade tem janelas com vidro duplo ou triplo, para abafar os ruídos. Ar-condicionado é padrão e não há necessidade de abrir a janela. Mesmo assim, alguns quartos são sempre mais tranquilos que outros, se ficam nos fundos do hotel ou dão para um pátio –informe-se ao fazer a reserva.

Rádio, TV e pelo menos um telefone são fornecidos em todos os apartamentos, mesmo nos hotéis mais modestos, e a maioria tem banheiro conjugado. Hotéis na faixa média oferecem atualmente aparelhos de fax nos quartos, sala de exercícios físicos e serviço completo de concierge. Os mais equipados têm serviço de recado, dois telefones, e check-out eletrônico.

Os hotéis indicados neste guia ficam a curta distância a pé de um bom número de lojas e restaurantes. Poucos têm estacionamento, mas, em geral, você encontrará manobristas para levar o carro a vagas reservadas aos hóspedes em garagens nas proximidades. Geralmente cobra-se uma taxa reduzida (mas ainda assim cara) por dia. Se o hotel não tem serviço de concierge, a recepção em geral se dispõe a ajudar o hóspede, com informações e reservas.

Saguão Art Déco do Edison Hotel no Theater District

AGENDA

ESCRITÓRIO DE TURISMO

New York & Co- *(Convention and Visitors Bureau)* 810 7th Ave, NY, NY 10019. **Mapa** 12 E4. ***Tel*** *(212) 484-1222.* Folhetos também disponíveis no JFK Airport. **www**.nycvisit.com

SUITE HOTELS

Affinia Suite Hotels
O mesmo número faz reserva nos seguintes hotéis: ***Tel*** *(212) 320-8050. Toll Free 1-866-246 2203.* @ infomation@affinia.com **www**.affinia.com

Affinia Gardens
215 E 64th St. **Mapa** 13 B2.

Beekman Tower
3 Mitchell Pl. **Mapa** 13 C5.

The Benjamin
125 E 50th St. **Mapa** 13 B4.

Dumont Plaza
150 E 34th St. **Mapa** 9 A2.

Eastgate Tower
222 E 39th St. **Mapa** 9 B1.

Plaza Fifty
155 E 50th St. **Mapa** 13 B4.

Shelburne–Murray Hill
303 Lexington Ave. **Mapa** 9 A2.

Southgate Tower
371 7th Ave. **Mapa** 8 E3.

Surrey
20 E 76th St. **Mapa** 17 A5.

RESERVAS NO AEROPORTO

A Meegan Services
JFK International Airport
Tel *1-800-441-1115.*

Accommodations Plus
JFK International Airport
Tel *1-800-733-7666*

RESERVAS COM DESCONTO

Express
Tel *(303) 440-8481.*
Fax *(303) 440-0166.*
www.express-res.com

Hotel con-x-ions
Tel *(212) 840-8686.*
Fax *(212) 221-8686.*
www.hotelconxions.com

Quikbook
Tel *(212) 779 7666;*
Fax *(212) 779 7666*
www.quikbook.com

COMO FAZER RESERVA

É bom fazer reserva com pelo menos um mês de antecedência. Mesmo que os hotéis não estejam lotados, os melhores quartos são sempre ocupados antes, principalmente se há um grande evento na cidade. Os períodos de maior movimento são a Páscoa, a semana da Maratona de Nova York, no fim de outubro-começo de novembro, o Dia de Ação de Graças (Thanksgiving), no fim de novembro, e o Natal.

Faça a reserva direto com o hotel, por telefone, carta, fax ou internet. Será exigida uma confirmação por escrito de sua reserva por telefone, provavelmente com um depósito como garantia de seu comparecimento; eventuais taxas de cancelamento poderão ser deduzidas dessa quantia. Você pode pagar com cartão de crédito, depósito bancário internacional ou ordem de pagamento, ou traveller's cheques dos EUA. Avise o pessoal se você for chegar ao hotel depois das 18h, senão perderá sua reserva, exceto se tiver sido feita por cartão de crédito.

Também é possível reservar por meio de agência ou companhia aérea. A maioria dos hotéis tem um número gratuito para ligações de dentro dos Estados Unidos, mas ele não serve para outros continentes. Se o hotel escolhido integrar uma cadeia internacional, filiais em outros países podem fazer a reserva.

OFERTAS ESPECIAIS

Os hotéis de Nova York têm maior movimento durante a semana, quando ocorrem as viagens de negócios, e por isso a maioria oferece pacotes especiais de fim de semana. Muitas vezes se consegue ocupar um apartamento de luxo pelo preço de um standard.

Funcionários de grandes empresas em geral obtêm tarifa especial para corporações. É comum também os recepcionistas darem descontos sem fazer maiores perguntas.

Algumas agências de reservas oferecem descontos. Em geral, um bom agente consegue as melhores tarifas, mas é bom comparar preços contatando diretamente um serviço de reservas, como a Express ou a Quikbook *(pág. 277)*, que dão reduções de 20% a 50%, conforme a época do ano. O pagamento é por cartão de crédito e o serviço dá um *voucher* (comprovante) para apresentação no hotel. Os pacotes de viagem também reduzem preços de hotel. Às vezes nem é preciso ficar com o grupo, só usar os mesmos aviões e hotéis. Tais pacotes podem incluir traslados de aeroportos, o que traz uma economia adicional. Empresas aéreas muitas vezes têm descontos próprios, sobretudo na baixa temporada. Neste caso também um bom agente conhece as melhores ofertas, mas os jornais publicam anúncios e pode-se fazer tudo sem intermediários. Em época de movimento fraco, essas ofertas podem compensar mais que os pacotes.

Saguão do St Regis Hotel (pág. 279)

AGENDA

DEFICIENTES FÍSICOS

Mayor's Office for People with Disabilities
52 Chambers St, Room 206, 10007.
Tel *(212) 788-2830.*
www.nyc.gov/mopd

BED & BREAKFAST

Abode Bed and Breakfast Inc.
Tel *(212) 472-2000 or (800) 835-8880*
www.abodenyc.com

At Home in NY
Tel *(212) 956-3125*
Tel *(212) 247-3294.*

B & B Network in New York
130 Barrow St, Suite 508, 10014. ***Tel*** *(212) 645-8134 or (800) 900-8134.*

Bed & Breakfast (& Books)
35 W 92nd St, Apt 2C, NY 10025
Tel *(212) 865-8740*

Country Inn The City
Tel *(212) 580-4183*
www.countryinnthecity.com

Gamut Realty
Tel *(212) 879 4229.*
www.gamutrealty.com

Jim's Deli!
www.jimsdeli.com

New World B & B
Tel *(212) 675-5600 or (800) 443-3800.*

ALBERGUES E DORMITÓRIOS

Hosteling International, NY
891 Amsterdam Ave at W 103rd St, NY, NY 10025. **Mapa** 20 E5.
Tel *(212) 932-2300.*
www.hinewyork.org

92nd St Y
1395 Lexington Ave, NY 10128. **Mapa** 17 A2.
Tel *(212) 415-5650.*
www.92y.org

YMCA-Vanderbilt
224 E 47th St, 10017.
Mapa 13 A5.
Tel *(212) 756-9600.*
www.ymcanyc.org

YMCA-West Side
5 W 63rd St, 10023. **Mapa** 12 D2. ***Tel*** *(212) 875-4273.*
www.ymcanyc.org

QUARTOS PARA ESTUDANTES

NYU Summer Housing
8 Washington Place, NY, NY 10003. **Mapa** 4 E2.
Tel *(212) 998-4621.* **www**.nyu.edu/summer/housing

AEROPORTO

As págs. 380-1 têm informações sobre os hotéis dos dois aeroportos de Nova York, ***JFK*** *e* ***Newark.***

DEFICIENTES FÍSICOS

A lei exige que hotéis novos tenham acomodações para deficientes físicos e mesmo os mais antigos fizeram reformas para se adequar às normas. Para descobrir que hotéis oferecem as melhores instalações, consulte seus respectivos sites. Eles estão indicados para todos os hotéis relacionados nas págs. 280-91. Ao fazer a reserva informe o hotel sobre necessidades específicas. A maior parte dos hotéis permite a entrada de cães-guias, mas é bom checar ao fazer a reserva.

O **Mayor's Office for People with Disabilities** dá mais detalhes sobre os hotéis.

VIAGEM COM CRIANÇA

Os hotéis americanos geralmente recebem as crianças com muita cordialidade. Facilidades como berços e serviço de babá são comuns e a maioria dos restaurantes de hotel está equipada para servir bem as crianças.

Viajar com crianças pode ser mais barato do que se pensa. Muitos hotéis não cobram a mais se o filho ficar no quarto dos pais, ou cobram uma pequena taxa por cama extra. Nesse caso, geralmente o limite é uma ou duas crianças por quarto–a maior parte dos hotéis estipula um limite de idade, normalmente 12 anos. Acima desse limite, cobra-se tarifa normal, embora em alguns casos o limite seja estendido até 18 anos. Ao fazer a reserva, pergunte sobre pacotes para famílias.

BED & BREAKFAST

Há um número cada vez maior de acomodações do tipo bed & breakfast em apartamentos particulares. Vão de um quarto em uma casa em que o dono está morando até o lugar inteiro, cozinha e banheiro inclusive, alugado quando o proprietário viaja.

Hospedar-se em uma casa particular permite que o turista absorva a atmosfera das áreas residenciais e frequente os restaurantes locais, geralmente

Entrada do Peninsula Hotel *(pág. 289)*

mais baratos que os do centro. Este tipo de acomodação pode ser encontrado através de vários serviços gratuitos de reservas. Algumas agências exigem o mínimo de duas noites ou mais. As tarifas de apartamentos sem os donos variam de US$ 100 a US$ 300; um quarto de casal custa de US$ 100 a mais a diária, dependendo da inclusão ou não do banheiro. Há grande variedade de apartamentos, dos espaçosos e luxuosos aos apertados e velhos. O custo aumenta se o endereço for distante, elevando os gastos com transporte. Ao reservar, peça detalhes sobre localização e instalações.

ACOMODAÇÕES BARATAS E PARA JOVENS

A cidade oferece um albergue de jovens e vários dormitórios da Associação Cristã de Moços **(YMCA)** para os que têm pouco dinheiro. Para quem quiser ficar mais tempo, o **92nd St. Y**, albergue e animado centro cultural no Upper East Side, tem quartos por preços que vão de US$ 35 a US$ 50 a diária.

Não há campings em

Piscina no topo de um hotel luxuoso

Manhattan e as acomodações para estudantes são difíceis, a não ser para aqueles ligados de alguma forma a uma universidade de Nova York.

Para o visitante que está de olho no próprio bolso e procura se ater ao essencial, existe também outro tipo de acomodação que pode se revelar surpreendentemente boa em relação ao preço. É possível encontrar quartos baratos, geralmente em boas localizações para passeios, em várias áreas de Nova York, particularmente em Chelsea, no Garment District e no Upper West Side, e em escala menor em vizinhanças nobres como o Upper Midtown. Embora alguns desses quartos mais em conta sejam relativamente confortáveis, com banheiro ou chuveiro no quarto, outros podem ser muito pequenos, às vezes sem ar condicionado, e você pode ser obrigado a compartilhar o banheiro. Finalmente, outra maneira de fazer seu dinheiro render mais é evitar tomar café-da-manhã no próprio hotel. Seu salão de café pode ser mais caro do que um café fora do hotel ou do que uma deli.

SÍMBOLOS

Há uma lista de hotéis nas págs. 280-91. Cada hotel pertence a uma área e categoria de preço. Os símbolos na frente do endereço indicam o que cada hotel oferece.

- salas para ginástica no hotel
- piscina
- acomodação para crianças: berço, babás
- elevador
- **P** estacionamento
- restaurante
- não aceita cartão de crédito

Categorias de preço de apartamento de casal, com banheiro, por noite, inclusive taxa e serviço:

- $ menos de US$150
- $$ US$150–US$250
- $$$ US$250–US$350
- $$$$ US$350–US$450
- $$$$$ mais de US$450

Onde Ficar

Os hotéis foram selecionados com base na qualidade das acomodações e do serviço, além da localização. A lista cobre todas as categorias de área e preço, com informações para ajudá-lo a escolher um hotel que atenda suas necessidades. Os que estão na mesma categoria de preço aparecem em ordem alfabética.

CATEGORIAS DE PREÇO
Quarto para duas pessoas, por uma noite, com café-da-manhã, e taxas:

$ menos de US$150
$$ US$150–US$250
$$$ US$250–US$350
$$$$ US$350–US$450
$$$$$ mais de US$450

LOWER MANHATTAN

Best Western Seaport Inn Downtown — $$

33 Peck Slip, 10038 **Tel** *(212) 766-6600* **Fax** *(212) 766-6615* **Quartos** *72* — **Mapa** *2 D2*

Você vai se sentir entrando num refúgio de marinheiros do século 19 nessa propriedade com vista para a Brooklyn Bridge. As família adoram o café-da-manhã farto, os biscoitos da tarde, e o saguão com chá e café. A academia 24 horas é ampla. Passe para um quarto com terraço, se puder. **www.bestwestern.com**

Embassy Suites New York — $$$

102 North End Ave, 10282 **Tel** *(212) 945-0100* **Fax** *(212) 945-3012* **Quartos** *463* — **Mapa** *1 A2*

Todos os quartos têm banheiro. As acomodações com dois quartos possuem internet de banda larga e sofás-camas. Linda vista do porto e taxas com desconto nos fins de semana. O hotel fica perto de Battery Park City e do ferryboat para a Estátua da Liberdade, mas é bem longe do metrô. **www.embassysuites.com**

Holiday Inn Wall Street — $$$

15 Gold St, 10038 **Tel** *(212) 232-7800* **Fax** *(212) 269-9569* **Quartos** *138* — **Mapa** *2 D2*

Os que viajam a negócios se sentem em casa nos quartos projetados para eles, com todas as facilidades modernas. Cada quarto tem um computador, fax/copiadora, telefones portáteis, e todo material de escritório necessário. Dispõe de bufê de café-da-manhã para os que não têm compromisso em outro lugar. **www.holiday-inn.com**

Mariott New York City Financial Center — $$$

85 West St, 10006 **Tel** *(212) 385-4900* **Fax** *(212) 227-8136* **Quartos** *507* — **Mapa** *1 B3*

Hotel novo, no coração do Financial District, é moderno e imponente, e dispõe de piscina coberta. Todos os quartos têm toques especiais, como edredons, e alguns dão vista para a Estátua da Liberdade e para o porto. Basicamente um hotel de negócios, essa propriedade às vezes oferece boas taxas de fim de semana. **www.marriott.com**

The Wall Street Inn — $$$

9 South William St, 10004 **Tel** *(212) 747-1500* **Fax** *(212) 747-1900* **Quartos** *46* — **Mapa** *1 C3*

Nos fins de semana, as diárias caem muito neste hotel para executivos. A decoração colonial americana dá um ar de leveza, e o serviço profissional é de primeira. Embora os quatos pareçam pequenos, as camas são confortáveis. Escolha um quarto de canto pela banheira de hidromassagem. Café continental incluído. **www.thewallstreetinn.com**

Ritz Carlton Battery Park — $$$$

2 West St, 10004 **Tel** *(212) 344-0800* **Fax** *(212) 344-3801* **Quartos** *298* — **Mapa** *1 B4*

Os telescópios nos quartos modernos e elegantes permitem vistas em close-up da Estátua da Liberdade e do porto. Banheiros enormes, cheios de produtos de cortesia. Especial atenção para crianças, que têm programas especiais. O chá da tarde é servido no bar. **www.ritzcarlton.com**

LOWER EAST SIDE

Howard Johnson Express Inn — $

135 East Houston St, 10002 **Tel** *(212) 358-8844* **Fax** *(212) 473-3500* **Quartos** *46* — **Mapa** *5 A3*

Este anexo relativamente novo oferece quartos pequenos, mas econômicos, para os hóspedes aproveitarem as cafeterias e butiques da moda, ali ao lado. Perto do metrô e de restaurantes baratos, é a localização imbatível para jovens avançados. Há quartos com microondas e frigobar. A famosa Katz's Deli fica a um quarteirão. **www.hojo.com**

Off SoHo Suites Hotel — $

11 Rivington St, 10002 **Tel** *(212) 979-9808* **Fax** *(212) 979-9801* **Quartos** *38* — **Mapa** *5 A3*

A vizinhança central, da moda, cercou este local econômico, tornando-o uma boa opção para quem quer ficar perto do SoHo e de Lower East Side. Os quartos pequenos dividem equipamentos, enquanto os maiores têm banheiro privativo e cozinha completa, uma boa escolha para grupos grandes ou famílias. **www.offsoho.com**

Legendas dos símbolos *no final do guia*

SOHO E TRIBECA

Cosmopolitan Hotel $$

95 West Broadway, 10007 ***Tel*** *(212) 566-1900* ***Fax*** *(212) 566-6909* ***Quartos*** *105* ***Mapa*** *1 B1*

Esta preciosidade econômica fica no coração da badalada TriBeCa. Embora os quartos sejam pequenos, são bem conservados, com banheiros também minúsculos, mas limpos. Os diversos restaurantes das redondezas e o fácil acesso a transportes públicos fazem deste hotel um achado. Bom para compras. **www.cosmohotel.com**

Holiday Inn Downtown $$

138 Lafayette St, 10013 ***Tel*** *(212) 966-8898* ***Fax*** *(212) 966-3933* ***Quartos*** *227* ***Mapa*** *4 F5*

Há muito tempo, este estabelecimento é procurado por quem quer ficar perto do bochicho de Nova York e da badalada área central. Ali perto estão Chinatown, SoHo, Lower East Side e Little Italy, com butiques e restaurantes. Os quartos são simples, mas confortáveis, e o restaurante da casa é bom numa emergência. **www.holiday-inn.com**

SoHo Grand Hotel $$$

310 West Broadway, 10013 ***Tel*** *(212) 965-3000* ***Fax*** *(212) 965-3200* ***Quartos*** *367* ***Mapa*** *4 E4*

Hotel-butique muito procurado por figurões do entretenimento e celebridades. Localizado no meio do SoHo, tem quartos pequenos, de aparência escura, apensar de as janelas altas darem para o centro. Serviço 24 horas e atendimento para animais de estimação agradam os hóspedes **www.sohogrand.com**

Tribeca Grand Hotel $$$

2 Sixth Ave, 10013 ***Tel*** *(212) 519-6600* ***Fax*** *(212) 519-6700* ***Quartos*** *203* ***Mapa*** *3 E5*

O átrio confere grandiosidade ao hotel. A sala de projeção, no térreo, fez do estabelecimento um dos preferidos das celebridades. Os quartos têm decoração suave e cortesias de primeira no banheiro. Reserve um quarto de canto ou uma suíte-estúdio para ter mais espaço. Tome um drinque no saguão e observe os astros. **www.tribecagrand.com**

60 Thompson $$$$

60 Thompson St, 10012 ***Tel*** *(877) 431-0400* ***Fax*** *(212) 431-0200* ***Quartos*** *100* ***Mapa*** *4 D4*

Este hotel-butique chique ficou mais cobiçado com a abertura de um novo restaurante e de uma cobertura de verão, onde só vão hóspedes e quem dita a moda. Os quartos são minimalistas, mas confortáveis, em tons agradáveis, dispondo de todos os equipamentos modernos. O destaque fica com a localização. **www.60thompson.com**

The Mercer Hotel $$$$$

147 Mercer St, 10012 ***Tel*** *(212) 966-6060* ***Fax*** *(212) 965-3838* ***Quartos*** *62* ***Mapa*** *4 E3*

Preços altos, neste discreto hotel-butique, procurado por celebridades que desejam muita privacidade. Os quartos foram projetados como lofts, com tijolo à vista e piso de madeira. As banheiras têm largura para acomodar duas pessoas. Crianças são bem-vindas – a casa dispõe de berços com roupa de cama Frette. **www.mercerhotel.com**

GREENWICH VILLAGE

Abingdon Guest House $$

13 Eighth Ave, 10014 ***Tel*** *(212) 243-5384* ***Fax*** *(212) 807-7473* ***Quartos*** *9* ***Mapa*** *3 C1*

Fica numa das ruas mais bonitas do West Village, calçada com arenito avermelhado e ladeada de butiques. Cada quarto tem decoração única e dispõe de todo conforto. Não possui pessoal em tempo integral, o que nos diz que essa preciosidade convém a viajantes independentes. Não serve café-da-manhã. **www.abingdonguesthouse.com**

Washington Square Hotel $$

103 Waverly Place, 10011 ***Tel*** *(212) 777-9515* ***Fax*** *(212) 979-8373* ***Quartos*** *170* ***Mapa*** *4 D2*

Muito perto da NYU, este hotel dá para a Washington Square Park, reformada há pouco tempo. O saguão de mármore leva aos quartos arejados e elegantes. A localização central se traduz em preços acima da média, mas ao lado há bares e restaurantes incríveis. O restaurante da casa tem boa comida. **www.wshotel.com**

EAST VILLAGE

St. Mark's Hotel $

2 St Mark's Place, 10003 ***Tel*** *(212) 674-0100* ***Fax*** *(212) 420-0854* ***Quartos*** *70* ***Mapa*** *4 F1*

O pessoal dá duro para manter este econômico hotel limpo e arrumado e, pelo preço, quartos e banheiros são impecáveis. A St. Mark é uma rua movimentada com lojas *vintage* e estúdios de tatuagem que atraem jovens barulhentos das vizinhanças da NYU. Assim, não espere noites tranquilas. Perto do metrô. **www.stmarkshotel.qpg.com**

Union Square Inn

209 East 14th St, 10003 **Tel** *(212) 614-0500* **Fax** *(212) 614-0512* **Quartos** *40* **Mapa** *4 F1*

Conforto padrão a preços razoáveis neste hotel. Os quartos não têm vista e são bem comuns, mas dispõem de camas confortáveis e de banheiros asseados. Café da manhã europeu servido na cafeteria da casa, em horários fixos. A Union Square, próxima, é ótima para observar as pessoas. **www.unionsquareinn.com**

GRAMERCY E FLATIRON DISTRICT

Hotel 17

225 East 17th St, 10003 **Tel** *(212) 475-2845* **Fax** *(212) 677-8178* **Quartos** *120* **Mapa** *9 B5*

Os jovens adoram a localização deste hotel básico e econômico. Quartos minúsculos sem originalidade; alguns com banheiro compartilhado. Woody Allen tornou a casa conhecida em *Manhattan Murder Mystery* e dizem que Madonna ficava aqui, quando jovem cantora. Perto há restaurantes baratos e lojas da moda. **www.hotel17ny.com**

Hotel 31

120 East 31st St, 10016 **Tel** *(212) 685-3060* **Fax** *(212) 532-1232* **Quartos** *60* **Mapa** *9 A3*

Irmão do Hotel 17, foi reformado há pouco. Cada um dos 60 quartos tem decoração diferente, mas o estilo é a chique estamparia floral. Os quartos dispõem do básico: ar condicionado, TV a cabo, e alguns dividem o banheiro. Esta área é mais sossegada à noite. **www.hotel31.com**

Murray Hill Inn

143 East 30th St, 10016 **Tel** *(212) 683-6900* **Fax** *(212) 545-0103* **Quartos** *50* **Mapa** *9 A3*

O bom preço deste hotel sem elevador combina com os quartos pequenos e simples. Os que têm banheiro são os melhores, mas os banheiros compartilhados são muito limpos e constituem uma boa opção para quem quer economizar. O Murray Hill hospeda famílias jovens, e à noite é bem sossegado. **www.murrayhillinn.com**

Gershwin Hotel

7 East 27th St, 10016 **Tel** *(212) 545-8000* **Fax** *(212) 684-5546* **Quartos** *150* **Mapa** *8 F3*

O original da *Campbell's Soup Can*, de Andy Warhol, no saguão dá o tom neste hotel inspirado na Pop Art. Um achado para turistas, pois fica bem perto do Empire State Building. Diversas opções de restaurantes nas imediações. **www.gershwinhotel.com**

Thirty Thirty

30 East 30th St, 10016 **Tel** *(212) 689-1900* **Fax** *(212) 689-0023* **Quartos** *240* **Mapa** *9 A3*

Os quartos elegantes são perfeitos para viajantes sofisticados, mas econômicos. Mesmo pequenos, os quartos são bem confortáveis. Há muitos quartos com duas camas, e alguns têm kitchenettes. O restaurante e o saguão se destacam. A vizinhança também está cheia de lojas e restaurantes badalados. **www.thirtythirty-nyc.com**

Hotel Roger Williams

131 Madison Ave, 10016 **Tel** *(212) 448-7000* **Fax** *(212) 448-7007* **Quartos** *200* **Mapa** *9 A3*

Hotel cheio de estilo para quem tem um pouco mais para gastar, e os extras fazem o preço valer a pena – café-da-manhã grátis, café e guloseimas para se servir o dia todo, empréstimo de DVDs. Quartos suaves, com madeira clara e cores quentes. Descontos sazonais podem torná-lo ainda mais barato. **www.rogerwilliamshotel.com**

Hotel Giraffe

365 Park Ave South, 10016 **Tel** *(212) 685-7700* **Fax** *(212) 685-7771* **Quartos** *73* **Mapa** *9 A4*

Talvez o melhor hotel de luxo no Flatiron District. Os quartos são decorados com móveis sob encomenda, de estilo moderno. As suítes têm porta-balcão que se abre para uma sacada. O restaurante no térreo oferece ótima cozinha, e excelentes coquetéis são servidos no saguão. **www.hotelgiraffe.com**

Inn at Irving Place

56 Irving Place, 10003 **Tel** *(212) 533-4600* **Fax** *(212) 533-4611* **Quartos** *12* **Mapa** *9 A5*

Edith Wharton se orgulharia deste prédio antigo de arenito avermelhado, dirigido de modo impecável como hospedaria de luxo. Cada quarto tem um lindo banheiro e tecnologia moderna, como tocador de CDs. O café-da-manhã de cortesia é servido no salão, e não perca o *high tea*. **www.innatirving.com**

CHELSEA E GARMENT DISTRICT

Americana Inn

69 West 38th St, 10018 **Tel** *(212) 840-6700* **Fax** *(212) 840-1830* **Quartos** *50* **Mapa** *8 F1*

Este é o hotel para o viajante que quer economia e procura o básico essencial. Os quartos têm pia e os banheiros são imaculados. A localização central e o pessoal simpático resultam numa combinação ímpar. Atenção, pois a área é sempre movimentada e agitada. **www.theamericanainn.com**

Legenda de preços *pág. 280* **Legendas dos símbolos** *no final do guia*

Arlington Hotel
$

18 West 25th St, 10010 ***Tel*** *(212) 645-3990* ***Fax*** *(212) 633-8952* ***Quartos*** *121* ***Mapa*** *8 F4*

Viajantes econômicos gostam deste achado modesto, no badalado Chelsea. A construção de tijolo de 1901 oferece quartos limpos com TV e geladeira.O restaurante e o *coffee bar* são atrativos, assim como o famoso mercado de pulgas de Chelsea, nos fins de semana. Restaurantes baratos nas imediações. **www.hotelarlington.com**

Broadway Plaza Hotel
$

1155 Broadway, 10001 ***Tel*** *(212) 679-7665* ***Fax*** *(212) 679-7694* ***Quartos*** *69* ***Mapa*** *8 F3*

As reformas de 2004 modernizaram todos os quartos deste hotel econômico. Roupas de cama, cortinas e carpetes novos deram frescor aos quartos, com extras, como acesso à internet de banda larga e telefones de duas linhas. Café-da-manhã de cortesia. Às vezes, a vizinhança é barulhenta. **www.broadwayplazahotel.com**

Chelsea International Hostel
$

251 West 20th St, 10011 ***Tel*** *(212) 647-0010* ***Fax*** *(212) 727-7289* ***Quartos*** *57* ***Mapa*** *8 D5*

Considerado uma das melhores hospedarias da cidade, compõe-se de uma série de prédios baixos, voltados para um pátio central. Dispõe de quartos com beliches e dormitórios com camas, e todos os banheiros são compartilhados. Conta com duas cozinhas totalmente equipadas, máquinas de lavar roupa e TVs. **www.chelseahostel.com**

Chelsea Lodge
$

318 West 20th St, 10011 ***Tel*** *(212) 243-4499* ***Fax*** *(212) 243-7852* ***Quartos*** *22* ***Mapa*** *8 D5*

Casarão reformado no Chelsea Historic District abriga este achado precioso e econômico. Os quartos, pequenos, têm pia e chuveiro privativos, de modo que os hóspedes só compartilham os toaletes. Perfeito para viajantes independentes que buscam uma genuína experiência nova-iorquina.**www.chelsealodge.com**

Chelsea Star Hotel
$

300 West 30th St, 10001 ***Tel*** *(212) 244-7827* ***Fax*** *(212) 279-9018* ***Quartos*** *34* ***Mapa*** *8 D3*

Depois de uma reforma recente, que quase dobrou o tamanho deste hotel, o interior ficou claro e moderno, embora meio espalhafatoso. Uma estátua em tamanho real de Betty Boop recebe os hóspedes no saguão. Os quartos vão de simples dormitórios até os chiques, com camas de dossel e tocador de DVDs. **www.starhotelny.com**

Colonial House Inn
$

318 West 22nd St, 10011 ***Tel*** *(212) 243-9669* ***Fax*** *(212) 633-1612* ***Quartos*** *20* ***Mapa*** *8 D4*

Embora os proprietários desta linda hospedaria de arenito avermelhado costumem receber mais uma clientela gay masculina, todos são bem-vindos. Os quartos bem cuidados têm decoração moderna; quase a metade tem banheiro privativo e alguns dispõem de lareira. Descontos sazonais.**www.colonialhouseinn.com**

Hotel Wolcott
$

4 West 31st St, 10001 ***Tel*** *(212) 268-2900* ***Fax*** *(212) 563-0096* ***Quartos*** *250* ***Mapa*** *8 F3*

Os quartos amplos, as diárias baratas e a localização central fazem deste hotel uma boa opção para uma viagem econômica. Embora tenha quartos simples, são limpos e dispõem de acesso à internet pela TV. No local há lavanderia. Não tem restaurante, mas na área existem muitos lugares baratos para comer. **www.wolcott.com**

Chelsea Inn
$$

46 West 17th St, 10011 ***Tel*** *(212) 645-8989* ***Fax*** *(212) 645-1903* ***Quartos*** *26* ***Mapa*** *8 F5*

Dois casarões de arenito avermelhado, da virada do século 19, abrigam uma variada seleção de quartos e suítes, muitos com banheiro. Móveis ecléticos e tapetes gastos adicionam um toque de coisa usada, mas tudo é limpo. São oferecidos vales para o café-da-manhã de cortesia, no térreo.**www.chelseainn.com**

Chelsea Savoy Hotel
$$

204 West 23rd St, 10011 ***Tel*** *(212) 929-9353* ***Fax*** *(212) 741-6309* ***Quartos*** *90* ***Mapa*** *8 E4*

Uma das opções mais modernas em Chelsea, este hotel tem clientes fiéis entre os que gostam de quartos arejados e serviço consistente. Quartos agradáveis, mas sem toques extras. Boa escolha para quem aprecia a variedade de restaurantes, bares e clubes de Chelsea. **www.chelseasavoynyc.com**

Four Points by Sheraton
$$

160 West 25th St, 10001 ***Tel*** *(212) 627-1888* ***Fax*** *(212) 627-1611* ***Quartos*** *158* ***Mapa*** *8 E4*

Este hotel novo, preocupado com os preços, atrai viajantes sofisticados e executivos que querem gastar um pouco mais. Os quartos são bem projetados, com acesso livre à internet de banda larga. Alguns têm sacadas com vista para o centro. Serviço bom, como se espera dessa cadeia. **www.starwoodhotels/fourpoints**

Holiday Inn/Martinique on Broadway
$$

49 West 32nd St, 10001 ***Tel*** *(212) 736-3800* ***Fax*** *(212) 277-2702* ***Quartos*** *532* ***Mapa*** *8 F3*

Nesse prédio de estilo renascentista francês está instalado este posto avançado da cadeia Holiday Inn. Tem saguão decorado, e os quartos são padronizados, mas bem mantidos. Há muitos restaurantes asiáticos de preços razoáveis ao redor do hotel, que fica perto de alguns dos melhores pontos turísticos da ilha. **www.holiday-inn.com**

Hotel Chelsea
$$

222 West 23rd St, 10011 ***Tel*** *(212) 243-3700* ***Fax*** *(212) 675-5531* ***Quartos*** *400* ***Mapa*** *8 E4*

A história da música ganhou um destaque quando o punk Sid Vicious matou a namorada, Nancy Spungen, aqui. Desde então, celebridades como Sandra Bernhardt e Ethan Hawke ficam aqui. Alguns gostam dos amplos quartos e da privacidade; outros, dos móveis boêmios, meio empoeirados. **www.hotelchelsea.com**

Hotel Metro $$

45 West 35th St, 10001 ***Tel*** *(212) 947-2500* ***Fax*** *(212) 279-1310* ***Quartos*** *179* ***Mapa*** *8 F2*

De inspiração Art Déco, é um dos melhores hotéis de preço médio na área. Quartos amplos e mais bem decorados do que a média da categoria. Diária com café-da-manhã. Muitos gostam do ambiente e da comida do restaurante. Grande atração: terraço de cobertura com linda vista do Empire State Building. **www.hotelmetronyc.com**

Inn on 23rd $$

131 West 23rd St, 10011 ***Tel*** *(212) 463-0330* ***Fax*** *(212) 463-0302* ***Quartos*** *14* ***Mapa*** *8 E4*

Oferece uma mistura perfeita do charme de um bed-and-breakfast e de um hotel completo. Quartos e suítes com decoração ímpar, com toques como camas com *pillow-top* e toalhas de algodão turco nos banheiros. O New School Culinary Institute inventa um café-da-manhã suntuoso a cada dia. Recomendado. **www.innon23rd.com**

Red Roof Inn $$

6 West 32nd St, 10001 ***Tel*** *(212) 643-7100* ***Fax*** *(212) 643-7101* ***Quartos*** *172* ***Mapa*** *8 F3*

Da cadeia de hotéis Accor, dispõe de quartos muito bem decorados e de serviço profissional. Disponibiliza acesso à internet no quarto. Restaurantes coreanos ladeiam o quarteirão, que é adequado para turismo, compras e concertos no Madison Square Garden. No preço está incluído o café-da-manhã. **www.redroof.com**

The Maritime $$$

363 West 16th St, 10011 ***Tel*** *(212) 242-4300* ***Fax*** *(212) 242-1188* ***Quartos*** *125* ***Mapa*** *8 D5*

Logo se vê o tema náutico deste hotel, pois todos os quartos dispõem de uma janela de vigia com vista para o Rio Hudson. Este lugar badalado tem quartos pequenos, mas muito bem projetados, dispondo de diversos restaurantes e bares. Dispõe da maior área ao ar livre entre os hotéis da cidade. **www.themaritimehotel.com**

THEATER DISTRICT

Big Apple Hostel $

119 West 45th St, 10036 ***Tel*** *(212) 302-2603* ***Fax*** *(212) 302-2605* ***Quartos*** *39* ***Mapa*** *12 E5*

Pela ótima localização e pelas acomodações limpas, esta hospedaria é perfeita para jovens viajantes. A maioria dos leitos está em dormitórios, mas há alguns quartos privativos com cama queen-size. Cozinha completa e quintal ajardinado para repousar das ruas movimentadas de Manhattan. Reserve bem antes. **www.bigapplehostel.com**

Park Savoy Hotel $

158 West 58th St, 10019 ***Tel*** *(212) 245-5755* ***Fax*** *(212) 765-0668* ***Quartos*** *70* ***Mapa*** *12 E3*

Embora este hotel bem simples ofereça as acomodações mais básicas, ele fica a um quarteirão do Central Park. Os quartos são limpos, mas costumam ser espartanos. O serviço de portaria é simpático, mas limitado. Compre um sanduíche nas muitas *delis* das imediações e vá para o parque. **www.parksavoyhotelny.com**

414 Inn $$

414 West 46th St, 10036 ***Tel*** *(212) 399-0006* ***Fax*** *(212) 957-8716* ***Quartos*** *22* ***Mapa*** *11 C5*

Este hotel pequeno e elegante dispõe de pessoal que lhe consegue a entrega de comida dos restaurantes próximos. Quartos enormes costumam ser melhores do que os duplos, com camas e roupas de cama melhores. Procure reservar um quarto que dê para o pátio privativo, para ter menos barulho. **www.414inn.com**

Amsterdam Court Hotel $$

226 West 50 St, 10019 ***Tel*** *(212) 459-1000* ***Fax*** *(212) 265-5070* ***Quartos*** *125* ***Mapa*** *12 D4*

Este estabelecimento cheio de estilo é perfeito para viajantes sofisticados com dólares a mais para gastar. Os quartos são decorados em tons claros e oferecem roupa de cama belga, mantas e tocador de CDs. O terraço de cobertura é ótimo no verão. Muitos restaurantes excelentes na Ninth Avenue. **www.nychotels.com**

Belvedere Hotel $$

319 West 48th St, 10036 ***Tel*** *(212) 245-7000* ***Fax*** *(212) 245-4455* ***Quartos*** *400* ***Mapa*** *12 D5*

Hotel de boa qualidade e preço médio é uma boa escolha entre diversos que estão na mesma faixa e localização. Quartos maiores que a média e bem atraentes. Há uma concorrida churrascaria brasileira no local, uma boa opção comparada aos muitos restaurantes próximos. As famílias adoram. **www.belvederehotelnyc.com**

Best Western President Hotel $$

234 West 48th St, 10036 ***Tel*** *(212) 246-8800* ***Fax*** *(212) 974-3922* ***Quartos*** *334* ***Mapa*** *12 E5*

Quem viaja em família prefere as suítes com sofás-camas para os filhos, enquanto o quarto-padrão funciona bem para o viajante típico. Pertencente a uma cadeia, este hotel é bem administrado. Tem quartos simples, mas limpos, e está bem localizado. A área é sempre em agitada, cheia de gente que não dorme cedo. **www.bestwestern.com**

Broadway Inn $$

264 West 46th St, 10036 ***Tel*** *(212) 997-9200* ***Fax*** *(212) 768-2807* ***Quartos*** *41* ***Mapa*** *12 D5*

O serviço excelente faz o local se destacar dos demais da mesma categoria. As crianças ficam de graça nas suítes, e todos os quartos têm café-da-manhã de cortesia, o que atrai famílias. Quartos pequenos, mas decorados com bom-gosto e certo toque Art Déco. Pergunte sobre estacionamento grátis. **www.broadwayinn.com**

Legenda de preços *pág. 280* **Legendas dos símbolos** *no final do guia*

Da Vinci Hotel $$

244 West 56th St, 10019 ***Tel*** *(212) 489-4100* ***Fax*** *(212) 399-0434* ***Quartos*** *20* ***Mapa*** *12 D3*

Este hotel-butique ao estilo europeu se orgulha de seu bom serviço. Os quartos são pequenos, mas bem abastecidos e confortáveis. Boa opção para quem quer ficar perto dos teatros e não se importa com as ruas cheias de turistas. As refeições na área podem ser caras, por isso procure cafeterias e lanchonetes. **www.davincihotel.com**

Dream Hotel $$

210 West 55th St, 10019 ***Tel*** *(212) 320-2928* ***Fax*** *(212) 974-0595* ***Quartos*** *228* ***Mapa*** *12 E4*

Edifício Beaux Arts de 1904 reformado. Você terá a impressão de que está sonhando ao entrar no saguão, com sua decoração estranha e exagerada. Os quartos têm luz azul, e oferecem iPods pré-carregados. Vale a pena dar um pulo no restaurante, além de verificar o terraço e o bar da cobertura. **www.dreamny.com**

Holiday Inn New York City-Midtown-57th St $$

440 West 57th St, 10019 ***Tel*** *(212) 581-8100* ***Fax*** *(212) 581-7739* ***Quartos*** *596* ***Mapa*** *11 C3*

A escolha deste hotel de cadeia costuma ser feita por famílias, graças à piscina externa e ao fato de as crianças ganharem café-da-manhã grátis. Todos os quartos são do jeito que você espera: limpos, confortáveis e ligados à internet. A alguns quarteirões do Central Park e do Theater District. **www.hi57.com**

Hotel Edison $$

228 West 47th St, 10036 ***Tel*** *(212) 840-5000* ***Fax*** *(212) 596-6850* ***Quartos*** *800* ***Mapa*** *12 E5*

Hotel enorme, que oferece bom preço para viajantes que querem ficar no coração do Theater District. Quartos bem decorados, e as unidades maiores são perfeitas para famílias. Os hóspedes high-tech vão gostar do acesso wi-fi, adotado recentemente. Estabelecimento ao lado de muitos restaurantes. **www.edisonhotelnyc.com**

Mayfair Hotel $$

242 West 49th St, 10019 ***Tel*** *(212) 586-0300* ***Fax*** *(212) 307-5226* ***Quartos*** *78* ***Mapa*** *12 D5*

Nesse estabelecimento bem administrado, os quartos são muito pequenos, mas confortáveis e atuais. Serviço simpático, e localização para os teatros, ótima. O bistrô francês no local é uma boa escolha para jantar antes do teatro. Para comida mais barata e boa, vá à Ninth Avenue. **www.mayfairnewyork.com**

Paramount Hotel $$

235 West 46th St, 10036 ***Tel*** *(212) 764-5500* ***Fax*** *(212) 354-5237* ***Quartos*** *610* ***Mapa*** *12 D5*

Com projeto original de Ian Schrager, este hotel foi comprado pela cadeia espanhola Sol Melia e, na sequência, os preços caíram. Os quartos minúsculos tem tonalidades brancas e cinza. Dê um pulo no bar badalado. E faça um sortimento de guloseimas no empório gourmet do hotel. **www.nycparamount.com**

Roosevelt Hotel $$

45 East 45th St, 10017 ***Tel*** *(212) 661-9600* ***Fax*** *(212) 885-6161* ***Quartos*** *1013* ***Mapa*** *13 A5*

Construído em 1924 e meticulosamente reformado e restaurado para seus 80 anos, esta "grande dama da Madison Avenue" ainda é preferida por viajantes a negócios ou turistas. Os quartos são bem decorados, com camas confortáveis, e o saguão faz você se sentir como se voltasse na história. **www.therooseveIthotel.com**

Skyline Hotel $$

725 10th Ave com 49th St, 10019 ***Tel*** *(212) 586-3400* ***Fax*** *(212) 582-4604* ***Quartos*** *230* ***Mapa*** *11 C5*

Perto do Theater District e de alguns dos melhores restaurantes da cidade, o familiar Skyline tem um saguão e uma fachada maravilhosos. A recente reforma deixou os quartos grandes e confortáveis. A piscina coberta e aquecida é um bônus, especialmente para quem viaja com crianças. **wwwskylinehotelnyc.com**

Algonquin $$$

59 West 44th St, 10036 ***Tel*** *(212) 840-6800* ***Fax*** *(212) 944-1419* ***Quartos*** *174* ***Mapa*** *12 F5*

Sede da "Round Table" literária de Dorothy Parker, na década de 1920, o Algonquin foi reformado, mas ainda atrai literatos. Os quartos confortáveis são pequenos, por isso, se possível gaste mais numa suíte com tema literário. O saguão com painéis de mogno nos leva até o lendário cabaré Oak Room.**www.algonquinhotel.com**

Blakely Hotel $$$

136 West 55th St, 10019 ***Tel*** *(212) 245-1800* ***Fax*** *(212) 582-8332* ***Quartos*** *115* ***Mapa*** *12 E4*

Ex-Gorham, este hotel recebeu toques de butique, com destaque para o serviço. Da dupla que criou Chambers e Mercer, o estabelecimento oferece bom preço e ótima localização para a categoria. Os quartos bem decorados contam com detalhes como roupa de cama egípcia. Atenção para ofertas. **www.blakelynewyork.com**

Casablanca Hotel $$$

147 West 43rd St, 10036 ***Tel*** *(212) 869-1212* ***Fax*** *(212) 391-7585* ***Quartos*** *48* ***Mapa*** *8 E1*

Hotel com tema marroquino, é ideal para quem gosta de teatro. Os quartos são pequenos, mas remobiliados recentemente e têm acessórios de rattan. O café-da-manhã de cortesia é servido no saguão com lareira. Ótimo local para os *fashionistas* observarem pessoas que entram e saem da *Vogue*, em frente. **www.casablancahotel.com**

Chambers $$$

15 West 56 Street, 10019 ***Tel*** *(212) 974-5656* ***Fax*** *(212) 974-5657* ***Quartos*** *77* ***Mapa*** *12 F3*

Estilo que combina com esta faixa de midtown, com decoração agradável. Até os quartos menores têm objetos de arte originais, roupão Frette e manta de cashmere. O restaurante no térreo é um dos melhores de Manhattan. Local perfeito para descansar das compras na Madison Avenue. **www.chambershotel.com**

Doubletree Guest Suites $$$

1568 Broadway, 10036 ***Tel*** *(212) 719-1600* ***Fax*** *(212) 921-5212* ***Quartos*** *460* ***Mapa*** *12 E5*

Tudo que este hotel não tem de charme, sobra nos quesitos localização e equipamentos superiores. Algumas suítes se destinam a famílias, e outras atendem homens de negócios. A área especial para as crianças brincarem atrai quem tem filhos pequenos. **www.nyc.doubletreehotels.com**

Hilton Times Square $$$

234 West 42nd St, 10036 ***Tel*** *(212) 840-8222* ***Fax*** *(212) 840-5516* ***Quartos*** *444* ***Mapa*** *8 E1*

Você até pode perder este oásis de serenidade em meio à loucura de Times Square, mas não perca. Hotel acima da média com quartos enormes e equipamentos modernos. Os quartos começam no 23° andar, com belíssimas vistas da área. O restaurante bem caro é excelente. **www.timessquare.hilton.com**

Mansfield $$$

12 West 44th St, 10036 ***Tel*** *(212) 277-8700* ***Fax*** *(212) 764-4477* ***Quartos*** *124* ***Mapa*** *12 E5*

De 1905, este estabelecimento foi reformado e se transformou em hotel-butique, com acesso grátis à internet e edredom de plumas. O bar é um lugar calmo para um drinque após um dia agitado na cidade. Situado numa rua movimentada, é ideal para quem gosta de ir ao teatro. **www.mansfieldhotel.com**

Millennium Broadway $$$

145 West 44th St, 10036 ***Tel*** *(212) 768-4400* ***Fax*** *(212) 768-0847* ***Quartos*** *752* ***Mapa*** *12 E5*

Os amplos quartos têm diária adequada neste hotel requisitado, dentro da classificação por preço. Os quartos dispõem de decoração ao estilo Art Déco, e os que ficam na torre são enormes, com mais equipamentos ainda. Vale a pena tomar um drinque no bar entes do teatro. **www.millennium-hotels.com**

Time $$$

224 West 49th St, 10019 ***Tel*** *(212) 320-2900* ***Fax*** *(212) 245-2305* ***Quartos*** *200* ***Mapa*** *12 D5*

Novamente reformado, desta vez pelo famoso designer Adam Tihany, que usou cores primárias para criar uma experiência multissensorial. Muitos quartos são pequenos, especialmente pelo preço. O bar do saguão pode ser interessante durante um drinque. Há quem ache que o nível de barulho atrapalha. **www.thetimeny.com**

Westin Times Square $$$

270 West 43rd St, 10036 ***Tel*** *(212) 201-2700* ***Fax*** *(212) 201-2701* ***Quartos*** *863* ***Mapa*** *8 D1*

Grande sucesso em Times Square, instalado numa torre multicolorida de 45 andares. Embora sua arquitetura seja criticada, há elogios para os amplos quartos e as "camas celestiais" e, agora, os "berços celestiais". Há muitos restaurantes para famílias nas imediações.**www.westinny.com**

Le Parker Meridien $$$$

118 West 57th St, 10019 ***Tel*** *(212) 245-5000* ***Fax*** *(212) 307-1716* ***Quartos*** *730* ***Mapa*** *12 E3*

Com serviço impecável e um dos melhores restaurantes da cidade, além de academia de primeira, este hotel elegante e moderno vale o que cobra. Dê um pulo na barata lanchonete de hambúrgueres depois de uma nadada na piscina da cobertura. Quartos amplos e remodelados há pouco, com toda tecnologia. **www.parkermeridien.com**

Michelangelo $$$$

152 West 51st St, 10019 ***Tel*** *(212) 765-0505* ***Fax*** *(212) 581-7618* ***Quartos*** *178* ***Mapa*** *12 F4*

Tudo lembra a Itália renascentista neste hotel-butique, que exibe tapetes clássicos e tapeçarias por toda a propriedade. O dia começa com café expresso e confeitos, e a noite termina com chocolates Baci. Os banheiros têm um belo trabalho de mármore italiano. Enfim... *la dolce vita*. **www.michaelangelohotel.com**

Royalton $$$$

44 West 44th St, 10036 ***Tel*** *(212) 869-4400* ***Fax*** *(212) 869-8965* ***Quartos*** *205* ***Mapa*** *12 F5*

Hotel de Ian Schrager e Philippe Starck foi um sucesso na época, mas está começando a ficar datado. O serviço, porém, permanece igual, e a alta-roda continua a encher o bar do saguão e o restaurante. Os quartos, às vezes pequenos, são elegantes, com banheiros que não funcionam muito bem. **www.royaltonhotel.com**

Sofitel New York $$$$

45 West 44th St, 10036 ***Tel*** *(212) 354-8844* ***Fax*** *(212) 354-2480* ***Quartos*** *398* ***Mapa*** *12 F5*

Este hotel foi um sucesso instantâneo no Theater District e consiste numa mistura de moderno e clássico, com bom serviço. O restaurante do tipo brasserie é uma boa opção, com mesas ao ar livre no verão. Algumas suítes mais altas possuem terraço. Procurado por homens de negócios. **www.sofitel.com**

W Times Square $$$$

1567 Broadway, 10036 ***Tel*** *(212) 930-7400* ***Fax*** *(212) 930-7500* ***Quartos*** *507* ***Mapa*** *12 E5*

Ótimo hotel do Starwood Group continua a atrair muita gente e fãs, por causa de seus quartos ultramodernos, mas meio escuros, que oferecem lindas vistas do centro. Nos salões e restaurantes está sempre acontecendo alguma coisa. Reserve lugar no Blue Fin, para experimentar um dos melhores sushis da cidade. **www.whotels.com**

Westin Essex House on Central Park $$$$

160 Central Park South, 10019 ***Tel*** *(212) 247-0300* ***Fax*** *(212) 315-1839* ***Quartos*** *501* ***Mapa*** *12 E3*

Esta torre com decoração Art Déco tem vista para o Central Park e oferece uma das melhores experiências noturnas de Nova York, com a famosa "cama celestial" do Westin. O primoroso saguão é confortável e pouco comentado, e os quartos têm tamanho padrão. Prepare o bolso para o restaurante Alain Ducasse. **www.westin.com**

Legenda de preços *pág. 280* **Legendas dos símbolos** *no final do guia*

Ritz-Carlton, New York $$$$$

50 Central Park South, 10019 ***Tel*** *(212) 308-9100* ***Fax*** *(212) 207-8831* ***Quartos*** *287* ***Mapa*** *12 F3*

Os fãs dizem que este é o melhor hotel de toda a rede Ritz-Carlton. Em estilo tradicional, os amplos quartos são muito confortáveis e têm toda a tecnologia de ponta. O spa completo e a localização ao lado do Central Park fazem dele um campeão. **www.ritzcarlton.com**

St. Regis New York $$$$$

2 East 55th St, 10022 ***Tel*** *(212) 753-4500* ***Fax*** *(212) 787-3447* ***Quartos*** *408* ***Mapa*** *12 F4*

De 1904, luxuoso marco das Beaux Arts, possui o velho glamour dos candelabros e dos tapetes caríssimos. Serviço muito formal, mas é de se esperar de uma grande dama que se modernizou. Dispõe de acesso à internet. Procurado para casamentos. É uma pena que o premiado restaurante Lespinasse esteja fechado. **www.stregis.com**

LOWER MIDTOWN

Hotel Grand Union $

34 East 32nd St, 10016 ***Tel*** *(212) 683-5890* ***Fax*** *(212) 689-7397* ***Quartos*** *95* ***Mapa*** *9 A3*

Viajantes de todas as idades, que querem economia, acham o Grand Union bom para o nível de serviço que oferece. Os quartos, pouco atraentes, são bem mantidos e dispõem de todo o conforto necessário. Há quartos tão grandes que alojam uma família. **www.hotelgrandunion.com**

Courtyard New York $$

3 East 40th St, 10016 ***Tel*** *(212) 447-1500* ***Fax*** *(212) 683-7839* ***Quartos*** *189* ***Mapa*** *8 F1*

A vizinhança pode ser cara, mas este hotel de rede oferece bom preço pela categoria que ocupa. Recentemente ele foi adquirido pela rede Marriott e passou por uma reforma substancial. As famílias gostam da localização, pois fica perto da New York Public Library e do Theater District, sem o barulho. **www.hotelchoice.com**

70 Park $$$

70 Park Ave, 10016 ***Tel*** *(212) 973 2400* ***Fax*** *(212) 973-2401* ***Quartos*** *205* ***Mapa*** *9 A1*

Este anexo elegante no bem considerado Kimpton Group é cheio de estilo e bem planejado. Permitem-se animais de estimação, e o hotel oferece facilidades extras para os bichinhos. Homens de negócios apreciam itens grátis, como wi-fi e internet de banda larga. quartos pequenos, mas confortáveis. **www.70parkavenuehotel.com**

Affinia Dumont $$$

150 East 34th St, 10016 ***Tel*** *(212) 481 7600* ***Fax*** *(212) 889-8856* ***Quartos*** *248* ***Mapa*** *9 A2*

Reinaugurado recentemente, todos os quartos têm banheiro. Perfeito para quem quer espaço e conforto. As instalações incluem cozinha completa, com microondas, e uma equipe atenciosa até faz compras para você. O spa é dos melhores e ajuda os viajantes a se manterem saudáveis. **www.affinia.com**

Courtyard by Marriott Midtown East $$$

866 Third Ave, 10022 ***Tel*** *(212) 644-1300* ***Fax*** *(212) 317-7940* ***Quartos*** *299* ***Mapa*** *13 B4*

Os quartos amplos indicam uma boa opção para famílias que precisam ficar nessa área. Os quartos são modernos e dispõe de cafeteira elétrica e acesso grátis à internet de banda larga. Num salão especial, está disponível o acesso grátis wi-fi. A vizinhança fica mais silenciosa à noite. **www.marriott.com**

Dylan $$$

52 East 41th St, 10017 ***Tel*** *(212) 338-0500* ***Fax*** *(212) 338-0569* ***Quartos*** *197* ***Mapa*** *9 A1*

Este hotel-butique foi sede do Chemists Club, uma edificação Beaux Arts, de 1903. O saguão pode parecer anti-séptico, mas os quartos são amplos pelos padrões da cidade. Há um excelente restaurante no local, o que ajuda, pois não há muitas opções boas por perto. **www.dylanhotel.com**

Library Hotel $$$

299 Madison Ave, 10017 ***Tel*** *(212) 983-4500* ***Fax*** *(212) 499-9099* ***Quartos*** *60* ***Mapa*** *9 A1*

Este novo hotel-butique facumulou fãs desde que abriu, por causa dos quartos, cuja decoração temática gira em torno de bibliotecas. De histórias de fadas à literatura erótica, escolha um quarto conforme sua disposição, e receba os livros para combinar. Terraço de cobertura e lanches o dia todo marcam pontos. **www.libraryhotel.com**

Morgans $$$

237 Madison Ave, 10016 ***Tel*** *(212) 686-0300* ***Fax*** *(212) 779-8352* ***Quartos*** *154* ***Mapa*** *9 A2*

O estabelecimento que lançou a revolução dos hotéis-butique está cada vez mais forte. Ainda atrai muita gente *fashion* que suporta os quartos minúsculos e um serviço pouco confiável em troca de um saguão cheio de atrações. Vá até o bar do saguão e aprecie o cenário. **www.morganshotel.com**

Fitzpatrick Grand Central Hotel $$$$

141 East 44th St, 10017 ***Tel*** *(212) 351-6800* ***Fax*** *(212) 818-1747* ***Quartos*** *155* ***Mapa*** *13 A5*

Hotel elegante, com serviço charmoso, bem perto do Grand Central Terminal. Os quartos ultrapassam os confortos para homens de negócios e têm cores atraentes, alguns com camas com dossel. Um pub autêntico oferece diversão até tarde. A localização perto de linhas do metrô facilita o turismo. **www.fitzpatrickhotels.com**

W The Court / W The Tuscany $$$$

120–130 East 39th St, 10016 **Tel** *(212) 686-1600* **Fax** *(212) 779-8352* **Quartos** *320* **Mapa** *9 A1*

Este conjunto com cara de clube oferece hotéis-butique com excelente serviço. Os quartos são equipados com tecnologia de ponta e permitem que você assista a filmes de graça. The Court tem um saguão mais na moda, enquanto o Tuscany é um pouco mais tranquilo. Ambos são recomendados na categoria. **www.whotels.com**

Bryant Park $$$$$

40 West 40th St, 10018 **Tel** *(212) 869-0100* **Fax** *(212) 869-4446* **Quartos** *128* **Mapa** *8 F1*

A bela localização e o pedigree fazem deste achado em Midtown um campeão. O incrível American Radiator Building (decorado com dourados) abriga um luxuoso design minimalista, ao lado de Bryant Park. O Cellar Bar fica cheio de celebridades. Possui sala de projeção com 70 lugares. **www.bryantparkhotel.com**

Kitano $$$$$

66 Park Ave, 10016 **Tel** *(212) 885-7000* **Fax** *(212) 885-7100* **Quartos** *149* **Mapa** *9 A2*

Serviço de primeira linha ao estilo japonês é a marca registrada deste hotel elegante, que atende principalmente pessoas de negócios. Os quartos são refúgios de serenidade, com chá verde japonês de cortesia. O restaurante também atrai muita gente. Esta parte de Park Avenue é incrivelmente tranquila. **www.kitano.com**

UPPER MIDTOWN

Hotel 57 $

130 East 57th St, 10022 **Tel** *(212) 753-8841* **Fax** *(212) 869-9605* **Quartos** *220* **Mapa** *13 A3*

O Hotel é chamado de "chique barato", pois combina decoração elegante com preços baixos. Embora os quartos sejam apertados e pequenos e, em geral, tenham banheiros compartilhados, é difícil competir em preço nessa ótima localização, perto dos principais locais de compras. Do bar, no 17° andar, se tem ótimas vistas. **www.hotel57.com**

Pickwick Arms $

230 East 51st St, 10022 **Tel** *(212) 355-0300* **Fax** *(212) 755-5029* **Quartos** *320* **Mapa** *13 B4*

Mesmo depois da recente reforma, o Pickwick manteve os preços bem baixos, considerando a vizinhança de primeira. Informe-se sobre banheiro privativo e sobre o tamanho exato do quarto, pois muitos são minúsculos. Mas todos são limpos, e o hotel é muito bem administrado. **www.pickwickarms.com**

Doubletree Metropolitan Hotel $$$

569 Lexington Ave, 10022 **Tel** *(212) 752-7000* **Fax** *(212) 758-6311* **Quartos** *722* **Mapa** *13 A4*

Agora, esta ex-propriedade de Loews é gerida pelo grupo Doubletree, o que significa que o serviço continua bom, com atendimento especial para famílias. As diárias são razoáveis. Quartos pequenos, mas bem cuidados. Os restaurantes deste hotel são boas opções para as famílias.**www.metropolitanhotelnyc.com**

Kimberly Hotel $$$

145 East 50th St, 10022 **Tel** *(212) 755-0400* **Fax** *(212) 486-6915* **Quartos** *185* **Mapa** *13 A5*

Pelo espaço amplo e preço baixo, este estabelecimento despojado talvez seja a melhor escolha. As acomodações com um e dois quartos parecem apartamentos, com cozinha completa e móveis bem escolhidos. A localização é maravilhosa para boas compras, com paz e silêncio. **www.kimberlyhotel.com**

Roger Smith $$$

501 Lexington Ave, 10022 **Tel** *(212) 755-1400* **Fax** *(212) 758-4061* **Quartos** *130* **Mapa** *13 A5*

Esta propriedade sóbria recebeu alguns toques de alta decoração que a destacam das demais na categoria. Quartos mais amplos do que o normal e decorados um a um. O preço inclui café-da-manhã. Atrai de executivos a artistas. As imediações ficam mais sossegadas depois que anoitece. **www.rogersmith.com**

Swissotel New York - The Drake $$$

440 Park Ave, 10022 **Tel** *(212) 421-0900* **Fax** *(212) 371-4190* **Quartos** *495* **Mapa** *13 A3*

O ambiente europeu e o serviço sofisticado conservam este hotel na preferência dos viajantes. Procure reservar um quarto com terraço, por causa das lindas vistas. Localiza-se perto das compras de alta classe e dos teatros. Contudo, a Park Avenue pode ter um ar misterioso à noite. **www.swissotel.com**

Benjamin $$$$

125 East 50th St, 10022 **Tel** *(212) 715-2500* **Fax** *(212) 715-2525* **Quartos** *209* **Mapa** *13 A4*

Os quartos modernos deste hotel sem badalação foram projetados para o conforto. As *work stations* são perfeitas para o viajante que quer alta tecnologia. Os quartos têm kitchenette e dispõem de opções de travesseiros para seu sono perfeito. O estabelecimento conta com restaurante e pequeno spa. **www.thebenjamin.com**

Omni Berkshire Place $$$$

21 East 52nd St, 10022 **Tel** *(212) 753-5800* **Fax** *(212) 754-5018* **Quartos** *396* **Mapa** *12 F4*

A decoração foi pensada para dar conforto neste hotel despretensioso. O serviço é ótimo e a variedade de instalações para negócios fazem dele uma boa escolha para executivos em viagem. Mas o hotel também atende famílias; por isso, verifique os descontos de fim de semana. A área é menos agitada que as demais. **www.omnihotels.com**

Legenda de preços *pág. 280* **Legendas dos símbolos** *no final do guia*

Waldorf Astoria / Waldorf Towers $$$$

301 Park Ave, 10022 ***Tel*** *(212) 355-3000* ***Fax*** *(212) 872-7272* ***Quartos*** *1242* ***Mapa*** *13 A5*

Esta lenda nova-iorquina ainda brilha muito, apesar das queixas quanto ao serviço indiferente. Os preços são razoáveis, pois o hotel é enorme, e a casa tem um ar histórico. Os quartos são amplos e foram redecorados recentemente. Se reservar um quarto nas towers exclusivas, contará com serviço de mordomia 24 horas. **www.waldorfastoria.com**

Four Seasons New York $$$$$

57 East 57th St, 10022 ***Tel*** *(212) 758-5700* ***Fax*** *(212) 758-5711* ***Quartos*** *364* ***Mapa*** *13 A3*

Grande destaque da rede Four Seasons, apresenta torre de 52 andares projetada por I.M. Pei, destacando-se na silhueta de Manhattan. O saguão recende ao poder e à elegância de Nova York e vale uma espiada. Os quartos são amplos e muito confortáveis, com belas vistas do Central Park. **www.fourseasons.com**

New York Palace $$$$$

455 Madison Ave, 10022 ***Tel*** *(212) 888-7000* ***Fax*** *(212) 303-6000* ***Quartos*** *896* ***Mapa*** *13 A4*

Quando o lendário restaurante Le Cirque 2000 fechou, esta propriedade suntuosa perdeu um bocado do brilho. Mas o ótimo hotel, instalado num edifício de 1882, é um estabelecimento maravilhoso, com estilo cosmopolita e serviço perfeito. Há quem o considere o local mais sereno e calmo da cidade. **www.newyorkpalace.com**

Peninsula New York $$$$$

700 Fifth Ave, 10019 ***Tel*** *(212) 956-2888* ***Fax*** *(212) 903-3949* ***Quartos*** *239* ***Mapa*** *12 F4*

Conte com o serviço famoso do Peninsula, posto avançado da pequena rede asiática em Nova York. Os quartos oferecem o maior conforto e tecnologia de ponta. O spa é um dos melhores da cidade. O bar e o terraço na cobertura consistem numa ótima escolha para drinques ao pôr-do-sol. Muito recomendado. **www.peninsula.com**

UPPER EAST SIDE

Bentley Hotel $$

500 East 62nd St, 10021 ***Tel*** *(212) 644-6000* ***Fax*** *(212) 207-4800* ***Quartos*** *197* ***Mapa*** *13 B4*

Este hotel de decoração simples escapa do padrão da categoria. Quartos confortáveis, mas pequenos; por isso, reserve um de canto para ter mais espaço. Os banheiros têm azulejos de mármore. Boa opção para viajantes a passeio, que querem conhecer mesmo Nova York. Ótimo Cappuccino Bar, aberto 24 horas. **www.bentleyhotelnewyork.com**

Franklin $$$

164 East 87th St, 10128 ***Tel*** *(212) 369-1000* ***Fax*** *(212) 369-8000* ***Quartos*** *48* ***Mapa*** *17 A3*

Os quartos podem ser minúsculos neste hotel moderno, mas são bem decorados, com camas com dossel, VCR e outros itens. O espaço limitado convém a viajantes que ficam pouco tempo. Café-da-manhã continental incluído no preço. Verifique as diárias sazonais. **www.franklinhotel.com**

Hotel Wales $$$$

1295 Madison Ave, 10028 ***Tel*** *(212) 876-6000* ***Fax*** *(212) 860-7000* ***Quartos*** *86* ***Mapa*** *17 B2*

Este aconchegante e confortável hotel fica perto da Museum Mile. Cuidadosamente decorado com móveis de mogno, roupa de cama belga e flores nos quartos, tem um terraço no telhado que oferece belas vistas da cidade. **www.waleshotel.com**

Surrey Hotel $$$$

20 East 76th St, 10021 ***Tel*** *(212) 288-3700* ***Fax*** *(212) 628-1549* ***Quartos*** *130* ***Mapa*** *17 A5*

Todos os quartos têm banheiro neste hotel, que é ótima escolha para quem quer gastar um pouco mais por muito mais espaço. Cada suíte possui cozinha equipada, mas o motivo para ficar aqui é a comida do famoso Café Boulud, no térreo. A região também conta com lanchonetes e pizzarias baratas. **www.affinia.com**

Carlyle $$$$$

35 East 76th St, 10021 ***Tel*** *(212) 744-1600* ***Fax*** *(212) 717-4682* ***Quartos*** *180* ***Mapa*** *17 A5*

Você se sentirá como um natural da região num quarto deste hotel lendário. Os quartos elegantes e o serviço fenomenal atraem políticos e artistas de cinema. O chá da tarde fascina grandes celebridades de Nova York. O estabelecimento representa o que há de mais elegante e glamouroso na cidade. **www.thecarlyle.com**

Sherry-Netherland $$$$$

781 Fifth Ave, 10022 ***Tel*** *(212) 355-2800* ***Fax*** *(212) 319-4306* ***Quartos*** *77* ***Mapa*** *12 F3*

Menos convencional do que o vizinho The Pierre, este hotel em estilo europeu define o modo de residir na cidade de Nova York. As suítes são enormes e o serviço é de primeira. O café-da-manhã no Cipriani's, no térrero, está incluído no preço, se você aguentar se sentar ao lado de lobistas. **www.sherrynetherland.com**

The Pierre $$$$$

2 East 61st St, 10021 ***Tel*** *(212) 838-8000* ***Fax*** *(212) 940-8109* ***Quartos*** *203* ***Mapa*** *12 F3*

O simpático serviço Four Seasons deixa este hotel ultra-sofisticado com um ar menos intimidador. A decoração é fantástica e os quartos têm um toque residencial. Os poderosos se sentem em casa com os ascensoristas de luvas. Tem bar e restaurante recomendados. **www.fourseasons.com**

UPPER WEST SIDE

Amsterdam Inn $

340 Amsterdam Ave, 10024 ***Tel*** *(212) 579-7500* ***Fax*** *(212) 545-0103* ***Quartos*** *25* ***Mapa*** *15 C5*

Quartos pequenos, mas bem cuidados neste estabelecimento econômico. Alguns dividem banheiros, mas os que possuem banheiro privativo têm bom preço. Verifique se a cama "dupla" é, de fato, para dois, e não um sofá-cama. Localização ótima, perto dos museus de Upper West Side. **www.amsterdaminn.com**

Hayden Hall Hotel $

117 West 79th St, 10024 ***Tel*** *(212) 787-4900* ***Fax*** *(212) 496-3975* ***Quartos*** *106* ***Mapa*** *15 C5*

Este hotel cordial fica numa rua chamosa, a pouca distância do Central Park e de todos os museus de Upper West Side. Quartos bem cuidados, com móveis de mogno. Os banheiros privativos são dos mais bonitos nessa categoria de preço. Opção maravilhosa nessa faixa de gastos. **www.haydenhall.com**

Hostelling International – New York $

891 Amsterdam Ave, 10025 ***Tel*** *(212) 932-2300* ***Fax*** *(212) 932-2574* ***Quartos*** *628* ***Mapa*** *20 E5*

O hóspede talvez se sita como se tivesse voltado à universidade neste imenso prédio que mais parece um dormitório. O bom é que conta com o que há de melhor num campus universitário – cafeteria, salão de jogos, lavanderia, acesso à internet e mesas de piquenique. O estabelecimento tem pelo menos 18 anos. **www.hinewyork.org**

Hotel Newton $

2528 Broadway, 10025 ***Tel*** *(212) 678-6500* ***Fax*** *(212) 932-2574* ***Quartos*** *110* ***Mapa*** *15 C2*

Pelo preço, uma das melhores escolhas. Hotel bem administrado, com quartos limpos e atraentes e bons banheiros. Alguns quartos podem acomodar quatro pessoas. O serviço é simpático e profissional. No local não há restaurante, mas há muitas opções pela Broadway. **www.thehotelnewton.com**

Jazz on the Park $

36 West 106th St, 10025 ***Tel*** *(212) 932-1600* ***Fax*** *(212) 932-1700* ***Quartos*** *220* ***Mapa*** *21 A5*

Esta hospedaria bem decorada é muito procurada e fornece um toque da região central ao Upper West Side, que às vezes é muito sério. Não perca a cafeteria com música ao vivo e meio barulhenta. Os quartos e banheiros são básicos. Clientela internacional. A área está ficando cada vez melhor **www.jazzonthepark.com**

Malibu Hotel $

2688 Broadway, 10025 ***Tel*** *(212) 222-2954* ***Fax*** *(212) 678-6842* ***Quartos*** *150* ***Mapa*** *20 E5*

Perto da Columbia University, do Túmulo de Grant e do Riverside Park, esta é uma opção econômica para quem quer ficar no coração de Upper West Side. O saguão preto-e-branco é chique, e os quartos têm tudo que é básico, embora as estampas florais sejam meio espalhafatosas. Há restaurantes por perto. **www.malibuhotelnyc.com**

Riverside Inn $

319 West 94th St, 10025 ***Tel*** *(212) 316-0656* ***Fax*** *(212) 678-0874* ***Quartos*** *80* ***Mapa*** *15 B2*

Boa opção para quem quer economia, pois os quartos têm apenas o básico e o serviço é limitado. Quase todos os quartos, muito limpos, dividem um banheiro e não há ar-condicionado. A vizinhança está ficando mais segura, o que torna este estabelecimento uma boa escolha para estudantes em visita. **www.riversideinn-ny.com**

West End Studios $

850 West End Ave, 10025 ***Tel*** *(212) 749-7104* ***Fax*** *(212) 865-5130* ***Quartos*** *100* ***Mapa*** *15 B1*

A alguns quarteirões do Riverside Park, esta é uma boa opção econômica para quem quer experimentar a vida nessa área. Meio afastado das linhas do metrô, o hotel oferece acomodação básica, com banheiro compartilhado. Os quartos familiares (em geral pequenos) têm duas camas e um beliche. **www.westendstudios.com**

Belleclaire Hotel $$

250 West 77th St, 10024 ***Tel*** *(212) 362-7700* ***Fax*** *(212) 362-1004* ***Quartos*** *180* ***Mapa*** *15 C5*

Os quartos foram reformados e têm decoração bonita e cheia de estilo. Os banheiros são pequenos. Alguns quartos dividem o banheiro e são mais baratos. Reserve uma suíte familiar com banheiro, se as crianças estiverem junto. Muito perto das linhas expressas do metrô, o que ajuda a explorar a cidade. **www.hotelbelleclaire.com**

Hotel Beacon $$

2130 Broadway, 10023 ***Tel*** *(212) 787-1100* ***Fax*** *(212) 724-0839* ***Quartos*** *236* ***Mapa*** *15 C5*

As famílias adoram os quartos bem amplos e o equipamento de lavanderia neste hotel de bom preço. Os quartos não são os melhores da cidade, mas têm kitchenette e, em geral, acomodam quatro pessoas. Grupos maiores devem se informar sobre suítes com dois quartos e dois banheiros. **www.beaconhotel.com**

Lucerne $$

201 West 79th St, 10024 ***Tel*** *(212) 875-1000* ***Fax*** *(212) 579-2408* ***Quartos*** *250* ***Mapa*** *15 C4*

Esta preciosidade de preço médio ocupa um elegante prédio de 1903. Os quartos são muito bem mantidos e apresentam móveis ao estilo Americana. O preço inclui café-da-manhã Continental. Não perca as sessões de jazz e blues ao vivo no elegante bar e grill. Há outras opções de restaurante por perto. **www.newyorkhotel.com**

Legenda de preços *pág. 280* **Legendas dos símbolos** *no final do guia*

Milburn $$

242 West 76th St, 10023 ***Tel*** *(212) 362-1006* ***Fax*** *(212) 721-5476* ***Quartos*** *114* ***Mapa*** *15 C5*

Este hotel oferece bom preço por seus quartos, todos com banheiro e conforto de casa, incluindo o tamanho. Embora não muito elegante, os quartos dispõem de kitchenette bem equipada e lindos banheiros. O serviço é atencioso e há equipamentos de lavanderia. Bons restaurantes por perto. **www.milburnhotel.com**

West Park Hotel $$

6 Columbus Circle, 10019 ***Tel*** *(212) 445-0200* ***Fax*** *(212) 246-3131* ***Quartos*** *90* ***Mapa*** *12 D3*

Estabelecimento que se esforça para se transformar em hotel-butique. Pelo preço, é boa opção para quem viaja só. Quartos pequenos, com móveis agradáveis, se bem que menos luxuosos do que poderiam. Banheiros pequenos, mas bem servidos. Em frente ao Time Warner Center, é bom local para compras. **www.westparkhotel.com**

On the Ave $$$

2178 Broadway, 10024 ***Tel*** *(212) 362-1100* ***Fax*** *(212) 787-9521* ***Quartos*** *251* ***Mapa*** *15 C5*

Muito elegante, este hotel de preços médios está cheio de design moderno. Os quartos dispõem de móveis modulares em tons naturais. Um deck orferece lindas vistas da cidade. Se possível, opte por um quarto de luxo, senão ficará muito apertado. Bons lugares para comer em ambos os lados da avenida. **www.ontheave-nyc.com**

Inn New York City $$$$

266 West 71st St, 10023 ***Tel*** *(212) 580-1900* ***Fax*** *(212) 580-4437* ***Quartos*** *4* ***Mapa*** *11 C1*

Tudo nesta pousada pequena, aconchegante e extremamente charmosa é do melhor que há. Casarão do século 19 reformado, dispõe de apenas quatro quartos, cada um com um tema – Opera, Library, Vermont e Spa. Café-da-manhã delicioso servido na suíte. Tratamento de alta classe.**www.innnewyorkcity.com**

Mandarin Oriental New York $$$$$

80 Columbus Circle, 10023 ***Tel*** *(212) 805-8800* ***Fax*** *(212) 805-8888* ***Quartos*** *251* ***Mapa*** *12 D3*

Cara suntuosidade asiática neste hotel que impressiona. Os quartos orientais são modernos e permitem lindas vistas do Central Parke do rio Hudson, nos andares mais altos. Spa maravilhoso, mas muito dispendioso. O bar e os restaurantes oferecem a mesma vista; à noite são incríveis. **www.mandarinoriental.com**

Trump International Hotel & Tower $$$$$

1 Central Park West, 10023 ***Tel*** *(212) 299-1000* ***Fax*** *(212) 299-1150* ***Quartos*** *167* ***Mapa*** *12 D3*

Este moderno hotel de luxo se orgulha da exclusividade, da discrição e do estilo. Os quartos recém-reformados têm decoração em tons suaves e dispõem de tecnologia de ponta. A vista sem obstruções do Central Park é um grande atrativo, junto com o restaurante Jean George, no térreo. **www.trumpintl.com**

MORNINGSIDE HEIGHTS E HARLEM

Morningside Inn Hotel $

235 West 107th St, 10025 ***Tel*** *(212) 864-9234* ***Fax*** *(212) 864-9155* ***Quartos*** *96* ***Mapa*** *20 E5*

Irmão do Riverside Inn, este hotel é mais novo que ele, conservando um ar de dormitório de faculdade. Bom para estudantes e viajantes desacompanhados. Procure reservar um quarto duplo de luxo, com banheiro privativo e ar condicionado. Quartos limpo e bem-cuidados. **www.morningsideinn-ny.com**

Astor on the Park $$

465 Central Park West, 10025 ***Tel*** *(212) 866-1880* ***Fax*** *(212) 316-9555* ***Quartos*** *80* ***Mapa*** *21 A5*

Este hotel na Central Park West, próximo à 107th street, tem localização privilegiada que compensa o tamanho e a simplicidade dos quartos. É a opção ideal para quem quer gastar pouco e fica fora a maior parte do tempo. Os banheiros são limpos, os funcionários simpáticos e ainda conta com um café-da-manhã de cortesia. **www.nychotels.com/astor.html**

FORA DO CENTRO: BROOKLYN

Best Western Gregory Hotel Brooklyn $$

8315 4th Ave, 11209 ***Tel*** *(718) 238-3737* ***Fax*** *(718) 680-0827* ***Quartos*** *70*

Embora este hotel seja meio fora de mão, é uma boa escolha para quem precisa ficar no Brooklyn. O metrô está a apenas alguns quarteirões. Os quartos são pequenos, mas bem cuidados. Problemas recentes com o serviço parecem ter sido resolvidos com nova gerência. Por perto há muitas opções de comida barata. **www.bestwestern.com**

Marriott Brooklyn Bridge $$

333 Adams St, 11201 ***Tel*** *(718) 246-7000* ***Fax*** *(718) 246-0563* ***Quartos*** *355*

Único hotel completo no Brooklyn, é uma ótima opção para quem viaja a negócios ou por diversão e quer explorar este bairro, ficando perto do Financial District. Nove linhas de metrô passam perto do hotel. Os quartos tem linda decoração. O saguão é gradioso, e há uma academia grande, com piscina. **www.marriott.com**

RESTAURANTES E BARES

Os nova-iorquinos adoram comer bem e há mais de 25 mil restaurantes para atendê-los. Eles lêem todas as críticas de restaurantes em revistas como *New York e Where,* para não perder os lugares da moda. É coisa muito séria –uma crítica desfavorável pode fechar um restaurante. Os citados nas páginas seguintes foram selecionados como o melhor de Nova York, dentro de uma ampla faixa de preço, e as informações nas págs. 296-311 irão ajudá-lo a escolher um restaurante adequado. Há dicas sobre lugares para tomar um lanche nas páges. 312-4 *bares de nova york* nas págs. 315-7 indica os mehores locais para beber na cidade.

O clássico coquetel Manhattan

CARDÁPIOS

As refeições na maioria dos restaurantes consistem em três pratos: entrada *(appetizer ou starter)*, prato principal *(entrée)* e sobremesa *(dessert)*. Todos os restaurantes de Nova York, com exceção das lanchonetes, servem pão e manteiga assim que alguém se senta à mesa, sem cobrar extra –faz parte do serviço. Alguns oferecem também um *lagniappe* –pequena porção de musse ou quiche– antes de anotar o pedido. As entradas

Carrinho de cachorro-quente

nos restaurantes mais concorridos costumam ser criativas a ponto de muitos pedirem duas entradas e nenhuma *entrée.* Nos cardápios italianos a massa aparece como um segundo prato, antes do principal, mas os americanos as pedem como prato principal. Café ou chá e uma sobremesa simples concluem a refeição, em todos os restaurantes acima do nível de *coffee shop*. Sua xícara de café será enchida seguidamente, até se mandar parar.

A tábua de queijos costumava ser uma raridade nos restaurantes de Nova York, mas agora passa a figurar no cardápio de alguns dos melhores estabelecimentos.

PREÇOS

Sempre há um restaurante em Nova York que se encaixa no seu orçamento. Nas lanchnetes e cadeias de fast food come-se bastante por US$ 5. Há também centenas de restaurantes bons, até mesmo de primeira classe, onde se come bem a um custo moderado –cerca de US$ 25 por pessoa, sem bebidas–, em ambiente agradável. O jantar em lugares da moda, com chefs famosos, pode elevar a conta para US$ 70 a US$ 100 por pessoa, sem bebidas. Muitos bons restaurantes oferecem refeições a preço fixo (ou *prix fixe*, como são chamadas em Nova York), geralmente uma opção bem mais barata que o cardápio à la carte. Além disso, almoçar costuma ser mais barato que jantar e em muitos lugares, por causa do grande número de compromissos de negócios, o almoço é o período mais movimentado do dia

TAXAS E GORJETAS

Em Nova York inclui-se na conta o imposto sobre vendas, de 8,625%. O serviço não vem incluído. As gorjetas vão de 10% num café até 20% nos locais mais chiques; uma gorjeta de 15% costuma ser adequada. Muitas pessoas dão de gorjeta o dobro do impoto.

A conta é chamada de "the check" em todos os EUA. Os cartões de crédito mais aceitos são Visa, MasterCard e American Express. Traveller's cheques também são aceitos em muitos restaurantes. Lanchonetes e cafés aceitam só dinheiro. Em cadeias de fast food, você pede no balcão e paga em dinheiro. Outros estabelecimentos só aceitam dinheiro.

Uma típica *deli* de Nova York (pág. 304)

REFEIÇÃO ECONÔMICA

Apesar das anedotas sobrea lmoços de negócios de US$ 200, pode-se comer bem e barato em Nova York.

Peça poucos pratos. As porções são enormes e exceto nos locais mais chiques a entrada é equivalente a um prato principal leve. Pode-se dividir os pratos, ou pedir duas entradas, sem *entrée.*

Cuidado com os "pratos do dia" especiais. Em geral, são mais caros que os pratos do cardápio normal.

Pergunte ao garçom se há cardápio *prix fixe*. Muitos restaurantes caros os oferecem no almoço e jantar –no começo da noite, ele

McSorley's Old Ale House

muitas vezes é chamado de *pre-theater menu*. Outra opção são os bufês, muito concorridos sobretudo em restaurantes indianos de Manhattan, por preços razoáveis em relação à quantidade.

Outra opção para uma refeição rápida e mais barata são os restaurantes chineses, tailandeses e mexicanos, e algumas delis judaicas. Pizzarias e bistrôs franceses, bem como alguns restaurantes pequenos também servem hamburgueres grelhados e bons lanches. Vá a bares que oferecem happy hours. Eles costumam servir grande variedade de *hors d'oeuvres*, como *tapas* espanholas, que equivalem a uma refeição. Em um restaurante da moda, prefira o horário do almoço, bem mais barato que o jantar. Se quiser conhecer por dentro aqueles lugares de que todo mundo fala, vá para tomar só um drinque. Nesses casos, de qualquer forma, o ambiente é mais importante que a comida.

Tanque d'água do Four Seasons *(pág. 293)*

HORÁRIOS

O café-da-manhã geralmente é servido entre 7h e 10h30 ou 11h. Aos domingos, é mais comum o *brunch*, servido na maioria dos restaurantes entre 11h e 15h. A hora de almoço vai de 11h30 ou meio-dia até as 14h30 na maioria dos lugares, e o maior movimento é às 13h. O jantar é servido a partir das 17h30 ou 18h. A hora mais movimentada é entre 19h30 e 20h. Restaurantes fecham às 22h durante a semana e 23h às sextas e sábados. Lugares mais informais, ficam abertos quase o dia todo, das 11h30 às 22h. Também as lanchonetes e *diners* costumam funcionar o dia todo, das 7h até meia-noite, às vezes.

Espera com estilo em bar da Grand Central Terminal

TRAJES

Poucos restaurantes exigem que os homens se vistam formalmente, embora nos mais elegantes se use um blazer e até, às vezes, paletó e gravata. Na maioria dos casos, tanto para homens quanto para mulheres, o "casual chique" resolve. As mulheres costumam se produzir para ir aos restaurantes mais caros. Pergunte sobre o traje apropriado na reserva.

RESERVAS

É prudente fazer reservas em restaurantes acima do nível lanchonete/fast food, especialmente nos fins de semana. Alguns dos restaurantes mais em moda só aceitam reservas com mais de dois meses de antecedência. É essencial fazer reserva para almoços na área mais central. Mesmo assim, talvez você tenha de esperar no bar, apesar de ter reservado mesa.

FUMO

Não é permitido fumar em bares e restaurantes. A exceção são bares comandados pelos próprios donos que têm salões especiais para fumantes

CRIANÇAS

Se for comer fora com crianças, pergunte se há cardápio infantil, com meias-porções. Os preços são mais baixos, às vezes a metade. Crianças bem-comportadas são aceitas na maior parte dos restaurantes de Nova York, mas no caso das imprevisíveis é melhor optar por um restaurante chinês ou cantina italiana, lanchonete, deli ou café. Uns poucos restaurantes mais modernos têm acomodação para bebês, mas a maioria não conta com isso. Jantar nos lugares mais formais não é um programa para famílias.

ACESSO PARA CADEIRA DE RODAS

Embora muitos restaurantes tenham espaço para acomodar cadeiras de rodas, é sempre bom se certificar quando fizer a reserva. As lanchonetes e casas menores não atendem deficientes físicos, por falta de espaço.

COMO USAR A LISTA

Legenda dos símbolos nas págs. 296–311.

- mesas ao ar livre
- porções para crianças/cadeirões
- paletó e gravata
- acesso a cadeiras de rodas a todo ou parte do restaurante
- música ao vivo
- não aceita cartão de crédito

Categorias de preço para uma refeição de três pratos, com meia garrafa de vinho, taxas e gorjeta:

- $ menos de US$25
- $$ US$25–US$40
- $$$ US$40–US$60
- $$$$ US$60–US$80
- $$$$$ mais de US$80

Os Sabores de Nova York

Poucas cidades se comparam à diversidade de restaurantes de Nova York. Como reflexo da mistura de nacionalidades, a variedade de comidas vai da mais fina comida francesa e européia aos mais frescos sushis fora de Tóquio. México, Caribe, Tailândia, Vietnã, Coréia, Grécia e Índia estão bem representados, e todos os quarteirões parecem ter um restaurante italiano. A qualidade das melhores casas da cidade é insuperável e seus chefs são superstars, conhecidos e venerados como ídolos de cinema. Porém, já que tantas nacionalidades estão representadas em sua cultura culinária, pouquíssimas comidas são nativas da própria cidade.

Pequenas porções

Produtos locais frescos expostos na feira livre

COMIDA DE DELI

A grande população de judeus deu origem a uma das melhores especialidades de Nova York, agora desfrutada por todos: carne recheada em conserva, e sanduíches de pastrami, picles de dill, sopa de pão ázimo, arenques, *blintzes* e *bagel* servidos com queijo cremoso e salmão defumado. O *bagel*, sinônimo de Nova York, se tornou uma comida americana universal, mas o verdadeiro *bagel* de Nova York não tem nada a ver com as imitações massudas do interior. É feito à mão, e a rosquinha é cozida rapidamente em água fervente e, depois assada, o que lhe dá uma textura firme para mastigar. Semelhante, e outra especialidade da cidade, é um pãozinho redondo, chato, com uma depressão central cheia de cebolha tostada. Os melhores exemplos dos dois são encontrados em padarias kosher de Lower East Side *(págs. 92-101)*.

FEIRAS LIVRES

Veja se você não está perto das conhecidas feiras (greenmarkets) que os chefs gostam de pesquisar. Ali, fazendeiros vendem frutas e

Seleção de alimentos clássicos de qualquer *deli* de Nova York

ESPECIALIDADES DE NOVA YORK

Pretzels

Embora comer em Nova York possa abranger todas as nações, alguns pratos especiais estão intimamente associados à cidade. O Manhattan Clam Chowder, preparado com tomates em vez de creme, é muito pedido, desde que foi lançado nas barracas da praia de Coney Island, na década de 1880. Nas muitas churrascarias da cidade, uma seleção de primeira é o "New York strip steak", um corte de filé mignon da porção mais tenra. A cozinha italiana sempre teve uma interpretação nova-iorquina. Cremosa, a *cheesecake* de Nova York é feita com queijo cremoso e não com ricota italiana. E como os tradicionais fornos de lenha eram pouco práticos, os primeiros chefs imigrantes da Itália usavam fornos de carvão – embora raros, os puristas insistem que são necessários para a verdadeira pizza de Nova York.

Manhattan clam chowder
Rica mistura de batatas, cebolas, tomates, pedacinhos de ostras e mariscos.

Carrinho numa esquina de Manhattan vende hot dogs e refrigerantes

verduras recém-colhidas, além de carne, aves e laticínios. Mais de 105 restaurantes da cidade patrocinam os greenmarkets, de modo que você encontra produtos locais superfrescos nos cardápios dos restaurantes. Cerca de 70 vendedores freqüentam as feiras de Union Square às segundas, quartas, sextas e sábados *(pág. 129)*.

COMIDA DE RUA

A comida de rua é uma boa opção no corre-corre da cidade. Opções clássicas são os hot dogs Sabrett e os enormes *pretzels*, além de surpreendentes comidas de carrinhos, que vão de *falafel* a sopas e churrascos texanos, tudo pronto para comer. No inverno, há sempre vendedores de castanhas assadas, quentinhas.

COMIDA SOUL

O Harlem é a maior comunidade afro-americana dos EUA. Ali, os restaurantes são locais para provar especialidades do sul, como frango frito, costelas, couves, inhames, biscoitos folhados e bolos de fubá. Diz-se que um prato popular do Harlen, *fried chicken and waffles*, surgiu para servir os músicos que saíam dos clubes de jazz de madrugada.

Loja de produtos orientais na Chinatown de Nova York

RIVAIS ASIÁTICOS

Faz tempo que há na cidade lojas de pequenas porções e restaurantes chineses, mas agora eles estão concorrendo com muitos restaurantes excelentes tailandeses e vietnamitas. Mas tudo fica em segundo plano frente aos inúmeros bares de sushi e aos chefs japoneses elogiados e famosos.

CLÁSSICOS DE DELICATESSEN

Babkas Bolos de café adocicados e fermentados.

Blintzes Crepes recheadas com queijo branco adocicado e/ou frutas, e salteadas.

Chopped liver Fígados de frango triturados com cebola picada, ovos cozidos e *schmaltz* (gordura de frango).

Gefilte fish Bolinhos de peixe branco cozidos em caldo de peixe. Prato de festa.

Knishes Suave bolinho de farinha recheado com purê de tomate com cebola.

Latkes Panquecas de batata ralada e cebola, com pão ázimo.

Rugelach Confeito feito com queijo cremoso, recheado com geléia, nozes picadas e passas.

New York-style pizza *Com massa grossa ou fina, a genuína pizza de Nova York é assada em forno de carvão.*

New York Strip Steak *Servido com creme de espinafre e batatas fritas amorenadas, é imbatível.*

New York cheesecake *Torta firme, rica, assada, com uma crosta de massa ou graham crackers (digestivos).*

Como Escolher um Restaurante

Os restaurantes relacionados nas páginas seguintes foram selecionadas pela qualidade da comida e preços condizentes. Reunidos por regiões, aparecem por ordem alfabética dentro das categorias de preços. Para obter informações sobre Lanches e Refeições Leves veja as págs. 312-4 e sobre *Bares* consulte as págs. 315-7.

CATEGORIAS DE PREÇO para uma refeição de três pratos, para uma pessoa, incluindo uma taça de vinho da casa e todos os impostos:

$ até US$25
$$ US$25 – US$40
$$$ US$40 – US$60
$$$$ US$60 – US$80
$$$$$ acima de US$80

LOWER MANHATTAN

Les Halles — $$

15 John St between Broadway and Nassau St, 10038 ***Tel*** *(212) 285-8585* — ***Mapa*** *1 C2*

No Financial District, esta brasserie ao estilo parisiense é uma casa-irmã do restaurante Park Avenue Les Halles e ganhou fama graças ao *chef*-celebridade Anthony Bourdain. Paraíso dos carnívoros, o Les Halles serve boa variedade de carnes –além de outros pratos bem elaborados.

Fraunces Tavern — $$$

54 Pearl St, esquina com Broad Street 10004 ***Tel*** *(212) 968-1776* — ***Mapa*** *1 C4*

Esta taverna histórica funciona desde 1762 e foi aqui que George Washington disse adeus a seus oficiais nas vésperas de seu afastamento, em 1783. São oferecidos pratos clássicos americanos feitos com filé e peixe, acompanhados de fartas porções de assados e sopas. No inverno esquente-se na confortável sala de estar.

Battery Gardens — $$$

Southwest corner of Battery Park, 10004 ***Tel*** *(212) 809-5508* — ***Mapa*** *1 C4*

Reformado em 2004, o antigo American Park at the Battery oferece magníficas paisagens da baía. O forte da casa são os frutos do mar, em combinações com as tradições italiana e asiática. Nos meses de verão, vale se esforçar para conseguir um lugar na área ao ar livre.

Bayard's — $$$$

1 Hanover Sq, 10004 ***Tel*** *(212) 514-9454* — ***Mapa*** *1 C3*

Residência histórica muito bem restaurada, o Bayard's tem um cardápio que se destaca pela sazonal culinária franco-americana. A elogiada carta de vinhos e o serviço impecável combina com a condição de preferido pelos profissional do mercado financeiro –e com as altas cifras da conta.

SEAPORT E CIVIC CENTER

Quartino — $$

21-23 Peck Slip, 10038 ***Tel*** *(212) 349-4433* — ***Mapa*** *2 D2*

Este autêntico restaurante italiano serve pratos leves e refinados com ênfase no peixe e pratos vegetarianos, muitos dos quais vindos da região da Ligúria. É popular entre os moradores da cidade e reconhecido por sua pizza maravilhosa. O restaurante tem ambiente aconchegante e casual e o serviço é amigável apesar de, às vezes, ser lento.

Bridge Café — $$$

279 Water St at Dover St, 10038 ***Tel*** *(212) 227-3344* — ***Mapa*** *2 D2*

Gracioso café situado bem perto da Brooklyn Bridge, este estabelecimento antigo merece uma visita. Os mais ousados podem experimentar a especialidade de casa: nhoque com filé de búfalo. Mas também há opções para clientes mais contidos, de torta de lagosta a pratos à base de legumes grelhados.

LOWER EAST SIDE

Grand Sichuan — $

125 Canal St at Bowery, 10002 ***Tel*** *(212) 625-9212* — ***Mapa*** *4 E5*

O destaque daqui é o imenso cardápio, com todos os tipos de pratos da culinária de Sichuan, Hunang e até da combinação "sino-americana", além das tradicionais massas picantes. Não faltam alternativas para os vegetarianos. A equipe enxuta e a decoração modesta talvez contribuam para os preços acessíveis.

Legenda dos símbolos *no final do guia*

San Loco Mexico $
11 Stanton St, 10002 ***Tel*** *(212) 253-7580* **Mapa** 5 A3

Você vai gastar pouco mais de US$10 neste excelente restaurante mexicano, muito popular entre os moradores do bairro. Oferece uma grande variedade de pratos mexicanos com opção de 4 gradações de pimenta: mild (suave), hot (picante), seriuos (muito picante) e stupid (exageradamente picante). Guarde espaço para a sobremesa.

Katz Delicatessen $
205 East Houston St, 10002 ***Tel*** *(212) 254-2246* **Mapa** 5 A3

Um dos endereços clássicos de New York, esta deli judaica prepara os melhores sanduíches de pastrami da cidade. Não espere muito do serviço ou da decoração: a atração é mesmo a comida e as cifras moderadas da conta. A famosa cena do filme *Harry e Sally* foi gravada aqui.

Teany Café $
90 Rivington St, 10002 ***Tel*** *(212) 475-9190* **Mapa** 5 A3

O proprietário deste famoso café que se destaca pelas saladas e sanduíches vegetarianos é o ídolo do rock Moby. As sobremesas também merecem elogios, como a bomba de pasta de amendoim. Vale provar o chá da tarde (para uma ou duas pessoas). Serviço nada memorável e algumas vezes o prato do dia esgota rápido.

Il Palazzo $$
151 Mulberry St, 10013 ***Tel*** *(212) 343-7000* **Mapa** 4 F4

O Il Palazzo está entre os poucos bons restaurantes de Little Italy (sobretudo quando o assunto é o atendimento). Massas caseiras e risotos constituem opções seguras e a preços acessíveis –prove o spaghetti *a la chitarra*. Entre as sobremesas feitas aqui, destaque para o cannoli e o tiramisu.

Joe's Shanghai $$
9 Pell St, 10013 ***Tel*** *(212) 233-8888* **Mapa** 4 F5

Ao visitar este famoso restaurante de bairro, não deixe de provar os bolinhos de caranguejo e de carne de porco, pratos que atraem uma multidão para a porta do Joe´s, em especial nos finais de semana. O restante do cardápio tem menos apelo, mas os preços são bons. O serviço e a decoração não impressionam.

71 Clinton Fresh Food $$$
71 Clinton St, 10002 ***Tel*** *(212) 614-6960* **Mapa** 5 B3

Primeiro restaurante aberto na Clinton Street, o Clinton mantém sua freguesia –apesar da saída do chef Wylie Dufresne. O segredo do sucesso do cardápio sazonal são os ingredientes sempre frescos. Ótima carta de vinhos a bons preços. Decoração magnífica, mas falta espaço no ambiente.

Canton $$$
45 Division St, 10002 ***Tel*** *(212) 226-4441* **Mapa** 5 A5

Este restaurante de Chinatown destaca-se pelos preços acima da média para a região. A maioria dos pratos da culinária cantonesa são preparados com ingredientes frescos. Peça o prato do dia ou experimente o pato assado. O atendimento da casa é eficiente mas nada excepcional.

Sammy's Roumanian $$$
157 Chrystie St, 10002 ***Tel*** *(212) 673-0330* **Mapa** 5 A4

Provavelmente um dos primeiros "restaurantes temáticos" de Nova York, o Sammy´s conta com um cardápio com inspiração na culinária judaica, que inclui pratos como *latkes*. Outro destaque da casa é a salsicha de alho preparada com vodka.

The Tasting Room $$$$
72 East 1st St, 10003 ***Tel*** *(212) 358-7831* **Mapa** 5 A3

Criativo cardápio em estilo de entradas e aperitivos, composto de pratos ecléticos, servido em um ambiente romântico e pequeno. Entre os itens do cardápio sazonal, ingredientes exóticos como terrine de coelho e trutas com maçãs. Vale dar uma olhada na boa carta de vinhos.

WD-50 $$$$
50 Clinton St, 10002 ***Tel*** *(212) 477-2900* **Mapa** 5 B3

O badalado chef Wylie Dufresne comanda a cozinha de vanguarda desse restaurante. Uma equipe atenciosa e bem orientada serve novidades como língua bovina com *foie gras* e molho de toranja com manjericão. Para os mais ousados vale invesitr no menu degustação, composto de nove pratos.

SOHO E TRIBECA

New Pasteur $
85 Baxter St, 10013 ***Tel*** *(212) 608-3656* **Mapa** 4 F5

Minúsculo restaurante situado no meio de Chinatown, com grande oferta de pratos feitos com macarrão as estilo oriental (a preços convidativos). Peça os bolinhos vietnamitas com alface e arroz, mas há pratos bem mais picantes para quem preferir. A variedade de bebidas asiáticas também impressiona.

Peanut Butter & Co. $

240 Sullivan St, 10012 ***Tel*** *(212) 677-3995* ***Mapa*** *4 D2*

Vale a pena se deslocar para conhecer as inúmeras combinações de sanduíches com pasta de amendoim preparados por esta casa (há até um dedicado a Elvis Presley). Há sobremesas com outros ingredientes, porém. Graças aos bons preços, este é um bom lugar para trazer crianças e convidar amigos.

Lombardi's $$

32 Spring St, 10012 ***Tel*** *(212) 941-7994* ***Mapa*** *4 F4*

Entre as pizzarias mais famosas da cidade, a Lombardi's serve "redondas" feitas em forno à lenha, com massa fina e convidativa mussarela. Não há muitas alternativas a não ser pizzas, e nem mesmo as sobremesas da casa se destacam. Graças a uma recente reforma, a espera para conseguir uma mesa diminuiu.

Aquagrill $$$

210 Spring St, 10012 ***Tel*** *(212) 274-0505* ***Mapa*** *4 D4*

Os amantes dos frutos-do-mar vão adorar esse lugar, que faz questão de usar apenas ingredientes frescos. Vale provar o bar de ostras, mas a regularidade dos pratos e o bom atendimento fazem o sucesso da casa. Prove a sopa de mexilhões com açafrão ou as vieiras com risoto de caranguejo.

L' École $$$

462 Broadway, 10012 ***Tel*** *(212) 219-3300* ***Mapa*** *4 E4*

Pequeno e gracioso restaurante do SoHo, o L'École acomoda os alunos do French Culinary Institute. Oferece menus degustação a preços razoáveis, considerando-se a qualidade da comida e a gentileza do atendimento. Bom lugar para levar amigos e convidados

Le Jardin Bistrot $$$

25 Cleveland Place, 10012 ***Tel*** *(212) 343-9599* ***Mapa*** *4 F4*

Bistrô francês com pratos peculiares, como steak tartare, pâté, *bouillabaisse* e mexilhões. A principal atração do Le Jardin, sobretudo para quem procura um jantar romântico, é o belo jardim. Nos meses de verão, no entanto, pode ser difícil conseguir uma mesa.

Lupa $$$

170 Thompson St, 10012 ***Tel*** *(212) 982-5089* ***Mapa*** *4 F3*

Tratoria italiana criada pelo chef-celebridade Mario Batali como uma alternativa mais em conta ao seu disputado Babbo. As especializades são os pratos feitos com bacalhau, as massas frescas e as entradas trabalhadas, como o atum a *puttanesca* e a *saltimbocca* de porco. Excelente carta de vinhos italianos.

Odeon $$$

145 West Broadway, 10013 ***Tel*** *(212) 233-0507* ***Mapa*** *1 B1*

Um dos primeiros restaurantes abertos em TriBeCa na década de 1980, este "falso bistrô" serve pratos franco-americanos de boa qualidade. Não deixe de provar o steak tartare, embora os hambúrgueres também valham a pena. Decoração simples e lotação constante.

Provence $$$

38 MacDougal St, 10012 ***Tel*** *(212) 475-7500* ***Mapa*** *4 D3*

Quase uma instituição do SoHo e local ideal para um jantar romântico, este restaurante oferece os prazeres da autêntica cozinha provençal, preparada com ingredientes frescos e servidas por uma equipe simpática. Com mais ênfase para os frutos-do-mar, o cardápio também contempla as preferências dos carnívoros e dos vegetarianos.

Public $$$

210 Elizabeth St, 10012 ***Tel*** *(212) 343-7011* ***Mapa*** *4 F3*

O Public combina culinária moderna com criações bastante ousadas, como a truta da Tasmânia servida com ceviche de limão. O chef consultor do estabelecimento é Peter Gordon. Boa oportunidade para provar carnes australianas.

The Harrison $$$

355 Greenwich St, 10013 ***Tel*** *(212) 274-9310* ***Mapa*** *4 D5*

Restaurante situado em frente à água no coração de TriBeCa, serve pratos americanos "recriados", como o frango crocante com recheio de castanhas. Bastante apreciados pelos moradores da região, quem quer almoçar ou jantar aqui precisa enfrentar filas.

Danube $$$$

30 Hudson St, 10013 ***Tel*** *(212) 791-3771* ***Mapa*** *1 B1*

O eclético cardápio inspirado na culinária austríaca inclui algumas escolhas modernas, que aqui são apreciadas em um ambiente de decoração antiga. O peito de pato assado com molho de mel é um dos exemplos. O serviço impecável parece transportar os clientes à Viena imperial.

Kittichai $$$$

60 Thompson St, 10012 ***Tel*** *(212) 219-2000* ***Mapa*** *4 D4*

Elaborado restaurante tailandês situado nas dependências do hotel 60 Thompson –e bom lugar para ser visto. No cardápio ampla oferta de itens, como as "entradas tailandesas" (como caviar), além das alternativas tradicionais, como sopas, curries e pratos com frutos-do-mar.

Legenda dos preços *pág. 296* **Legenda dos símbolos** *no final do guia*

Montrachet $$$$

239 West Broadway, 10013 ***Tel*** *(212) 219-2777* **Mapa** 4 E5

Uma instituição que revolucionou a culinária de TriBeCa, o Montrachet segue disputado. Este elegante restaurante francês ganha nota máxima tanto quanto ao atendimento como em relação à qualidade de comida. A ótima carta de vinhos complementa o cardápio, que inclui gratin de lagosta e peito de pato, entre outras iguarias.

Nobu $$$$

105 Hudson St, 10013 ***Tel*** *(212) 219-0500* **Mapa** 4 D5

O chef Nobu Matsuhisa oferece um cardápio fantástico –para quem conseguir uma reserva e estiver disposto a pagar bem. No cardápio, iguarias como tartar de atum e tempurás, sem falar da extensa oferta de sushis. Badalado, o Nobu também é frequentado por celebridades.

Bouley $$$$$

120 West Broadway, 10013 ***Tel*** *(212) 964-2525* **Mapa** 1 B1

No comentado restaurante do chef David Bouley, o destaque é a culinária contemporânea. O ambiente e o atendimento especiais fazem daqui um bom lugar para celebrar ocasiões. Peça o salmão com molho de estragão ou a lagosta com molho de tamarindo e coco.

Chanterelle $$$$$

2 Harrison St, 10013 ***Tel*** *(212) 966-6960* **Mapa** 4 D5

Este clássico da alta culinária francesa impressiona pelo atendimento impecável e pelo ambiente com decoração magnífica. Ideal para uma comemoração, desde que o bolso venha preparado. Entre as recomendações estão o ravioli com ragu e o lombo de carneiro com temperos marroquinos.

Megu $$$$$

62 Thomas St, 10013 ***Tel*** *(212) 964-7777* **Mapa** 1 B1

Acompanhando as últimas tendências dos restaurantes japoneses, o Megu conquista os clientes com um magnífico cardápio, rico em pratos que servem duas pessoas. Em especial nos finais de semana, o ambiente pode ser um pouco barulhento.

GREENWICH VILLAGE

A Salt & Battery $

112 Greenwich Ave, 10011 ***Tel*** *(212) 691-2713* **Mapa** 3 B1

O Salt & Battery é considerado o melhor restaurante de "fish-and-chips" da região e se destaca pelos preços convidativos. Oferece diversas combinações de pratos com peixes, além de guarnições que justificam o deslocamento. A casa inaugurou uma filial na 80 Second Avenue, no East Village.

Corner Bistro $

331 West 4th St, 10014 ***Tel*** *(212) 242-9502* **Mapa** 3 C1

A fila na porta indica que não se trata de um bistrô com pratos tradicionais, mas sim um bom lugar para apreciar também hambúrgueres suculentos e cervejas a bons preços. A comida é servida em pratos descartáveis, mas não faltam guardanapos.

Cowgirl Hall of Fame $$

519 Hudson St, 10014 ***Tel*** *(212) 633-1133* **Mapa** 3 C2

Naturais do sul dos Estados Unidos com saudades de casa costumam adorar esse lugar. O serviço não se destaca, mas o restaurante oferece boa oportunidade para provar delícias regionais como filé de frango ou *frito pie*, que combinam muito bem com as margaritas da casa.

Florent $$

69 Gansevoort St, 10014 ***Tel*** *(212) 989-5779* **Mapa** 3 B1

Verdadeiro pioneiro do Meatpacking District antes que o seriado *Sex and the City* modificasse o rosto da região, o Florent ficou famoso pela antiga clientela composta de *drag queens* e boêmios voltando das baladas. Ainda se destaca pela ótima comida francesa a preços ainda melhores. O movimento se intensifica por volta das 2 da manhã.

ino $$

21 Bedford St, 10014 ***Tel*** *(212) 989-5769* **Mapa** 4 D3

Simpático e acolhedor (e também um pouco pequeno), o Ino pode ser a opção ideal para um jantar sem pretensões. Apesar de algumas "manias" associadas a dietas da moda, atrai fashionistas interessados em gastar pouco. Conta com um bar de vinhos com boas ofertas de rótulos italianos –mas o serviço deixa a desejar.

Moustache $$

90 Bedford St, 10014 ***Tel*** *(212) 229-2220* **Mapa** 3 C2

Gracioso restaurante com inspiração no Oriente Médio oferece pratos saborosos e baratos, como cordeiro e linguiças do tipo merguez. Em geral falta espaço para a grande demanda e a rapidez não é o forte da casa. A unidade do East Village, na 265 East 19th Street, inclui um jardim interno.

Pearl Oyster Bar $$

18 Cornelia St, 10014 ***Tel** (212) 691-8211* ***Mapa** 4 D4*

O Pearl Oyster Bar é um dos destaques do Village, apreciado pelos sabores vigorosos e uso de ingredientes frescos. Destaque para os bolinhos de lagosta e os mexilhões das ilhas Prince Edward. Ao contrário de outro lugares que priorizam bons ingredientes, oferece bom atendimento. Nas horas mais disputadas, é preciso esperar na fila.

Westville $$

210 West 10th St, 10014 ***Tel** (212) 741-7971* ***Mapa** 3 C2*

Restaurante despojado que se destaca por servir pratos da cozinha regional norte-americana a preços razoáveis, o Westville costuma ser bastante disputado (para fugir das filas é preciso evitar os horários de *rush*). O sucesso levou à abertura de uma casa-irmã no East Village, apropriadamente chamada de Eastville.

Blue Ribbon $$$

97 Sullivan St, 10012 ***Tel** (212) 274-0404* ***Mapa** 4 D3*

Destaque do SoHo graças à regularidade dos pratos de inspiração francesa, como as costelas e os *escargots*. O cardápio inclui ainda variedades como *paella*, cordeiro e frango assado, todas muito bem preparadas. A cozinha funciona até 4 da manhã, assim como o bar.

Blue Ribbon Bakery $$$

33 Downing Street, 10014 ***Tel** (212) 337-0404* ***Mapa** 4 D3*

O amplo cardápio que se destaca pelos aperitivos, que inclui queijos e outros frios e pães saborosos, oferece também sopas, saladas e entradas como hambúrgueres, *confit* de pato e filé mignon. A carta de vinhos acessível faz daqui um bom lugar para um jantar com familiares e amigos.

Markt $$$

401 West 14th St, 10014 ***Tel** (212) 727-3314* ***Mapa** 3 B1*

Espaçosa brasserie de origem belga, serve boas especialidades tradicionais, como mexilhões e batatas-fritas, além de grande variedade de sanduíches, saladas e sopas. A generosa oferta de cervejas belgas garante a procura constante. No verão, é um bom lugar para apreciar o movimento.

Otto $$$

1 Fifth Ave, 10003 ***Tel** (212) 995-9559* ***Mapa** 4 E1*

Pizzaria cara e sofisticada, comandada pelo chef Mario Batali. A curiosa carta de vinhos e a oferta de guarnições e antepastos fazem o charme deste lugar bastante disputado. Prove a famosa *lardo pizza*, que é exatamente o que o nome diz: banha de porco sobre massa de pizza. Outra peculiaridade daqui é o sorvete de azeite de oliva.

Pastis $$$

9 Ninth Ave, 10014 ***Tel** (212) 929-4844* ***Mapa** 3 B1*

Entre os pioneiros do Meatpacking District, este impressionante bistrô parisiense oferece generosos pratos franceses de boa qualidade. O ambiente costuma ser barulhento nos finais de semana, com a frequência de celebridades. O *brunch* servidos aos sábados e domingos é muito bom. Se não fizer reserva, prepare-se para esperar.

The Spotted Pig $$$

314 West 11th St, 10014 ***Tel** (212) 620-0393* ***Mapa** 3 B2*

Os ingleses costumam adorar os pratos de pub servidos no estabelecimento da chef britânica April Bloomfield. Este restaurante minúsculo lota rápido, e para driblar a espera a saída é chegar cedo nos horários mais disputados ou aguardar no bar. Destaque para a cerveja da Brooklyn Brewery e a excelente *shepherd's pie*.

Annisa $$$$

13 Barrow St, 10014 ***Tel** (212) 741-6699* ***Mapa** 3 C2*

A criativa chef Annisa Lo serve pratos de um cardápio sazonal em um ambiente acolhedor, complementado por um serviço que se destaca pela simpatia. As alternativas com frutos do mar ganham ainda mais sabor com os suaves toques asiáticos.

Babbo $$$$

110 Waverly Place, 10011 ***Tel** (212) 777-0303* ***Mapa** 4 D2*

O principal restaurante do chef Mario Batali ocupa um lindo dúplex no Village, considerado o paraíso de quem aprecia massas de boa qualidade. É difícil conseguir uma reserva aqui e, considerando o preço, o serviço poderia ser melhor. A premiada carta de vinhos e a clientela despojada garantem o charme do Babbo.

Blue Hill $$$$

75 Washington Place, 10011 ***Tel** (212) 539-1776* ***Mapa** 4 E4*

Este restaurante que celebra a nova linha da culinária americana aposta na qualidade dos ingredientes. O cardápio não é extenso, mas os pratos sazonais são sempre frescos e bastante criativos. Experimente o *foie gras* ou o filé suíno com castanhas.

Da Silvano $$$$

260 Sixth Ave, 10014 ***Tel** (212) 982-2343* ***Mapa** 4 D3*

Este restaurante com inspiração na cozinha da Toscana se destaca mais pela freqüência dos famosos que jantam aqui do que pela comida propriamente dita, que inclui uma variedade de massas, antepastos com frutos-do-mar, saladas e entradas tradicionais, como costelas de cordeiro. No verão, a disputada área externa é ideal para ver e ser visto.

Legenda dos preços *pág. 296* **Legenda dos símbolos** *no final do guia*

One if by Land, Two if by Sea
$$$$

17 Barrow St, 10014 ***Tel*** *(212) 228-0822* — ***Mapa*** *3 C3*

A casa de Aaron Burr, que ficou famosa na Guerra Civil Americana, hoje é um dos locais mais românticos e históricos da cidade. Para alguns a decoração parece exagerada, mas o menu de preço fixo composto de três pratos costuma agradar. Há música ao vivo (piano) todos os dias.

Spice Market
$$$$

403 West 13th St, 10014 ***Tel*** *(212) 675-2322* — ***Mapa*** *3 B1*

Incrível restaurante de inspiração na comida de rua asiática, liderado pelo chef Jean Georges Vongerichten. Com um ambiente que lembra um clube, costuma reunir gente bonita (até quem trabalha aqui) e oferece coquetéis caprichados. O cardápio, porém, não merece destaque.

Gotham Bar & Grill
$$$$$

12 East 12th Street, 10003 ***Tel*** *(212) 620-4020* — ***Mapa*** *4 E1*

Um clássico nova-iorquino da moderna cozinha americana, célebre pelas criações do revolucionário chef Alfred Portale –como *foie gras* com crosta de gengibre. Há quem veja aqui um pouco de excesso, mas o almoço a preço fixo (US$ 25) merece uma tentativa.

EAST VILLAGE

Blue 9 Burger
$

92 Third Ave, 10003 ***Tel*** *(212) 979-0053* — ***Mapa*** *4 F1*

Saborosos hambúrgueres servidos a preços bastante razoáveis fazem daqui uma alternativa para quem quer fugir das redes de fast-food. As batatas-fritas podem vir com molho de chili. Uma opção é fazer um pedido para viagem e emendar com um piquenique em um parque das proximidades.

Caracas Arepa Bar
$

91 East 7th St, 10009 ***Tel*** *(212) 228-5062* — ***Mapa*** *5 A2*

Restaurante algo *kitsch* que serve ótima comida venezuelana, sem pressa nenhuma. As arepas (saborosos bolinhos de milho com recheio variado), os sanduíches e os tamales agradam sem agredir o bolso. A falta de espaço do local não desanima os clientes.

Dumpling Man
$

100 St Mark's Place, 10009 ***Tel*** *(212) 505-2121* — ***Mapa*** *5 A1*

Bar minúsculo mas badalado situado no East Village, oferece ampla variedade de bolinhos. Vale a pena observar o trabalho dos cozinheiros daqui. Com preços sedutores, o Dumpling Man é um bom lugar para um jantar seguido de um show.

Minca
$

536 East 5th St, 10009 ***Tel*** *(212) 505-8001* — ***Mapa*** *5 B2*

Uma das últimas novidades (ao menos na região do East Village) são os *noodle bars*. O Minca serve esses macarrões orientais em estilo *ramen*, mas sem nenhuma semelhança com os *noodle cups* preparados em microondas. Pode-se escolher um macarrão com carnes ou vegetariano, entre outros. Bom lugar para uma parada em um dia frio.

Counter
$$

105 First Ave, 10003 ***Tel*** *(212) 982-5870* — ***Mapa*** *5 A2*

Criativa culinária vegetariana servida em um ambiente sofisticado, mas que costuma justificar o deslocamento até dos não-vegetarianos. A elogiada carta de vinhos inclui rótulos orgânicos. Atendimento simpático mas um pouco inconstante.

Great Jones Café
$$

54 Great Jones St, 10012 ***Tel*** *(212) 674-9304* — ***Mapa*** *4 F2*

A chance de provar a culinária de New Orleans pode estar neste restaurante barato e simpático, que inclui até uma *jukebox*. Entre as especialidades estão os camarões fritos *po'boys* e jambalaya. Não faltam molhos picantes vindos de todas as partes do mundo, que acentuam os sabores e convidam para uma cerveja.

Il Bagatto
$$

192 East 2nd St, 10009 ***Tel*** *(212)228-0977* — ***Mapa*** *5 B2*

Restaurante italiano disputado e agitado, serve pratos bem-preparados a preços razoáveis –e atrai clientes de toda a cidade. No entanto, as filas imensas deixam o atendimento algo acelerado. O sistema de reservas é um mistério e por isso convém telefonar antes. Quem estiver nas proximidades ganha mais se fizer pedido para viagem.

Lil' Frankies
$$

19–21 First Ave, 10003 ***Tel*** *(212) 420-4900* — ***Mapa*** *5 A2*

Esta pizzaria de bairro afirma que os tijolos de seu forno contêm lava do Vesúvio! As pizzas boas e barata atraem sobretudo uma clientela jovem. O jardim no pátio dos fundos e o serviço cordial compensam a pequena lentidão. Graças a uma reforma recente, o local foi ampliado e ocupa o bar ao lado.

Zum Schneider $$

107 Avenue C, 10009 **Tel** *(212) 598-1098* **Mapa** *5 B2*

Neste simpático jardim de cerveja, a Oktoberfest parece durar o ano todo. Ao chegar aqui, aproveite o ambiente e saboreie as ótimas salsichas. Simpático para acolher famílias, costuma atrair muita gente nos finais de semana, quando o serviço fica um pouco lento. Como se pode imaginar, há chopes de todas as partes do mundo.

Casimir $$$

103–105 Avenue B, 10009 **Tel** *(212) 358-9683* **Mapa** *5 B2*

Pequeno bistrô francês situado na agitada região de Alphabet City. Os pratos autênticos (servidos por garçons nem sempre muito ágeis) incluem a sopa de cebola e o steak tartare. Tente conseguir uma mesa na parte externa e, se quiser pagar com cartão de crédito, traga o American Express.

La Palapa $$$

77 St Marks Place, 10003 **Tel** *(212) 777-2537* **Mapa** *5 A1*

Restaurante com culinária regional mexicana, usa ingredientes autênticos e propicia um bom lugar para uma comemoração (a decoração do ambiente já é uma festa). Preços razoáveis e ótimas margaritas. Não deixe de experimentar o filé de bacalhau ao estilo Zihuatanejo.

Le Tableau $$$

511 East 5th St, 10009 **Tel** *(212) 260-1333* **Mapa** *5 B2*

O Le Tableau é um gracioso restaurante francês que se destaca pelos uso de ingredientes de qualidade e pelos preços convidativos. O ambiente acolhedor e com luz de velas faz daqui um bom lugar para trazer amigos. Alguns menus orientam quanto aos vinhos mais indicados e o cordeiro da casa não decepciona.

The Elephant $$$

58 East 1st St, 10003 **Tel** *(212) 505-7739* **Mapa** *5 A3*

Estabelecimento franco-tailandês, atrai multidão animada e garçons idem. Os criativos coquetéis tailandeses e os bem-preparados pratos, como o arroz com frango e carne suína, são elaborados na panela *wok*. A combinação étnica está presente também na decoração da casa.

The Mermaid Inn $$$

96 Second Ave, 10003 **Tel** *(212) 674-5870* **Mapa** *5 A2*

Os mesmos idealizadores do The Harrison, em TriBeCa, e do The Red Cat, em Chelsea, montaram essa casa especializada em frutos-do-mar e bastante apreciada por uma clientela mais jovem. Como o The Mermaid não aceita reservas, as filas são longas.

Hearth $$$$

403 East 12th St, 10009 **Tel** *(212) 602-1300* **Mapa** *5 A1*

Restaurante americano com influências da Toscana, serve ousados pratos de alta qualidade em um ambiente romântico e "rústico-chique". O chef Marco Canora (que já trabalhou no Craft) cria opções interessantes como a *ribollita* (sopa de repolho e feijão) e bolo de azeite de oliva. Pode-se pedir o menu degustação.

Jewel Bako $$$$

239 East 5th St, 10003 **Tel** *(212) 979-1012* **Mapa** *4 F2*

A disputa pelo título de melhor sushi de Nova York ganhou fôlego com a chegada deste sofisticado japonês, que serve iguarias feitas com ingredientes fresquíssimos e apresentação espetacular. O serviço (cortês mas irregular) e a falta de espaço prejudicam um pouco a experiência. Uma filial menos sofisticada funciona na outra esquina.

GRAMERCY E FLATIRON DISTRICT

'Wichcraft $

49 East 19th St, 10003 **Tel** *(212) 780-0577* **Mapa** *9 A5*

Pequena loja que serve sanduíches de gourmet em tipos variados de pão. Entre os favoritos estão os de salada de frango com tomates assados em pão integral ou os que incluem champignons e fondue de trufas em pão branco. Serve café da manhã.

Chat 'n' Chew $$

10 East 16th St, 10003 **Tel** *(212) 243-1616* **Mapa** *8 F5*

Simpático restaurante situada na área da Union Square que atrai ampla clientela e cobra preços sedutores. Entre as ofertas da casa estão o *'n' cheese* e o peru assado, tradicionalmente servido na comemoração do Thanksgiving Day mas aqui disponível o ano todo. Para sobremesa, peça uma das tortas ou bolos. Bom local para um *brunch*.

Blue Smoke $$$

116 East 27th St, 10016 **Tel** *(212) 447-7733* **Mapa** *9 A3*

Neste local disputado, Danny Meyer oferece *barbecue* o típico do sul dos Estados Unidos, mas outras atrações são os vigorosos sanduíches feitos com carne suína e as costelas. No mesmo local funciona um clube de jazz. O bar, indicado para grupos, serve cervejas produzidas em todo o país.

Devi $$$
8 East 18th St, 10003 ***Tel*** *(212) 691-1300* ***Mapa*** *8 F5*

Neste estabelecimento badalado os chefs Suvi Saran e Hemant Mathur preparam a autêntica culinária regional da Índia, em um cenário que exibe tecidos e entalhes da mesma origem. Entre os pratos da casa, destaque para o *tandoori* de cordeiro com chutney de pêra.

I Trulli $$$
122 East 27th St, 10010 ***Tel*** *(212) 481-7372* ***Mapa*** *9 A3*

Sofisticado restaurante italiano, especializado na culinária da Púglia. Ideal para um jantar romântico, aquecido pela lareira no inverno ou em pleno jardim, se for verão. Ótima carta de vinhos na casa e na Enoteca I Trulli, que fica ao lado. Prove várias taças de vinho antes de se decidir.

Pure Food and Wine $$$
54 Irving Place, 10003 ***Tel*** *(212) 477-1010* ***Mapa*** *9 A5*

Primeiro restaurante de Nova York dedicado ao movimento que defene o consumo de verduras e frutas cruas. Este estabelecimento simpático serve pratos preparados com criatividade, como o macarrão ao coco e a pizza de homus.

Tamarind $$$
41–43 East 22nd St, 10010 ***Tel*** *(212) 674-7400* ***Mapa*** *8 F4*

Restaurante indiano moderno e com decoração minimalista, lindas porcelanas e um atendimentos cortês. É um pouco mais caro do que os demais do gênero, mas a qualidade dos ingredientes e a mistura de sabores bastam para transportar os clientes ao Oriente. A equipe orienta na escolha dos vinhos.

Craft $$$$
43 East 19th St, 10003 ***Tel*** *(212) 780-0880* ***Mapa*** *9 A5*

O chef Tom Colicchio, que já trabalhou na Gramercy Tavern, oferece um cardápio "desconstruído" de qualidade vibrante, em um ambiente de decoração suave. Aqui, os clientes podem criar as próprias entradas, combinando os ingredientes e acompanhamentos. Se precisarem de ajuda para a tarefa, os profissionais da casa estão prontos.

Fleur de Sel $$$$
5 East 20th Street, 10003 ***Tel*** *(212) 460-9100* ***Mapa*** *8 F4*

Acolhedor e charmoso restaurante francês moderno, que serve pratos criados pelo chef Cyril Renaud (ex-Bouley). O cardápio restrito revela dedicação especial e o serviço atencioso complementa a experiência. O atendimento de primeira inclui orientações para a escolha do vinho.

Mesa Grill $$$$
102 Fifth Ave, 10011 ***Tel*** *(212) 807-7400* ***Mapa*** *8 F5*

O estrelado resturante do chef Bobby Flay aposta na moderna culinária do sudoeste e desde 1991 tem clientela cativa. O criativo cardápio inclui ostras, tacos de cordeiro e salmão com mel. As margaritas são especiais e no ambiente do bar não falta animação.

Tabla $$$$
11 Madison Ave, 10010 ***Tel*** *(212) 889-0667* ***Mapa*** *9 A4*

Ousado restaurante indiano com toques americanos modernos, sob a batuta do chef Floyd Cardoz. No elegantes salão de jantar os frequentadores encontram o ambiente ideal para apreciar pratos como camarão crocante com abacaxi grelhado. Só funciona no sistema de menu a preço fixo.

Tocqueville $$$$
15 East 15th St, 10003 ***Tel*** *(212) 647-1515* ***Mapa*** *8 F5*

Esta jóia escondida na Union Square prepara culinária francesa com toques japoneses, em um ambiente acolhedor e elegante. O chef Marco Moreira extrai o máximo dos ingredientes selecionadíssimos. Ideal para uma ocasião especial sem causar um colapso na conta bancária.

Union Square Café $$$$
21 East 16th Street, 10003 ***Tel*** *(212) 243-4020* ***Mapa*** *9 A5*

Um dos restaurantes mais famosos de Nova York, o cartão de visitas do chef Danny Meyer serve culinária americana moderna em um ambiente confortável e usa ingredientes vindos da feira realizada na Union Square. Preços um pouco acima da média e serviço atencioso.

Gramercy Tavern $$$$$
42 East 20th St, 10003 ***Tel*** *(212) 477-0777* ***Mapa*** *9 A5*

O elogiado chef Tom Colicchio prepara pratos inesquecíveis neste comfortável cenário que se assemelha a uma casa de campo. A Gramercy Tavern é ideal para uma experiência gastronômica especial (certamente uma das melhores da cidade).

Veritas $$$$$
43 East 20th St, 10010 ***Tel*** *(212) 353-3700* ***Mapa*** *9 A5*

Pequeno restaurante situado no Flatiron District e dedicado ao vinho. Os apreciadores da bebida se deleitam diante da escolha de mais de 2.700 rótulos. No entanto, a comida preparada pelo chef Scott Bryan (como o *foie gras* com molho de Armagnac) dá o toque final. Serve apenas cardápio a preço fixo.

CHELSEA E GARMENT DISTRICT

Empire Diner $$

210 Tenth Ave, 10011 ***Tel*** *(212) 243-2736* ***Mapa*** *7 C4*

Tradicional diner de Chelsea, funciona 24 horas e oferece pratos honestos. Bom lugar para provar especialidades americanas como *pigs in a blanket* depois das 4 da manhã. Nos meses de temperatura amena, um café com mesas na calçada atrai quem quer um bom *brunch* e também deseja apreciar o movimento do bairro.

Bottino $$$

246 Tenth Ave, 10001 ***Tel*** *(212) 206-6766* ***Mapa*** *7 C4*

Especializado na culinária do norte da Itália, atrai uma clientela animada –que em geral disputa uma vaga no jardim dos fundos para saborear as tradicionais saladas, massas e carnes grelhadas. Ao lado, pode-se comprar lanches para viagem.

Sueños $$$

311 West 17th St, 10011 ***Tel*** *(212) 243-1333* ***Mapa*** *8 D5*

Tradicional cozinha regional mexicana, servida em um colorido ambiente não muito espaçoso. Ótimas tequilas e criações culinárias inovadoras (pode-se pedir o menu degustação) garantem os elementos para uma experiência agradável, apesar do preço um pouco apimentado.

The Red Cat $$$

227 Tenth Ave, 10011 ***Tel*** *(212) 242-1122* ***Mapa*** *7 C4*

Culinária americana moderna para ser saboreada em um cenário impressionante, rico em detalhes (inclusive as cores) que lembram a Nova Inglaterra. No cardápio, alguns dos melhores pratos da região, como ostras fritas e risoto com *blueberries*.

Biltmore Room $$$$

290 Eighth Ave, 10001 ***Tel*** *(212) 807-0111* ***Mapa*** *8 D4*

Luxuoso ambiente em estilo beaux-arts, exibe mármore de Carrara nas cores vermelho e branco vindas do antigo hotel Biltmore. O chef Gary Robins oferece comida americana moderna, com influências asiáticas (não perca o bacalha com missô). O bar, disputado por uma clientela animada, merece uma visita.

Matsuri $$$$

369 West 16th St, 10011 ***Tel*** *(212) 243-6400* ***Mapa*** *8 D5*

Restaurante enorme e ruidoso situado no hotel Maritime prepara pratos japoneses de alta qualidade, criados pelo chef Tadashi Ono (que usa apenas ingredientes de primeira). Observe a lista de vinhos e de saquês e não perca o excelente *crème brûlée* de limão. Quem vem jantar aqui corre o risco de encontrar celebridades.

THEATER DISTRICT

Carve Unique Sandwiches $

760 Eighth Ave, 10036 ***Tel*** *(212) 730-4949* ***Mapa*** *12 D5*

Este estabelecimento recente oferece os ingredientes para montar um sanduíche especial sem gastar muito. Quem segue uma dieta que restringe os carboidratos conta com um balcão especial. Como as filas são imensas nos horários disputados, procure evitá-los.

Pam Real Thai Food $

404 West 49th St, 10019 ***Tel*** *(212) 333-7500* ***Map*** *11 C5*

Quem procura um restaurante tailandês de boa qualidade e barato (e não liga para a decoração do ambiente) veio ao lugar certo. Boa variedade de *curries*, sopas e pratos à base de arroz e macarrão, mais ou menos apimentados de acordo com o pedido do freguês. Não aceita reservas e por isso as filas podem ser longas.

Virgil's Real Barbecue $$

152 West 44th St, 10036 ***Tel*** *(212) 921-9494* ***Mapa*** *12 E5*

Situado no coração da Times Square, o Virgil tem sempre clientes em busca de um *barbecue*. Com atendimento rápido, é uma boa opção para jantar antes de assistir a uma peça, já que os pratos leves não causam sono. O cardápio inclui mais de dez pratos norte-americanos, além de acompanhamentos interessantes.

Beacon $$$

25 West 56th St, 10019 ***Tel*** *(212) 332-0500* ***Mapa*** *12 E3*

Oferece um cardápio de pratos americanos modernos em um espaço generoso. Entre as especialidades da casa, coquetel de camarão e costelas de cordeiro com limão e azeitonas pretas. Cada ambiente exibe uma atmosfera diferente: o bar é animado, o primeiro andar mais reservado e a área próxima à cozinha esbanja conforto.

Legenda dos preços *pág. 296* **Legenda dos símbolos** *no final do guia*

Becco $$$
355 West 46th St, 10036 ***Tel*** *(212) 397-7597* **Mapa** 11 D5

A chef Lidia Bastianich é uma das proprietárias desta tratoria italiana que oferece antepastos, saladas, massas e pratos principais, além de cardápios especiais para quem emenda a refeição com um espetáculo teatral. A lista de vinhos que custam até US$ 25 merece destaque, mas quem quer gastar mais pode pedir a carta convencional.

Jezebel $$$
630 Ninth Ave, 10036 ***Tel*** *(212) 582-1045* **Mapa** 12 D5

Aqui se pode provar as delícias *soul-food*, como frango frito, em um ambient eclético que inclui de antiguidades a palmeiras. De quinta-feira a sábado, o Jezebel apresenta música ao vivo. Por causa da localização, é preciso reservar com antecedência para conseguir jantar aqui antes de ir ao teatro.

Marseille $$$
630 Ninth Ave, 10036 ***Tel*** *(212) 3410* **Mapa** 12 D5

Boa alternativa para jantar no Theater District neste romântico restaurante em estilo franco-mediterrâneo com algumas inovações modernas no cardápio. Uma equipe simpática serve pratos que costumam agradar os vegetarianos. Vale dar uma passada no bar Kemia, que funciona no andar inferior.

Molyvos $$$
871 Seventh Ave, 10019 ***Tel*** *(212) 582-7500* **Mapa** 12 E4

Sofisticado restaurante grego situado nas proximidades do Carnegie Hall. Decoração mediterrânea ideal para apreciar frutos-do-mar frescos e outras especialidades gregas, ainda que a preços um pouco acima da média. Oferece também cardápio a preço fixo.

Osteria al Doge $$$
142 West 44th St, 10036 ***Tel*** *(212) 944-3643* **Mapa** 12 E5

Culinária típica de Veneza em ambiente rústico, com clientela cativa no almoço e ponto estratégico para quem vai ao teatro à noite. Atendimento cordial e ágil. O cardápio inclui pizza, ótimas saladas e carpaccio, além de massas frescas a preços e qualidade mais interessantes que os demais estabelecimentos da região.

Blue Fin $$$$
1567 Broadway, 10036 ***Tel*** *(212) 918-1400* **Mapa** 12 E5

Um dos lugares mais badalados da área, o Blue Fin dedica-se aos frutos-do-mar e conta até com um sushi bar. Com dois andares, o restaurante tem sempre muita animação (a ponto de alguns clientes se incomodarem com o barulho, nem sempre decorrente da música ao vivo). Bom lugar para uma pequena extravagância.

db Bistro Moderne $$$$
55 West 44th St, 10036 ***Tel*** *(212) 391-2400* **Mapa** 8 F1

Origem do famoso *foie gras* e do hambúrguer de US$ 29 servido com costelas feitas no vinho, este resutaurante movimentado permite experimentar a criatividade de Daniel Boulud sem levar ninguém à falência. Disputado pelos profissionais a publicidade. Boa escolha para um jantar pré-teatro um pouco mais caro que a média.

Esca $$$$
402 West 43rd St, 10036 ***Tel*** *(212) 564-7272* **Mapa** 8 D1

Sofisticado restaurante italiano que resulta da parceria Batali-Bastianich. Alem da ampla variedade de aperitivos, oferece pratos que refletem a ótima qualidade dos ingredientes. Serviço algo irregular e ambiente um pouco antiquado, na opinião de alguns. Não convém trazer crianças.

Osteria del Circo $$$$
120 West 55th St, 10019 ***Tel*** *(212) 265-3636* **Mapa** 12 E4

Especializado na culinária no norte da Itália, pertence à família Maccioni, famosa pelo Le Cirque. O salão de jantar criado por Adam Tihany oferece espaço e conforto, e a esmerada comida chega à mesa pelas mãos de uma equipe simpática. Reserve espaço para as sobremesas, em especial os sonhos da Toscana com creme de *cappuccino*.

Alain Ducasse at the Essex House $$$$$
155 West 58th St, 10019 ***Tel*** *(212) 265-7300* **Mapa** 12 F3

O famoso chef francês surpreende com especialidades magníficas neste ambiente que só acomoda 65 clientes –e que perdeu o título de "cardápio mais caro da cidade". Comer aqui é uma experiência memorável graças à elevada qualidade dos ingredientes e à técnica de Ducasse. Oferece diversos menus degustação.

Aquavit $$$$$
65 East 55th St, 10022 ***Tel*** *(212) 307-7311* **Mapa** 13 A4

Este novo espaço minimalista acomoda as criativas inovações com sotaque escandinavo preparadas pelos chefs Nils Noren e Marcus Samuelsson, com ótimos ingredientes e diversos cardápios degustação. Os coquetéis da casa são elogiadíssimos.

Le Bernardin $$$$$
155 West 51st St, 10019 ***Tel*** *(212) 554-1515* **Mapa** 12 E4

Quem gosta de peixes e frutos-do-mar sente-se no paraíso ao chegar ao Le Bernardin. Este restaurante antigo e elegante oferece incríveis pratos da alta gastronomia francesa, assinados pelo chef Eric Ripert. Atendimento impecável, inclusive na orientação para a escolha dos vinhos.

LOWER MIDTOWN

Grand Central Oyster Bar $$$

Grand Central, Lower Level, 42nd St, 10017 ***Tel*** *(212) 490-6650* ***Mapa*** *9 A1*

Quase escondido no interior da estação de trem Grand Central, o Oyster Bar leva os clientes ao passado. Os frutos-do-mar são muitos frescos e preparados de maneira simples, com preços razoáveis. No cardápio, mais de uma dúzia de tipos de ostras. O ambiente e a decoração são despretensiosos. Serviço dos garçons incluído nos preços.

Artisanal $$$$

2 Park Ave, 10016 ***Tel*** *(212) 725-8585* ***Mapa*** *9 A2*

Elegante bistrô francês com destaque para os queijos, incluindo uma ampla seleção para ser degustada *in natura* ou na forma de *fondue*. Quem não é tão fanático por queijos, porém, também encontra alternativas no cardápio. Com um serviço um pouco irregular, o Artisanal nem sempre respeita o horário das reservas.

Asia de Cuba $$$$$

237 Madison Ave, 10016 ***Tel*** *(212) 726-7755* ***Mapa*** *9 A2*

Este restaurante da linha "minimalista-chique" atrai jovens interessados em experimentar a fusão da cozinha latina com as influências asiáticas. Entre os pratos (um pouco caros) estão o tofu com lagosta *mai tai*. Peça um drinque enquanto aprecia o movimento das agitadas mesas coletivas.

Michael Jordan's The Steakhouse NYC $$$$

Grand Central, North Balcony, 10017 ***Tel*** *(212) 655-2300* ***Mapa*** *9 A1*

A casa de grelhados do famoso astro do basquete situa-se no mezanino da estação Grand Central. No menu, carnes de boa qualidade a preços salgados. Não convém ir em dias quentes, porque a estação não tem ar-condicionado. Serviço simples mas com conhecimento do assunto. A vista para o movimento dos trens é uma atração à parte.

Pampano $$$$

209 East 49th St, 10017 ***Tel*** *(212) 751-4545* ***Mapa*** *13 B2*

Simpático restaurante mexicano moderno, dirigido pelo chef Richard Sandoval (Plácido Domingo é um dos proprietários da casa). Pratos frescos e criativos, em um ambiente inspirador. Aposte no aperitivo de peixe-espada defumado, para ser apreciado de preferência no magnífico terraço.

UPPER MIDTOWN

Burger Joint at Le Parker Meridien $

119 West 56th St, 10019 ***Tel*** *(212) 708-7444* ***Mapa*** *12 E3*

Este simpático estabelecimento situado no hotel Parker Meridien serve apetitosos hambúrgueres, batatas-fritas, *milk-shakes*, cervejas e outras delícias a preços convidativos. Além de tudo, o Burger Joint ainda se esconde atrás das cortinas do saguão do hotel –e causa inveja aos restaurantes de rede.

La Bonne Soupe $

48 West 55th St, 10019 ***Tel*** *(212) 586-7650* ***Mapa*** *12 F4*

Acolhedor refúgio que serve um prestigiado cardápio de bistrô francês, com itens como quiches, omeletes, sopas, filés e crepes. O serviço não impressiona. Nos meses de verão, é possível comer no pequeno terraço. Ótima opção a preços razoáveis nesta cara e seleta região da cidade.

Carnegie Deli $$

854 Seventh Ave, 10019 ***Tel*** *(212) 757-2245* ***Mapa*** *12 E4*

Em geral é preciso esperar na fila para apreciar um dos imensos sanduíches (e o histórico *cheesecake*) servidos nesta deli. Outra dificuldade é lidar com garçons nada simpáticos, mas quem provou garante que vale a pena. Embora um pouco caro, o sanduíche vale por duas refeições.

Norma's $$

118 West 57th St, 10019 ***Tel*** *(212) 708-7460* ***Mapa*** *12 E3*

Lugar inacreditável para um café da manhã ou *brunch*, instalado no hotel Parker Meridien. O elaborado e criativo cardápio não deixa nenhum desejo sem satisfação. A compensação para o alto valor da conta é a generosidade das porções. Ideal para famílias, tem sempre filas nos finais de semana.

Dawat $$$

210 East 58th St, 10022 ***Tel*** *(212) 355-7555* ***Mapa*** *13 B3*

Interessante restaurante indiano, com receitas de ninguém menos que o famoso chef indiano Madhur Jaffrey. Entre os pratos "assinados" estão o salmão com *chutney* preparado em folha de bananeira, mas há quem recomende a seleção de entradas. Se tiver dúvidas quanto às iguarias da Índia, peça orientação aos profissionais da casa.

Legenda dos preços *pág. 296* **Legenda dos símbolos** *no final do guia*

Riingo $$$
205 East 45th St, 10017 ***Tel*** *(212) 867-4200* ***Mapa*** *13 B5*

Restaurante chiquérrimo situado no hotel Alex. Os chefs Marcus Samuelsson e Johan Svensson oferecem uma combinação de sabores japoneses e suecos em pratos belíssimos. Experimente o *nigiri-sashimi* com *foie gras* ou o bife de Kobe.

Rosa Mexicano $$$
61 Columbus Ave, 10023 ***Tel*** *(212) 977-7700* ***Mapa*** *12 D2*

Restaurante mexicano apreciado e badalado situado nas proximidades do Lincoln Center, atrai vasta clientela. As margaritas e guacamole são especiais. Peça o taco *cochinita pibil* (com carne de porco em folhas de bananeira) ou o peixe Veracruz, preparado com molho de tomate.

Rue 57 $$$
60 West 57th St, 10019 ***Tel*** *(212) 307-5656* ***Mapa*** *12 F3*

A moda da comida fusion continua forte no Rue 57, uma sofisticada combinação de sushi bar com restaurante francês. O café-da-manhã servido aqui é uma boa opção. Há mesas na calçada, especiais para apreciar o movimento nos meses de calor.

Shun Lee Palace $$$
155 East 55th St, 10022 ***Tel*** *(212) 371-8844* ***Mapa*** *13 A4*

Este agradável restaurante muitas vezes é apontado como o melhor chinês da cidade. O cardápio inclui especialidades do Cantão e de Sichuan, e os camarões The Grand Marnier em geral conquistam o estômago dos clientes. Há outra unidade perto do Lincoln Center, na 43 West 65th Street.

Brasserie LCB Rachou $$$$
60 West 55th St, 10019 ***Tel*** *(212) 688-6525* ***Mapa*** *12 F3*

O antigo restaurante francês La Côte Basque foi transformado em uma brasserie mais moderna e menos suntuosa. O magnífico interior estimula os clientes a se aventurar nas delícias francesas como o filé mignon ao molho béarnaise ou especialidades como o *choucroute alsacienne*.

Guastavino's Restaurant and Club $$$$
409 East 59th St, 10022 ***Tel*** *(212) 980-2455* ***Mapa*** *13 C3*

Este restaurante impressionante situa-se na 59th Street Bridge e destaca-se no preparo da culinária francesa. Os dois andares abrigam um espaço que serve cardápio a preço ficos (no andar superior) e um bar e uma brasserie na parte inferior. A comida parece nunca superar o incrível ambiente.

Inagiku $$$$
111 East 49th St, 10017 ***Tel*** *(212) 355-0440* ***Mapa*** *13 A5*

Este restaurante japonês clássico escondido no Waldorf-Astoria serve sushis (feitos com peixe enviados do Japão), tempurá e *kaiseki* (menu degustação). Serviço e decoração graciosos, e ambiente calmo apesar do fluxo de turistas pelo hotel. Ideal para almoços de negócios.

L'Impero $$$$
45 Tudor City Place, 10017 ***Tel*** *(212) 599-5045* ***Mapa*** *9 B1*

O peculiar cardápio italiano preparado pelo chef Scott Conant inclui pratos inovadores, uma variada carta de vinhos e ótimo atendimento. Ótimas massas caseiras, com excelente seleção de queijos (a casa oferece também um menu degustação). Perfeito para ocasiões especiais.

Vong $$$$
200 East 54th St, 10022 ***Tel*** *(212) 486-9592* ***Mapa*** *13 B4*

Antigo restaurante franco-tailandês do chef Jean Georges Vongerichten. O magnífico salão de jantar propicia o consumo de pratos curiosos, como o *foie gras sautée* com manga e gengibre ou lagostas com ervas tailandesas. Reserve espaço para o excelente suflê de frutas. Para quem vai ao teatro, há um menu a preço fixo.

BLT Steak $$$$$
106 East 57th St, 10022 ***Tel*** *(212) 752-7470* ***Mapa*** *13 A3*

O Bistro Laurent Tourondel (BLT) oferece saborosos bifes com ingredientes de primeira e uma ampla escolha de molhos. Inclui também um bar. A decoração, que aposta em elementos vistosos, costuma agrada a uma clientela em dia com a moda.

Felidia $$$$$
243 East 58th St, 10022 ***Tel*** *(212) 758-1479* ***Mapa*** *13 B3*

A chef e estrela de TV Lidia Bastianich prepara sofisticados pratos italianos neste simpático restaurante com painéis de madeira, tijolos à vista e arranjos de flores. Propício para um jantar romântico, o menu sazonal é criativo e bem preparado. Como ocorre nos demais restaurantes de Lidia, a carta de vinhos impressiona.

Four Seasons $$$$$
99 East 52nd St, 10022 ***Tel*** *(212) 754-9494* ***Mapa*** *13 A4*

Em Nova York os restaurantes abrem e fecham, mas essa bela instituição (que conta com decoração assinada por Philip Johnson) parece ser eterna e não perder o posto entre os melhores da categoria culinária continental americana. O Grill Room se destaca pelos almoços vigorosos e o Pool Room é ideal para jantares especiais.

La Grenouille
$$$$$

3 East 52nd St, 10022 ***Tel*** *(212) 752-1495* — ***Mapa*** *12 F4*

Um dos últimos restaurantes franceses clássicos que sobrevivem na cidade e servem comida extraordinária. As paredes do salão de jantar (forradas com seda e veludo) e os arranjos de flores contribuem para tornar memorável a refeição feita aqui. Cenário perfeito para ocasiões especiais.

Lever House
$$$$$

390 Park Ave, 10022 ***Tel*** *(212) 888-2700* — ***Mapa*** *13 A4*

O principal endereço da cidade para almoços vigorosos atrai profissionais do mundo dos negócios. O cardápio sazonal inclui pratos com novas influências americanas, como gaspacho de lagosta. É preciso vestir-se à altura e estar preaparado para um ambiente barulhento.

Milos Estiatorio
$$$$$

125 West 55th St, 10019 ***Tel*** *(212) 245-7400* — ***Mapa*** *12 E4*

Excelente restaurante grego que serve frutos do mar em um salão de jantar espartano e arejado. Os clientes podem escolher o peixe em um belo aquário. A pesca do dia condiciona a disponibilidade do caro cardápio, que tem alguns dos preços mais altos da cidade.

Oceana
$$$$$

55 East 54th St, 10022 ***Tel*** *(212) 759-5941* — ***Mapa*** *13 A4*

Apostando nos frutos-do-mar mais frescos que puder encontrar, este restaurante de dois andares lembra um barco e serve pratos maravilhosos. O chef Cornelius Gallagher assina criações inusitadas, como o linguado com pimentas *piquilo*. Com um atendimento cortês, oferece apenas cardápio a preço fixo.

UPPER EAST SIDE

Brother Jimmy's BBQ
$$

1485 Second Ave, 10021 ***Tel*** *(212) 288-0999* — ***Mapa*** *17 B5*

O restaurante original da rede Brother Jimmy's oferece costelas de lamber os dedos e pratos típicos do sul dos EUA em um ambiente agitado. O buffet "all-you-can-eat" é muito popular. É uma boa opção para carnívoros, além de oferecer algumas opções vegetarianas. Mesas mais calmas podem ser encontradas nos fundos.

Shanghai Pavilion
$$

1378 Third Ave, 10021 ***Tel*** *(212) 585-3388* — ***Mapa*** *17 B5*

Fora de Chinatown é difícil encontrar culinária da Xangai tão autêntica quanto aqui. O cardápio inclui muitas possibilidades a preços razoáveis, o que destoa dos estabelecimentos da região. Atendimento simpático. Ótimos *dim sums* e pratos à base de macarrão.

Via Quadronno
$$

25 East 73rd St, 10021 ***Tel*** *(212) 650-9880* — ***Mapa*** *12 F1*

Em estilo italiano, este "bar paninoteca" seduz pela variedade de sanduíches e saladas e convida para um descanso após percorrer o circuito dos museus. O pequeno espaço, inspirado em uma paninoteca de Milão, atrai filas nas horas mais disputadas. Considere a possibilidade de pedir uma taça de vinho para acompanhar a refeição.

Aureole
$$$

34 East 61st St, 10021 ***Tel*** *(212) 319-1600* — ***Mapa*** *13 A3*

O badalado chef Charlie Palmer continua a surpreeender neste elegante dúplex especializado em pratos da nova culinária americana. Peça o portobello com queijo de cabra gratinado. A ampla carta de vinhos pode exigir ajuda –basta chamar o *sommelier*.

Maya
$$$

1191 First Ave, 10021 ***Tel*** *(212) 585-1818* — ***Mapa*** *13 C2*

O chef Richard Sandoval assina os sofisticados pratos principais deste restaurante mexicano situado em um local discreto. O lado negativo fica por conta do nível de barulho: procure jantar cedo para garantir sossego. Muitos clientes vêm aqui em busca dos famosos tacos de frutos do mar, das margaritas e da guacamole.

Café Boulud
$$$$

20 East 76th St, 10021 ***Tel*** *(212) 772-2600* — ***Mapa*** *16 F5*

Neste café instalado dentro do hotel Surrey, o chef Daniel Boulud chefia um espaço menos formal mas com criações igualmente notáveis. Uma variedade curiosa de possibilidades intriga os clientes: "Le Tradition" (comida francesa clássica), "Le Voyager" (*world cuisine*), "Le Potager" (vegetariano) e "La Saison" (especialidades sazonais).

Orsay
$$$$

1057 Lexington Ave, 10021 ***Tel*** *(212) 517-6400* — ***Mapa*** *17 A5*

Café ao estilo francês, moderno e espaçoso, o Orsay tem um ambiente sofisticado e tão disputado a ponto de permanecer barulhento até no jantar. Muitos vêm aqui em busca de criações exóticas como o "margarita tartare" e a coxa de pato crocante preparada na manteiga. A refeição merece uma taça de vinho.

Legenda dos preços *pág. 296* **Legenda dos símbolos** *no final do guia*

Daniel $$$$$

60 East 65th St, 10021 ***Tel*** *(212) 288-0033* ***Mapa*** *13 A2*

O principal restaurante do chef Daniel Boulud ocupa um salão de jantar inspirado na Veneza renascentista e é um dos mais impressionantes da cidade. As criações elogiadíssimas fazem daqui um lugar ideal para celebrar ocasiões, mas vale lembrar que a conta também pode impressionar.

David Burke & Donatella $$$$$

133 East 61st St, 10021 ***Tel*** *(212) 813-2121* ***Mapa*** *13 A3*

Os criativos pratos da nova cozinha americana saem da imaginação do chef David Burke e da ex-hostess do Bellini, Donatella Arpaia. Um notável bar antecede o salão de jantar, decorado com cores intensas e superfícies envernizadas. Reserve espaço para a sobremesa: o "pirulito" de *cheesecake*.

UPPER WEST SIDE

Wholefoods Market Café $

Time Warner Center, 10 Columbus Circle, 10019 ***Tel*** *(212) 823-9600* ***Mapa*** *12 D3*

Imenso supermercado com ambiente simpático, o Wholefoods conta com uma enorme área que serve todos os tipos de culinária –de sushi a pizzas. Lugar ideal para comprar ingredientes para um piquenique no Central Park, inclui uma loja de vinhos. Nos horários disputados, lota rápido.

Gennaro $$

665 Amsterdam Ave, 10025 ***Tel*** *(212) 665-5348* ***Mapa*** *15 C2*

Café pequeno e com preços razoáveis, o Gennaro serve bons pratos italianos e porções generosas. Não aceita reservas e por isso as filas são comuns. A casa oferece uma carta de vinhos razoável e especialidades preparadas com massas. Se estiver lotado, não espere agilidade no atendimento.

Boathouse Restaurant Central Park $$$

Central Park, East 72nd St & Park Drive North, 10023 ***Tel*** *(212) 517-2233* ***Mapa*** *12 E1*

Situado junto ao lago do Central Park, o Boathouse não poderia ser mais simpático. Lugar ideal para um *brunch* ou almoço, além dos românticos jantares de abril a outubro. Por causa dos preços, a tendência para o afluxo de turistas (infelizmente) impede que o local sirva alimentos acima da média.

Café Fiorello $$$

1900 Broadway, 10023 ***Tel*** *(212) 595-5330* ***Mapa*** *12 D2*

Auto-proclamado "o mais antigo show da Broadway em cartaz na cidade", este barulhento restaurante italiano destaca-se pelos antepastos –e desfruta de excelente localização em frente ao Lincoln Center. No cardápio, pizzas e pratos italianos tradicionais. As mesas externas propiciam a observação do movimento.

Café Luxembourg $$$

200 West 70th St, 10023 ***Tel*** *(212) 873-7411* ***Mapa*** *11 C1*

Clássico bistrô parisiense com estilo art déco, o Café Luxembourg exibe espelhos antigos e orgulha-se da clientela fiel, composta de algumas celebridades ocasionais. Pratos típicos de bistrô com destaques semanais, mas atendimento nada especial. Procurado para jantares de negócios.

Calle Ocho $$$

446 Columbus Ave, 10024 ***Tel*** *(212) 873-5025* ***Mapa*** *16 D4*

Este barulhento e colorido restaurante cubano parece estar em festa constante. O cardápio combina todas as modalidades de culinária latino-americana, com níveis variáveis de êxito. Há um menu especial para crianças. O Calle Ocho situa-se nas proximidades do Museu de História Natural.

Pampa $$$

768 Amsterdam Ave, 10025 ***Tel*** *(212) 865-2929* ***Mapa*** *15 C1*

Restaurante argentino sempre disputado, destaca-se pelas carnes generosas e pelas ótimas batatas-fritas com alho. Não deixe de provar as empanadas de milho (*humita*) e as panquecas de doce de leite. Atendimento cordial e boas cervejas peruanas.

Pasha $$$

70 West 71st St, 10023 ***Tel*** *(212) 579-8751* ***Mapa*** *12 D1*

Restaurante turco, calmo, iluminado e espaçoso, é a alternativa perfeita para quem quer conversar enquanto aprecia pratos bem preparados. Os bolinhos de carne de cordeiro são ótimos, assim como os pratos feitos com berinjela, com o *patlican salatasi*.

Aix $$$$

2398 Broadway, 10024 ***Tel*** *(212) 874-7400* ***Mapa*** *15 C3*

Culinária francesa moderna e criativa, liderada pelo chef Didier Virot e servida em lindo ambiente romântico. O atendimento é profissional. O Aix constitui uma renovação entre as opções de locais para jantar nessa região. Vale reservar espaço para a sobremesa assinada pelo chef de doces Jehangir Mehta.

Café des Artistes $$$$

1 West 67th St, 10023 ***Tel*** *(212) 877-3500* ***Mapa*** *12 D2*

Romântico bistrô, o Café des Artistes serve culinária francesa em um lindo salão de jantar repleto de flores e dos famosos murais do pintor Howard Christy Chandler. Os pratos não são inesquecíveis, mas são bem-executados e um pouco caros. Algumas celebridades freqüentam o local. O *brunch* também é disputado.

Café Gray $$$$

Time Warner Center, 10 Columbus Circle, 10019 ***Tel*** *(212) 823-6338* ***Mapa*** *12 D3*

O chef Gray Kunz, do L'Espinasse, abriu esta nova brasserie francesa com toques asiáticos no Time Warner Center. No salão de jantar (com decoração suntuosa) pode-se provar criações ousadas como o consommé com bolinhos de *foie gras*.

Ouest $$$$

2315 Broadway, 10024 ***Tel*** *(212) 580-8700* ***Mapa*** *15 C4*

O chef Tom Valenti apresenta sua versão da moderna culinária americana neste restaurente elegante que não descuida do conforto dos clientes. No cardápio, especialidades como o tradicional bolo de carne e outros pratos criativos, como *foie gras agnoloti*. A carta de vinhos é impressionante.

Asiate $$$$$

80 Columbus Circle, 35th Floor, 10019 ***Tel*** *(212) 805-8881* ***Mapa*** *12 D3*

As vistas maravilhosas para o Central Park fazem a diferença desse restaurante com influências asiáticas situado no hotel Mandarin. Entre os destaques da casa, *foie gras* com enguia e molho de tamarindo. Prove um dos muitos coquetéis preparados no bar.

Jean Georges $$$$$

1 Central Park West at Columbus Circle and West 60th St, 10023 ***Tel*** *(212) 299-3900* ***Mapa*** *12 D3*

Neste "templo" o chef Jean George prepara pratos da moderna culinária francesa com toques asiáticos. O salão de jantar, austero porém elegante, é uma criação de Adam Tihany e serve de cenário para a experiência da comida delicada e de um serviço caloroso. Uma das experiências gastronômicas inesquecíveis de Nova York.

Masa $$$$$

Time Warner Center, 10 Columbus Circle, 10019 ***Tel*** *(212) 823-9800* ***Mapa*** *12 D3*

O chef Masayoshi Takayama, do famoso Ginza sushi-Ko de Los Angeles, mudou-se para Nova York para quebrar o recorde das refeições mais caras da cidade. Trata-se do *kaiseki* (menu degustação) preparado por Masa com ingredientes incrivelmente frescos. Para apreciar cada etapa desse espetáculo, tente sentar no sushi bar.

Per Se $$$$$

Time Warner Center, 10 Columbus Circle, 10019 ***Tel*** *(212) 823-9335* ***Mapa*** *12 D3*

Para conseguir uma reserva neste aclamado restaurante, é preciso telefonar com dois meses de antecedência. Os menus degustação mudam diariamente e, na opinião de alguns, o vegetariano é o melhor. Se não bastasse, o local oferece vistas magníficas para o Central Park, além de um serviço impecável.

Picholine $$$$$

35 West 64th St, 10023 ***Tel*** *(212) 724-8585* ***Mapa*** *12 D2*

O elegante restaurante franco-mediterrâneo de Terrance Brennan fica a poucos passos do Lincoln Center. Oferece cardápio a preço fico, degustação ou à la carte, com pratos como os que incluem uvas, chanterelles e vinagrete de trufas. Reserve espaço para os famosos queijos artesanais.

MORNINGSIDE HEIGHTS E HARLEM

Sylvia's $$

328 Lenox Ave, 10027 ***Tel*** *(212) 996-0660* ***Mapa*** *21 B1*

Tradição nova-iorquina desde 1962, o Sylvia´s serve boa comida tradicional sulina em um ambiente exagerado e, às vezes, com música ao vivo. O sucesso do local atrai tanto turistas quanto moradores da cidade, que apreciam pratos como frango frito sem pagar uma fortuna. Costuma lotar aos domingos após o horário dos cultos.

FORA DO CENTRO: BROOKLYN

Grimaldi's $

19 Old Fulton St, 11201 ***Tel*** *(718) 858-4300*

Magníficas pizzas assadas em forno de lenha, com molho saboroso e mussarela fresca (mas experimente também a de pepperoni). Vale a pena ir ao Brooklyn e caminhar pela ponte para chegar aqui. Lugar para trazer a família e conversar enquanto aguarda na fila.

Legenda dos preços *pág. 296* **Legenda dos símbolos** *no final do guia*

Pacifico $

269 Pacific St, 11201 ***Tel*** *(718) 935-9090*

O Pacífico é um restaurante mexicano que serve pratos simples mas bons, como as fajitas. Lugar indicado para grupos grandes, sobretudo nos meses de calor quando se pode ocupar as mesas do jardim. Como a casa não faz reservas, pode haver espera.

Chip Shop/ Curry Shop $$

383 Fifth Ave, 11215 ***Tel*** *(718) 832-7701*

Esta loja de preços convidativos faz a alegria dos britânicos saudosos e oferece *fish and chips*, *bangers and mash*, *kidney pies* e *curries* em um ambiente algo exagerado. Ideal para trazer amigos e tomar cerveja, mas as famílias também costumam gostar aqui

Planet Thailand $$

133 North 7th St, 11211 ***Tel*** *(718) 599-5758*

Este antigo depósito reformado prepara especialidades tailandesas, como o filé com macarrão oriental feito de brócolis e um bar de sushi, menos disputado. Como atrai grupos, é melhor reservar antes. Logo na entrada do bairro para quem vem pela linha L de trem, é uma boa base para conhecer os bares de Williamsburg.

Patois $$$

255 Smith St, 11231 ***Tel*** *(718) 855-1535*

O Patois é um bistrô francês que deu origem à revolução gastronômica da Smith Street. Oferece cardápios sazonais em um ambiente de decoração rústica. Entre os pratos da casa, bolinhos de carne de caça e um *cassoulet* vegetariano com gouda defumado. Oferece ótimos lugares no jardim.

Peter Luger Steakhouse $$$$

178 Broadway, 11211 ***Tel*** *(718) 387-7400*

Esta instituição nova-iorquina serve "o melhor filé da cidade" desde 1887. As carnes da casa são excepcionais. O ambiente lembra uma cervejaria e os garçons são bastante bem-humorados. Reserve e conforme-se em ainda assim ter de esperar por uma mesa.

The Grocery $$$$

288 Smith St, 11231 ***Tel*** *(718) 596-3335*

Gracioso restaurante com capacidade para trinta clientes situado em Carrol Gardens, o Grocery prepara um cardápio sazonal além de pratos permanentes, como peito de pato ao estilo suíço. Local romântico, disponibiliza mesas no jardim durante o verão.

River Café $$$$$

One Water St, 11201 ***Tel*** *(718) 522-5200*

Nenhuma vista da paisagem de Manhattan se compara a estas do sofisticado River Café, que serve um cardápio a preço fixo composto de três pratos da nova culinária americana (além do menu degustação). Muito romântico para ocasiões especiais. Reserve espaço para a sobremesa Brooklyn Bridge.

FORA DO CENTRO: QUEENS

Jackson Diner $$

37–47 74th St, 11372 ***Tel*** *(718) 672-1232*

Este amplo restaurante com ares de cafeteria destaca-se por oferecer bem-preparados pratos do norte (picantes) e do sul da Índia (menos picantes) a preços baixos. Bom lugar para conhecer quando visitar Jackson Heights. Ótimos pratos à base de carneiro.

Elias Corner $$$

24–02 31st St, 11102 ***Tel*** *(718) 932-1510*

Um dos restaurantes gregos mais famosos da cidade, tem muitos clientes e longas filas. Sem sofisticação, o Elias Corner provavelmente serve alguns dos peixes mais frescos de Nova York, preparados com simplicidade. Grupos grandes costumam reservar as mesas no jardim. Nas horas de movimento e finais de semana, a espera é certa.

S'Agapo $$$

34–21 34th Ave, 11106 ***Tel*** *(718) 626-0303*

Com um nome que significa "eu te amo" em grego, esta taverna de preços moderados prepara peixes grelhados com maestria. Nos finais de semana há música ao vivo e no verão o terraço torna-se um disputado local para comer. O S´Agapo fica perto do American Museum of the Moving Image.

Trattoria L'incontro $$$

21–76 31st St at Ditmars Blvd, 11105 ***Tel*** *(718) 721-3532*

Este restaurante italiano diferencia-se pelos sabores, porções generosas e preços acessíveis. O ambiente não impressiona, mas é difícil esquecer o peixe-espada grelhado ou a carne de caça preparada com limão e alcaparras. Reserve com antecedência e não se assuste se tiver a impressão de frequentar um ponto de encontro da máfia.

Lanches e Refeições Leves

Em Manhattan, pode-se comer um lanche em qualquer lugar, a qualquer hora. A impressão é que os nova-iorquinos comem o tempo todo –nas esquinas, em bares, lanchonetes, *delis*, antes e depois do trabalho e até tarde da noite. As opções de petiscos para comer enquanto se caminha por Nova York incluem *pretzels* vendidos em carrinhos nas esquinas, pão doce, pedaços de pizza e castanhas assadas em fogareiros na calçada. Também há o sanduíche grego *gyro* (de carne de carneiro no pão sírio). Vale lembrar que as comidas servidas nas ruas costumam ser baratas, mas a qualidade varia muito.

DELICATESSENS

As delicatessens (ou *delis*) são uma instituição nova-iorquina e ótimos lugares para comer um sanduíche reforçado. Não deixe de provar os fantásticos sanduíches de *corned beef* (uma espécie de carne-seca) e pastrami (carne defumada e condimentada). Embora a **Carnegie Delicatessen**, situada no Theater District, talvez seja a *deli* mais famosa da cidade, a **Katz's Deli**, em Lower East Side, é mais autêntica e barata.

A maioria das *deli* (em geral lotadas no almoço) servem comida para viagem e sanduíches imensos a preços relativamente baixos. Não espere sorrisos por parte dos atendentes: o serviço impaciente e mal-educado tornou-se uma marca da **Stage Deli**, mais freqüentada por turistas do que por figuras do showbiz.

Quem se interessar pelo sabor judaico de Nova York deve ir à **Seven Avenue Delicatessen**, conhecida por suas delícias caseiras: sopas, picles, sanduíches de *corned beef*, fígado picadinho e outros quitutes *kosher*. Vale lembrar que o número crescente de clientes, porém, resultou em preços exorbitantes. O **Zabar's** é o paraíso da comida para viagem, disputado por *yuppies* que misturam-se à multidão para saborear o ótimo peixe defumado, as conservas e saladas.

Os apreciadores mais fanáticos, no entanto, afirmam que o melhor sanduíche de pastrami e outros lanches desse tipo são servidos no **Pastrami Queen**, em Manhattan.

CAFÉS, BISTRÔS E BRASSERIES

Nos últimos anos, os cafés, bistrôs e as brasseries se tornaram locais da moda em Nova York. Se quiser começar por um lugar mais caro tente o **Balthazar**, na Spring Street. O "falso brilho" só não se aplica ao cardápio, que é excelente. Ainda mais badalada mas menos cara é a casa-irmã do Balthazar, **Pastis**, no Meatpacking District. O **Café Centro**, acima da Grand Central, onde não faltam movimento nem barulho, é apreciado por homens de negócios. Entre os pratos mediterrâneos ou provençais da casa, prove as sopas de peixe e algumas sobremesas. A **Brasserie**, antiga instituição situada na East 53rd, passou por uma elegante reforma. O **Bistro du Nord**, na Madison Avenue, destaca-se pela variedade de pratos franceses e americanos com toque criativo. O **Odeon** é uma tradição de TriBeCa por causa de sua brasserie e dos horários noturnos. No SoHo, o bistrô francês **Raoul's** oferece clima descontraído e garante a preferência de quem quer pratos confiáveis. O **Elephant and Castle**, um café com decoração discreta, é uma boa opção para sopas, saladas ou omeletes fora de hora. O forte da casa são o café da manhã e o brunch, em porções generosas e com preços modestos. Já o minúsculo **Chez Jacqueline** destaca-se como outro lugar tradicional do Village, graças aos pratos de bistrô francês e à proximidade com vários teatros off-Broadway.

No Theater District, tente o Cuban **Victor's Café**. Amplo e animado, destaca-se pela culinária cubana autêntica e pratos gigantes a preços moderados. O **Chez Josephine** é um bistrô-cabaré com jazz ao vivo e impressiona pelo ambiente, além da excelente culinária francesa.

La Boite en Bois, local de inspiração francesa, serve comida de bistrô e privilegia-se da boa localização, perto do Lincoln Center. Na mesma região funciona o **Vince and Eddie's**, pequena pérola que serve boa comida americana.

É difícil definir o **Sarabeth's**, situado no Upper West Side, mas ele provavelmente está mais para um café. Os cafés da manhã e *brunch* servidos nos fins de semana são uma ótima oportunidade para provar os *waffles*, *french toast*, panquecas e omeletes. A casa tem duas filiais, uma no Whitney Museum of Art.

O **Les Halles**, na região do Gramercy Park, é o bistrô francês mais autêntico de Nova York. Como funciona até tarde costuma ser barulhento, mas os adeptos garantem que as batatas-fritas e os pratos com carnes compensam a confusão.

PIZZARIAS

Em Nova York, pode-se comprar pizza em toda parte: das barracas e *fast-foods* que vendem em fatias às cantinas napolitanas.

Algumas pizzarias, porém, se diferenciam. A **Arturo's** prepara as massas finas e crocantes de suas pizzas em fornos a lenha, às vezes com apresentação de jazz ao vivo. A **Mezzogiorno** oferece cardápio da Toscana e pizzas maravilhosas, com recheios incomuns. A disputada **Mezzaluna**, outra adepta do forno a lenha, também oferece pizzas de massa fina, assim como a **John's Pizzeria**, que tem Woody Allen entre seus freqüentadores.

Um dos destaque do bairro do Brooklyn é a **Totonno Pizzeria**, que justifica o deslocamento à Coney Island, apesar da filial de Manhattan. Já a **Trattoria Dante**, em Greenwich Village, é famosa entre os estudantes que gostam de comer ao ar livre quando o tempo permite.

Em geral, as pizzarias são bons locais para uma refeição simples e barata, em especial com crianças. Não é comum aceitar reservas, e nas mais disputadas há filas.

HAMBÚRGUER

Além dos hambúrgueres servidos nas barracas de cachorro-quente espalhadas pela cidade, são muitos os locais onde se pode saborear um sanduíche legítimo, a preços que chegam a US$ 10.

O tradicional sanduíche ganhou fama depois que o famoso restauranteur Danny Meyer criou o **Shake Shack**, no Madison Square Park, que serve opções não muito caras de abril a novembro. Em Midtown, o elegante Le Parker Meridien Hotel abriga o **Burger Joint**, que serve um dos melhores hambúrgueres da cidade.

Simples e coloridas, as cinco filiais do **Jackson Hole** oferecem hambúrgueres altos e suculentos (28 variedades) e agrada especialmente as crianças. Os adultos preferem menos ruído, mas em geral aprovam os preços razoáveis. Bom lugar para provar o drinque típico da cidade, o *egg cream (pág. 294)*.

O **Beer Bar** do Café Centro, no MetLife Building, destaca-se pelo cardápio de cerveja e hambúrgueres deliciosos.

O **Corner Bistro**, em Greenwich Village, serve hambúrgueres elogiados a bons preços e tem variedade de cervejas. Funciona até às 4 da manhã e é ótima opção para quem volta para casa.

DINERS E LANCHONETES

Os diners (restaurantes com balcão comprido e similares aos vagões-restaurantes dos trens) e lanchonetes, também chamadas de *sandwich* ou *coffee shops*, estão em toda a parte. A comida não costuma ser inesquecível, mas é farta e custa pouco. Em geral, abrem do café da manhã até à noite.

Uma moda entre os diners são as réplicas de casas dos anos 30. Um desses locais retrô é o chique **Empire Diner** *(pág. 138)*. O **Market Diner**, no Theater District, remonta à década de 1960 e serve café da manhã ao estilo americano.

A clientela do **Jerry's** inclui famosos, atraídos pelos sanduíches e saladas criativos, sobremesas deliciosas e fartos cafés da manhã. Outro local disputado pelos célebres é o **Florent**, no West Village, que serve delícias francesas. Na Broadway, o **Big Nick's** é considerado o melhor lugar para comer uma pizza, um hambúrguer ou tomar café da manhã na região do Upper West Side. O **Coffee Shop** da Union Square serve pratos brasileiros e latino-americanos e funciona a noite toda.

No Upper East Side, o **E.A.T.** oferece especialidades judaicas de ótima qualidade, mas caras. Destaque para as sopas e o pão *challah*, além das sobremesas.

Muita gente permanece fiel à **Viand**, lanchonete do East Side famosa pelos generosos cafés da manhã, bons hambúrgueres e o melhor sanduíche de peru da cidade. O **Veselka** diferencia-se das demais sanduicherias: serve pratos da cozinha polonesa e ucraniana, a preços baixos.

SALÕES DE CHÁ

O único lugar onde se pode conseguir um chá de verdade (não de saquinho) é nos chás da tarde servidos a preço fixo nos hotéis mais sofisticados, em geral entre 15h e 17h.

Para uma experiência mais sofisticada vá ao **Carlyle**, no Upper East Side. Outra opção interessante a preço fixó é no **Hotel Pierre**. No **Waldorf-Astoria**, o chá é servido com creme Devonshire, enquanto no chique salão do **Stanhope** a mesa do chá é farta e quase basta para substituir o jantar.

As muitas variações do chá fazem o destaque da rede de casas de chá **Saint's Alp**. Esse estabelecimento, que oferece a bebida até sobre lascas de gelo, tem filiais na 51 Mott Street, perto de Chinatown, e na área da Times Square. Já o chá servido em estilo japonês é a atração do **The Tea Box**, dentro da loja Takashimaya.

CAFÉ COM BOLO

Em Nova York, é comum encontrar uma xícara de café (na verdade, uma caneca cheia de café fraco) por cerca de 75 centavos –com a possibilidade de repetir quanto quiser. É recente a moda dos *coffee bars*, locais especializados que servem ampla variedade de cafés especiais, como *cappuccino*, expresso e *caffè latte*. Em algumas sorveterias e docerias o café também pode ser bom.

Os clientes não desanimam com a fila na **Magnolia Bakery** para provar os bolos da casa, enquanto o **Joe** serve o melhor café expresso da cidade. O **Caffè Ferrara**, em atividade desde 1892, oferece doces italianos a preços moderados, bons cafés e mesas ao ar livre. Já o **Vesuvio Bakery** é um café italiano ao estilo antigo, com o charme de oferecer pão assado na hora em fornos de carvão. Quem viaja com crianças vai apreciar o **DT-UT**, com filiais por toda a cidade.

O **Seaport Café**, em South Street Seaport, serve ótimo café e é um bom lugar para apreciar o movimento.

O **The Hungarian Pastry Shop** tem como diferencial a variedade de delícias austro-húngaras e as vistas para St. John the Divine. Situado no Hotel Edison, o **Café Edison** tem pratos a preços razoáveis, em um ambiente art nouveau. O **Sant' Ambroeus** é um braço chique da Milanese pasticceria, famosa pelas sobremesas. Além do serviço de entrega de doces e bolos em casa, a **Dessert Delivery** abriga um simpático café. Vale conhecer a **Serendipity 3**, que fornece sorvetes criativos, cafés e refeições rápidas. O **Barnes & Noble Café** atende quem quer um café ou lanche em meio à visita à livraria. O apreciado **Mudspot** pertence a um casal que durante anos vendia café em uma van. E, goste-se ou não, não se pode ignorar as muitas filiais do **Starbucks**.

AGENDA

LOWER MANHATTAN

Pastis
9 9th Avenue.
Mapa 3 B1.

LOWER EAST SIDE

Caffè Ferrara
195 Grand St. **Mapa** 4 F4.

Katz's Deli
205 E Houston St.
Mapa 5 A3.

Saint's Alp
51 Mott St. **Mapa** 4 F 4.

Seaport Café
89 South St.
Mapa 2 E2.

SOHO E TRIBECA

Jerry's
101 Prince St.
Mapa 4 D3.

Mezzogiorno
195 Spring St.
Mapa 4 D4.

Odeon
145 W Broadway.
Mapa 1 B1.

Raoul's
180 Prince St.
Mapa 4 D3.

Vesuvio Bakery
160 Prince St.
Mapa 4 D3.

GREENWICH VILLAGE

Arturo's Pizzeria
106 W Houston St.
Mapa 4 E3.

Balthazar
80 Spring St. **Mapa** 4 E4.

Chez Jacqueline
72 MacDougal St.
Mapa 4 D2.

Corner Bistro
331 W 4th St. **Mapa** 3C1.

Elephant and Castle
68 Greenwich Ave.
Mapa 3 C1.

Florent
69 Gansevoort St.
Mapa 3 B1.

Joe
141 Waverly Place.
Mapa 3 C1.

Magnolia Bakery
401 Bleecker St.
Mapa 3 C2.

Sant' Ambroeus
259 W 4th St.
Mapa 3 C1.

Trattoria Dante
79 MacDougal St.
Mapa 4 D3.

EAST VILLAGE

DT-UT
41 Ave B.
Mapa 5 B2.

Mudspot
307 E 9th St.
Mapa 4 F1.

Second Avenue Delicatessen
156 2nd Ave.
Mapa 4 F1.

Veselka
144 2nd Ave.
Mapa 4 F1.

GRAMERCY E FLATIRON

The Coffee Shop
29 Union Square West
Mapa 9 A5.

Les Halles
411 Park Ave South
Mapa 9 A3.

CHELSEA E GARMENT DISTRICT

Empire Diner
210 10th Ave.
Mapa 7 C4.

THEATER DISTRICT

Café Edison
Edison Hotel,
228 W 47th St.
Mapa 12 D5.

Carnegie Delicatessen
854 7th Ave. **Mapa** 12 E4.

Market Diner
572 11th Ave. **Mapa** 7 B1.

Chez Josephine
414 W 42nd St.
Mapa 7 B1.

Stage Deli
834 7th Ave. **Mapa** 12 E4.

Victor's Café
236 W 52nd St.
Mapa 11 B4.

EAST SIDE MIDTOWN

Beer Bar at Café Centro
MetLife Building,
200 Park Ave.
Mapa 9 A2.

UPPER MIDTOWN

Barnes & Noble Café
Citicorp Building,
160 E 54th St.
Mapa 13 A4.

Brasserie
100 E 53rd St.
Mapa 13 A4.

Burger Joint
Le Parker Meridien Hotel,
118 W 57th St.
Mapa 12 E3.

The Tea Box
Takashimaya, 693 5th Ave.
Mapa 12 F2.

Waldorf-Astoria
301 Park Ave.
Mapa 13 A5.

UPPER EAST SIDE

Bistro du Nord
1312 Madison Ave.
Mapa 17 A2.

Carlyle
35 E 76th St. **Mapa** 17A5.

Dessert Delivery
350 E 55th St.
Mapa 13 B4.
Tel 838-5411.

DT-UT
1626 2nd Ave.
Mapa 17 B4.

E.A.T.
1064 Madison Ave.
Mapa 17 A4.

Hotel Pierre
2 E 61st St. **Mapa** 12 F3.

Jackson Hole
232 E 64th St.
Mapa 13 B2.
(Tem mais cinco filiais).

John's Pizzeria
408 E 64th St.
Mapa 13 C2.
(Tem mais três filiais

Mezzaluna
1295 3rd Ave.
Mapa 17 B5.

Pastrami Queen
1269 Lexington Avenue,
Mapa 17 A3.

Payard Patisserie
1032 Lexington Ave.
Mapa 13 A1.

Serendipity 3
225 E 60th St.
Mapa 13 B3.

Shake Shack
Madison Square Park.
Mapa 8 F4.

Stanhope
995 5th Ave. **Mapa** 17A4.

Viand
1011 Madison Ave.
Mapa 17 A5.
(Tem mais quatro filiais)

UPPER WEST SIDE

Big Nick's
2175 Broadway at 77th St.
Mapa 15 C5.

La Boite en Bois
75 W 68th St.
Mapa 11 C1.

Sarabeth's
423 Amsterdam Ave.
Mapa 15 C4.

Whitney Museum
945 Madison Ave.
Mapa 17 A5.

Vince and Eddie's
70 W 68th St.
Mapa 11 C1.

Zabar's
2245 Broadway.
Mapa 15 C2.

MORNINGSIDE HEIGHTS E HARLEM

The Hungarian Pastry Shop
Amsterdam & 109th St.
Mapa 20 E4.

BROOKLYN

Totonno Pizzeria
1524 Neptune Ave.
Mapa 7 C5.

Bares de Nova York

Os bares nova-iorquinos desempenham um papel importante na vida e na cultura da cidade. Muitos moradores passam a noite passeando de bar em bar, em geral em busca de algo mais do que uma dose, como bons petiscos, música ao vivo, espaço para dançar e boa oferta de cervejas. Uma novidade na cidades são os *brew pubs*, que servem refeições e preparam a própria cerveja. Graças à grande quantidade e variedade de bares, em Nova York há alternativas para todos os gostos –e orçamentos.

CONVENÇÕES

Em geral, os bares funcionam entre 11 da manhã e meia-noite. Alguns continuam em atividade até 2 ou 4 da madrugada, quando são obrigados a fechar por lei. São comuns as *happy hours* entre 17h e 19h, quando alguns bares oferecem *twofers* (dois drinques pelo preço de um) e aperitivos por conta da casa. Os garçons podem se recusar a servir os clientes que julgarem ter exagerado na bebida. Não é permitido fumar nos bares, a não ser em salas especialmente ventiladas ou na parte externa.

A idade mínima para beber em um bar é 21 anos e, se o bartender suspeitar da idade, pode pedir identidade. Em Nova York, crianças não são levadas a bares.

Quem é atendido em mesas pode fechar a conta e pagar tudo na hora de sair. Em geral, os garçons esperam gorjetas de cerca de 15% da conta ou então de US$ 1, no caso de um único drinque. As doses não são medidas e quem quer um pouco mais de generosidade deve se dirigir ao balcão e dar uma gorjeta ao garçom. Clientes que ocupam mesas pagam mais

Pode ser caro pagar uma rodada de bebidas. Prefira comprar um quarto ou meio galão (um galão equivale a 4,5 litros.

O QUE BEBER

Nos bares nova-iorquinos encontra-se praticamente todas as bebida, mas a mais procurada é a cerveja, em geral de marcas como Budweiser, Coors e Miller, além de algumas importadas, como Bass ale, Becks, Heineken e até a Guinness. Os pubs antigos e bares chiques novos oferecem uma variedade bem maior, tanto de marcas americanas como importadas. É a oportunidade de provar o produto das pequenas microcervejarias da região, como a apreciada Brooklyn Lager.

Outras bebidas bastante pedidas são os coquetéis de "designer", como cuba libre (chamado de *rum and coke*), gim tônica, dry martinis, Scotch ou *bourbon* –todos *straight up* (sem gelo) ou *on the rocks* (com gelo). Muitos bares servem Martinis preparados com vodka.

É fácil encontrar bares que servem vinhos, e o conceito de "bar de vinhos" (*wine bar*) começa a se fortalecer na cidade.

O QUE COMER

Os bares servem pratos simples a qualquer hora. Em geral o cardápio inclui apenas lanches, como hambúrgueres, sanduíches e aperitivos (como asas de frango temperadas) ou saladas. Ao visitar o bar de um restaurante disputado, pode-se pedir aperitivos. A maioria das cozinhas fecham pouco antes da meia-noite.

BARES DA MODA

Quem quiser visitar o **B-Bar** (antigo Bowery Bar e antes um posto de gasolina) precisa enfrentar uma fila. Vale a pena conhecer o **Bungalow 8**, embora o local só aceite sócios. Outros nomes badalados são o **Lot 61** e o **Boudoir**. Para quem curte a noite, o **Bar Six**, em West Village, oferece cervejas feitas em microcervejarias e pratos com influência marroquina. A mistura de bar esportivo e clube do Rapper Jay-Z une sofisticação e presença de celebridades, com destaque para as TVs com tela de cristal líquido para assistir aos jogos. Na Broadway, o **Odeon** é ideal para entrar no clima do So-Ho e TriBeCa.

No the Upper East Side, o **Swifty's** é ideal para observar as tendências da alta sociedade sem pagar um absurdo pela comida.

BARES COM VISTA

O **Beekman Tower**, em estilo art déco, situa-se no 26° andar e oferece vistas memoráveis, além de ótima música ao piano. Também espetacular são o **Pentop Bar e Terrace**, no Peninsula Hotel, o **Stone Rose Lounge**, no Warner Center, e o **Rise**, no Ritz-Carlton, no Battery Park. Em dias quentes, o **BP** Café é um apreciado endereço na região central de Manhatann. Apesar do interior um pouco ofuscante, o **Tavern on the Green** oferece vistas lindas do Central Park.

BARES HISTÓRICOS E LITERÁRIOS

Se tiver de escolher apenas um bar para conhecer em Nova York, vá ao **McSorley's Old Ale House**, em estilo irlandês e apelidado de "McSurly's" (McGrosseiro) por causa da rudeza do atendimento. Aberto em 1854, é um dos mais antigos.

O **The Ear Inn**, no SoHo, remonta a 1812, quando foi inaugurada aqui a primeira taverna da região. Ponto de encontro de escritores, deve sua autenticidade ao interior apertado e ao extenso balcão.

O Greenwich Village abriga alguns dos bares mais antigos da cidade, como o **Chumley's**, que preserva traços do tempo de bar clandestino.

O bar predileto de Dylan Thomas, o **White Horse Tavern**, ainda é disputado por apreciadores das letras e tem área para a época de calor.

O **Peculier Pub** é um paraíso para os amantes da cerveja, com mais de 360 variedades de todo o mundo. Um bom lugar para drinques no distrito financeiro (apesar de algo turístico) é o **Fraunces Tavern**, aberto em 1719 *(pág. 76)*.

Outro bar antigo é o **Pete's Tavern**, no Gramercy Park: funciona desde a 1864. Lota até às 2 da madrugada e deve sua fama à cerveja própria, a Pete's Ale. Na mesma região, o **Old Town Bar**, típico pub irlandês aberto em 1892, é um reduto de publicitários.

Apesar de atrair menos celebridades do que no passado, o **Sardi's** ainda reúne repórteres do *New York Times* e serve porções fartas.

O **P. J. Clarke's**, disputado local de *happy hours* e famosos pelos bartenders irlandeses, destaca-se entre os bares de Nova York desde a década de 1890. O **Elaine's**, também no East Side, segue um reduto de apreciadores da literatura, embora a comida não seja nada excepcional.

Perto do Carnegie Hall fica o discreto **P. J. Carney's**, ponto de encontro de músicos e artistas desde 1927. Prove as cervejas irlandesas e a *shepherd's pie* (torta de carne).

BARES DE JOVENS

Os *brew pubs*, bares onde se pode ver a cerveja em fermentação, tornaram-se uma modalidade apreciada por quem está na faixa etária dos 20 e dos 30 anos, assim como os bares com ampla variedade de cerveja, entre elas as marcas produzidas em microcervejarias e importadas. O **Chelsea Brewing Company** é um amplo e animado *brew pub* situado no complexo de esportes de Chelsea Piers, com vista para o rio Hudson. Na região de Gramercy fica a **Heartland Brewery**, o mais disputado e, para alguns, o melhor dos novos *brew pubs,* (destaque para a India Pale Ale). Oferece "sabores" sazonais, como cervejas com gosto de frutas ou abóbora.

A **Westside Brewing Company** é um agitado ponto da moçada, que disputa as cervejas da casa.

Os bebedores de cerveja mais apaixonados costumam aprovar as 170 marcas belgas oferecidas no **Burp Castle**. Já os ingleses com saudades de casa não pensam em outro destino para saborear cervejas que o **Manchester**. Acolhedor, oferece uma variedade de marcas inglesas difíceis de encontrar em Nova York.

Em East Village funciona o agitado **d.b.a**. Dependendo do garçom a quem se perguntar o significado da sigla, a resposta pode ser "don't bother to ask" ou "draft beer available." Aqui os clientes encontram 50 marcas de uísque, além das cervejas.

Um local freqüentado por universitários é o barulhento **Brother Jimmy's BBQ**, que serve como aperitivo o churrasco ao estilo sulista.

No Brooklyn, a **Park Slope Ale House** é outra *brew pub* apreciada pelos jovens em busca de marcas caseiras e sazonais, além de animação.

BARES SINGLES

Os *single bars* (ou bares de solteiros) dão oportunidade para conhecer pessoas e por isso fazem tanto sucesso. Há estabelecimentos desse tipo em toda a cidade, com uma grande concentração na região central de Manhattan, no East Side. Cuidado com os preços: em alguns, as cervejas podem custar até US$ 6.

O **Beer Bar**, com decoração em estilo art déco, tem boa oferta de cervejas e de acompanhamentos, e por isso costuma lotar nos meses de calor. O **Live Bait**, animado ambiente para solteiros, é freqüentado por modelos. A comida, de inspiração sulista, não impressiona.

GAYS E LÉSBICAS

A maioria dos bares de gays e lésbicas fica em Greenwich Village, Chelsea e no East Village, com alguns no Upper East e West Sides. Os bares para lésbicas se concentram em Greenwich Village e no East Village. Para saber da programação, consulte as publicações semanais *HX* (www.hx.com) e *Next*.

BARES DE HOTÉIS

Muito bem situado no centro de Manhattan, o **Algonquin Hotel** *(pág. 145)* destacou-se por reunir famosos nomes da literatura nas décadas de 1920 e 1930. Tanto o Lobby Bar quanto o Blue Bar são bons locais para um drinque antes do teatro ou do jantar.

O bar minimalista situado no saguão do **Royalton Hotel** é o endereço perfeito para beber algo e observar o movimento, sobretudo dos profissionais do teatro. Também no Theater District, o **Whiskey Bar** (dentro do Paramount Hotel) tem paredes de vidro e costuma receber pessoas do mundo da moda e dos palcos. Em Upper Midtown fica o **Villard Bar & Lounge**, que oferece conforto em suas cadeiras de veludo vermelho.

O **Bull and Bear**, no hotel Waldorf-Astoria, na Lexington Avenue, remonta à época da Lei Seca e esbanja charme. Oferece bebidas peculiares e chope de marca própria.

O elegante **King Cole Room**, no St. Regis Hotel, em Upper Midtown, deve seu nome ao mural de Maxfield Parrish instalado atrás do balcão.

Ingleses com saudades de casa e anglófilos apreciam o **Journeys**, Essex House Hotel. O ambiente inglês fica por conta das gravuras com cenas de caça e das paredes com revestimento de mogno.

Relaxe com a música *downtempo* do **Grand Bar**, no Soho. Esta nova casa noturna é uma ótima opção para quem quer ver e ser visto.

Com painéis de madeira escura e temas de inspiração marítima, o **Lobby Bar** do Maritime Hotel reúne um público animado e jovial. As principais atrações da casa são a lareira no inverno e a área ao ar livre no verão.

O **Lobby Bar** do Hudson Hotel, com piso de vidro e projeto de Ian Shrager, tem sempre seus freqüentadores. Para quem quer entrar no clima do seriado *Sex in the City*, a pedida é o **Whiskey Blue Bar**, em um dos sofisticados W Hotels.

AGENDA

LOWER MANHATTAN

Fraunces Tavern
54 Pearl St.
Mapa 1 C4.

Rise
2 W St.
Mapa 1 B4.

SOHO E TRIBECA

The Ear Inn
326 Spring St.
Mapa 3 C4.

The Grand Bar
SoHo Grand, 310 W Broadway.
Mapa 4 E4.

The Odeon
145 W Broadway.
Mapa 1 B1.

GREENWICH VILLAGE

Bar Six
502 6th Ave.
Mapa 4 D1.

Chumley's
86 Bedford St.
Mapa 3 C2.

Peculier Pub
145 Bleecker St.
Mapa 4 D3.

White Horse Tavern
567 Hudson St.
Mapa 3 C1.

EAST VILLAGE

B-Bar
40 E 4th St.
Mapa 4 F2.

Burp Castle
41 E 7th St.
Mapa 4 F2.

d.b.a.
41 1st Ave.
Mapa 5 A1.

McSorley's Old Ale House
15 E 7th St.
Mapa 4 F2.

GRAMERCY

Heartland Brewery
35 Union Square W.
Mapa 9 A5.

Live Bait
14 E 23rd St.
Mapa 8 F4.

Old Town Bar
45 E 18th St.
Mapa 8 F5.

Pete's Tavern
129 E 18th St.
Mapa 9 A5.

CHELSEA E GARMENT DISTRICT

Boudoir
127 8th Ave.
Mapa 8 D5.

Bungalow 8
515 W 27th St.
Mapa 7 C3.

Chelsea Brewing Company
Pier 59, 11th Ave.
Mapa 7 B5.

Lot 61
550 W 21st St.
Mapa 7 C4.

Lobby Bar
Maritime Hotel,
363 W 16th St.
Mapa 8 D5.

THEATER DISTRICT

BP Café
Bryant Park.
Mapa 8 F1.

P. J. Carney's
906 7th Ave.
Mapa 12 E3.

Lobby Bar
Hudson Hotel,
356 W 58th St.
Mapa 12 D3.

Royalton Hotel
44 W 44th St.
Mapa 12 F5.

Sardi's
234 W 44th St.
Mapa 12 F5.

Whiskey Bar
Paramount Hotel,
235 W 46th St.
Mapa 12 E5.

LOWER MIDTOWN

Beer Bar
Café Centro,
200 Park Ave.
Mapa 9 A2.

The Cigar Room at Trumpets
Grand Hyatt Hotel,
Grand Central Station,
E 42nd St.
Mapa 13 A5.

UPPER MIDTOWN

Bar and Books
889 1st Ave.
Mapa 13 C2.

Beekman Tower
3 Mitchell Place.
Mapa 13 C5.

Bull and Bear
Térreo,
Waldorf-Astoria Hotel,
Lexington Ave com
E 49th St.
Mapa 13 A5.

Journeys
Essex House Hotel,
160 Central Park S.
Mapa 12 E3.

King Cole Room
St. Regis Hotel,
2 E 55th St.
Mapa 12 F5.

Manchester
920 2nd Ave.
Mapa 13 B5.

Pentop Bar and Terrace
Peninsula Hotel,
700 5th Ave.
Mapa 12 F5.

P. J. Clarke's
915 3rd Ave.
Mapa 13 B4.

Stone Rose Lounge
10 Columbus Circle,
4th Floor.
Mapa 12 D3.

Villard Bar & Lounge
New York Palace Hotel,
455 Madison Ave.
Mapa 13 A4.

UPPER EAST SIDE

Brother Jimmy's BBQ
1485 2nd Ave.
Mapa 17 B5.

Elaine's
1703 2nd Ave.
Mapa 17 B4.

Swifty's
1007 Lexington Ave.
Mapa 17 A5.

UPPER WEST SIDE

Tavern on the Green
Central Park,
W 67th St.
Mapa 12 D2.

Westside Brewing Company
340 Amsterdam Ave.
Mapa 15 C2.

BROOKLYN

Park Slope Ale House
356 6th Ave com 5th St.

COMPRAS

Quem visita Nova York sempre faz algumas compras. Considerada o templo do consumo, a cidade revela-se um paraíso para quem gosta de apreciar vitrines e encher sacolas –sem falar na imensa variedade de ofertas e nas liquidações sedutoras. As lojas oferecem tudo, de alta costura a livros infantis fora de catálogo e de eletrônicos recém-lançados a artigos alimentícios exóticos. Se o visitante está à procura de um barco, óculos especiais para leitura no escuro ou uma cama de designer para seu bichinho de estimação, veio para a cidade certa. Em nova Nova York não faltam alternativas para orçamentos que variam de US$ 5 a US$ 50 mil.

Relógio da Tiffany

MELHORES COMPRAS

Nova York é o paraíso dos que procuram pechinchas, com grandes liquidações que oferecem de itens domésticos a roupas de grife. Algumas das melhores lojas situam-se na Orchard Street e Grand Street, no Lower East Side, onde se podem achar marcas famosas com preços com descontos de 20% a 50%. A maior oferta aqui é de roupas (de todos os tipos), além de acessórios para cozinha, sapatos, móveis e eletrônicos. As lojas daqui em geral fecham aos sábados, dia de descanso judaico, mas abrem aos domingos.

Outra região indicada para quem quer moda sem gastar muito é o disputado Garment District, mais ou menos entre a 6th e a 8th Avenues, da 30th à 40th Streets. A avenida principal –a 7th Avenue– foi apelidada de "Fashion Avenue" no começo dos anos 1970. Muitos estilistas e produtores montaram showrooms aqui, alguns abertos ao público. Vale prestar atenção para as liquidações de peças que ficam expostas (basta observar os cartazes espalhados nas ruas). A melhor época para comprar é nas vésperas dos feriados em que se costuma dar presentes.

Loja Henri Bendel *(pág. 319)*, no estilo anos 20

LIQUIDAÇÕES

Durante todo o ano, uma palavra que se vê por toda a cidade é *sale* (liquidação), e uma boa dica é sempre checar os artigos em oferta antes de fechar a conta. A temporada de liquidações vai de meados de junho ao fim de julho e de 26 de dezembro até fevereiro (os jornais costumam dar mais informações). Mas atenção: no centro de Manhattan, na 5th Avenue, muitas lojas exibem placas de liquidações por *Lost Out Lease* (término de contrato de aluguel), o que às vezes é só para atrair clientes.

Também vale a pena ficar atento aos anúncios de *Sample Sales* (liquidação de peças do mostruário), quando famosos designers vendem peças criadas para apresentar as coleções aos lojistas. Essas vendas ocorrem em vários locais da cidade e em geral não são divulgadas, e por isso o melhor a fazer é prestar atenção nos cartazes fixados sobretudo na 5th Avenue e na Broadway.

Entrada da Bulgari no Hotel Pierre *(pág. 289)*

COMOPAGAR

A maioria das lojas aceita todos os cartões de crédito, mas podem exigir um limite mínimo de compras. Para pagar com traveller's cheques, é preciso identificação.Cheques pessoais em outra moeda não são aceitos, e algumas lojas só aceitam dinheiro –sobretudo nas liquidações.

Vestido de designer em liquidação

HORÁRIOS

Em geral as lojas abrem das 10h às 18h, de segunda a sábado, mas muitas lojas de departamentos funcionam aos domingos e até as 21h em pelo menos dois dias da semana. O maior movimento ocorre na hora do almoço, aos sábados cedo e nos feriados.

IMPOSTOS

O imposto municipal sobre as vendas (acrescido ao valor da etiqueta) é de 8,625%. Durante uma semana por ano, roupas e sapatos que custam até US$ 110 ficam isentos. Artigos despachados pela loja para a casa do comprador podem ter isenção (informe-se ao comprar).

EXCURSÕES DE COMPRAS

Quem não gosta de percorrer as lojas sem companhia pode aproveitar uma das muitas excursões de compras disponíveis em Nova York. Além das grandes lojas de departamentos, os "roteiros" incluem visitas a showroom de estilistas famosos, desfiles de moda e casas de leilão, mas algumas agências alteram o programa de acordo com a necessidade do cliente.

Vitrines da Bloomingdale's *(pág. 181)*

LOJAS DE DEPARTAMENTOS E SHOPPING CENTERS

A maioria das grandes lojas de departamentos de Nova York estão localizadas na área central de Manhattan. Reserve tempo para explorá-las, pois são imensas e têm uma incrível variedade de artigos. Tente evitar os finais de semana ou época de férias, períodos mais disputados. Os preços costumam ser altos, mas é possível conseguir boas pechinchas nas liquidações.

Lojas como Sacks Fifth Avenue, Bloomingdale's e Macy's têm excelentes e diversificados serviços para os clientes, inclusive um que faz as compras por você.

Um dos maiores shopping centers abertos em Manhattan é o **Shops at Columbus Circle**, no Time Warner Center. Inclui lojas como Williams-Sonoma, Coach e a Hugo Boss.

A **Barney's New York**, uma das favoritas entre as jovens profissionais, destaca-se pelas excelentes (mas caras) roupas de grife.

Luxuosa e seleta, a **Bergdorf Goodman** vende moda contemporânea criada por designers europeus, a preços elevados. Em frente funciona a loja masculina.

Uma visita a Nova York só está completa com uma ida à **Bloomingdale's** *(pág. 181)*, a grande estrela das lojas de departamentos, com vitrines tentadoras e artigos sedutores. O ambiente, luxuoso e quase irreal, é disputado por nova-iorquinos em busca de novidades. A seção de alimentos (com área especial para caviares) é uma atração. A loja abriga o restaurante Le Train Bleu, com vistas para a Queensboro Bridge, e tem uma filial na Broadway, que, apesar de menor, tem oferta similar.

Tudo que que há na **Henri Bendel's**, de jóias Art Déco a sapatos artesanais, está exposto como se fosse uma obra de arte. A loja, dividida em seções que lembram butiques no estilo dos anos 20, destaca-se pela variedade de itens da moda feminina.

A **Lord & Taylor** deve sua fama às peças clássicas e algo conservadoras dos vestuários masculino e feminino, em especial as assinadas por designers americanos. Para explorar tudo, reserve tempo e vá com bastante disposição.

A **Macy's**, autoproclamada a maior loja de departamentos do mundo *(págs. 134-5)*, tem dez andares que expõem de abridor de lata a antiguidades. Famosa pela elegância, a **Saks Fifth Avenue** é considerada uma das melhores da cidade. Com um atendimento peculiar, vende roupas de marca para adultos e crianças.

Uma linda vitrine com artigos domésticos

ENDEREÇOS

Barney's New York
660 Madison Ave. **Mapa** 13 A3.
Tel *(212) 826-8900.*

Bergdorf Goodman
754 5th Ave. **Mapa** 12 F3.
Tel *(212) 753-7300.*

Bloomingdale's
1000 3rd Ave. **Mapa** 13 A3.
Tel *(212) 705-2000.*

Bloomingdale's SoHo
504 Broadway. **Mapa** 4 E4.
Tel *(212) 729-5900.*

Convention Tours Unlimited
Tel *(212) 545-1160.*

Doorway to Design
Tel *(212) 221-1111.*

Guide Service of New York
Tel *(212) 408-3332.*

Henri Bendel
712 5th Ave. **Mapa** 12 F4.
Tel *(212) 247-1100.*

Lord & Taylor
424 5th Ave. **Mapa** 8 F1.
Tel *(212) 391-3344.*

Macy's
151 W 34th St. **Mapa** 8 E2.
Tel *(212) 695-4400.*

Saks Fifth Avenue
611 5th Ave. **Mapa** 12 F4.
Tel *(212) 753-4000.*

Shop Gotham
Tel *(866) 795-4200.*

Shops at Columbus Circle
Time Warner Center. **Mapa** 12 D3.
Tel *(212) 823-6300.*

O Melhor de Nova York: Compras

Sapatos da Madison Avenue

Em uma cidade onde se pode literalmente ir às compras 24 horas por dia, o melhor planejamento é fazer como os nova-iorquinos –por região, já que cada uma tem especialidades próprias. Aqui estão os destaques das melhores áreas de compras –onde elas ficam e o que oferecem–, retirados das recomendações detalhadas nas págs. 315-25. Se o tempo for muito curto, vá só a uma das grandes lojas de departamentos *(pág. 311)*. Se preferir olhar vitrines, caminhe pela 5th Avenue, sede das mais cintilantes lojas de Manhattan *(pág. ao lado)*.

Greenwich Villages e Meatpacking District
No Village há produtos singulares ecléticos e antiguidades, e os goumets apreciarão as lojas de especiarias. No Meatpacking District há lojas de alta moda (págs. 112-3).

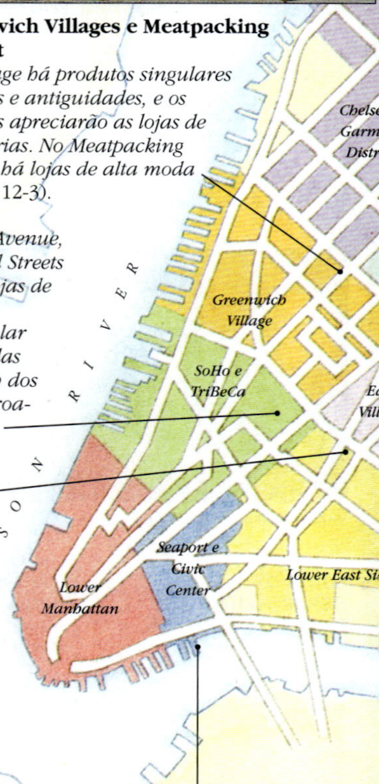

SoHo
A área limitada pela 6th Avenue, Lafayette, Houston e Canal Streets é repleta de antiquários, lojas de artesanato e roupas de estilistas. É muito popular o hábito de passear pelas galerias após o brunch dos domingos. Atravesse a Broadway até NoLita para mais moda (págs. 104-5)

Lower East Side
Explore St Mark para encontrar sapatos, roupas de moda e produtos étnicos (pág. 118-9). *Aos domingos as pessoas vão até Canal, Essex, Delancey e Orchard Streets atrás de pechinchas* (págs. 94-5).

South Street Seaport
Este é o paraíso de quem gosta de apreciar artesanato, presentes, brinquedos, suvenires, livros e antiguidades, em geral com motivos náuticos (págs. 82-3).

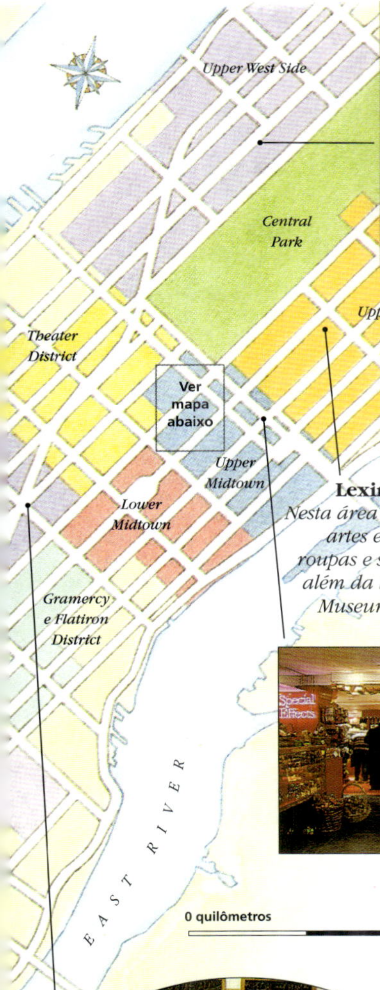

Columbus e Amsterdam Avenues
São os pontos altos de Nova York para roupas e acessórios exclusivos e modernos, antiguidades, artigos esotéricos e presentes finos (págs. 212-3).

Madison e Lexington avenues
Nesta área há clássicos em artes e antiguidades e roupas e sapatos de grife, além da loja do Whitney Museum (págs. 184-5).

East 57th e 59th stsreets
Antiguidades e alta moda são encontradas na 57th Street – e não deixe de ir à Bloomingdale's (pág. 181).

Herald Square e Garment District
Aqui fica a Macy's, centro de compras que ocupa toda uma quadra. A área em volta (especialmente a 7th Avenue) é o centro da venda de moda no atacado, com grandes descontos nas liquidações – mas algumas lojas só aceitam dinheiro (págs. 132-3).

FIFTH AVENUE

Da Saks à Tiffany's
Grandes varejistas têm sua loja principal na 5th Avenue, famosa em todo o mundo.

Harry Winston
(pág. 328)

Tipicamente Nova York

Nova York é uma cidade em que qualquer tipo de loja, mesmo as mais esdrúxulas, sempre atrai fregueses. Há dezenas de lojinhas minúsculas espalhadas pela cidade, especializadas em uma imensa gama de produtos, de borboletas e ossos a tradicionais tesouros tibetanos e folhas de trevo da Irlanda, ou seja, tudo o que se possa imaginar. Por isso mesmo é tão divertido fazer compras em Nova York.

LOJAS ESPECIALIZADAS

Lindas peças e tabuleiros de xadrez de bronze, ônix e estanho, e a chance de jogar uma partida, são encontrados na **Chess Shop**. A **Arthur Brown & Bros** tem todos os tipos de caneta em um grande estoque de modelos, incluindo Mont Blanc e Schaeffer. A **Big City Kites** tem pipas de formatos bonitos e diferentes, de dragões soltando fogo pelas ventas a ursinhos de pelúcia, além de acessórios suficientes para agradar ao mais exigente dos fanáticos. Para quem tem muita energia, a **Blades Boards & Skate** vende e aluga patins e skates, com seus respectivos equipamentos de segurança.

Quem se interessar por botões diferentes ou incomuns deve fazer uma visita à **Tender Buttons**. De ágata, madeira ou artesanato de prata navajo –muitos deles transformados em brincos e abotoaduras–, sempre se acha o que se procura entre os milhões de botões do estoque da loja.

Colecionadores inveterados de pesos de papel devem ir ao **Leo Kaplan Ltd**. A **Rita Ford's Music Boxes**, no estilo do século 19, tem uma extensa e melodiosa seleção de caixas de música.

A **New York Firefighter's Friend** vende produtos ligados à profissão de bombeiro, como carros de brinquedo, jaquetas, distintivos, uniformes em tamanhos para crianças, dálmatas de pelúcia (o dálmata é mascote dos bombeiros) e várias camisetas diferentes. Uma delas tem a sigla NYFD (New York Fire Department) na frente e a frase "Mantenha distância de 200 pés" nas costas. As crianças adoram.

Uma loja que vai agradar aos mais românticos é a **Only Hearts**, onde tudo tem formato de coração: sabonetes, jóias, travesseiros. Se você tem um lado artístico ou procura um presente para alguém que tenha, visite a **Pearl Paint Co**, que deve ter tudo o que você precisa. A **Pop Shop** tem itens descolados de design de Keith Haring. Entre direto na era espacial na **Star Magic**, que vende hologramas, mapa celeste, prismas e brinquedos.

A **Forbidden Planet** é uma megastore de ficção científica que oferece de tudo –de quadrinhos a modelos.

A colônia feita para George Washington e o sabonete oficial da Casa Branca durante o governo Eisenhower são apenas alguns dos artigos à venda na **Caswell-Massey Ltd**, a farmácia mais antiga da cidade.

Os fanáticos por guitarras vão querer conhecer a **Rudy's.** Além da chance de encontrar Eric Clapton ou Lou Reed –que mandam fazer suas guitarras nesta região–, aqui está a melhor e mais ampla seleção deste instrumento na cidade.

Os bibliófilos encontrarão boa variedade de presentes tanto na **New York Public Library Shop** *(pág. 144)*, que vende suportes de livros no formato dos leões de pedra na sua entrada, quanto na **Morgan Library Shop** *(pág. 164-5)*, que tem marcadores de livros e papel de carta, entre outras coisas.

Logotipos e emblemas de universidades se destacam entre os acessórios vendidos na loja **The Yale Club** e **The Princeton Club**.

A **Weisburg Religious Articles** tem uma das maiores seleções de artigos religiosos judaicos da cidade. **The Cathedral Shop**, montada na Cathedral of St John the Divine, é uma feira de artesanato onde se podem adquirir bijuterias e outros artigos, religiosos ou não, feitos por artesãos locais.

PARA COLECIONADORES

A **Metropolitan Opera Shop**, no Lincoln Center, tem discos, libretos, binóculos minúsculos e outros presentes e cartões relacionados à ópera. A **Performing Arts Shop**, no andar de baixo, é uma arca do tesouro de peças relacionadas a teatro, ópera, balé e música. Fãs de teatro encontram de tudo –de scripts e partituras vocais a CDs– na **One Shubert Alley**.

A **Carnegie Hall Shop** vende cartões, camisetas, jogos, pôsteres, bolsas e muito mais, tudo com temas musicais. Se quiser algo original e bem americano, não deixe de visitar **Lost City Arts** e **Urban Archaeology**, no SoHo. Nestas duas lojas pode-se desencavar toda espécie de relíquias do passado dos EUA, desde lancheiras da Barbie até equipamento das sorveterias e barbearias de tempos passados.

JOGOS, BRINQUEDOS E BOBAGENS

Quem procura presentes para crianças tem de passar na **F.A.O. Schwarz**. Trata-se de uma loja enorme cheia de carrinhos, enormes bichos de pelúcia e todos os tipos de brinquedos eletrônicos. No Natal, pode haver fila para entrar. Vale conferir a **Children's General Store**, uma das novidades da cidade.

A **Penny Whistle Toys** vende uma enorme seleção de brinquedos e jogos de qualidade e todo tipo de bonecas. Para quem quer jogos que interessem tanto às crianças quanto aos adultos, a **Game Show** tem muitas brincadeiras e quebra-cabeças, de clássicos como o Monopoly (Banco Imobiliário) ao último jogo da moda entre yuppies. A **Red**

Caboose é para os fãs de trenzinhos elétricos. Os três andares do moderno prédio de vidro da **Toys 'R' Us** na Broadway são a maior loja de brinquedos do mundo, com uma roda-gigante de 20 metros.

A **Dinosaur Hill**, localizada na Second Avenue, oferece bichinhos de pelúcia, brinquedos, móveis e lindas roupas de boneca –tudo artesanal e caro, mas vale a pena.

Desde 1848, Hammacher Schlemer tem encorajado a compra de bugigangas.

LOJAS DE MUSEUS

Alguns dos melhores suvenires de Nova York podem ser encontrados nas muitas lojas de museus. Além da seleção usual de livros, pôsteres e cartões, há belas reproduções das obras de arte expostas, inclusive peças de joalheria e escultura. O **Museum of Arts & Design** *(pág. 171)* tem uma excelente seleção de artesanato local. Além de bonecos realistas, em borracha, de dinossauros e outros animais, o **American Museum of Natural History** *(págs. 216-7)* tem produtos reciclados e presentes de conscientização ecológica, como pôsteres, sacolas, camisetas e artesanato dos índios americanos. Também há uma loja infantil que vende conjuntos de conchas, ímãs e brinquedos, entre outras coisas.

A **Asia Society Bookstore and Gift Shop** *(pág. 187)* tem uma notável seleção de artigos orientais: gravuras, pôsteres, livros de arte, brinquedos e jóias, todos visando divulgar a cultura da Ásia. O **Cooper-Hewitt** *(pág. 186)* vende artigos ligados à decoração de interiores. Uma das maiores coleções nova-iorquinas de objetos cerimoniais judaicos está na loja do **Jewish Museum** *(pág. 186)*.

Quem procura reproduções de quadros famosos não pode deixar de visitar a loja de presentes do **Metropolitan Museum of Art** *(págs. 190-7)*. Também há muitos livros e uma seção só para crianças. O tradicional **American Folk Art Museum** *(pág. 215)* tem objetos de artesanato rural americano, entre os quais brinquedos de madeira, colchas de retalho (quilts) e originais cataventos.

O **Museum of the City of New York** *(pág. 199)* é especializado em retratos da Nova York antiga. O **Museum of Modern Art/ MoMA Design Store** *(págs. 172-5)* tem uma elogiada seleção de artigos domésticos, brinquedos e peças de cozinha inspirados em designers como Frank Lloyd Wright e Le Corbusier A loja permanecerá aberta durante a reforma do museu.

Para ver uma seleção de artigos náuticos, como por exemplo mapas, miniaturas de navios e objetos feitos por marinheiros, procure o **South Street Seaport Museum Shops** *(págs. 82-5)*. A **Whitney Museum's Shop** *(págs. 200-1)* só tem artigos feitos nos EUA, de bijuterias a brinquedos de madeira.

O **Museum of Jewish Heritage** *(pág. 77)* tem uma interessante loja de presentes, suvenires e material educativo sobre a vida judaica. A loja só é acessível a quem visita o museu.

O MELHOR DOS IMPORTADOS

Nova York é um grande caldeirão de diferentes nacionalidades, culturas e grupos étnicos. Todos eles deixaram sua marca na cidade, de uma maneira ou outra, estando representados por lojas de comida e outros produtos típicos.

Entre as lojas de artigos importados mais incomuns e interessantes estão a **Alaska on Madison**, que tem enorme coleção de obras de arte esquimó, e a maravilhosa **Chinese Porcelain Company**, de móveis e obras de arte decorativa chinesa. A **Pearl River Mart** é já há 30 anos um endereço básico para encontrar artigos asiáticos, e a **Himalayan Crafts and Tours** tem pinturas e tapetes tibetanos. A **Sweet Life**, em Lower East Side, é uma pequena loja à moda antiga, com doces do mundo todo.

A **Things Japanese** tem lindos artigos de artesanato e livros incomuns. Surma é uma loja ucraniana que vende ovos pintados à mão e roupa de cama, entre outras coisas. A **Common Ground** tem artesanato de índios norte-americanos, e a **Astro Gems** uma enorme coleção de jóias e minérios da África e da Ásia. Perto de Chinatown há várias lojas vendendo de suvenires a artigos de couro por bons preços.

ENDEREÇOS

Alaska on Madison
937 Madison Ave. **Mapa** 17 A1.
Tel *(212) 879-1782.*

Astro Gems
185 Madison Ave. **Mapa** 9 A2.
Tel *(212) 889-9000.*

Chinese Porcelain Company
475 Park Ave. **Mapa** 13 A3.
Tel *(212) 838-7744.*

Common Ground
55 W 16th St. **Mapa** 8 F5.
Tel *(212) 989-4178.*

Himalayan Crafts and Tours
2007 Broadway. **Mapa** 11 C1.
Tel *(212) 787-8500.*

Pearl River Mart
477 Broadway. **Mapa** 4 E4.
Tel *(212) 431-4770.*

Sweet Life
63 Hester St. **Mapa** 5 B4.
Tel *(212) 598-0092.*

Surma
11 E 7th St. **Mapa** 4 F2.
Tel *(212) 477-0729.*

Things Japanese
127 E 60th St. **Mapa** 13 A3.
Tel *(212) 371-4661.*

AGENDA

LOJAS ESPECIALIZADAS

Arthur Brown & Bros.
2 W 46th St. **Mapa** 12 F5.
Tel *(212) 575-5555.*

Big City Kite Co.
1210 Lexington Ave.
Mapa 17 A4.
Tel *(212) 472-2623.*

Blades Board & Skate
120 W 72nd St.
Mapa 12 D1.
Tel *(212) 787-3911.*
Tem diversas lojas.

Caswell-Massey Ltd.
518 Lexington Ave.
Mapa 13 A5.
Tel *(212) 755-2254.*

The Cathedral Shop
Cathedral of St. John the Divine, 1047 Amsterdam Ave. **Mapa** 20 E4.
Tel *(212) 222-7200.*

Leo Kaplan Ltd.
114E 57th St.
Mapa 13 A3.
Tel *(212) 355-7122.*

Morgan Library Shop
Madison Ave at 36th St.
Mapa 9 A2.
Tel *(212) 685-0610.*

New York Firefighter's Friend
263 Lafayette St.
Mapa 4 F3.
Tel *(212) 226-3142.*

New York Public Library Shop
5th Ave at 42nd St.
Mapa 8 F1.
Tel *(212) 930-0869.*

Only Hearts
386 Columbus Ave.
Mapa 15 D5.
Tel *(212) 724-5608.*

Pearl Paint Co
308 Canal St. **Mapa** 4 E5.
Tel *(212) 431-7932.*

The Pop Shop
292 Lafayette St.
Mapa 4 F3.
Tel *(212) 219-2784.*

The Princeton Club
15 W 43rd St. **Mapa** 8 F1.
Tel *(212) 596-1200.*

Rita Ford's Music Boxes
19 E 65th St. **Mapa** 12 F2.
Tel *(212) 535-6717.*

Rudy's
169 W 48th St.
Mapa 12 E5.
Tel *(212) 391-1699.*

Star Magic
745 Broadway. **Mapa** 4 E2. **Tel** *(212) 228-7770.*

Tender Buttons
143 E 62nd St.
Mapa 13 A2.
Tel *(212) 758-7004.*

The Chess Shop
230 Thompson St.
Mapa 4 D3.
Tel *(212) 475-9580.*

Weisburg Religious Articles
45 Essex St. **Mapa** 5 B4.
Tel *(212) 674-1770.*

The Yale Club
50 Vanderbilt Ave.
Mapa 13 A5.
Tel *(212) 661-2070.*

ITENS DE COLEÇÃO

One Shubert Alley
1 Shubert Alley.
Mapa 12 E5.
Tel *(212) 944-4133.*

The Carnegie Hall Shop
881 7th Ave.
Mapa 12 E3.
Tel *(212) 903-9610.*

Forbidden Planet
840 Broadway.
Mapa 4 E1.
Tel *(212) 473-1576.*

Jerry Ohlinger's Movie Material Store
253 W 35th St.
Mapa 8 D2.
Tel *(212) 989-0869.*

Lost City Arts
18 Cooper Square.
Mapa 4 F2.
Tel *(212) 375-0500.*

Metropolitan Opera Shop
Metropolitan Opera House, Lincoln Center, 136 W 65th St. **Mapa** 11 C2.
Tel *(212) 580-4090.*

Performing Arts Shop
Metropolitan Opera House, Lincoln Center, 136 W 65th St. **Mapa** 11 C2.
Tel *(917) 441-1195.*

Urban Archaeology
143 Franklin St.
Mapa 4 D5.
Tel *(212) 431-4646.*

JOGOS E BRINQUEDOS

The Children's General Store
Grand Central Station.
Mapa 9 A1.
Tel *(212) 682-0004.*

Dinosaur Hill
306 E 9th St, 2nd Ave.
Mapa 4 F1.
Tel *(212) 473-5850.*

F.A.O. Schwarz
767 5th Ave.
Mapa 12 F3.
Tel *(212) 644-9400.*

Game Show
1240 Lexington Ave.
Mapa 17 A4.
Tel *(212) 472-8011.*
Uma de várias filiais.

Hammacher Schlemmer
147 E 57th St.
Mapa 13 A3.
Tel *(212) 421-9000.*
Uma de duas filiais.

Penny Whistle Toys
448 Columbus Ave.
Mapa 16 D4.
Tel *(212) 873-9090.*
Uma de várias filiais.

Red Caboose
23 W 45th St.
Mapa 12 F5.
Tel *(212) 575-0155.*

Toys 'R' Us
1514 Broadway, Times Square.
Mapa 8 E2.
Tel *(646) 366-8800.*

LOJAS DE MUSEUS

Museum of Arts & Design
40 W 53rd St.
Mapa 12 F4.
Tel *(212) 956-3535.*

American Folk Art Museum
45 W 53rd St. **Mapa** 12 F4.
Tel *(212) 265-1040.*

American Museum of Natural History
W 79th St at Central Park W. **Mapa** 16 D5.
Tel *(212) 769-5100.*

Asia Society Bookstore and Gift Shop
725 Park Ave.
Mapa 13 A1.
Tel *(212) 288-6400.*

Cooper-Hewitt
2 E 91st St.
Mapa 16 F2.
Tel *(212) 849-8400.*

Jewish Museum
1109 5th Ave.
Mapa 16 F2.
Tel *(212) 423-3200.*

Metropolitan Museum of Art
5th Ave at 82nd St.
Mapa 16 F4.
Tel *(212) 535-7710.*

Museum of the City of New York
5th Ave at 103rd St.
Mapa 21 C5.
Tel *(212) 534-1672.*

Museum of Jewish Heritage
18 1st Place, Battery Park City.
Mapa 1 B4.
Tel *(646) 437-4200.*

Museum of Modern Art/MOMA Design Store
44 W 53rd St.
Mapa 12 F4.
Tel *(212) 767-1050.*

South St. Seaport Museum Shops
12 Fulton St.
Mapa 2 D2.
Tel *(212) 748-8600.*

The Whitney Museum's Store Next Door
943 Madison Ave.
Mapa 13 A1.
Tel *(212) 570-3676.*

Roupas

Seja um par de jeans baratos ou o tipo de vestido de noite que Ivana Trump gosta de usar, em Nova York encontra-se de tudo. A cidade é o coração da moda nos EUA e importante centro de design e fabricação de roupas. Sua multiplicidade de lojas de roupas reflete os diferentes estilos e culturas encontrados na cidade. Para poupar tempo, é melhor visitar uma área de cada vez. Outra idéia é ir a uma boa loja de departamentos, onde se encontra ótima seleção de moda para todos os gostos.

ESTILISTAS AMERICANOS

Muitos estilistas americanos vendem suas criações em butiques nas grandes lojas de departamentos ou têm lojas exclusivas. Um dos mais famosos é Geoffrey Beene, criador de um look sofisticado, mas confortável e informal.

Bill Blass é o rei da moda americana. Ele usa muitas cores diferentes, estampas chamativas, formas inovadoras e muito bom humor –e a clientela já mostrou que gosta. As criações de Liz Claiborne são marcadas pela simplicidade elegante e casual e preços razoáveis. Há peças de todo tipo, de roupa para jogar tênis a moda prática para o trabalho.

Marc Jacobs, conhecido por suas roupas esportivas, tem sua própria marca e loja no Greenwich Village. James Galanos é um estilista exclusivo para os ricos e famosos, que cria peças únicas de *haute couture* a preços estratosféricos, e Betsey Johnson é a preferida das mulheres extrovertidas e magérrimas que gostam de frequentar festas malucas e usar roupas coladas ao corpo.

Na década passada, Donna Karan tornou-se um nome de forte apelo. Seus modelos simples mas com estilo e ótimo visual servem para todas as ocasiões, tanto para trabalhar como para ocasiões especiais. Calvin Klein é também um nome conhecidíssimo, presente em lingerie, jeans, óculos de sol, vestidos e casacos confortáveis, sensuais e de ótimo caimento. Ralph Lauren é célebre por sua moda aristocrática e cara, que agrada às pessoas chiques que vão às exclusivas e tradicionais universidades americanas. Joan Vass especializou-se em fazer malhas originais e coloridas, a preço acessível.

ROUPAS DE GRIFE A PREÇOS REDUZIDOS

Quem se interessar por roupas de grife com desconto deve procurar as lojas **Designer Resale**, **Encore** e **Michael's**. Entre os grandes estilistas presentes nessas lojas figuram Oscar de la Renta, Ungaro e Armani. As lojas vendem peças perfeitas ou quase perfeitas, muitas das quais nunca foram usadas.

Um dos segredos mais bem guardados da cidade de Nova York é a **Century 21 Department Store**, localizada em Lower Manhattan. Essa loja de artigos de grife com desconto foi reaberta no seu endereço original e vende roupas de estilistas europeus e americanos com descontos que chegam até a incríveis 75% do preço normal no varejo.

Filene's Basement, uma das mais antigas lojas de desconto, oferece roupas de grife, sapatos e acessórios a ótimos preços.

MODA MASCULINA

Duas das mais conceituadas lojas de roupa masculina de Nova York são a **Brooks Brothers** e a **Paul Stuart**. A Brooks Brothers é hoje em dia uma instituição nova-iorquina, famosa por suas roupas tradicionais e conservadoras. Também vende uma linha feminina ultraconservadora. A Paul Stuart se orgulha de seu look muito britânico e oferece uma elegante seleção de peças cortadas com mestria.

Na **Bergdorf Goodman Men**, loja de departamentos de alta qualidade, encontram-se belíssimas camisas Turnbull & Asser e maravilhosos ternos de Gianfranco Ferré e Hugo Boss.

A **Barney's New York** tem uma das maiores seções de moda masculina dos Estados Unidos, com enorme variedade de roupas e acessórios.

A **Rothman's** oferece estilos do mundo todo, a preços ótimos. **The Custom Shop Shirtmakers** é especializada em ternos e camisas sob medida feitos com tecidos maravilhosos. Vá à **Burberry Limited** para comprar os clássicos *trenchcoats* britânicos e também a tradicional roupa para o dia-a-dia.

A **J. Press** vende roupa clássica e conservadora, enquanto a **John Varvatos** é famosa pelos designs esportivos luxuosos, com detalhes magníficos. Entre as butiques que vendem moda de grife para homens, incluem-se a célebre **Beau Brummel**, com uma seleção de roupas européias muito elegantes, e a **Thomas Pink**, muito procurada por celebridades por suas cores brilhantes e seus tecidos finos. Muitas lojas de moda masculina também têm seções femininas. A nova loja da Hickey-Freeman na 5th Avenue dispõe de um amplo estoque de roupas masculinas tradicionais.

MODA INFANTIL

Além de uma oferta muito diversificada nas grandes lojas de departamentos, há várias lojas na cidade que vendem exclusivamente moda infantil. Vá à **Bonpoint** para encontrar o charme da moda infantil francesa. A **Gapkids**, muitas vezes uma seção dentro das lojas **Gap**, tem macacões e jardineiras confortáveis, calças e blusas de moletom, jaquetas jeans e leggings. A **Peanut Butter & Jane** tem uma linha infantil badalada e bastante confortável. Na **Space Kiddets** há de tudo, de babadores e sapatinhos a roupa de cowboy.

MODA FEMININA

A moda feminina em Nova York não é definidora de tendências, como em Paris. Mas é imbatível na promoção do que é chique e exclusivo, com destaque para as elegantes criações exclusivas. A maioria das lojas elegantes de Nova York fica em volta da 5th e Madison Avenues. Entre elas figuram as principais lojas de departamentos *(pág. 311)*, onde pequenas butiques especiais expõem criações de costureiros americanos, como Donna Karan, Anne Klein, Bill Blass e Claude Montana. Os grandes nomes internacionais, como **Chanel**, **Fendi** e **Valentino**, têm lojas exclusivas, da mesma forma que o importante costureiro americano **Geoffrey Beene**. Entre as butiques de roupas prontas, a **Ann Taylor** é uma das opções preferidas das jovens profissionais ocupadas, que gostam de roupas elegantes e confortáveis. No coração dessa área fica a Trump Tower, prédio de mármore cor-de-rosa que abriga lojas exclusivas.

A Madison Avenue tem butiques de estilistas famosos, com tudo o que se possa precisar, entre elas **Givenchy**, que vende vestidos fantásticos a preços fenomenais; **Valentino**, com suas roupas italianas de corte clássico; e **Emanuel Ungaro**, uma loja um pouco menos intimidadora que tem peças para todos os gostos –de casacos de corte maravilhoso a amplos vestidos estampados para as mulheres mais robustas. A **Missoni** é famosa pelos suéteres de lãs suntuosas e desenhos coloridos. A **Yves St Laurent Rive Gauche** tem vestidos de noite e casacos exclusivos, blusas extravagantes e conjuntos de corte perfeito. A **Krizia** tem modelos da estilista Mariucca Mandella. O look sofisticado também está representado pelos reis da moda italiana **Giorgio Armani** e **Gianni Versace**. O estilo milanês de **Romeo Gigli** é tão exclusivo que sua loja nem tem nome na porta. A **Gucci**, uma das lojas italianas mais antigas nos Estados Unidos, é para mulheres que têm dinheiro e gostam de se vestir bem.

No Upper West Side, muitas butiques competem pela atenção das compradoras, entre elas a **Betsey Johnson**, com suas criações originais e relativamente baratas. A **Calvin Klein** agora tem uma loja no East Side especializada em moda casual ultramoderna. A **French Connection** é conhecida pelas peças avulsas de bom preço, tanto de roupas casuais quanto de trabalho. A **Scoop** tornou-se a meca do vestido preto curto.

Greenwich Village e East Village são bons lugares para quem busca roupa seminova e dos anos 1950, com várias lojas interessantes e estoques sempre renovados, criados por estilistas em começo de carreira. Para roupas de bom caimento, que vão do casual ao clássico, tente a acessível **APC**.

A **Cheap Jack's** tem uma enorme seleção de jeans Levi's de segunda mão e centenas de jaquetas jeans e de couro. A **Loehmann's** é o lugar certo se você quer última moda com descontos incríveis. A **Big Drop** é especializada em vestidos pretos que caem com perfeição nos corpos femininos.

A **Screaming Mimi's** é o lugar onde se podem encontrar as calças de veludo boca-de-sino e botinhas go-go com que sempre se sonhou. Mais convencional, a **The Gap** é uma rede que vende roupas confortáveis e informais para homens, mulheres e crianças.

O SoHo concorre hoje em dia com a Madison Avenue em butiques de roupas caras, interessantes e bem avançadas. Uma das mais originais é a de **Yohji Yamamoto.** A **Comme des Garçons** vende moda japonesa minimalista chique.

Cynthia Rowley é uma designer nova-iorquina de destaque, que vende roupas sedutoras para mulheres. A **What Comes Around Goes Around** é o lugar ideal para conseguir modelos antigos de jeans.

TABELA DE TAMANHOS

Roupas infantis									
Americano	2–3	4–5	6–6x	7–8	10	12	14	16	
Brasileiro	2–3	4–5	6–7	8–9	10–11	12	14	14+ (anos)	
Europeu	2–3	4–5	6–7	8–9	10–11	12	14	14+ (anos)	
Calçados infantis									
Americano	7½	8½	9½	10½	11½	12½	13½	1½	2½
Brasileiro	7	8	9	10	11	12	13	1	2
Europeu	24	25½	27	28	29	30	32	33	34
Vestidos, saias e casacos femininos									
Americano	4	6	8	10	12	14	16	18	
Brasileiro	6	8	10	12	14	16	18	20	
Europeu	38	40	42	44	46	48	50	52	
Blusas e suéteres femininos									
Americano	6	8	10	12	14	16	18		
Brasileiro	30	32	34	36	38	40	42		
Europeu	40	42	44	46	48	50	52		
Calçados femininos									
Americano	5	6	7	8	9	10	11		
Brasileiro	3	4	5	6	7	8	9		
Europeu	36	37	38	39	40	41	44		
Ternos masculinos									
Americano	34	36	38	40	42	44	46	48	
Brasileiro	34	36	38	40	42	44	46	48	
Europeu	44	46	48	50	52	54	56	58	
Camisas masculinas									
Americano	14	15	15½	16	16½	17	17½	18	
Brasileiro	14	15	15½	16	16½	17	17½	18	
Europeu	36	38	39	41	42	43	44	45	
Calçados masculinos									
Americano	7	7½	8	8½	9½	10½	11	11½	
Brasileiro	6	7	7½	8	9	10	11	12	
Europeu	39	40	41	42	43	44	45	46	

AGENDA

ROUPAS DE GRIFE A PREÇOS REDUZIDOS

Century 21 Department Store
22 Cortland St.
Mapa 1 C2.
Tel *(212) 227-9092.*

Designer Resale
324 E 81st St.
Mapa 17 B4.
Tel *(212) 734-3639.*

Encore
1132 Madison Ave.
Mapa 17 A4.
Tel *(212) 879-2850.*

Filene's Basement
4 Union Square South.
Mapa 9 A5.
Tel *(212) 358-0169.*
Uma de várias filiais.

Michael's
1041 Madison Ave.
Mapa 17 A5.
Tel *(212) 737-7273.*

MODA MASCULINA

Barney's New York
660 Madison Ave.
Mapa 13 A3.
Tel *(212) 826-8900.*

Beau Brummel
421 W Broadway.
Mapa 4 E3.
Tel *(212) 219-2666.*
Uma de várias filiais.

Bergdorf Goodman Men
754 5th Ave.
Mapa 12 F3.
Tel *(212) 753-7300.*

Brooks Brothers
346 Madison Ave.
Mapa 9 A1.
Tel *(212) 682-8800.*

Burberry Limited
9 E 57th St.
Mapa 12 F3.
Tel *(212) 757-3700.*

The Custom Shop Shirtmakers
618 5th Ave.
Mapa 12 F4.
Tel *(212) 245-2499.*
Uma de várias filiais.

J. Press
7 E 44th St. **Mapa** 12 F5.
Tel *(212) 687-7642.*

John Varvatos
149 Mercer St.
Mapa 4 E3.
Tel *(212) 965-0700.*

Paul Stuart
350 Madison Ave.
Mapa 13 A5.
Tel *(212) 682-0320.*

Polo/Ralph Lauren
Madison Ave at 72nd St.
Mapa 13 A1.
Tel *(212) 606-2100.*

Rothman's
200 Park Ave South.
Mapa 9 A5.
Tel *(212) 777-7400.*

Thomas Pink
520 Madison Ave.
Mapa 13 A4.
Tel *(212) 838-1928.*

MODA INFANTIL

Bonpoint
1269 Madison Ave.
Mapa 17 A3.
Tel *(212) 722-7720.*

GapKids
60 W 34th St.
Mapa 8 F2.
Tel *(212) 760-1268.*
Uma de várias filiais.

Peanut Butter & Jane
617 Hudson St.
Mapa 3 B1.
Tel *(212) 620-7952.*

Space Kiddets
46 E 21st St.
Mapa 8 F4.
Tel *(212) 420-9878.*

MODA FEMININA

Ann Taylor
645 Madison Ave.
Mapa 13 A3.
Tel *(212) 832-2010.*
Uma de várias filiais.

APC
131 Mercer St.
Mapa 4 E3.
Tel *(212) 966-9685.*

Betsey Johnson
248 Columbus Ave.
Mapa 16 D4.
Tel *(212) 362-3364.*
Uma de várias filiais.

Big Drop
174 Spring St.
Mapa 3 C4.
Tel *(212) 966-4299.*

Calvin Klein
654 Madison Ave.
Mapa 13 A3.
Tel *(212) 292-9000.*

Chanel
15 E 57th St.
Mapa 12 F3.
Tel *(212) 355-5050.*

Cheap Jack's
841 Broadway.
Mapa 4 E1.
Tel *(212) 777-9564.*

Comme des Garçons
520 W 22nd St.
Mapa 8 F3.
Tel *(212) 604-9200.*

Cynthia Rowley
112 Wooster St.
Mapa 4 E4.
Tel *(212) 334-1144.*

Dolce & Gabbana
434 W Broadway.
Mapa 4 E3.
Tel *(212) 965-8000.*

Emanuel Ungaro
792 Madison Ave.
Mapa 13 A2.
Tel *(212) 249-4090.*

Fendi
720 5th Ave.
Mapa 12 F3.
Tel *(212) 767-0100.*

French Connection
700 Broadway.
Mapa 4 E2.
Tel *(212) 473-4486.*
Uma de várias filiais.

The Gap
250 W 57th St.
Mapa 12 D3.
Tel *(212) 315-2250.*
Uma de várias filiais.

Geoffrey Beene
309 5th Ave.
Mapa 8 F3.
Tel *(212) 725-9647.*

Gianni Versace
815 Madison Ave.
Mapa 13 A2.
Tel *(212) 744-6868.*

Giorgio Armani
760 Madison Ave.
Mapa 13 A2.
Tel *(212) 988-9191.*

Givenchy
710 Madison Ave.
Mapa 13 A1.
Tel *(212) 688-4338.*

Gucci
685 5th Ave.
Mapa 12 F4.
Tel *(212) 826-2600.*

Loehmann's
101 7th Ave.
Mapa 8 E1.
Tel *(212) 352-0856.*

Missoni
1009 Madison Ave.
Mapa 13 A1.
Tel *(212) 517-9339.*

Saks Fifth Avenue
611 5th Ave.
Mapa 12 F4.
Tel *(212) 753-4000.*

Scoop
532 Broadway
(near Spring St).
Mapa 4 E4.
Tel *(212) 925-2886.*
Uma de duas filiais.

Screaming Mimi's
382 Lafayette St.
Mapa 4 F2.
Tel *(212) 677-6464.*

Valentino
747 Madison Ave.
Mapa 13 A2.
Tel *(212) 772-6969.*

What Comes Around Goes Around
351 W Broadway.
Mapa 4 E4.
Tel *(212) 343-9303.*

Yohji Yamamoto
103 Grand St.
Mapa 4 E4.
Tel *(212) 966-9066.*

Yves St Laurent Rive Gauche
855 Madison Ave.
Mapa 13 A1.
Tel *(212) 517-7400.*

Acessórios

Além das lojas citadas a seguir, todas as grandes lojas de departamentos de Manhattan têm grandes seções de acessórios que vendem chapéus, luvas, bolsas, jóias, relógios, lenços, sapatos e guarda-chuvas.

JÓIAS

É na 5th Avenue, no centro de Manhattan, que ficam as mais deslumbrantes joalherias. Uma delas é a **Harry Winston**, organizada como um museu, com vitrinas de jóias cobiçadas de todas as partes do mundo. A **Buccellati** é altamente conceituada por suas inovadoras criações italianas. A **Bulgari** tem uma coleção impressionante, cujos preços variam de algumas centenas a mais de 1 milhão de dólares.

Sediada em um *palazzo* no estilo renascentista, a loja **Cartier** é uma jóia por si só, e vende suas lindíssimas peças a preços estratosféricos. A loja da **Tiffany & Co** são dez andares de reluzentes cristais, diamantes e jóias esperando para serem embaladas numa das caixas azuis-celeste que são a marca registrada da loja.

A Diamond Row, uma área de um quarteirão na 47th Street (entre a 5th e a 6th Avenues), é repleta de joalherias cujas vitrinas exibem enormes fortunas em diamantes, ouro, pérolas e jóias exóticas. Não deixe de ir conhecer a **Jewelry Exchange**, um conjunto de lojas onde 60 joalheiros vendem suas peças direto ao público. Aqui, pechinchar bastante faz parte do jogo –portanto, prepare-se.

CHAPÉUS

A mais antiga chapelaria é a **Worth & Worth**, que também tem a maior coleção de chapéus da cidade. Nela se encontram todos os tipos de chapéu: desde os feitos para se usar em uma caçada até cartolas de seda e chapéus moles de aba grande. Confira a **Larissa/L&R Designed Studios** se quiser chapéus femininos sob encomenda, ou estranhos chapéus de chuva para homens. A **Suzanne Millinery** fabrica chapéus para estrelas e é muito frequentada por celebridades como Whoopi Goldberg e Ivana Trump.

GUARDA-CHUVAS

No instante em que começa a chover em Nova York, centenas de camelôs vendendo guarda-chuvas parecem brotar do chão. Seus produtos são baratos, mas duram tanto quanto o temporal. Quem quiser guarda-chuva de boa qualidade deve procurar a grande seleção oferecida pela Briggs, de Londres, na **Worth & Worth**.

A **Barney's New York** tem uma grande variedade de guarda-chuvas ousados e também modelos mais comuns, em xadrez ou listrados. Na **Macy's** *(pág. 319)* você sempre encontrará os comuns. A mundialmente famosa **Gucci** vende guarda-chuvas que combinam com suas gravatas. Guarda-chuvas inspirados no metrô e podem ser encontrados na The NY Transit Museum Store. Na **The Princeton Club** há guarda-chuvas gigantes, em preto e laranja, as cores tradicionais da universidade.

BOLSAS E PASTAS

Duas vezes por ano, nas liquidações de janeiro e agosto, uma fila de pessoas aguarda na esquina da 48th Street com Madison Avenue a vez de entrar na **Crouch & Fitzgerald** para comprar bolsas, pastas e malas. Todas as marcas estão aqui: Judith Leiber, Ghurka, Louis Vuitton, Cooney & Bourke, além da linha da própria casa. Em outras partes da cidade há lojas exclusivas, como a **Bottega Veneta** e a **Prada**, onde as bolsas são expostas como preciosas obras de arte –com preços equivalentes. Os lugares mais jovens e modernos são a **Furla**, conhecida por seu design italiano, e a elegante **Il Bisonte**. As peças do designer Rafé Totengco podem ser econtradas na **TG-170** e na **Big Drop**. A **The Coach Store** é conhecida pelas bolsas simples e clássicas, feitas de couro grosso e resistente.

No estilo da designer **Kate Spade** você encontra bolsas retangulares práticas, em uma incrível variedade de estampas e cores, que têm se tornado um clássico, adicionando um toque chique a qualquer produção feminina.

Para quem procura bolsas de grife a preço baixo, o lugar certo é a lendária **Fine & Klein**. Pastas de todos os modelos possíveis –desde as finas como um envelope até as bojudas maletas de advogados– a preços módicos estão na **Altman Luggage Company**.

SAPATOS E BOTAS

As lojas de Manhattan são famosas pela abundância de modelos de sapatos e botas. Só por muito azar alguém não acha o sapato que procura, pelo preço que pode pagar. A maioria das grandes lojas de departamentos tem seções com sapatos de grife, além das marcas próprias de cada loja. A **Bloomingdale's** *(pág. 179)* tem uma enorme e eficiente seção de calçados femininos e a **Brooks Brothers**, uma das melhores seleções de calçados masculinos tradicionais da cidade, com atendimento à altura da qualidade.

As mais exclusivas lojas de calçados para homens e mulheres ficam em Midtown. A **Martinez Valero** oferece belos sapatos feitos de couro e camurça, em vários estilos elegantes. A **Ferragamo** vende modelos clássicos feitos em Florença. Vá à **Botticelli**, que conta com um grande número de sapatos de modelos diferentes. Para calçados com estilo a preços decentes, prefira a **Sigerson Morrison**, em Little Italy.

Se a preferência for botas de cowboy, a **Billy Martin's**

tem muitos modelos feitos à mão –dos básicos, usados pelos vaqueiros de verdade, às botas de couro de jacaré de milhares de dólares. A Billy Martin's todo tipo de roupas e acessórios western, para você se vestir de cowboy dos pés à cabeça. Quem procura belíssimas botas feitas sob encomenda deve ir à **Buffalo Chips Bootery**.

As novidades em calçado infantil estão na **East Side Kids**, que oferece a última moda no setor. A **Little Eric** tem sapatos que chamam a atenção e a **Shoofly**, calçados importados de todos os estilos. Na **Harry's** há uma boa seleção de calçados confortáveis para pés sensíveis.

A butique **Jimmy Choo** vende sapatos sexy de salto alto. Populares no setor chique de Nova York são os belos sapatos femininos, como os de salto alto da **Manolo Blahnik**. A marca espanhola mais popular, **Camper**, tem um andar no Soho com seus sapatos confortáveis, originais e coloridos para homens e mulheres. Para calçados mais baratos, a maior concentração de lojas fica na West 34th Street e na West Eight Street entre Fifth e Sixth Avenues, e na Orchard Street no Lower East Side. A loja de descontos **DSW** vende sapatos e botas de marca por preços baixos.

LINGERIE

Na **La Petite Coquette** há peças caras e importadas da Europa, sexy e elegantes. Os preços são menores na **Victoria's Secret**, que tem dois andares de lindíssimas peças íntimas, em seda, cetim e todo tipo de tecido. O setor de lingerie da **Henri Bendel** oferece uma suntuosa linha de lingerie, fina ou atrevida. A italiana **La Perla** destaca lingerie sedutora e roupa de baixo em tecidos sensuais, como tule, chiffon e cetim.

AGENDA

JÓIAS

Buccellati
46 E 57th Ave. **Mapa** 12 F3.
Tel *(212) 308-2900.*

Bulgari
730 5th Ave. **Mapa** 12 F3.
Tel *(212) 315-9000.*

Cartier
653 5th Ave. **Mapa** 12 F4.
Tel *(212) 753-0111.*

Harry Winston
718 5th Ave. **Mapa** 12 F3.
Tel *(212) 245-2000.*

Jewelry Exchange
15 W 47th St. **Mapa** 12 F5.

Tiffany & Co
5th Ave at 57th St.
Mapa 12 F3.
Tel *(212) 755-8000.*

CHAPÉUS

Larisa Hats
342 7th Ave. **Mapa** 8 E3.
Tel *(212) 695-8989.*

Suzanne Millinery
27 E 61 St. **Mapa** 13 A3.
Tel *(212) 593-3232.*

Worth & Worth
101 W 55th St, Suite 3N.
Mapa 12 E4.
Tel *(212) 265-2887.*

GUARDA-CHUVAS

Barney's New York
Pág. 319.

Gucci
Pág. 327.

NY Transit Museum Store
Grand Central Terminal.
Mapa 9 A1.
Tel *(212) 878-0106.*

The Princeton Club
Pág. 324.

BOLSAS E PASTAS

Altman Luggage Company
135 Orchard St. **Mapa** 5 A3.
Tel *(212) 254-7275.*

Big Drop
Pág. 327.

Il Bisonte
120 Sullivan St.
Mapa 4 D4.
Tel *(212) 966-8773.*

Bottega Veneta
635 Madison Ave. **Mapa** 13 A3. ***Tel*** *(212) 371-5511.*

The Coach Store
595 Madison Ave.
Mapa 13 A3.
Tel *(212) 754-0041.*

Crouch & Fitzgerald
400 Madison Ave.
Mapa 13 A5.
Tel *(212) 755-5888.*

Fine & Klein
119 Orchard St. **Mapa** 5 A3. ***Tel*** *(212) 674-6720.*

Furla
727 Madison Ave.
Mapa 13 A3.
Tel *(212) 755-8986.*
Uma de duas filiais.

Kate Spade
454 Broome St. **Mapa** 4 E4.
Tel *(212) 274-1991.*

Prada
49 E 57th St. **Mapa** 12 F3.
Tel *(212) 308-2332.*

TG-170
170 Ludlow St. **Mapa** 5 A3.
Tel *(212) 995-8660.*

SAPATOS E BOTAS

Billy Martin's
220 E 60th St. **Mapa** 13 B3. ***Tel*** *(212) 861-3100.*

Botticelli
620 5th Ave. **Mapa** 12 F4.
Tel *(212) 582-6313.*

Bloomingdale's
Pág. 319.

Brooks Brothers
Pág. 327.

Buffalo Chips Bootery
355 W Broadway.
Mapa 4 E4.
Tel *(212) 625-8400.*

Camper
125 Prince St. **Mapa** 4 E3.
Tel *(212) 358-1842.*

DSW
40 E 14th St, 3rd Floor.
Mapa 9 A5.
Tel *(212) 674-2146.*

East Side Kids
1298 Madison Ave.
Mapa 17 A2.
Tel *(212) 360-5000.*

Ferragamo
655 5th Ave. **Mapa** 12 F3.
Tel *(212) 759-3822.*

Harry's
2299 Broadway. **Mapa** 15 C2. ***Tel*** *(212) 874-2035.*

Jimmy Choo
645 5th Ave. **Mapa** 12 F4.
Tel *(212) 593-0800.*

Little Eric
1333 3rd Ave. **Mapa** 17 B5.
Tel *(212) 288-8987.*

Manolo Blahnik
31 W 54th St. **Mapa** 12 F4.
Tel *(212) 582-3007.*

Martinez Valero
1029 3rd Ave. **Mapa** 13 B3. ***Tel*** *(212) 753-1822.*

Shoofly
42 Hudson St. **Mapa** 1 B1.
Tel *(212) 406-3270.*

Sigerson Morrison
28 Prince St. **Mapa** 4 F3.
Tel *(212) 219-3893.*

LINGERIE

Henri Bendel
Pág. 319.

La Perla
93 Greene St. **Mapa** 4 E3.
Tel *(212) 219-0999.*

La Petite Coquette
51 University Place. **Mapa** 4 E1. ***Tel*** *(212) 473-2478.*

Victoria's Secret
34 E 57th St. **Mapa** 12 F3.
Tel *(212) 758-5592.*
Uma de várias filiais.

Cosméticos, Manicures, Pedicures e Cabeleireiros

Em Nova York, o visitante pode comprar até cansar –e quando isso acontecer não será difícil encontrar um bom tratamento de recuperação (incluindo uma revigorante massagem nos pés). Aqui não faltam lojas de cosméticos, manicures e pedicures especializados e até disputados cabelereiros. A maioria desses estabelecimentos adota horários compatíveis com o ritmo nova-iorquino, com atendimento no mesmo dia, o que permite marcar uma hora entre as maratonas de lojas e vitrines. Depois de uma sessão (ou duas) de recuperação, é só voltar às compras.

COSMÉTICOS

A francesa **Sephora** é uma megastores de cosméticos que oferece uma infinidade de produtos de beleza, de cremes para hidratação da pele a perfumes e, felizmente, sem pressão dos vendedores para que o visitante encha a sacola. Produtos naturais são o forte da **Erbe**, paraíso dos produtos naturais que vende uma imensa variedade de produtos hipoalergênicos, feitos com ervas e sem usar óleos minerais, fragrâncias artificiais e corantes.

O **Shiseido Studio** é o endereço ideal para quem quer aprender mais sobre cosmética "complementar". A loja oferece aulas gratuitas sobre cuidados com a pele, com demonstração dos produtos da marca. Nenhum item está à venda aqui, pois o objetivo da iniciativa é a orientação dos consumidores. Porém, quem prefere levar para casa os cosméticos que apreciar deve se dirigir à **MAC Cosmetics**, situada nas proximidades. A linha de pós faciais Studio Fix constitui um dos destaques da marca, assim como o batom Viva Glam, cuja venda é direcionda para a fundação MAC Aids. Muitos consumidores não deixam de dar uma passada na **FACE Stockholm**, famosa pelos produtos faciais com base botânica, além dos batons e esmaltes de inúmeras cores. Inaugurada em 1851, a **Kiehl's** dedica-se à produção de cremes, hidratantes e máscaras com embalagens que também aproveitam elementos naturais.

Outra marca adepta da natureza, a **Fresh** oferece cremes perfumados para o corpo. Se o objeto de desejo forem os itens para maquiagem, o destino é a elegante **Make Up for Ever**, no SoHo, que impressiona pela variedade de bases líquidas e batons em forma de creme. Na simpática **Origins**, a escolha fica entre as muitas opções de loções com base vegetal, hidratantes antioxidantes e cremes para o corpo indicados até para uso em bebês. Outro endereço que merece uma visita é o **Shu Uemura**, que faz o deleite de quem aprecia os cosméticos mais sofisticados. A maioria das lojas de departamentos de Nova York, como a **Bloomingdale's**, **Lord & Taylor**, **Saks Fifth Avenue**, **Barney's New York** e a **Macy's** também oferece generosas seções de produtos de beleza.

MANICURES E PEDICURES

A serena e aromática **Lush Essential Hand & Foot Spa** é um lugar perfeito para quem procura cuidados especiais para mãos e pés. Uma sessão de manicure custa US$ 10 e de pedicure US$ 15, mas é difícil resistir à tentação dos tratamentos especiais, como os que incluem massagens. Os preços começam em US$ 26 para as mãos e em US$ 48 para os pés. Quem se deixa impressionar pela aparência um pouco séria da **Eve's** costuma se surpreender com o bom atendimento das manicures e pedicures que trabalham aqui.

A **Dashing Diva Nail Spa & Boutique**, além do excelente serviço de manicure e de pedicure por cerca de US$ 10, oferece um atendimento especial para agradar os clientes: nos diversos dias da semana são servidos drinques para os clientes da casa.

Há quem afirme que a **Sweet Lily Natural Nail Spa & Boutique** é insuperável. Aqui as mãos são tratadas com óleos especiais, como o creme morno de lavanda, ou os cremes com essências cítricas e chás reservados para o tratamento das cutículas. Não são só os adultos que freqüentam o estabelecimento: há manicures especializadas para atender meninas.

CABELEIREIROS

Quem visita Nova York e quer aproveitar para mudar o corte de cabelo (ou apenas acertar o penteado), pode escolher entre os muitos salões de cabeleireiros espalhados pela cidade.

Se a escolha for o **Arrojo Studio**, é provável que os profissionais da casa queiram atualizar o visual do cliente –que provavelmente deixará o estabelecimento com um visual tão ousado quanto o deles. Já as celebridades nova-iorquinas deixam os cuidados com os cabelos nas mãos de Frederic Fekkai ou de um de seus colaboradores no badalado **Frederic Fekkai Beaute de Provence**. Oriunda do Vidal Sassoon, a coreana Younghee Kim também oferece cortes ousados e tingimento dos cabelos a preços que começam em US$ 110. Kim atende no **Younghee Salon**, situado em TriBeCa. Os cabeleireiros do **Rumor Salon** desfrutam da fama de "reis das tesouras", pois criam cortes simples mas de acordo com as tendências na moda. Instalado em um simpático *loft* que esbanja luz natural, o **Aveda Institute** oferece cortes, cores e massagens especiais. Clientes que quiserem fazer o corte de cabelo com um dos cabeleireiros em formação pagam menos. Os homens podem preferir o **La Boite a Coupe**, que conta com uma clientela que inclui profissionais da mídia e do mundo publicitário. Uma das atrações do La Boite é o cabeleireiro de origem franco-marroquina Laurent De Louya faz a cabeça dos clientes da casa desde 1972. Com um leve sotaque asiático, o sofisticado **Le Salon Chinois** não desaponta quem está em busca de um visual transformador. Outro destaque da casa são os excelentes tratamentos com massagens, aromaterapia e as diversas técnicas de alisamento. Um ambiente rústico com uma decoração animada e colorida (obras de artistas locais enfeitam as paredes de tijolos à vista) espera pelos clientes no **TwoDo Salon**. O treinamento rigoroso dos profissionais que trabalham aqui é um dos diferenciais do **Vidal Sassoon**, um salão que ganha mais fama a cada dia. Entre os destaques da casa estão os cortes de cabelo e as tinturas, aprovadas pelos clientes fiéis. De origem britânica, o **Toni & Guy**, não decepciona quem procura um bom corte de cabelo. A unidade de Nova York também funciona como sede de treinamento dos profissionais, preparados para ousar nos cortes e penteados. Os clientes também elogiam as técnicas de tingimento e de alteração de cor de cabelos disponíveis aqui. Outros salões nova-iorquinos que oferecem bons serviços são o **Antonio Prieto** e o **Bumble & Bumble**, além do refinado **John Masters Organics** e do seleto **Oscar Blandi**.

AGENDA

COSMÉTICOS

Erbe
196 Prince St.
Mapa 4 D3.
Tel *(212) 966-1445.*

FACE Stockholm
10 Columbus Circle.
Mapa 12 D3.
Tel *(212) 823-9415.*

110 Prince St, SoHo.
Tel *(212) 966-9110.*

Fresh
57 Spring St at Lafayette St.
Mapa 4 F4.
Tel *(212) 925-0099.*

John Masters Organics
77 Sullivan St near Broome St.
Mapa 4 D4.
Tel *(212) 343-9590.*

Kiehl's
109 3rd Ave.
Mapa 9 B5.
Tel *(212) 677-3171.*

MAC Cosmetics
113 Spring St.
Mapa 4 E4.
Tel *(212) 334-4641.*

Make Up for Ever
409 W Broadway at Spring St.
Mapa 4 E4.
Tel *(212) 941-9337.*

Origins
175 5th Ave at 23rd St.
Mapa 8 F4.
Tel *(212) 677-9100.*

Sephora
555 Broadway.
Mapa 4 E3.
Tel *(212) 625-1309.*
Mais sete filiais.

Shiseido Studio
155 Spring St.
Mapa 4 E4.
Tel *(212) 625-8821.*

Shu Uemura
121 Greene St near Prince St.
Mapa 4 E3.
Tel *(212) 979-5500.*

MANICURES E PEDICURES

Barney's New York
660 Madison Ave.
Mapa 13 A3.
Tel *(212) 826-8900.*

Bloomingdale's
1000 3rd Ave.
Mapa 13 B3.
Tel *(212) 705-2000.*

Bloomingdale's SoHo
504 Broadway.
Mapa 4 E4.
Tel *(212) 729-5900.*

Dashing Diva Nail Spa & Boutique
41 E 8th St.
Mapa 4 E2.
Tel *(212) 673-9000.*

Eve
400 Bleecker St.
Mapa 3 C2.
Tel *(212) 807-8054.*

Lush Essential Hand & Foot Spa
98 Thompson St.
Mapa 4 D4.
Tel *(212) 625-1839.*

Lord & Taylor
424 5th Ave. **Mapa** 8 F1.
Tel *(212) 391-3344.*

Macy's
151 W 34th St.
Mapa 8 E2.
Tel *(212) 695-4400.*

Saks Fifth Avenue
611 5th Ave. **Mapa** 12 F4.
Tel *(212) 753-4000.*

Sweet Lily Natural Nail Spa & Boutique
222 W Broadway, entre N Moore & Franklin sts.
Mapa 4 E5.
Tel *(212) 925-5441.*

CABELEIREIROS

Antonio Prieto
25 19th St, between 5th & 6th Ave. **Mapa** 8 F5.
Tel *(212) 255-3741.*

Arrojo Studio
180 Varick St.
Mapa 4 D3.
Tel *(212) 242-7786.*

Aveda Institute
233 Spring.
Mapa 4 D4.
Tel *(212) 691-2332.*

La Boite a Coupe
18 W 55th St.
Mapa 12 F4.
Tel *(212) 246-2097.*

Bumble & Bumble
415 13th St near 9th Ave.
Mapa 3 B1.
Tel *(212) 521-6500.*

Frederic Fekkai Beaute de Provence
15 E 57th St.
Mapa 12 F3.
Tel *(212) 753-9500.*

Oscar Blandi
768 5th Ave at 57th St.
Mapa 12 F3.
Tel *(212) 593-7930.*

Le Salon Chinois
44 W 55th St, 4th Floor. entre 5th & 6th aves.
Mapa 12 F4.
Tel *(212) 956-1200.*

Rumor Salon
15 E 12th St, 2nd Floor.
Mapa 4 E1.
Tel *(212) 414-0195.*

Toni & Guy
673 Madison Ave, Suite 2 at 61st St.
Mapa 13 A3.
Tel *(212) 702-9771.*

TwoDo Salon
210 W 82nd St, entre Broadway e Amsterdam. **Mapa** 15 C4.
Tel *(212) 787-1277.*

Vidal Sassoon
90 5th Ave, Suite 90. entre 14th e 15th sts.
Mapa 8 F5.
Tel *(212) 229-2200.*

Younghee Salon
64 N Moore St.
Mapa 4 D5.
Tel *(212) 334-3770.*

Livros e Música

Como Nova York é a capital editorial dos EUA, não surpreende que tenha as melhores livrarias do país. Seu estilo varia: há desde enormes lojas lotadas de obras de interesse geral a centenas de livrarias especializadas em temas específicos, novos e antigos.

Os amantes da música também encontram sons para todos os gostos e preços, inclusive gravações raras.

LIVRARIAS DE INTERESSE GERAL

O máximo entre as livrarias nova-iorquinas é a **Barnes & Noble**, situada na 5th Avenue. É considerada a maior livraria do mundo e tem mais de 3 milhões de obras sobre todos os temas imagináveis. Do outro lado da rua há anexos, e a livraria também tem filiais.

A sede da famosa **Strand Book** Store de Nova York fica a poucos quarteirões, com nada menos de 2 milhões de cópias de livros novos e usados, além de uma grande sala de livros raros em primeira edição.

A **Gryphon Bookshop**, tão completa quanto sua correspondente em disco, tem um abrangente estoque de livros usados e LPs country. A **12th Street Books** tem uma boa seleção de livros novos e usados e livros de arte. A **Borders Books & Music** oferecem opções de CDs e livros de todos os gêneros. A **Rizzoli** exibe uma enorme seleção de livros de fotografia, música, artes e línguas estrangeiras, além de livros infantis e vídeos. **A Gotham Book Mart**, uma instituição da cidade, é uma livraria minúscula onde se encontram centenas de livros esgotados e edições limitadas. A **Coliseum**, a maior livraria indepentente de Nova York, reabriu recentemente. A **Shakespeare & Co**. oferece imensa variedade de títulos e fica aberta até tarde.

LIVRARIAS ESPECIALIZADAS

Para encontrar a melhor seleção de livros de arte da cidade, visite a **Hacker-Strand Art Books**. A **Urban Center Books** tem títulos sobre planejamento urbano e conservação. A maior coleção de livros e publicações sobre teatro está na **Drama Book Shop**. Na **J Levine Judaica** você encontra livros e música. Livros raros, encadernações de couro e peças de antiquário são a razão de ser da **JN Bartfield Books**. A **Biography Bookshop** é a única livraria especializada em diários, cartas, biografias e autobiografias. Os fãs do teatro se encontram na **Applause Theater & Cinema Books.**

Os interessados em ciência, negócios, tecnologia e computadores devem visitar as livrarias **McGraw-Hill**.

Livros de suspense e policiais são a especialidade de três livrarias: **Murder Ink** e **Mysterious Bookshop**.

A **Forbidden Planet** vende livros e gibis novos e antigos de ficção científica. A **Village Comics** tem milhares de gibis novos e velhos.

A **Bank Street Book Store** tem uma das melhores ofertas de livros novos para crianças. Visite a **Books of Wonder** para livros infantis e infanto-juvenis raros.

A **Travelers' Choice** é especializada em guias, vídeos e acessórios de viagem. A **The Complete Traveler** também tem ampla seleção de livros novos e antigos e guias de viagem sobre quase todos os lugares. A equipe da loja tem muito conhecimento e é mais do que prestativa.

Os interessados em uma excelente seleção de mapas devem visitar a **Hagstrom Map & Travel Store**. Livros de receitas constam do cardápio da **Kitchen Arts & Letters**, que tem edições esgotadas e livros originais. Os mais radicais devem ir à **Revolution Books** ou à **St Mark's Bookshop**; esta também tem uma boa seleção de literatura e livros de arte.

A **Oscar Wilde Memorial Bookshop** tem muitos textos sobre gays e lésbicas.

DISCOS, FITAS E CDS

A melhor loja de discos de Manhattan é a **Tower Records**, que tem tudo, do bebop ao rap. Logo atrás vem a **HMV** e a **Virgin**. A **J&R Music World** é uma das melhores seleções de CDs.

Quem procura discos antigos deve ir à **Gryphon Records.** Essa loja é uma arca do tesouro para colecionadores, com excelentes gravações de música erudita, jazz e ópera. A **Footlight Records** é para os fãs dos musicais da Broadway e trilhas sonoras de filmes e a **House of Oldies** tem um bom estoque de discos raros e esgotados. A loja **Bleecker Bob's Golden Oldies** tem discos importados, de rock e punk a raridades do jazz.

A **Midnight Records** é um bom lugar para comprar discos e CDs importados, relançamentos, garage rock americano e som psicodélico.

Uma das mais antigas lojas de discos em Nova York é a **Vinylmania** –parada obrigatória para quem se interessa por música deephouse em vinil ou house em CD. Os verdadeiros entusiastas da música devem se dirigir à **Other Music**, onde encontram de eletrônica hot a free jazz dos anos 1970, entre outras pérolas escondidas. A **Disc-O-Rama** tem alguns do CDs mais baratos da região

PARTITURAS

Uma das melhores lojas de partituras de música erudita fica logo atrás do Carnegie Hall –é a **Joseph Patelson Music House Ltd**. A **Frank Music** Company também tem enorme e diversificada seleção de composições eruditas. A **Charles Collins Publications** é especializada em partituras de jazz. Para partitura de música pop, o endereçoé no **Colony Record and Music Center**, no Brill Building, na Broadway.

AGENDA

LIVROS DE INTERESSE GERAL

Barnes & Noble
105 5th Ave. **Mapa** 8 F5.
Tel *(212) 807-0099.*
Uma de várias filiais.

Borders Books & Music
461 Park Ave.
Mapa 17 A3.
Tel *(212) 980-6785.*
Uma de várias filiais .

Coliseum Books
11 W 42nd St.
Mapa 8 F1.
Tel *(212) 803-5892.*

Gotham Book Mart
16 E 46th St.
Mapa 12 F5.
Tel *(212) 719-4448.*

Gryphon Bookshop
2246 Broadway.
Mapa 15 C4.
Tel *(212) 362-0706.*

Rizzoli
31 W 57th St.
Mapa 12 F3.
Tel *(212) 759-2424.*

Shakespeare & Co
716 Broadway.
Mapa 4 E2.
Tel *(212) 529-1330.*
Uma de várias filiais.

Strand Book Store
828 Broadway.
Mapa 4 E1.
Tel *(212) 473-1452.*

12th Street Books
11 East 12th St.
Mapa 4 F1.
Tel *(212) 645-4340.*

LIVRARIAS ESPECIALIZADAS

Applause Theater & Cinema Books
211 W 71st St.
Mapa 11 C1.
Tel *(212) 496-7511.*

Drama Book Store
250 W 40th St.
Mapa 8 E1.
Tel *(212) 944-0595.*

Bank Street Book Store
610 W 112th St.
Mapa 21 A4.
Tel *(212) 678-1654.*

Biography Bookshop
400 Bleecker St.
Mapa 3 C2.
Tel *(212) 807-8655.*

Books of Wonder
16 W 18th St.
Mapa 8 E5.
Tel *(212) 989-3270.*

The Complete Traveler
199 Madison Ave.
Mapa 9 A2.
Tel *(212) 685-9007*

Forbidden Planet
840 Broadway.
Mapa 4 E1.
Tel *(212) 473-1576.*

Hacker-Strand Art Books
45 W 57th St.
Mapa 12 F3.
Tel *(212) 688-7600.*

Hagstrom Map & Travel Store
57 W 43rd St.
Mapa 8 F1.
Tel *(212) 398-1222.*
Uma de duas filiais.

J. Levine Judaica
5 W 30th St.
Mapa 8 F3.
Tel *(212) 695-6888.*

JN Bartfield Books
30 W 57th St.
Mapa 12 F3.
Tel *(212) 245-8890.*

Kitchen Arts & Letters
1435 Lexington Ave.
Mapa 17 A2.
Tel *(212) 876-5550.*

McGraw-Hill Bookstore
1221 6th Ave.
Mapa 12 E4.
Tel *(212) 512-4100.*

Murder Ink
2486 Broadway.
Mapa 15 C2.
Tel *(212) 362-8905.*

Mysterious Bookshop
129 W 56th St.
Mapa 12 E3.
Tel *(212) 765-0900.*

Oscar Wilde Memorial Bookshop
15 Christopher St.
Mapa 3 C2.
Tel *(212) 255-8097.*

Revolution Books
9 W 19th St.
Mapa 7 C5.
Tel *(212) 691-3345.*

St. Mark's Bookshop
31 3rd Ave.
Mapa 5 A2.
Tel *(212) 260-7853.*

Travelers' Choice
2 Wooster St.
Mapa 4 E4.
Tel *(212) 941-1535.*

Urban Center Books
457 Madison Ave.
Mapa 13 A4.
Tel *(212) 935-3592.*

Village Comics
214 Sullivan St.
Mapa 4 D2.
Tel *(212) 777-2770.*

DISCOS, FITAS E CDS

Bleecker Bob's Golden Oldies
118 W 3rd St.
Mapa 4 D2.
Tel *(212) 475-9677.*

Disc-O-Rama
186 W 4th St.
Mapa 4 D2.
Tel *(212) 206 8417.*

Footlight Records
113 E 12th St.
Mapa 4 F1.
Tel *(212) 533-1572.*

Gryphon Records
233 W 72nd St.
Mapa 11 D1.
Tel *(212) 874-1588.*

House of Oldies
35 Carmine St.
Mapa 4 D3.
Tel *(212) 243-0500.*

J&R Music World
31 Park Row.
Mapa 1 C2.
Tel *(212) 238-9100.*

Midnight Records
263 W 23rd St.
Mapa 8 D4.
Tel *(212) 675-2768.*

Other Music
15 E 4th St.
Mapa 4 F2.
Tel *(212) 477-8150.*

Tower Records
1961 Broadway.
Mapa 11 C1.
Tel *(212) 799-2500.*
Uma de três filiais.

Vinylmania
60 Carmine St.
Mapa 4 D3.
Tel *(212) 924-7223.*

Virgin Megastore
45th & Broadway.
Mapa 12 E5.
Tel *(212) 921-1020.*
Uma de várias filiais.

PARTITURAS

Charles Colin Publications
315 W 53rd St.
Mapa 12 D4.
Tel *(212) 581-1480.*

Colony Record and Music Center
1619 Broadway.
Mapa 12 E4.
Tel *(212) 265-2050.*

Frank Music Company
244 W 54th St.
Mapa 12 D4.
Tel *(212) 582-1999.*

Joseph Patelson Music House Ltd.
160 W 56th St.
Mapa 12 E4.
Tel *(212) 757-5587.*

Arte e Antiguidades

Qualquer pessoa que aprecie as artes pode passar muitas horas conhecendo e passeando pelas várias centenas de galerias de Nova York. Os apreciadores de antiguidades podem deleitar-se com as pechinchas nos vários mercados de pulgas e também com as belas peças européias e americanas expostas nos vários e bons centros especializados. Fãs de peças relacionadas aos Estados Unidos e seu povo também encontram muita coisa para comprar. Consulte o *Art Now Gallery Guide*, um guia mensal gratuito disponível na maioria das galerias e livrarias, ou os jornais da cidade.

GALERIAS DE ARTE

Um dos maiores nomes entre as galerias do SoHo é **Leo Castelli**, defensor ardoroso da pop art no início dos anos 1960 e que hoje destaca artistas novos. A **Mary Boone Gallery** firmou o nome de artistas neo-expressionistas como Julian Schnabel. Na **Pace Gallery** estão expostas grandes obras contemporâneas, a maioria de pintores-fotógrafos, e a moderna galeria **Gorney, Bravin & Lee** trabalha com arte e escultura contemporâneas. A **Postmaster** é um tesouro de obras experimentais. A **Marian Goodman Gallery** expõe obras da vanguarda européia.

Chelsea é um bom centro de galerias. Vale a pena visitar a **Mathew Marks Gallery** e a **Marienne Boesky Gallery**. **Paula Cooper** freqüentemente tem apresentações controversas em seu lindo espaço.

A **Gagosian Gallery** exibe pinturas de mestres modernos, como Lichtenstein e Johns. Ela tem também uma extensão em Upper East Side, onde você pode encontrar a **Knoedler & Company** e a **Hirschl & Adler Galleries**, com uma boa seleção de obras européias e americanas.

ARTE FOLCLÓRICA AMERICANA

Quem gosta de arte folclórica dos EUA deve ir à **Susan Parrish Antiques** e **Kelter-Malcé** para ver *hooked rugs* (tapetes feitos à mão com um gancho) e outros artigos típicos, que também são encontrados na **Laura Fisher**, no Manhattan Art & Antiques Center, que vende de *decoys* (patos artificiais usados para atrair caça) a *hooked rugs*.

ANTIGUIDADES

Nova York tem centenas de pequenas lojas vendendo desde dente de tigre entalhado a quadros de milhões de dólares, mas também abriga complexos como **The Manhattan Art & Antiques Center**, com vários revendedores sob o mesmo teto. O **Chelsea Antiques Building** abriga em 12 andares mais de cem galerias de antiguidades. Entre os artigos, *memorabilia* de Hollywood e itens pessoais raros de astros como Greta Garbo e Humphrey Bogart. A **Irving Barber Shop Antiques** oferece artigos de segunda mão a preços muito bons.

MOBÍLIA AMERICANA

Para encontrar mobília dos séculos 17, 18 e 19, vá ao **Bernard & S Dean Levy**, **Leigh Keno American Furniture**. A **Judith & James Milne** vende mobília country antiga e uma belíssima coleção de quilts. A **Woodard & Greenstein American Antiques & Quilts** oferece uma seleção fantástica de peças *Shaker* e **Gallery 532** tem móveis *Stickley*.

Os colecionadores de móveis Art Déco e Art Nouveau devem visitar a **Alan Moss**. A **Macklowe Gallery** vende fina mobília Art Nouveau. **Lillian Nassau** tem abajures Tiffany e muitas peças Art Déco e Art Nouveau. Lojas retrô, como a **Depression Modern** e a **Mood Indigo**, vendem tesouros dos anos 1930 e 40.

ANTIGUIDADES INTERNACIONAIS

Para antiguidades inglesas, vá à **Florian Papp** ou **Kentshire Galleries**. Há peças européias na **Betty Jane Bart Antiques**, **Kurt Gluckselig Antiques**, **The Little Antique Shop**, **Linda Horn Antiques**, e **Les Pierres**. **La Belle Epoque** tem pôsteres antigos. Entre as lojas de antiguidades orientais estão **Doris Leslie Blau**, **E & J Frankel** e **Flying Cranes Antiques**.

MERCADOS DE PULGAS

Nova York tem vários mercados abertos todo o fim de semana. A maioria abre oficialmente entre 9h e 10h. E se você chegar cedo poderá desenterrar muitas peças da genuína cultura americana, como uma lancheira da boneca Barbie ou uma gravação do apresentador de TV Soupy Sales.

Vá ao **Annex Antiques Fair and Flea Market** e encontre tudo, de roupas de segunda mão a móveis antigos. O **Canal Street Flea Market** tem bugigangas de vários tipos. No **Columbus Avenue Flea Market** há roupas e móveis novos e usados. Datas e horários desses mercados saem às sextas-feiras, no jornal *The New York Times*.

CASAS DE LEILÃO

As duas casas de leilão mais famosas de Manhattan são **Christie's** e **Sotheby's**, que vendem peças colecionáveis abrangendo de moedas, jóias e vinhos antigos a obras de arte. A **Doyle New York** e a **Phillips de Pury & Co** também são nomes respeitados quando se trata de arte, jóias e antiguidades finas. Os itens que serão vendidos ficam expostos alguns dias antes do leilão –veja no *The New York Times*. A respeitável **Swann Galleries** leiloa impressos, pôsteres, livros raros, autógrafos e fotografias.

AGENDA

GALERIAS DE ARTE

Gagosian Gallery
555 W 24th St.
Mapa 7 C4.
Tel *(212) 741-1111.*
Uma de duas galerias.

Gorney, Bravin & Lee
534 W 26 St.
Mapa 7 C4.
Tel *(212) 352-8372.*

Hirschl & Adler Galleries
21 E 70th St.
Mapa 12 F1.
Tel *(212) 535-8810.*

Knoedler & Company
19 E 70th St.
Mapa 13 A1.
Tel *(212) 794-0550.*

Leo Castelli
18 E 77th St.
Mapa 17 A5.
Tel *(212) 249-4470.*

Marian Goodman Gallery
24 W 57th St.
Mapa 12 F3.
Tel *(212) 977-7160.*

Marianne Boesky Gallery
535 W 22nd St.
Mapa 7 C4.
Tel *(212) 680-9889.*

Mary Boone Gallery
745 5th Ave.
Mapa 12 F3.
Tel *(212) 752-2929.*
Uma de duas galerias.

Mathew Marks Gallery
523 W 24th St.
Mapa 7 C4.
Tel *(212) 243-0200.*

Pace Wildenstein Gallery
534 W 25th St.
Mapa 7 C4.
Tel *(212) 929-7000.*
Uma de duas galerias.

Paula Cooper
534 W 21st St.
Mapa 7 C4.
Tel *(212) 255-1105.*

Postmasters
459 W 19th St.
Mapa 7 C5.
Tel *(212) 727-3323.*

ARTE FOLCLÓRICA AMERICANA

Laura Fisher Quilts
Manhattan Art & Antiques Center, 1050 2nd Ave.
Mapa 13 B4.
Tel *(212) 838-2596.*

Susan Parrish Antiques
390 Bleecker St.
Mapa 3 C2.
Tel *(212) 645-5020*

CENTROS DE ANTIGUIDADES

Chelsea Antiques Building
110 W 25th St.
Mapa 8 F4.
Tel *(212) 929-0909.*

Irving Barber Shop Antiques
210 E 21st St.
Mapa 9 A4.

The Manhattan Arts & Antiques Center
1050 2nd Ave.
Mapa 13 A3.
Tel *(212) 355-4400.*

MOBÍLIA AMERICANA

Alan Moss
436 Lafayette St.
Mapa 4 F2.
Tel *(212) 473-1310.*

Bernard & S. Dean Levy
24 E 84th St.
Mapa 16 F4.
Tel *(212) 628-7088.*

Depression Modern
150 Sullivan St.
Mapa 4 D3.
Tel *(212) 982-5699.*

Gallery 532
142 Duane St.
Mapa 1 B1.
Tel *(212) 964-1282.*

Judith & James Milne
506 E 74th St.
Mapa 17 C5.
Tel *(212) 472-0107.*
Uma de duas filiais.

Leigh Keno American Furniture
127 E 69th St.
Mapa 17 A5.
Tel *(212) 734-2381.*

Lillian Nassau
220 E 57th St.
Mapa 13 B3.
Tel *(212) 759-6062.*

Macklowe Gallery
667 Madison Ave.
Mapa 13 A3.
Tel *(212) 644-6400.*

Mood Indigo
181 Prince St. **Mapa** 4 E3.
Tel *(212) 254-1176.*

Woodard & Greenstein American Antiques
506 E 74th St.
Mapa 17 A5.
Tel *(212) 988-2906.*

ANTIGUIDADES INTERNACIONAIS

La Belle Epoque
280 Columbus Ave.
Mapa 12 D1.
Tel *(212) 362-1770.*

Betty Jane Bart Antiques
1225 Madison Ave.
Mapa 17 A3.
Tel *(212) 410-2702.*

Doris Leslie Blau
724 5th Ave. **Mapa** 12 F3.
Tel *(212) 586-5511.*
Apenas com hora marcada.

E. & J. Frankel
1040 Madison Ave.
Mapa 17 A5.
Tel *(212) 879-5733.*

Florian Papp
962 Madison Ave.
Mapa 17 A5.
Tel *(212) 288-6770.*

Flying Cranes Antiques
1050 2nd Ave.
Mapa 13 B4.
Tel *(212) 223-4600.*

Kentshire Galleries
37 E 12th St. **Mapa** 4 E1.
Tel *(212) 673-6644.*

Kurt Gluckselig Antiques
200 E 58th St. **Mapa** 13 B3.
Tel *(212) 758-1805.*

Linda Horn Antiques
1015 Madison Ave.
Mapa 17 A5.
Tel *(212) 772-1122.*

The Little Antique Shop
44 E 11th St.
Mapa 4 E1.
Tel *(212) 673-5173.*

Les Pierres
369 Bleecker St.
Mapa 3 C2.
Tel *(212) 243-7740.*

MERCADOS DE PULGAS

Annex Antiques Fair and Flea Market
26th St at 6th Ave, 112 W 25th St (Annex).
Mapa 8 E4.
Tel *(212) 243-5343.*
Abre sáb e dom.

Canal Street Flea Market
335 Canal St. **Mapa** 4 E5.
Abre todo fim de semana mar-dez.

Columbus Avenue Flea Market
Columbus Ave, between 76th and 77th St.
Mapa 16 D5.
Tel *(212) 877-7371.*
Abre dom.

CASAS DE LEILÃO

Christie's
20 Rockefeller Plaza.
Mapa 12 F5.
Tel *(212) 636-2000.*

Doyle New York
175 E 87th St.
Mapa 17 A3.
Tel *(212) 427-2730.*

Phillips de Pury & Co.
450 W 15th St.
Mapa 7 C5.
Tel *(212) 940-1200.*

Sotheby's
1334 York Ave.
Mapa 13 C1.
Tel *(212) 606-7000.*

Swann Galleries
104 E 25th St.
Mapa 9 A4.
Tel *(212) 254-4710.*

Lojas de Gourmet e Especialidades

A notável diversidade cultural e étnica de Nova york se reflete na comida, e por isso as lojas de alimentos oferecem um verdadeiro festival internacional. Também impressiona a abundante oferta de casas especializadas em itens como cafés e vinhos, para todos os gostos.

LOJAS DE GOURMET

Algumas das sofisticadas lojas de produtos alimentícios espalhadas pela cidade podem ser consideradas atrações turísticas. Outro "passeio" para os olhos e o paladar são as seções de alimentos das lojas de departamento, algumas do nível das casas especializadas.

Na Broadway, a **Dean & DeLuca**, um delicatessen chique, a comida recebe o tratamento de arte, inclusive os pratos preparados para viagem. A **Russ & Daughters**, na Houston Street, uma das lojas de gourmet mais antigas da cidade, atrai quem está em busca de ingredientes étnicos, e é bastante famosa por itens como peixe defumado, chocolates, *cream cheese e bagel*. Situada na Broome Street, a **Gourmet Garage** com ampla variedade de produtos frescos, destaca-se pelos itens orgânicos. Já na **Zabar's**, na Broadway, talvez a melhor loja de alimentos do mundo, os clientes disputam iguarias como salmão defumado, café, bagels, caviar e frutas secas.

A **William Poll**, na Lexington Avenue, oferece variedade de pratos prontos. Para escolher entre estantes repletas de *pâté de foie gras*, salmão defumado da Escócia e caviar a melhor opção é a **Caviarteria**.

A incrível variedade de produtos naturais e orgânicos e alimentos integrais faz a fama da **Whole Foods**. A filial inaugurada em Columbus Circle é hoje a maior loja de alimentos de Manhattan, com prateleiras lotadas de produtos livres de aditivos. A **Fairway Market**, na Broadway, existe há 55 anos e vende artigos seletos, que variam de alimentos frescos a peixes defumados.

ESPECIALIDADES

Em Nova York não faltam docerias e padarias de dar água na boca, mas uma das melhores é a famosa **Poseidon Greek Bakery**. A **H & H Bagels** assa cerca de 60 mil (ótimas) *bagels* por dia, enquanto a Vesuvio garante a satisfação dos apreciadores de pão italiano. Os doces chineses são o destaque da **Fung Wong** e para comprar *pretzels*, *croissants* e ótimas tortas vale visitar a **City Bakery**. A fila de clientes denuncia a excelência da **Magnolia Bakery**, famosa pelos doces de decoração especial.

Os apreciadores de doces artesanais não podem deixar de provar os chocolates da **Li-Lac** e da **Mondel Chocolates**. Na **Economy Candy** é grande a oferta de frutas secas, mas a maravilha dos chocólatras é a **Teuscher Chocolates**, que vende trufas de champanha importadas da Suíça.

A **Myers of Keswick** importa produtos ingleses, mas quem prefere artigos mais exóticos deve procurar entre os muitos doces chineses e tailandeses à venda na **Kam Man Market**. O **Italian Food Center** é o melhor lugar para comprar massas e azeites de oliva. Já se a lista de compras inclui carnes e peixes basta ir ao **Jefferson Market**, e a **Citarella** no caso dos frutos-do-mar. Os temperos ficam por conta da **Angelica's Herbs & Spices**, com mais de 2 mil itens.

Apaixonados por queijos, azeitonas e frios vão adorar os balcões da **Murray's Cheese Shop**. Para muitos jornais essa é a melhor loja de queijos de Nova York, com mais de 250 tipos importados de todo o mundo. Os clientes podem provar os itens e contar com a prestativa orientação dos profissionais da casa. Esse verdadeiro piquenique fica ainda melhor com os pães e azeitonas vendidos aqui.

Europeus que visitam ou moram em Nova York matam a saudade de casa na loja **The Pickle Guys** que, além de conservas, vende pimentas, azeitonas, *sauerkraut*, sardinhas e tomates secos.

CAFÉS

Nova York também abriga diversas lojas especializadas em cafés, todas com uma seleção de dar água na boca. As mais prestigiadas são **Oren's Daily Roast, The Sensuous Bean** e **Porto Rico Importing Company**. A agradável **McNulty's Tea & Coffee Company**, uma das lojas especializadas em café mais antigas, também vende variedades excelentes de chás. Para comprar frutas e verduras a preços razoáveis, vá a uma feira de produtores (convém chegar bem cedo). As mais disputadas são as de **Upper West Side, St. Mark's in-the-Bowery**, e **Union** Square. Mais informações podem ser obtidas pelo telefone (212) 788-7476.

VINHOS

Desde 1820, a **Acker, Merrall & Condit** vende vinhos (e oferece uma ótima variedade). Para escolher bons vinhos e champanhes a preços reduzidos vá à **Garnet Liquors**, mas se o objetivo for comprar uísques a **SoHo Wines and Spirits** é a melhor alternativa. A **Sherry-Lehmann** tem fama de ser a principal loja de vinhos de Nova York, mas a **Astor Wines & Spirits**,, dona das maiores instalações da cidade, destaca-se pela ampla variedade de bebidas de alta qualidade. Todas as semanas, a loja anuncia um ranking com as dez melhores escolhas a menos de US$ 10, boa oportunidade para levar ótimos rótulos a preços amigáveis. A **Union Square Wines and Spirits**, dona de uma variedade de vinhos chega a impressionar, faz degustações semanais.

AGENDA

LOJAS DE GOURMET

Caviarteria
502 Park Ave.
Mapa 13 A3.
Tel *(212) 759-7410.*

Dean & DeLuca
560 Broadway.
Mapa 4 E3.
Tel *(212) 226-6800.*
Tem várias filiais.

Fairway Market
2127 Broadway.
Mapa 15 C5.
Tel *(212) 595-1888.*

Gourmet Garage
453 Broome St.
Mapa 4 E4.
Tel *(212) 941-5850.*
Tem várias filiais.

Russ & Daughters
179 E Houston St.
Mapa 5 A3.
Tel *(212) 475-4880.*

Whole Foods
10 Columbus Circle.
Mapa 12 D3.
Tel *(212) 823-9600.*
Tem várias filiais.

William Poll
1051 Lexington Ave.
Mapa 17 A5.
Tel *(212) 288-0501.*

Zabar's
2245 Broadway.
Mapa 15 C4.
Tel *(212) 787-2000.*

ESPECIALIDADES

Angelica's Herbs & Spices
147 1st Ave.
Mapa 5 A1.
Tel *(212) 677-1549.*

Citarella
2135 Broadway.
Mapa 15 C5.
Tel *(212) 874-0383.*

City Bakery
3 W 18th St.
Mapa 8 F5.
Tel *(212) 366-1414.*

Economy Candy
108 Rivington St.
Mapa 5 A3.
Tel *(212) 254-1531.*

Fung Wong
41 Mott St.
Mapa 4 F3.
Tel *(212) 267-4037.*

H & H Bagels
2239 Broadway.
Mapa 15 C4.
Tel *(212) 595-8003.*
Tem duas filiais.

Italian Food Center
186 Grand St.
Mapa 15 C4.
Tel *(212) 925-2954.*

Jefferson Market
450 Ave of the Americas.
Mapa 12 E5.
Tel *(212) 533-3377.*

Kam Man Market
200 Canal St.
Mapa 4 F5.
Tel *(212) 571-0330.*

Li-Lac
120 Christopher St.
Mapa 3 C2.
Tel *(212) 242-7374.*

Magnolia Bakery
401 Bleecker St.
Mapa 3 C2.
Tel *(212) 462-2572.*

Mondel Chocolates
2913 Broadway.
Mapa 20 E3.
Tel *(212) 864-2111.*

Murray's Cheese Shop
257 Bleecker St.
Mapa 4 D2.
Tel *(212) 243-3289.*
Tem várias filiais.

Myers of Keswick
634 Hudson St.
Mapa 3 C2.
Tel *(212) 691-4194.*

The Pickle Guys
49 Essex St.
Mapa 5 B4.
Tel *(212) 656-9739.*

Poseidon Greek Bakery
629 9th Ave.
Mapa 12 D5.
Tel *(212) 757-6173.*

Teuscher Chocolates
25 E 61st St.
Mapa 12 F3.
Tel *(212) 751-8482.*

620 5th Ave.
Mapa 12 F4.
Tel *(212) 246-4416.*

Vesuvio Bakery
160 Prince St.
Mapa 4 E3.
Tel *(212) 925-8248.*

CAFÉS

McNulty's Tea & Coffee Company
109 Christopher St.
Mapa 3 C2.
Tel *(212) 242-5351.*

Oren's Daily Roast
1144 Lexington Ave.
Mapa 17 A4.
Tel *(212) 472-6830.*
Tem várias filiais.

Porto Rico Importing Company
201 Bleecker St.
Mapa 3 C2.
Tel *(212) 477-5421.*
Tem várias filiais.

St. Mark's in-the-Bowery Greenmarket
E 10th St at 2nd Ave.
Mapa 4 F1.
Terças-feiras.

The Sensuous Bean
66 W 70th St.
Mapa 12 D1.
Tel *1-800-238-6845.*

Union Square Greenmarket
E 17th St & Broadway.
Mapa 8 F5.
Seg, qua, sex e sábados.

Upper West Side Greenmarket
Columbus Ave
at 77th St.
Mapa 16 D5.
Domingos.

VINHOS

Acker, Merrall & Condit
160 W 72nd St.
Mapa 11 C1.
Tel *(212) 787-1700.*

Astor Wines & Spirits
12 Astor Place.
Mapa 4 F2.
Tel *(212) 674-7500.*

Garnet Liquors
929 Lexington Ave.
Mapa 13 A1.
Tel *(212) 772-3211.*

SoHo Wines and Spirits
461 W Broadway.
Mapa 4 E4.
Tel *(212) 777-4332.*

Sherry-Lehmann
679 Madison Ave.
Mapa 13 A3.
Tel *(212) 838-7500.*

Union Square Wines and Spirits
33 Union Square West.
Mapa 9 A5.
Tel *(212) 675-8100.*

Eletrônicos e Artigos Domésticos

De televisores de tela plana e aparelhos de som de última geração a móveis assinados por designers, em Nova York é imensa a quantidade de lojas de eletrônicos e de artigos para o lar. Talvez os estabelecimentos que enfrentam concorrência mais acirrada sejam os que vendem eletrônicos, e por isso vale a pena comparar preços. É preciso tomar cuidado com as lojas instaladas nas ruas mais visitadas por turistas ou nas proximidades das atrações, como a 5th Avenue, na região do Empire State Building: muitas vendem artigos de baixa qualidade ou falsificações, e o comprador não consegue reaver o dinheiro depois de voltar para casa. Antes de comprar, verifique se a voltagem dos aparelhos e suas tomadas são compatíveis com o padrão brasileiro.

EQUIPAMENTOS ELETRÔNICOS

Quem quer comprar equipamentos de som de última geração deve visitar a **Sound by Singer**. Já a **J&R Music World** oferece itens a preços razoáveis, além da melhor seleção de CDs de jazz da cidade. A rede de origem dinamarquesa **Bang & Olufsen** impressiona com sua variedade de aparelhos de som de design minimalista.

Na **Harvey Electronics**, os destaques são os aparelhos eletrônicos mais modernos e a equipe pronta para orientar a clientela. Aberta em 1959, a **Lyric Hi-Fi** tem público cativo, assim como a **Sony Style**, dona de respeitável estoque de artigos e acessórios eletrônicos. A cadeia de megalojas **Best Buy** oferece algumas ofertas excelentes de sistemas de som estéreo e equipamentos para o lazer doméstico, mas se o objeto de desejo for um componente ou equipamento de ponta, vale visitar a **Innovative Audio Video Showrooms**.

Os interessados em checar preços e condições de itens usados (e novos também) devem incursionar pela simpática **Stereo Exchange**.

FOTOGRAFIA

Na **B & H Photo**, fotógrafos amadores e profissionais encontram tudo de que precisam. As ofertas de acessórios da **Willoughby's** são imperdíveis. Na Broadway, a **Olden Camera** foge das novidades digitais: seu foco são os equipamentos fotográficos antigos. A **Foto Care**, em Chelsea, destaca-se pela variedade de câmeras e afins, enquanto a **Alkit Pro Camera**, além da oferta de câmeras e equipamentos de luz, oferece com revelação de filmes e locação.

Na região do Flatiron Building, vale pesquisar as ofertas de câmeras digitais e acessórios (bem como o bom preço para a revelação de filmes e as ampliações). Quem realmente gosta de fotografia não pode deixar de conhecer a elegante **The Photo Village**.

COMPUTADORES

A imensa e arejada loja da **Apple** no Soho, situada na Prince Street, é, sem dúvida nenhuma, a meca dos fãs dos computadores Macintosh em Manhattan. Os "macmaníacos" costumam invadir a loja para testar os lançamentos da empresa e para participar de eventos destinados tanto a iniciantes quanto a especialistas nas engenhocas da marca da maçã.

A **CompUSA** tem de amplas opções em computadores, de laptops a desktops. Quem trouxe seu computador de casa para consertá-lo em Nova York deve procurar os serviços da **Amnet PC Solutions**, uma vez que os "magos" da loja, em geral, têm soluções para qualquer tipo de problema. A **Tekserve** segue linha semelhante de trabalho, mas é especializada no universo Mac: além de fazer consertos, incrementa e/ou atualiza equipamentos defasados.

COZINHA

A oferta de itens para o lar é ampla e variada na maioria das lojas de departamentos de Nova York. Quem quer algo mais específico, pode tentar a **Broadway Panhandlers**, na Broome Street, um paraíso para os cozinheiros (com destaque para as assadeiras e os equipamentos de massa caseira).

Donos de restaurantes batem ponto na **Bridge Kitchenware**, e na **Williams-Sonoma** podem-se encontrar de utensílios para a cozinha a livros de culinária. A região do East Village, sobretudo nos arredores da Bowery Street, concentra lojas que fornecem produtos para restaurantes –os preços podem ser mais convidativos. Quem entra na **Leader Restaurant Equipment & Supplies** encontra tudo o que combina com cozinha: de jogos de facas a *hashis*.

MÓVEISE DECORAÇÃO

Marcas como **Baccarat**, **Lalique** e **Villeroy & Boch** fazem o fascínio de quem aprecia cristais, porcelanas e prataria, mas a **Orrefors Kosta Boda** e a **Tiffany & Co.** também enchem os olhos, com suas peças de grande sofisticação. Também se pode comprar porcelanas e cristais na **Avventura** e na **Fishs Eddy**, esta ideal para quem procura itens mais utilitários e menos caros. Na **Ceramica**, o destaque é a oferta de cerâmicas italianas artesanais, enquanto na **La Terrine and Stuben Glass** vale pesquisar as peças pintadas à mão.

No SoHo, o ateliê do designer **Jonathan Adler** reúne lindas cerâmicas, com formas naturais e peculiares (vale conferir as coleções inspiradas em imagens humanas ou de animais). Na Broadway, a **ABC Carpet & Home** desfruta de sólida reputação quando o assunto é decoração doméstica. Quem está interessado em preços baixos, porém, deve percorrer as lojas da Grand Street, em Lower East Side.

Móveis elegantes (de sofás de couro a exuberantes camas) não faltam na **Armani Casa**, de Giorgio Armani. Na Franklin Street, em TriBeCa, a **Dune** oferece móveis sofisticados, que levam a assinatura de grandes designers contemporâneos. Para quem tem interesse especial em design, vale a pena pesquisar as novidades criadas por nomes como Philippe Starck e Paola Navone, à venda na **Mat Mercer**, no SoHo.

Apreciadores do visual retrô costumam aprovar os achados na **Restoration Hardware**, na Broadway, que oferece de móveis ao estilo Art Déco a acessórios de bronze.

TÊXTEIS

Roupas de cama comuns podem ser compradas nas lojas de departamentos, mas quem procura lençóis de seda e artigos de luxo tem muitas opções na **Porthault** e na **Pratesi**. A **Italian Frette** vende toalhas volumosas, além de lençóis de puro algodão. Na **Bed, Bath & Beyond** é grande a variedade de roupas de cama, mesa e banho.

AGENDA

EQUIPAMENTOS ELETRÔNICOS

Bang & Olufsen
952 Madison Ave.
Mapa 17 A5.
Tel *(212) 879-6161.*

Best Buy
60 W 23rd St. **Mapa** 8 E4.
Tel *(212) 366-1373.*

Harvey Electronics
2 W 45th St. **Mapa** 12 F5.
Tel *(212) 575-5000.*

Innovative Audio Video Showrooms
150 58th St. **Mapa** 13 A4.
Tel *(212) 634-4444.*

J & R Music World
31 Park Row. **Mapa** 1 C2.
Tel *(212) 238-9100.*

Lyric Hi-Fi
1221 Lexington Ave.
Mapa 17 A4.
Tel *(212) 439-1900.*

Sony Style
550 Madison Ave.
Mapa 13 A4.
Tel *(212) 833-5336.*

Sound by Singer
18 16th St. **Mapa** 8 F5.
Tel *(212) 924-8600.*

Stereo Exchange
627 Broadway.
Mapa 4 E3.
Tel *(212) 505-1111.*

FOTOGRAFIA

Adorama
42 18th St. **Mapa** 8 F5.
Tel *(212) 741-0052.*

Alkit Pro Camera
222 Park Ave S.
Mapa 9 A5.
Tel *(212) 674-1515.*

B & H Photography
420 9th Ave. **Mapa** 8 D2.
Tel *(212) 444-6615.*

Foto Care
136 W 21st St. **Mapa** 8 E4.
Tel *(212) 741-2990.*

Olden Camera
1263 Broadway, 4th floor.
Mapa 8 F3.
Tel *(212) 725-1234.*

The Photo Village
1133 Broadway, Suite 824.
Mapa 8 F4.
Tel *(212) 989-1252.*

Willoughby's
298 5th Ave.
Mapa 8 F3.
Tel *(800) 378-1898.*

COMPUTADORES

Amnet PC Solutions
229 E 53rd St.
Mapa 13 B4.
Tel *(212) 593-2425.*

Apple Store SoHo
103 Prince St. **Mapa** 4 E3.
Tel *(212) 226-3126.*

CompUSA
420 5th Ave. **Mapa** 8 F1.
Tel *(212) 764-6224.*

Tekserve
119 W 23rd St. **Mapa** 8 E4. ***Tel*** *(212) 929-3645.*

COZINHA

Bridge Kitchenware
214 E 52nd St.
Mapa 13 B4.
Tel *(212) 688-4220.*

Broadway Panhandlers
477 Broome St. **Mapa** 4E4.
Tel *(212) 966-3434.*

Leader Restaurant Equipment & Supplies
191 Bowery. **Mapa** 4 F4.
Tel *(212) 677-1982.*

Williams-Sonoma
10 Columbus Circle.
Mapa 12 D3.
Tel *(212) 823-9750.*
Tem várias filiais.

MÓVEIS E DECORAÇÃO

ABC Carpet & Home
888 Broadway. **Mapa** 8F5.
Tel *(212) 473-3000.*

Armani Casa
97 Greene St. **Mapa** 4 E3.
Tel *(212) 334-1271.*

Avventura
463 Amsterdam Ave.
Mapa 15 C4.
Tel *(212) 769-2510.*

Baccarat
625 Madison Ave.
Mapa 13 A3.
Tel *(212) 862-4100.*

Ceramica
59 Thompson St.
Mapa 4 D4.
Tel *(212) 941-1307.*

Dune
88 Franklin St. **Mapa** 4 E5.
Tel *(212) 925-6171.*

Fishs Eddy
2176 Broadway. **Mapa** 15 C5. ***Tel*** *(212) 873-8819.*
Tem várias filiais.

Grand Street
Lower East Side.
Mapa 4 E5.

Jonathan Adler
47 Greene St. **Mapa** 4 E4.
Tel *(212) 941-8950.*

Lalique
712 Madison Ave.
Mapa 13 A3.
Tel *(212) 355-6550.*

M at Mercer
47 Mercer St. **Mapa** 4 E4.
Tel *(212) 966-2830.*

Orrefors Kosta Boda
200 Lexington Ave.
Mapa 9 A2.
Tel *(212) 725-1095.*

Restoration Hardware
935 Broadway. **Mapa** 8 F4. ***Tel*** *(212) 260-9479.*

Stuben Glass
667 Madison Ave.
Mapa 13 A3.
Tel *(212) 752-1441.*

La Terrine
1024 Lexington Ave.
Mapa 13 A1.
Tel *(212) 988-3366.*

Tiffany & Co.
Ver pág. 329.

Villeroy & Boch
41 Madison Ave.
Mapa 9 A4.
Tel *(212) 988-7011.*

TÊXTEIS

Bed, Bath & Beyond
620 Ave of the Americas.
Mapa 8 F5.
Tel *(212) 255-3550.*

Frette
799 Madison Ave.
Mapa 13 A1.
Tel *(212) 988-5221.*

Porthault
18 E 69th St. **Mapa** 12 F1.
Tel *(212) 688-1660.*

Pratesi
829 Madison Ave.
Mapa 13 A2.
Tel *(212) 288-2315.*

DIVIRTA-SE EM NOVA YORK

Em Nova York, diversão não tem hora –todos os dias, o ano todo. Seja qual for o interesse do visitante, é certo que irá encontrar algo do seu gosto. O desafio está em aproveitar o máximo possível. Quem aprecia teatro pode escolher entre os sucessos da Broadway ou uma montagem experimental; os adeptos da música têm oportunidade tanto de apreciar uma ópera no Met como de assistir a uma boa banda de jazz em um clube do Village. Se o intuito for a dança, as alternativas são espetáculos de vanguarda apresentados em cafés ou uma noite de movimento em um dos muitos clubes. Além disso, não faltam cinemas na cidade. Mas talvez o maior programa seja apenas se maravilhar com o espetáculo que é a palpitante Nova York.

Apresentação do New York City Ballet

INFORMAÇÕES PRÁTICAS

Para saber o que acontece numa das cidades mais movimentadas do mundo, basta checar a programação divulgada nos jornais *New York Times* e *Village Voice*, ou nas revistas *Time Out New York* e *The New Yorker*. Cheque horários, programa e formas de pagamento (pode haver restrição a alguns cartões de crédito). Os hotéis costumam distribuir grátis exemplares da *Where*, revista semanal com mapas e as atrações em cartaz. Em geral, os funcionários do hotel sabem informar ou dispõem de folhetos elaborados para os turistas, e alguns até providenciam ingressos. Em alguns hotéis, um canal de TV informa o que acontece na cidade.

Guichês de ingresso da TKTS

A **NYC & Company** consiste na fonte oficial de informação sobre o que há para fazer e assitir na cidade. Há painéis com informações (e alguns com venda de ingressos) nas principais atrações da cidade. O **NYC On Stage** é um serviço telefônico que orienta sobre os eventos musicais, teatrais e de dança, enquanto o **Broadway Inner Circle** informa a programação e os preços dos espetáculos. Ao acessar o **Moviefone**, o visitante obtém dados sobre todos os filmes em cartaz, enquanto no **ClubFone** as informações são sobre a noite nova-iorquina.

INGRESSOS

Os ingressos mais concorridos podem esgotar semanas antes –é melhor reservar. Exceto aos domingos, as bilheterias abrem todos os dias, das 10h até uma hora antes do início da peça ou show. É possível reservar por telefone e pagar com cartão de crédito. As principais agências de reserva são a **Telecharge**, a **Ticket Central** e a **Ticketmaster**, que cobram uma pequena taxa. Agentes independentes também prestam o serviço: o mais indicado é o **Prestige Entertainment**. As taxas variam de acordo com a demanda. Na **Broadway Ticket Center**, no Times Square Information Center, vendem-se ingressos a preços cheios.

DESCONTOS

É possível comprar ingressos para espetáculos (para o mesmo dia) da Broadway nos guichês da **TKTS**, instituição sem fins lucrativos criada em 1973. Os descontos variam de 25% a 50%, mas o preço inclui taxa de serviço. O pagamento deve ser feito em dinheiro ou em traveller's cheque.

Nos guichês da **TKTS** na Duffy Square há ingressos para sessões matinês das 10h às 14h às quartas-feiras e sábados, e das 11h às 15h aos domingos. Os ingressos para os espetáculos noturnos são oferecidos das 11h até acabar. Os guichês na Front e na John Street vendem ingressos noturnos das 10h às 18h de segunda-feira a sexta-feira, e das 11h às 16h aos sábados. Todos os bilhetes para matinês e apresentações do domingo são vendidos na véspera. O guichê da Times Square tem localização central, o que facilita o acesso. Os ingressos noturnos são vendidos de segunda-feira a sábado das 15h às 20h, e aos domingos das 15h até o encerramento (o horário varia). Ingressos para

Bobby Short no Café Carlyle *(pág. 353)*

Booth Theater, na Broadway *(pág. 345)*

matinês são vendidos às quartas-feiras e sábados das 10h às 14h, e aos domingos das 11h às 15h.

A **Ticketmaster** vende por telefone ingressos com direito a assistir diversos espetáculos em um dia, com descontos de 10% a 25% (além da pequena comissão). O **Hit Show Club** oferece *vouchers* que podem ser trocados nas bilheterias por vales-desconto. Vale lembrar que, como se trata de lugares não vendidos até então, a localização pode não ser das melhores. Também é possível conseguir descontos no **Broadway Bucks**.

CAMBISTAS

Comprar de cambistas implica o risco de levar ingressos com dias errados ou falsificações, sem falar no preço alto. A polícia inibe a atividade dos cambistas nas portas dos espetáculos esportivos ou apresentações disputadas.

INGRESSOS GRÁTIS

Ingressos gratuitos para shows de TV, espetáculos e eventos são oferecidos no **NYC & Co.** (New York Convention & Visitors Bureau), que funciona entre 8h30 e 18h, de segunda a sexta-feira, e das 9h às 17h nos finais de semana. Há anúncios de descontos nos jornais *New York Times*, *Daily News* ou *Time Out New York*.

Procure a seção "Cheap Thrills" do *Village Voice* para saber sobre recitais, leitura de poemas e filmes alternativos. Durante o Shakespeare Festival, no **Delacorte Theater**, no Central Park, há ingressos gratuitos – um por pessoa–, distribuídos por ordem de chegada (esteja preparado para as filas).

Royale Theater, no centro da Broadway *(pág. 345)*

ACESSO A DEFICIENTES

Os teatros da Broadway reservam espaço e ingressos reduzidos para deficientes físicos: a **Ticketmaster** ou **Telecharge** dão informações e fazem reservas. No circuito off-Broadway, convém ligar antes. Alguns teatros têm equipamento especial para espectadores deficientes auditivos. O **Tap** facilita o acesso desse público aos teatros da Broadway.

ENDEREÇOS ÚTEIS

Broadway Bucks
226 W 47th St. **Mapa** 12 E5.
Tel *1-800-223-7565, ext. 214.*
www.bestofbroadway.com

Broadway Inner Circle
Tel *(212) 563-2929.*
www.broadwayinnercircle.com

ClubFone
Tel *(212) 777-2582.*
www.clubfone.com

Delacorte Theater
Entrada pela 81st St at Central Park W. **Mapa** 16 E4.
Tel *(212) 539-8750.*
www.publictheater.org
Apenas no verão.

Hit Show Club
8th Fl, 630 9th Ave. **Mapa** 12 D5. ***Tel*** *(212) 581-4211.*
www.hitshowclub.com

Movie Tickets Online
www.movietickets.com
www.fandango.com
www.moviefone.com

Network Tickets *Pág. 349.*

New York Convention Center & Visitors Bureau (NYC & Co.)
810 7th Ave. **Mapa** 12 E4.
Tel *(212) 484-1222.*
www.nycvisit.com

NYC On Stage
1501 Broadway. **Mapa**12 D2.
Tel *(212) 768-1818.*

Prestige Entertainment
Tel *1-800-243-8849.*

Tap (Theatre Access Project)
Tel *(212) 221-1103 (Voz).*
www.tdf.org

Telecharge
Tel *(212) 239-6200, 1-800-432-7250.* **www**.telecharge.com

Ticket Central
Tel *(212) 279-4200.*
www.ticketcentral.org

Ticketmaster
Tel *(212) 307-4100, 1-800-755-4000.*
www.ticketmaster.com

TKTS
Tel *(212) 221-0013.*
Duffy Square. **Mapa** 12 E5.
Front & John Sts. **Mapa** 2 D2.
Times Square.
47th St & Broadway. **Mapa** 12E5.
Tel *(212) 221-0885, ext. 446.*

O Melhor de Nova York: Diversões

Clube de jaza no Village

Nova York é uma das capitais mundiais do entretenimento. Os nomes mais famosos em qualquer setor artístico apresentam-se, e muSitas vezes moram e trabalham na cidade. Eventos esportivos são frequentes e, quanto à vida noturna, Nova York é a "cidade que nunca dorme". Alguns lugares e eventos se destacam como clássicos de seu gênero. A seleção destas páginas, tirada das recomendações nas págs. 344-63, indica o que não pode ser perdido. Em qualquer desses lugares, a sensação é de se participar de algo tão essencial à cidade quanto o Empire State Building.

Avalon
O antigo Limelight, esta igreja reformada é firme favorita dos notívagos de Nova York (pág. 342).

Madison Square Garden
Grandes eventos esportivos acontecem no "the Garden", como os jogos dos times locais de basquete, os New York Knicks, e hóquei, os Rangers, além do torneio de boxe Golden Gloves (pág. 344).

Film Forum
No mais elegante cinema de arte de Nova York, pode-se assistir aos mais recentes lançamentos estrangeiros ou de cineastas independentes dos EUA, ou ainda ver clássicos em uma das várias retrospectivas (pág. 336).

Village Vanguard
Os clubes de Greenwich Village já foram palco de todos os grandes nomes do jazz. Os fãs podem conhecer estrelas de hoje e amanhã nos famosos Village Vanguard e Blue Note (pág. 340).

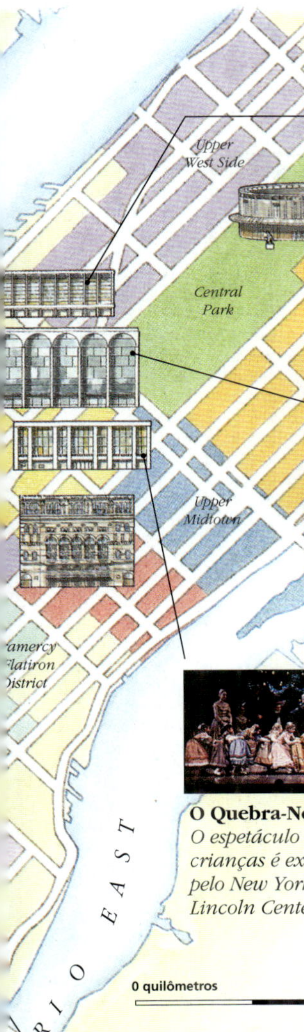

Ensaios da Filarmônica
O ensaio da orquestra nas manhãs de quinta-feira no Avery Fisher Hall é aberto ao público por uma fração do preço normal do ingresso (pág. 338).

Metropolitan Opera House
Compre com antecedência os caros ingressos para o melhor da ópera mundial (pág. 338)..

Shakespeare no Central Park
Se for a Nova York no verão, tente obter os disputados ingressos grátis para ver estrelas do teatro e do cinema encenar Shakespeare ao ar livre (pág. 332).

O Quebra-Nozes
O espetáculo natalino para crianças é exibido todo ano pelo New York City Ballet no Lincoln Center (pág. 334).

Public Theater
Desde 1954, produz teatro para Nova York. Seu Shakespeare Festival *se estende pelo ano todo e reflete o compromisso com os clássicos, mas novas peças também são encenadas aqui* (pág. 118).

Carnegie Hall
Bem localizado no meio do Theater District, o Carnegie Hall é famoso no mundo todo por ser a vitrine do que há de melhor na música. A visita aos bastidores dá uma excelente visão da "casa que a música construiu" (pág. 338).

Teatro e Dança

Nova York é famosa pelos musicais extravagantes e críticos ferozes. É um dos maiores centros mundiais de teatro e dança, encenando todo tipo de produção. Seja o brilho e o glamour de um megassucesso da Broadway ou um espetáculo puramente experimental, Nova York oferece o melhor.

BROADWAY

Há muito a Broadway é sinônimo do Theater District de Nova York, mas a maior parte dos "teatros da Broadway" está na verdade espalhada da 41st à 53rd Streets, entre a 6th e a 9th Avenues, com alguns outros em volta da recuperada Times Square. A maioria foi erguida entre 1910 e 1930, no auge do *vaudeville* e de shows como as famosas *Ziegfeld Follies*. O **Lyceum** *(pág. 144)* é o mais velho teatro ainda em funcionamento (1903) e o **American Airlines Theater**, sede permanente do Roundabout Theater Co., é o mais novo, e o histórico **Biltmore Theater** foi reaberto em 2003 após ficar 14 anos fechado.

Muitos teatros da Broadway passaram por um declínio na década de 1980, mas estão se recuperando, usando grandes nomes para trazer de volta o público. É aqui que você encontrará as principais produções –peças, musicais e revivals com muita publicidade, estrelando grandes nomes de Hollywood e com bilheteria certa (é o que se espera). Os sucessos incluem importados como *Les Misérables*; peças originais de Nova York como Cats e *The Producers*; o favorito das crianças, *O Rei Leão;* e grandes reprises, como *42nd Street*. Também há adaptações de filmes populares, como Haispray, e shows celebrando sucessos de grupos das décadas 1960 e 70 como Abba e Beach Boys.

OFF-BROADWAY E OFF-OFF-BROADWAY

Há cerca de 20 palcos off-Broadway e uns 300 off-off-Broadway, com peças que eventualmente podem chegar à Broadway. Os teatros off-Broadway têm de 100 a 499 lugares e os off-off-Broadway, menos de 100. Variam dos bem equipados aos improvisados em *lofts,* igrejas e até garagens. As peças off-Broadway ficaram populares nos anos 1950, como reação ao comercialismo da Broadway. Era também o lugar ideal para que produtores cautelosos lançassem trabalhos vistos como de vanguarda ou não adequados à Broadway, a custos muito mais baixos.

Nas últimas duas décadas, os teatros off-off-Broadway tornaram-se palco das obras mais experimentais, à medida que os produtores buscavam palcos ainda mais distantes.

Os teatros off-Broadway estão em toda Manhattan, do **Douglas Fairbanks Theater**, onde a irreverente *Forbidden Broadway* é apresentada, ao **Delacorte Theater**, ao ar livre, no Central Park. Alguns ficam até na tradicional região da Broadway, como o **Manhattan Theater Club**. Mais distantes estão a **Brooklyn Academy of Music (BAM)** *(pág. 248)* e o **92nd Street Y**. Nestes locais sempre se encontram apresentações diferentes e animadas de novos talentos e produções avançadas.

Os primeiros trabalhos de dramaturgos como Sean O'Casey, Tennessee Williams, Eugene O'Neill, Jean Genet, Eugene Ionesco e David Mamet. *Happy Days* de Samuel Beckett, estreou em 1961 no **Cherry Lane Theatre**, um espaço que ainda apresenta peças de vanguarda.

Às vezes o palco menor, mais intimista, de um teatro off-Broadway combina melhor com uma produção do que uma grande sala, como provam antigos e eternos sucessos do tipo de *The Fantasticks e A Ópera dos Três Vinténs.* É claro que há também grandes fracassos –mas o risco é parte integrante do show business.

TEATRO PERFORMÁTICO

Esta forma de arte de extrema vanguarda pode ser vista em vários teatros off e off-off-Broadway. Não dá para descrevê-los ou impor-lhes uma categoria precisa, mas vá preparado para o bizarro e o exótico. Os palcos mais frequentes para este0s espetáculos são **La MaMa, PS 122, Here, Actor's Playhouse, 92nd Street Y, Symphony Space** e **Public Theater** de Joseph Papp *(pág. 120)*. Este último é talvez o teatro mais influente de Nova York. Foi fundado na década de 1950 pelo diretor Joseph Papp, já morto, que promovia excursões ao teatro para pessoas que nunca tinham vindo aqui.

O Public Theater criou sucessos como *Hair e A Chorus Line,* mas é mais famoso por seus espetáculos grátis de Shakespeare durante o verão, no Delacorte Theater, no Central Park *(pág. 208)*. Encena várias peças ao mesmo tempo e às 18h do dia do espetáculo, ingressos mais baratos –Quiktix (limitados a dois por pessoa)– são vendidos no saguão do Public Theater.

ESCOLAS DE TEATRO

Nova York é o melhor lugar para aprender a ser ator. A mais famosa escola é o **The Actors' Studio**. O já falecido Lee Strasberg, defensor do método em que o ator busca identificação completa com o personagem, era seu guru. Entre os alunos estiveram Dustin Hoffman, Al Pacino e Marilyn Monroe. Produções "em andamento", tendo alunos como atores, são abertas ao público. Sandy Meisner também formou muitos atores, como Lee Remick, na **Neighborhood Playhouse School of Theater**, mas as peças não são abertas ao público. **A New Dramatists** foi fundada em 1949 para incentivar novos dramaturgos. Leituras de peças são abertas e gratuitas

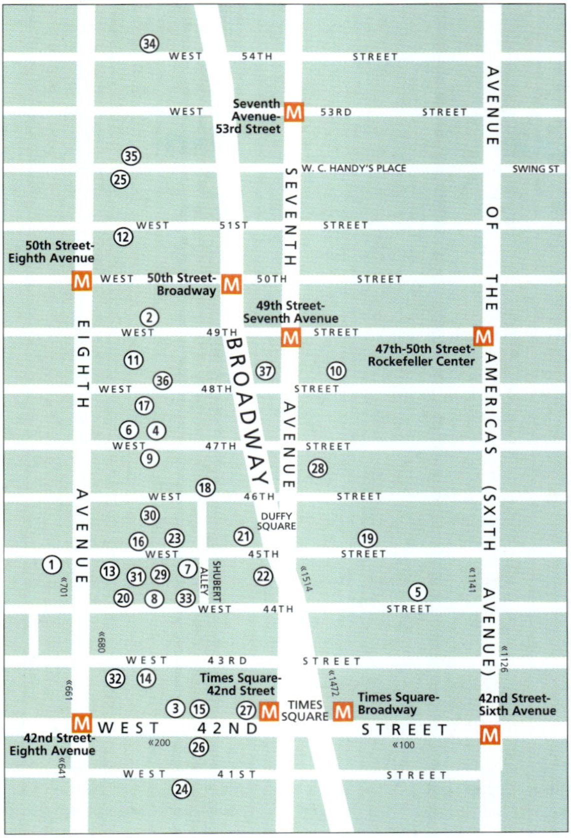

TEATROS DA BROADWAY

① **Al Hirschfield**
302 W. 45th St.
Tel *(212) 239-6200.*

② **Ambassador**
219 W. 49th St.
Tel *(212) 239-6200.*

③ **American Airlines Theater**
227 W. 42nd St.
Tel *(212) 719-1300.*

④ **Barrymore**
243 W. 47th St.
Tel *(212) 239-6200.*

⑤ **Belasco**
111 W. 44th St.
Tel *(212) 239-6200.*

⑥ **Biltmore**
261 W. 47th St.
Tel *(212) 239 6200.*

⑦ **Booth**
222 W. 45th St.
Tel *(212) 239-6200.*

⑧ **Broadhurst**
235 W. 44th St.
Tel *(212) 239-6200.*

⑨ **Brooks Atkinson**
256 W. 47th St.
Tel *(212) 307-4100.*

⑩ **Cort**
138 W. 48th St.
Tel *(212) 239-6200.*

⑪ **Eugene O'Neill**
230 W. 49th St.
Tel *(212) 239-6200.*

⑫ **Gershwin**
222 W. 51st St.
Tel *(212) 307-4100.*

⑬ **John Golden**
252 W. 45th St.
Tel *(212) 239-6200.*

⑭ **Helen Hayes**
240 W. 44th St.
Tel *(212) 239-6200.*

⑮ **Hilton**
213 W. 42nd St.
Tel *(212) 307 4100.*

⑯ **Imperial**
249 W. 45th St.
Tel *(212) 239-6200.*

⑰ **Longacre**
220 W. 48th St.
Tel *(212) 239-6200.*

⑱ **Lunt – Fontanne**
205 W. 46th St.
Tel *(212) 307-4747.*

⑲ **Lyceum**
149 W. 45th St.
Tel *(212) 239-6200.*

⑳ **Majestic**
247 W. 44th St.
Tel *(212) 239-6200.*

㉑ **Marquis**
211 W 45th St.
Tel *(212) 307-4100.*

㉒ **Minskoff**
200 W. 45th St.
Tel *(212) 307-4100.*

㉓ **Music Box**
239 W. 45th St.
Tel *(212) 239-6200.*

㉔ **Nederlander**
208 W. 41st St.
Tel *(212) 307-4100.*

㉕ **Neil Simon**
250 W. 52nd St.
Tel *(212) 307-4100.*

㉖ **New Amsterdam**
214 W. 42nd St.
Tel *(212) 307 4100.*

㉗ **New Victory**
209 W. 42nd St.
Tel *(212) 239-6200.*

㉘ **Palace**
1564 Broadway.
Tel *(212) 307-4100.*

㉙ **Plymouth**
236 W. 45th St.
Tel *(212) 239-6200.*

㉚ **Richard Rodgers**
226 W. 46th St.
Tel *(212) 307-4100.*

㉛ **Royale**
242 W. 45th St.
Tel *(212) 239-6200.*

㉜ **St. James**
246 W. 44th St.
Tel *(212) 239-6200.*

㉝ **Shubert**
225 W. 44th St.
Tel *(212) 239-6200.*

㉞ **Studio 54**
254 W. 54th St.
Tel *(212) 719 3100.*

㉟ **Virginia**
245 W. 52nd St.
Tel *(212) 239-6200.*

㊱ **Walter Kerr**
219 W. 48th St.
Tel *(212) 239-6200.*

㊲ **Winter Garden**
1634 Broadway.
Tel *(212) 239-6200.*

Outros teatros, *pág. 347.*

BALÉ

O núcleo central do mundo da dança é o Lincoln Center *(pág. 214)*, onde o New York City Ballet se apresenta no **New York State Theater**. Esta companhia foi criada pelo coreógrafo George Balanchine *(pág. 49)* e ainda é uma das melhores do mundo. Seu atual diretor, Peter Martins, foi bailarino de Balanchine e mantém sua preferência pela dança de conjunto, em lugar de "peças para estrelas". A temporada vai de novembro a fevereiro e do final de abril a início de junho. A escola de balé do **Juilliard Dance Theater** faz um workshop anual na primavera, bom lugar para ver futuras estrelas da dança.

O American Ballet Theater dança no **Metropolitan Opera House**, assim como muitas trupes estrangeiras, a exemplo dos balés Kirov, Bolshoi e Royal. Seu repertório inclui clássicos do século passado, como *O Lago dos Cisnes*, e obras de coreógra fos modernos, como Twyla Tharp e Paul Taylor.

DANÇA CONTEMPORÂNEA

Nova York é o centro de muitos dos movimentos mais importantes na dança moderna. O **Dance Theater of Harlem** é famoso por suas produções modernas, étnicas e tradicionais. Outros paraísos da dança experimental são a **92nd Street Y** e o **Merce Cunningham Studio**, em Greenwich Village. O original **Dance Theater Workshop** tem programação lotada, além de uma galeria de arte. **The Kitchen, La MaMa, Symphony** Space e **PS 122** são casas de espetáculos multimídia que apresentam dança contemporânea, arte performática e música de vanguarda. A companhia do coreógrafo Mark Morris se apresenta no novíssimo **Mark Morris Dance Center**, no Brooklyn. O City Center *(pág. 148)* é um dos locais preferidos dos admiradores da dança e sediou o New York City Ballet e o American Ballet Theater, antes da construção do Lincoln Center. Além de apresentações do Joffrey Ballet, o City Center exibe espetáculos de todos os grandes artistas contemporâneos, incluindo o misto de moderno, jazz e blues de Alvin Ailey e os mestres da dança moderna Merce Cunningham e Paul Taylor. Evite o mezanino, de onde a visão não é boa. O local da cidade que apresenta maior número de espetáculos de dança é o **Joyce Theater**, onde se apresentam companhias renomadas, como a Feld Ballet, e também as novatas.

Todo ano, na primavera, o Festival of Black Dance na **Brooklyn Academy of Music (BAM)** *(pág. 248)* abrange de dança étnica a hip-hop. No outono há o festival de música e dança Next Wave, de música e dança de vanguarda americana e internacional. No inverno, o local sedia o American Ballet Festival.

Em junho, a **New York University** *(pág. 115)* tem o Summer Residency Festival, evento de verão com palestras-demonstrações, ensaios e apresentações, e o **Dancing in the Streets** organiza mostras de dança nas ruas da cidade também no verão.

Em todo o mês de agosto, o **Lincoln Center Out of Doors** tem uma programação de eventos de dança gratuitos na praça em frente, com grupos experimentais e étnicos, como o American Tap Dance Orchestra.

O recém-inaugurado **Duke Theater** apresenta companhias contemporâneas e participa de eventos como o New York Tap Festival.

Em diferentes épocas do ano, o **Radio City Music Hall** promove vários espetáculos instigantes com companhias do mundo inteiro. No Natal e Páscoa, os espetáculos são feitos pela trupe de dança Rockettes, famosos pela precisão.

Coreógrafos e companhias de dança apresentam recitais e obras ainda inacabadas ao público. Um dos melhores lugares para tais eventos é o **Alvin Ailey's Repertory Ensemble**, famoso por promover a expressão cultural dos negros, que irá inaugurar em breve a maior instalação para dança do país. A **Hunter College Dance Company** apresenta trabalhos novos de seus alunos coreógrafos e o **Isadora Duncan Dance Foundation** recria danças originais de Isadora Duncan. O melhor lugar para ver trabalhos de coreógrafos contemporâneos é o **Juilliard Dance Theater**.

PREÇOS

Produções teatrais custam muito caro, e os preços dos ingressos refletem esse custo. Mesmo os ingressos para espetáculos off e off-off-Broadway já não são baratos. Houve época em que ingressos para as pré-estréias de peças novas tinham preços reduzidos, mas hoje custam a mesma coisa. Mas ingressos para as pré-estréias são bem mais fáceis de conseguir, e é bom assistir a um espetáculo antes de ler as críticas para fazer uma avaliação própria.

Prepare-se para pagar a partir de US$ 80 para peças da Broadway, até US$ 100 para musicais e US$ 25-US$ 40 nas montagens off-Broadway. Os preços de espetáculos de dança variam entre US$ 20 e US$ 50 e até US$ 115 no caso do American Ballet Theater. O **Music and Dance Booth** *(pág. 329)*, em Bryant Park, vende ingresso para o mesmo dia pela metade do preço –vale a pena entrar na fila.

HORÁRIOS

A regra geral é a seguinte: fecham às segundas-feiras (exceto musicais) e têm matinês às quartas, sábados e, às vezes, domingos. Matinês geralmente começam às 14h e espetáculos noturnos às 20h. Confirme horários e datas.

VISITAS A BASTIDORES

Para quem se interessa pela mecânica e anedotas do teatro, a melhor opção é participar de um tour. A **92nd Street** Y tem palestras sobre teatro na visão de quem trabalha nele, com diretores e atores. O **Radio City Music Hall** também organiza visitas a bastidores.

AGENDA

OFF-BROADWAY

92nd Street Y
1395 Lexington Ave.
Mapa 17 A2.
Tel *(212) 415-5500.*

Actors' Playhouse
100 Seventh Ave S.
Mapa 3 C1.
Tel *(212) 463-0060.*

Brooklyn Academy of Music
30 Lafayette Ave., Brooklyn.
Tel *(718) 636-4100.*

Cherry Lane Theatre
38 Commerce St.
Mapa 3 C2.
Tel *(212) 239-6200*

HERE Art Center
145 6th Ave.
Mapa 4 D4.
Tel *(212) 647-0202.*

Circle in the Square
1633 Broadway.
Mapa 12 E4.
Tel *(212) 307-0388.*

Delacorte Theater
Central Park. (81st St.)
Mapa 16 E4.
Tel *(212) 539-8750.*
Apenas no verão.

Douglas Fairbanks Theater
432 W 42nd St.
Mapa 7 C1.
Tel *(212) 239-6200.*

John Houseman
450 W 42nd St.
Mapa 7 C1.
Tel *(212) 967-9077.*

Lambs Theater
130 W 44th St.
Mapa 12 E5.
Tel *(212) 997-1780.*

Lucille Lortel Theater
121 Christopher St.
Mapa 3 C2.
Tel *(212) 924-2817.*

Manhattan Theater Club
311 W 43rd St.
Mapa 8 D1.
Tel *(212) 399-3000.*

New York Theater Workshop
79 E 4th St. **Mapa** 4 F2.
Tel *(212) 460-5475.*

Public Theater
425 Lafayette St.
Mapa 4 F2.
Tel *(212) 539-8500.*

Symphony Space
2537 Broadway.
Mapa 15 C2.
Tel *(212) 864-5400.*

Vivian Beaumont
Lincoln Center.
Mapa 11 C2.
Tel *(212) 362-7600.*

OFF-OFF-BROADWAY

Bouwerie Lane Theater
330 Bowery.
Mapa 4 F2.
Tel *(212) 677-0060.*

The Kitchen
512 W 19th St.
Mapa 7 C5.
Tel *(212) 255-5793.*

Performing Garage
33 Wooster St.
Mapa 4 E4.
Tel *(212) 966-3651.*

York Theater at St. Peter's Church
Citigroup Center, 619 Lexington Ave.
Mapa 13 A4.
Tel *(212) 935-5820.*

TEATRO PERFORMÁTICO

La MaMa
74a E 4th St.
Mapa 4 F2.
Tel *(212) 475-7710.*

P.S. 122
150 First Ave.
Mapa 5 A1.
Tel *(212) 477-5288.*

Public Theater
Ver Off-Broadway.

ESCOLAS DE TEATRO

The Actors' Studio
432 W 44th St.
Mapa 11 B5.
Tel *(212) 757-0870.*

New Dramatists
424 W 44th.
Mapa 11 C5.
Tel *(212) 757-6960.*

DANÇA

92nd Street Y
Ver Off-Broadway.

Alvin Ailey American Dance Center
211 W 61st St.
Mapa 11 C3.
Tel *(212) 767-0590.*

Brooklyn Academy of Music
Ver Off-Broadway.

City Center
130 W 56th St.
Mapa 12 E4.
Tel *(212) 581-1212.*

Dance Theater of Harlem
466 W 152nd St.
Tel *(212) 690-2800.*

Dance Theater Workshop
219 W 19th St. **Mapa** 8 E5.
Tel *(212) 924-0077.*

Dancing in the Streets
55 6th Ave. (offices)
Tel *(212) 625-3505.*

Hunter College Dance Company
695 Park Ave.
Mapa 13 A1.
Tel *(212) 772-4490.*

Isadora Duncan Dance Foundation
141 W 26th St.
Mapa 20 D2.
Tel *(212) 691-5040.*

Joyce Theater
175 Eighth Ave com 19th St.
Mapa 8 D5.
Tel *(212) 242-0800.*

Juilliard Dance Theater
60 Lincoln Center Plaza, W 65th St.
Mapa 11 C2.
Tel *(212) 769-7406.*

SALAS DE ESPETÁCULOS

Duke Theater
229 W 42nd St.
Mapa 8 E1.
Tel *(646) 223-3000.*

The Kitchen
Ver Off-Off Broadway.

La MaMa
Ver Teatro Performático.

Lincoln Center Out of Doors
Lincoln Center, Broadway com 64th St. **Mapa** 11 C2.
Tel *(212) 362-6000.*

Manhattan Center
311 W 34th St. **Mapa** 8 D2. ***Tel*** *(212) 279-7740.*

Mark Morris
3 Lafayette Ave. (Brooklyn)
Tel *(718) 624-8400.*

Merce Cunningham Studio
55 Bethune St. **Mapa** 3 B2.
Tel *(212) 691-9751.*

Metropolitan Opera House
Lincoln Center, Broadway com 65th St.
Mapa 11 C2.
Tel *(212) 362-6000.*

New York State Theater
Lincoln Center, Broadway com 65th St. **Mapa** 11 C2.
Tel *(212) 870-5570.*

New York University
Tisch School of the Arts (TSOA), 111 2nd Ave.
Mapa 4 F1.
Tel *(212) 998-1920.*

P.S. 122
Ver Teatro Performático.

Radio City Music Hall
50th St com Ave of the Americas. **Mapa** 12 F4.
Tel *(212) 307-7171.*

Symphony Space
Ver Off-Broadway.

VISITAS A BASTIDORES

92nd Street Y
Ver Off-Broadway.

Radio City Music Hall
Tel *(212) 307-7171.*

Events Guide
www.broadway.org
www.playbill.com
www.newyork.citysearch.com

Cinema

Nova York é o paraíso dos cinéfilos. Além dos lançamentos americanos, exibidos aqui meses antes de chegarem a outros países, os cinemas da cidade apresentam filmes clássicos e estrangeiros.

A cidade sempre foi um campo de provas para novas tendências do cinema e continua a ser um viveiro de criatividade e talento. Cineastas como Spike Lee, Martin Scorsese e Woody Allen nasceram e cresceram em Nova York, e a influência da cidade é visível em seus filmes. Eles e outros são vistos sempre filmando nas ruas de Nova York.

A maioria das redes de TV sediadas em Nova York oferece ingressos gratuitos para a gravação de seus programas. E muitos turistas podem se divertir assistindo do auditório ao *The David Letterman Show*.

ESTRÉIAS

As críticas e a renda das bilheterias de Nova York são tão cruciais para o sucesso de um filme que a maioria estréia em cinemas de Manhattan. As estréias costumam ocorrer nas redes exibidoras City Cinemas, Loews, United Artists e Cineplex Odeon, espalhadas pela cidade. Alguns cinemas têm informações gravadas por telefone sobre nome e duração dos filmes em exibição, horários e preços.

As sessões começam entre 10h e 11h e se repetem a cada duas ou três horas, até a meia-noite. É comum haver filas para sessões à noite e nos fins de semana dos filmes mais populares. Alguns cinemas aceitam reservas com cartão de crédito, cobrando uma taxa adicional de US$ 1 por ingresso. É mais fácil achar lugar nas matinês (antes das 16h). Idosos (acima de 60, 62 ou 65 anos, conforme o cinema) pagam menos.

CLASSIFICAÇÃO

Os filmes têm as seguintes classificações:

G Livre.

PG Aconselhável orientação dos pais. Contém cenas impróprias.

PG-13 Muita atenção dos pais. Contém cenas impróprias para menores de 13 anos.

R Restrito. Menores de 17 anos precisam estar acompanhados de pai, mãe ou adulto responsável.

NC-17 Proibido para menores de 17 anos.

NEW YORK FILM FESTIVAL

Para os cinéfilos, um dos pontos altos de cada ano é o New York Film Festival, que já está na terceira década. Organizado pela **Film Society of Lincoln Center**, o festival começa no fim de setembro e prossegue por duas semanas em vários cinemas do Lincoln Center. Filmes novos e importantes, americanos e estrangeiros, participam de um concurso que não tem prêmios, exceto o enorme prestígio de merecer uma menção. Muitos dos exibidos no festival entram em cartaz depois nos circuitos de arte de Nova York.

O TriBeCa Film Festival, em parte criado pelo diretor e ator Robert De Niro, surgiu em 2002 para celebrar Nova York como capital do cinema e ajudar na recuperação a longo prazo de Lower Manhattan. O festival exibe uma ampla gama de filmes, incluindo clássicos, documentários e estréias, e em geral é realizado no final de abril e começo de maio. O Docfest, Festival Internacional de Documentários de Nova York, apresenta cinco dias de filmes e vídeos documentários, seguidos por discussões com o diretor.

LOCAÇÕES

Vários locais em Nova York já apareceram em filmes. Eis alguns deles:

No **edifício Brill** (1141 Broadway), Burt Lancaster tinha sua cobertura em *A Embriaguez do Sucesso*.

A **ponte do Brooklyn** foi palco de *Mais e Melhores Blues*, de Spike Lee.

Brooklyn Heights e o **Metropolitan** estavam em *Feitiço da Lua*.

O **Central Park** já esteve em inúmeros filmes, como *Love Story* e *Maratona da Morte*.

O **edifício nº 55** de **Central Park West** era a casa de Sigourney Weaver em *Os Caça-Fantasmas*.

Chinatown foi destaque em *O Ano do Dragão*.

The Dakota era o edifício onde Mia Farrow morava em *O Bebê de Rosemary*.

O **Empire State Building** continuou de pé após a luta final de *King Kong*. Aqui Cary Grant esperou em vão em *Tarde Demais para Esquecer*, e Meg Ryan enfim encontrou Tom Hanks em *Sintonia de Amor*.

Grand Central Station foi onde Robert Walker se encontrou com Judy Garland em O *Ponteiro da Saudade* e palco da sequência de baile de O *Pescador de Ilusões*.

O **Harlem** foi cenário para os músicos e dançarinos do *Cotton Club*.

Na **Katz's Deli** houve a memorável cena do café de Meg Ryan e Billy Crystal em *Harry e Sally - Feitos um para o Outro*.

Little Italy apareceu em *O Poderoso Chefão 1 e 2*.

No **Madison Square Garden** ocorreu o clímax de Sob o Domínio do Mal.

O prédio da **ONU** apareceu em Intriga Internacional.

Tiffany era a loja favorita de Audrey Hepburn em *Bonequinha de Luxo*.

Washington Square Park era o lugar onde Robert Redford e Jane Fonda passeavam em *Descalços no Parque*.

FILMES ESTRANGEIROS E CINEMAS DE ARTE

Para assistir aos últimos filmes estrangeiros e independentes, procure o **Angelika Film Center**, que tem seis salas e um café. Outros bons lugares são os elegantes **Rose Cinemas, Film Forum** e **Lincoln Plaza Cinema**. O **Plaza** tem uma intensa programação de filmes estrangeiros e de arte. A **Asia Society** exibe filmes asiáticos, indianos e chineses. O **French Institute** mostra filmes franceses com legendas em inglês toda quinta-feira. O **Quad Cinema** exibe uma ampla seleção de filmes estrangeiros com muitas raridades. O **Cinema Village** promove eventos especiais, como o Festival of Animation.

O **Walter Reade Theater** abriga a Film Society of the Lincoln Center, com retrospectivas de cinema internacional, assim como trabalhos contemporâneos. Todo ano acontece o Spanish Cinema Now Festival.

FILMES CLÁSSICOS E MUSEUS

O **Public Theater** e o **Whitney Museum of Modern Art** *(págs. 200-1)* mostram retrospectivas da obra de vários diretores e atores.

O **Museum of the Moving Image** *(pág. 246)* mostra filmes antigos e tem expostos muitos objetos relacionados à indústria cinematográfica. O **Museum of Television & Radio** *(pág. 171)* tem sessões regulares de filmes clássicos e nele também se pode ouvir ou assistir a antigos programas de rádio e televisão. Os fãs do cinema clássico, novo e experimental vão apreciar o tesouro dos **Anthology Film Archives**.

Reserve um dia inteiro para ver os *sky shows* no **Rose Center for Earth and Space** e o **American Museum of Natural History**.

Nas manhãs de verão pode-se assistir de graça a clássicos do cinema no Bryant Park. E sábado de manhã a **Film Society of Lincoln Center** promove sessões especiais para crianças.

PROGRAMAS DE TELEVISÃO

Vários programas de televisão são feitos em Nova York. É difícil conseguir lugar em programas de muita audiência, como o de David Letterman e Saturday Night Live, mas há ingressos disponíveis para muitos outros programas telefonando para redes como **NBC**, **ABC** e **CBS**. Outra fonte de ingressos gratuitos é o Time Square Visitors Information Bureau *(pág. 368)*.

Nas manhãs dos dias úteis, perto do **Rockefeller Plaza**, na 5th Avenue, a produção dos programas às vezes distribui ingressos. Estas oportunidades são totalmente inesperadas. É uma questão de sorte –ou seja, estar no lugar certo, na hora certa.

A NBC organiza visitas aos estúdios para quem quer visitar os bastidores da televisão –das 8h30 às 17h30, de segunda a sábado e 9h30 às 16h30 no domingo.

COMO ESCOLHER

Para não se sentir perdido diante da enorme oferta de filmes, dê uma olhada nos roteiros da revista *New York*, no *The New York Times, Village Voice e The New Yorker*.

Nestes guias na internet você pode conferir horários de sessões e endereços:
www.moviefone.com
www.movietickets.com

AGENDA

ABC
Tel *(212) 580-5176.*
www.abc.com.

American Museum of Natural History
Central Park W com 79th St.
Mapa 16 D5.
Tel *(212) 769-5650.*

Angelika Film Center
18 W Houston St.
Mapa 4 E3.
Tel *(212) 995-2000.*

Anthology Film Archives
32 2nd Ave com 2nd St.
Mapa 5 C2.
Tel *(212) 505-5181.*

Asia Society
725 Park Ave. **Mapa** 13 A1.
Tel *(212) 517-2742.*

CBS
Tel *(212) 247-6497.*

Cinema Village
22 E 12th St. **Mapa** 4 F1.
Tel *(212) 924-3363.*

Docfest
Tel *(212) 668-1100.*
www.docfest.org

Film Forum
209 W Houston St.
Mapa 3 C3.
Tel *(212) 727-8110.*

French Institute
55 E 59th St. **Mapa** 12 F3.
Tel *(212) 355-6160.*

Lincoln Plaza Cinema
1886 Broadway.
Mapa 12 D2.
Tel *(212) 757-2280.*

Museum of Modern Art
11 W 53rd St. **Mapa** 12 F4.
Tel *(212) 708-9480.*

Museum of the Moving Image
35th Ave & 36th St. Astoria, Queens.
Tel *(718) 784-0077.*

Museum of Television & Radio
25 W 52nd St. **Mapa** 12 F4.
Tel *(212) 621-6600.*

NBC
Standby: 30 Rockefeller Plaza com 49th St (antes das 9h).
Tel *(212) 664-3056.*
www.nbc.com

Public Theater
425 Lafayette St.
Mapa 4 F4.
Tel *(212) 539-8500.*

Quad Cinema
34 W 13th St.
Mapa 4 D1.
Tel *(212) 255-8800.*

Rockefeller Plaza
47th–50th St, 5th Ave.
Mapa 12 F5.

Rose Cinemas
Brooklyn Academy of Music (BAM), 30 Lafayette Ave, Brooklyn.
Tel *(718) 623-2770.*

TriBeCa Film Festival
Tel *(212) 941-2400.*
www.tribecafilmfestival.org

Walter Reade Theater
70 Lincoln Center Plaza.
Mapa 12 D2.
Tel *(212) 875-5600.*

Whitney Museum of American Art
945 Madison Ave.
Mapa 13 A1.
Tel *1-800-WHITNEY.*

Música Erudita e Contemporânea

Os nova-iorquinos têm sede insaciável de música. Concertos dos músicos e cantores mais célebres do mundo podem ser vistos em famosas salas durante o ano todo. Artistas mais jovens e estrangeiros encontram platéias receptivas.

DETALHES PRÁTICOS

Saiba o que está em cartazem Nova York lendo as programações no *The New York Times* e *Village Voice* e nas revistas *Time Out New York* e *The New Yorker*.

MÚSICA ERUDITA

A orquestra que ocupa o **Avery Fisher Hall**, no Lincoln Center *(pág. 215)*, é a New York Philarmonic. No mesmo local realizam-se as séries anuais Mostly Mozart e Young People's Concerts (para jovens). O **Alice Tully Hall**, jóia do Lincoln Center, sedia a Chamber Music Society.

Uma das mais importantes salas de concertos do mundo é o recém-restaurado **Carnegie Hall** *(pág. 148)*. O Weill Recital Hall, subindo a escada, exibe apresentações de qualidade por ingressos módicos.

A **Brooklyn Academy of Music (BAM)** *(pág. 248)* é sede da Brooklyn Philharmonic. O **New Jersey Performance Arts Center**, em Newark, é a nova sensação entre as salas de concerto e recebe apreciadores de música clássica, dança, ópera, jazz e *world music*.

No **Merkin Concert Hall** há apresentações de importantes solistas e conjuntos de câmara. O **Town Hall** tem excelente acústica. A sala de concertos Kaufmann, na **92nd Street Y**, também tem uma programação repleta de música e dança. Para recitais de música de câmara e contemporânea, tente a **Frick Collection** e o **Symphony Space**. Os dois últimos oferecem uma programação variada que abrange de música gospel a Gershwin, da erudita à étnica. O belo Grace Rainey Rogers Auditorium, no **Metropolitan Museum of Art**, recebe solistas e conjuntos de câmara, e o **Florence Gould Hall**, na Alliance Française, apresenta um programa variado de música de câmara e peças para orquestra.

A **Juilliard School of Music** e o **Mannes College of Music** são tidos como excelentes. Seus alunos e professores dão muitos recitais com entrada franca, e ambos promovem concertos de orquestras, música de câmara e companhias de ópera. A **Manhattan School of Music** oferece uma programação que inclui mais de 400 eventos por ano, que vão da música erudita ao jazz.

Às 9h45 das quintas-feiras em que há concertos da New York Philarmonic, o espetáculo é ensaiado no **Avery Fisher Hall**, no Lincoln Center. Muitas vezes esses ensaios são abertos ao público, mediante um ingresso de baixo preço. É bom confirmar por telefone.

A **Kosciuszko Foundation** sedia a anual Chopin Competition. A **Corpus Christ Church** tem uma agenda cheia de concertos, e apresenta grupos como o Tallis Scholars.

MÚSICA NO RÁDIO

Nova York tem três estações de rádio que transmitem música clássica: a WQXR, 96.3, a National Public Radio station WNYC, 93.9 e a WKCR, 89.9.

ÓPERA

A ópera nova-iorquina é dominada pelo **Lincoln Center** *(pág. 212)*, sede do New York City Opera, e pela **Metropolitan Opera House**, que tem companhia própria. O Met é a jóia dos teatros líricos, com apresentações dos maiores astros internacionais. O New York City Opera é dinâmico e acessível. As apresentações vão de *Madame Butterfly* a *South Pacific*, com legendas acima do palco para ajudar a platéia a acompanhar a trama.

Apresentações de alta qualidade a preços mais baixos são feitas por cantores líricos de destaque no **Village Light Opera Group**, no **Amato Opera Theater**, no **Kaye Playhouse** do Hunter College, e pelos alunos do **Juilliard Opera Center**, no Lincoln Center.

MÚSICA CONTEMPORÂNEA

Nova York é um dos grandes centros mundiais da música contemporânea. Música exótica, étnica e experimental é apresentada em ótimas salas. A **Brooklyn Academy of Music (BAM)** é a ponta-de-lança da música de vanguarda. Todo ano, no outono, promove o festival "Next Wave" de música e dança.

Um festival anual de música moderna séria, chamado "Bang on a Can" (bata numa lata), é promovido no **Ethical Culture Society Hall**, com destaque para obras de Steve Reich, Pierre Boulez e John Cage. Experimentalistas como Davie Weinstein, com sua música "audiovisual acid test", que mistura toca-CDs, instrumentos amplificados, teclados e efeitos sonoros, apresentam-se no **Dance Theater Workshop**.

Outras salas de concerto ficam na **Asia Society** *(pág. 187)*, com seu teatro excelente no qual tocam muitos artistas asiáticos, e na **St Peter's Church**.

VISITAS A BASTIDORES

O **Lincoln Center e o Carnegie Hall** promovem visitas aos bastidores das salas de concerto.

MÚSICA RELIGIOSA

Existem poucas experiências mais comoventes que um concerto de Páscoa na imensa **Cathedral of St John the Divine** *(págs. 226-7)*. Música natalina e de Páscoa também são apresentadas em muitos museus da cidade e em quase todos os espaços disponíveis, do saguão central da Grand Central Station *(págs. 156-7)* a entradas de bancos e hotéis. Para ouvir jazz em um belo ambiente moderno, visite a **St Peter's Church** *(pág. 177)*. A maioria desses concertos têm entrada franca, mas é de bom-tom fazer uma contribuição.

MÚSICA AO AR LIVRE

Durante o verão pode-se assistir a concertos grátis, ao ar livre, em **Bryant Park, Washington Square** e **Damrosch Park**, no Lincoln Center. A New York Philarmonic e a Metropolitan Opera fazem concertos anuais no Great Lawn (gramado) do Central Park e no Prospect Park, Brooklyn. Quando o tempo está bom, músicos de rua tocam no South Street Seaport, em frente ao **Metropolitan Museum of Art** *(págs. 190-97)* e em Washington Square.

MÚSICA GRATUITA

Apresentações gratuitas são realizadas de janeiro a dezembro no **The Cloisters** *(págs. 236-9)* e no **Whitney Museum** do Philip Morris Building *(pág. 152)*. Nos domingos à tarde há recitais em Rumsey Playfield, em Naumberg Bandshell, no Central Park *(pág. 206)* e no Summerstage. Ligue para **The Dairy** para mais informações. Você também encontrará música no **Federal Hall** *(pág. 68)*. No **Lincoln Center**, não perca os concertos oferecidos da **Juilliard School of Music**.

Outros locais muito visitados são o **Greenwich House Music School** (onde os recitais de estudantes são gratuitos) e o **Winter Garden** no World Financial Center *(pág. 69)*. Também há concertos e palestras com entrada franca na **St Paul's Chapel** e na **Trinity Church** *(pág. 68)*.

Guias na internet

www.newyorkmetro.com
www.nytoday.com
www.newyork.citysearch.com

AGENDA

92nd Street Y
1395 Lexington Ave.
Mapa 17 A2.
Tel *(212) 415-5500.*

Amato Opera Theater
319 Bowery com 2nd St.
Mapa 4 F2.
Tel *(212) 228-8200.*

Asia Society
725 Park Ave.
Mapa 13 A1.
Tel *(212) 517-2742.*

Brooklyn Academy of Music
30 Lafayette Ave, Brooklyn.
Tel *(718) 636-4100.*

Bryant Park
Mapa 8 F1.
Tel *(212) 768-4242.*

Carnegie Hall
881 7th Ave. **Mapa** 12 E3.
Tel *(212) 247-7800.*

Cathedral of St. John the Divine
1047 Amsterdam Ave & 112th St. **Mapa** 20 E4.
Tel *(212) 316-7540.*

The Cloisters
Fort Tryon Park.
Tel *(212) 923-3700.*

Corpus Christi Church
529 W 121st St.
Mapa 20 E2.
Tel *(212) 666-9350.*

The Dairy
Central Park com 65th St.
Mapa 12 F2.
Tel *(212) 794-6564.*

Dance Theater Workshop
Ver pág. 347.

Ethical Culture Society Hall
2 W 64th St.
Mapa 12 D2.
Tel *(212) 874-5210.*

Federal Hall
26 Wall St.
Mapa 1 C3.
Tel *(212) 825-6888.*

Florence Gould Hall (at the Alliance Française)
55 E 59th St.
Mapa 13 A3.
Tel *(212) 355-6160.*

Frick Collection
1 E 70th St. **Mapa** 12 F1.
Tel *(212) 288-0700.*

Greenwich House Music School
46 Barrow St. **Mapa** 3 C2.
Tel *(212) 242-4770.*

Kaye Playhouse (Hunter College)
695 Park Ave. **Mapa** 13 A1.
Tel *(212) 772-4448.*

Kosciuszko Foundation
15 E 65th St. **Mapa** 12 F2
Tel *(212) 734-2130.*

Lincoln Center
155 W 65th St.
Mapa 11 C2.
Tel *(212) 546-2656.*
Tours de vários espaços no Lincoln Center podem ser agendados ligando:
Tel *(212) 875-5350.*

Alice Tully Hall
Tel *(212) 875-5050.*

Avery Fisher Hall
Tel *(212) 875-5030.*

Damrosch Park
Tel *(212) 875-5000.*

Juilliard Opera Center
Tel *(212) 769-7406.*

Juilliard School of Music
Tel *(212) 799-5000.*

Metropolitan Opera House
Tel *(212) 362-6000.*

Manhattan School of Music
120 Claremont Ave.
Mapa 20 E2.
Tel *(212) 749-2802.*

Mannes College of Music
150 W 85th St.
Mapa 15 D3.
Tel *(917) 493-4428.*

Merkin Hall
129 W 67th St.
Mapa 11 D2.
Tel *(212) 501-3330.*

Metropolitan Museum of Art
1000 5th Ave at 82nd St.
Mapa 16 F4.
Tel *(212) 535-7710.*

New Jersey Performance Arts Center
1 Center St, Newark, NJ.
Tel *1-888-466-5722.*

St. Paul's Chapel
Broadway com Fulton St.
Mapa 1 C2.
Tel *(212) 233-4164.*

St. Peter's Church
619 Lexington Ave.
Mapa 13 A4.
Tel *(212) 935-2200.*

Symphony Space
2537 Broadway.
Mapa 15 C2.
Tel *(212) 864-5400.*

Town Hall
123 W 43rd St.
Mapa 8 E1.
Tel *(212) 997-1003.*

Trinity Church
Broadway com Wall St.
Mapa 1 C3.
Tel *(212) 602-0800.*

Village Light Opera Group
Apresentações: Haft Auditorium, Fashion Institute of Technology,
227 W 27th St.
Mapa 8 E3.
Tel *(212) 352-3101.*

Washington Square
Mapa 4 D2.

Whitney Museum
Philip Morris Building, 120 Park Ave com 42nd St.
Mapa 9 A1.
Tel *1-800-944-8639.*

Winter Garden
World Financial Center, West St.
Mapa 1 A2.
Tel *(212) 945-2600.*

Rock, Jazz e World Music

Nova York tem todas as formas de música imagináveis, de rock internacional em estádios aos sons do jazz Dixieland ou dos country blues dos anos 60, sem falar em talentosos músicos de rua. O cenário musical da cidade muda constantemente, com gente nova chegando (e partindo) quase todo dia, portanto não dá para prever o que cada um vai encontrar.

LOCAIS E PREÇOS

Os clubes costumam cobrar couvert e às vezes há consumação mínima de um ou dois drinques (a US$ 7 ou mais). Os preços dos shows variam entre US$ 50 e US$ 150, nos lugares maiores. Em muitas das casas menores há lugares para sentar de um lado e para dançar de outro, a preços diferentes.

Bandas internacionais geralmente fazem shows nas enormes arenas no **Meadowlands** ou no **Madison Square Garden** *(pág. 135)*. É nestes lugares que se apresentam artistas como Elton John, Bruce Springsteen e Rolling Stones. Os ingressos para shows desse tipo costumam acabar em pouco tempo. É bom comprar assim que são postos à venda ou se termina pagando bem mais, comprando de agências ou cambistas *(pág. 341)*. No verão há grandes shows ao ar livre em Jones Beach *(pág. 255)* e no **Central Park SummerStage**.

Outras bandas conhecidas se apresentam em locais não tão grandes, como o palácio Art Déco do **Radio City Music Hall**, o **Hammerstein Ballroom** e o **Beacon Theater**. Uma das mais novas casas de shows de Nova York, com apresentações incríveis, é o **Nokia Theater**, em Times Square, conhecido por sua excelente acústica. Os melhores locais para música ao vivo ficam no Upper West Side.

Muitos roqueiros também se apresentam em bares de música ao vivo. Às vezes várias bandas tocam na mesma noite, no mesmo local. Acompanhe a programação no *The New York Times*, *Village Voice* ou *Time Out New York* ou ligue para o bar em questão.

ROCK

O rock assume formas variadas: gótico, tecno, industrial, psicodélico, funk pós-punk, indie e música alternativa. Quem prefere ver a banda de perto, em vez de em um telão, deve procurar lugares de ambiente mais aconchegante.

O **Knitting Factory** tem jazz ao vivo e música nova. O **Mercury Lounge** é um lugar da moda que apresenta bandas novas, candidatas à MTV. O **Irving Plaza** é um lugar onde se apresentam grupos de rock relativamente desconhecidos, além de receber às vezes alguns cantores famosos de country e de blues.

A inauguração do **Bowery Ballroom** em 1998 ajudou a recuperar o Lower East Side, com sua ótima acústica e boa visão do palco, além de programar espetáculos bem conhecidos e bandas locais.

O **Arlene's Grocery**, uma mercearia reformada vem atraindo uma multidão de fiéis clientes desde 1995, graças a espetáculos que vão do rock ao country e shows de humor. O **Joe's Pub** atrai os que apreciam a eclética lista de rock, jazz, hip-hop e lounge music. Local mais requintado, o **Crash Mansion** mostra novos talentos de qualquer estilo musical, do rock ao punk, da música brasileira ao jazz, além de destacar artistas de renome como Norah Jones.

JAZZ

O The Cotton Club e o Connie's Inn originais, que já foram caldeirões de jazz, não existem mais, nem os antigos bares clandestinos da West 52nd Street. Mas lendas vivas como Maynard Ferguson, Dave Brubeck e Les Paul ainda tocam, e uma nova geração dá continuidade à tradição de Duke Ellington e Count Basie. No Harlem, o estiloso mas informal **Lenox Lounge** apresenta jazz atual nos finais de semana.

Existem templos do jazz dos anos 1930 em Greenwich Village que sobrevivem até hoje. O mais importante é o **Village Vanguard**, onde lembranças reverenciadas do jazz se mantêm vivas, enquanto outras são criadas por grupos como os trios de McCoy Tiner e Branford Marsalis. Big bands se apresentam no **Blue Note** –o ingresso custa caro, mas vale.

O **Knitting Factory** costuma apresentar um jazz muito mais contemporâneo e de vanguarda. O **Smoke**, com ambiente mais intimista, recebe músicos de diversas tendências.

O **Birdland** apresenta ex-pupilos de Charlie Mingus e músicos como Bud Shank. No **Cajun**, simpático restaurante no estilo de Nova Orleans, pode-se ouvir o grande som do jazz Dixieland e pequenos grupos quase desconhecidos.

O **Café Carlyle**, local famoso no East Side por receber o cantor e pianista Bobby Short, apresenta agora o cineasta e clarinetista Woody Allen tocando com Eddy Davis e a New Orleans Jazz Band. O **Jazz Standard**, com um amplo espaço apresenta performances de jazz na maioria das noites.

O sofisticado restaurante **Iridium** toca jazz progressivo. Quem estiver em Nova York em junho não pode perder o **JVC Jazz Festival**, um evento anual em que ícones do jazz, como Oscar Peterson, Nina Simone e BB King, se apresentam em Manhattan. Ligue para se informar.

O **Jazz Lincoln Center** tem uma programação anual de eventos, incluindo concertos da renomada Lincoln Center Jazz Orchestra, sob a direção de Wynton Marsalis. A música varia dos sons nova-iorquinos de Duke Ellington ao jazz tradicional de Nova Orleans, de Johnny Dodds. O Jazz Lincoln Center agora tem sede própria, após se mudar para o primeiro centro de artes específico para jazz. Está no novo Time Warner Center, no Columbus Circle, um edifício com várias salas, erguido sobre o Central Park, com palcos dispostos entre paredes de vidro e um piso de dança sob a Lua e as estrelas. As noites de sexta no **Rose Center** (no **AMNH**) têm jazz ao vivo.

MÚSICA FOLK E COUNTRY

Música folk, rock e R&B (rhythm and blues) são tocados no famoso, mas hoje um pouco decadente, **Bitter End**, que já revelou James Taylor e Joni Mitchell e se especializa em talentos novos, assim como o **Kenny's Castaways**.

Há boa música *folk* também no **Sidewalk Café**.

BLUES, SOUL E WORLD MUSIC

Para ouvir world music, não perca as "Mambo Mondays" com Nestor Torres no **SOB's** (Sounds of Brazil), reduto de ritmos afro-latinos. Para blues e soul, uma opção é o **Apollo Theater**, no Harlem *(pág. 228)*. Há quase 60 anos suas lendárias Wednesday Amateur Nights "descobrem" estrelas como James Brown e Dionne Warwick.

O **Cotton Club** não está mais no seu endereço original, mas oferece blues e jazz de primeira linha e um *brunch* de domingo regado a muito gospel, na rua principal do Harlem.

O **B.B.King's Blues Club** tem frequentemente shows de lendas do jazz e gospel. Não perca as noites de mambo com Nestor Torres no **SOB's** (Sounds of Brazil), um clube de world music especializado em ritmos afro-latinos.

O bar **Terra Blues** se transforma em casa de concertos. Os artistas de blues que aparecem vão dos autênticos instrumentistas acústicos de Chicago às apresentações mais modernas.

Entre as novidades no cenário musical estão o **C-Note**, local cada vez mais procurado, e o **Tonic**, que oferece muita improvisação, jazz e blues com um elenco variável de músicos, enquanto o **The Stone** apresenta artistas mais experimentais.

AGENDA

CASAS DE SHOWS

Beacon Theater
2124 Broadway.
Mapa 15 C5.
Tel *(212) 496-7070.*

Central Park SummerStage
Rumsey Playfield.
Mapa 12 F1.
Tel *(212) 360-2777.*

Continental Arena Meadowlands
50 Route 120 E Rutherford, NJ.
Tel *(201) 935-3900.*

Hammerstein Ballroom
311 W 34th St. **Mapa** 8 D2. ***Tel*** *(212) 279-7740.*

Madison Square Garden
7th Ave & 33rd St.
Mapa 8 E2.
Tel *(212) 465-6741.*

Nokia Theatre
1515 Broadway
Mapa 12 E5.
Tel *(212) 930 1959.*

Radio City Music Hall
Ver pág. 347.

ROCK

Arlene's Grocery
95 Stanton St. **Mapa** 5 A3.
Tel *(212) 995-1652.*

Bowery Ballroom
6 Delancey St. **Mapa** 4F3.
Tel *(212) 533-2111.*

Crash Mansion
199 Bowery. **Mapa** 4 F3.
Tel *(212) 982-7767.*

Joe's Pub
Public Theater, 425 Lafayette St. **Mapa** 4 F2.
Tel *(212) 539-8770.*

Knitting Factory
74 Leonard St. **Mapa** 4 E5.
Tel *(212) 219-3132.*

Mercury Lounge
217 E Houston St.
Mapa 5 A3.
Tel *(212) 260-4700.*

Irving Plaza
17 Irving Pl. **Mapa** 9 A5.
Tel *(212) 777-6800.*

JAZZ

Birdland
315 W 44th St. **Mapa** 12 D5.
Tel *(212) 581-3080.*

Blue Note
131 W 3rd St. **Mapa** 4 D2.
Tel *(212) 475-8592.*

Café Carlyle
95 E 76th St. **Mapa** 17 A5.
Tel *(212) 744-1600.*

Cajun
129 8th Ave.
Mapa 8 D5.
Tel *(212) 691-6174.*

Iridium
1650 Broadway. **Mapa** 12 D2. ***Tel*** *(212) 582-2121.*

Jazz at Lincoln Center
Tel *(212) 258-9800.*

Jazz Standard
116 E 27th St. **Mapa** 9 A3
Tel *(212) 576-2232.*

JVC Jazz Festival
Tel *(212) 501-1390.*

Lenox Lounge
288 Malcolm X Boulevard.
Mapa 21 B2.
Tel *(212) 427-0253.*

Rose Center
79th St at CPW. **Mapa** 16 D5. ***Tel*** *(212) 769-5100.*

Smoke
2751 Broadway. **Mapa** 20 E5. ***Tel*** *(212) 864-6662.*

Village Vanguard
178 7th Ave S.
Mapa 3 C1.
Tel *(212) 255-4037.*

FOLK E COUNTRY

Bitter End
147 Bleecker St. **Mapa** 4 E3. ***Tel*** *(212) 673-7030.*

Kenny's Castaways
157 Bleecker St.
Mapa 4 E3.
Tel *(212) 979-9762.*

Sidewalk Café
94 Ave A. **Mapa** 5 B2.
Tel *(212) 473-7373.*

BLUES, SOUL, E WORLD MUSIC

Apollo Theater
253 W 125 St.
Mapa 19 A1.
Tel *(212) 531-5305.*

B.B. King's Blues Club
237 W 42nd St.
Mapa 8 E1.
Tel *(212) 997-4144.*

C–Note
157 Ave C. **Mapa** 5 C2.
Tel *(212) 677-8142.*

Cotton Club
656 W 125th St. **Mapa** 22 F2.
Tel *(212) 663-7980.*

SOB's
204 Varick St. **Mapa** 4 D3.
Tel *(212) 243-4940.*

Terra Blues
149 Bleecker St.
Mapa 4 E3.
Tel *(212) 777-7776.*

The Stone
Ave C, próximo à 2nd St.
Mapa 5 C2.
Tel *(212) 431-0066.*

Tonic
107 Norfolk St. **Mapa** 5 B4.
Tel *(212) 358-7503.*

Boates, Danceterias e Locais de Gays e Lésbicas

A vida noturna e as boates de Nova York são merecidamente lendárias. Seja qual for sua preferência –uma discoteca, apresentação cômica ou melodias suaves de um Harry Connick, Jr. num piano-bar–, você se encantará com a escolha. Houve uma explosão de grandes discotecas na década de 1980, mas poucas sobreviveram à recente onda das superboates confortáveis e cheias de estilo.

QUANDO E ONDE

O melhor momento para freqüentar as boates é durante a semana (também é muito mais barato). Leve bastante dinheiro e documento de identidade para provar que tem idade para beber (mais de 21 anos) –mas cuidado: as bebidas são bem caras.

As boates ou clubes da moda funcionam até as 4 horas ou mais tarde. O que está na moda muda o tempo todo, por isso vá à Tower Records, na Broadway, para pegar os últimos folhetos, verifique os detalhes das boates nas revistas *(pág. 340)* e leia a *Village Voice*. Os locais mais interessantes costumam ser divulgados no boca-a-boca. A melhor opção é ir a um local como **Avalon** (antigo Limelight) e esperar que alguém lhe diga aonde ir –em geral, ali são distribuídos convites para outras boates.

PARA DANÇAR

Os nova-iorquinos adoram música e dança. As pistas de dança disponíveis vão do popular **SOB's** –para jungle, reggae, soul, jazz e salsa– até locais enormes, do tamanho de quadras de basquete, como **Roseland**. Nesta, tem dança de salão às quintas-feiras e aos sábados, e é o salão de baile clássico da Broadway, revelando um vislumbre da antiga cultura dessa rua. Ali existe um enorme restaurante de 700 lugares, com um bar bem sortido.

Se quiser algo diferente, vá ao **Barbetta**, onde Boris e Yvgeny tocam uma mistura de música cigana e valsas vienenses. O **Copacabana**, que na inauguração contava com astros como Dean Martin e Frank Sinatra, virou discoteca que também tem bandas ao vivo. Ali ocorrem festas extravagantes na última quinta-feira do mês, com os chamados go-go boys, drag queens e disco divas.

O **Avalon**, que é um local misto, com dança no térreo e assentos para espectadores em balcões, foi reformado em 1998. Vale a pena visitar a boate renovada.

O moderno **Crobar**, com bar elegante e enorme pista de dança, atrai multidões que acompanham os sucessos do momento. A lendária **Pacha**, de Ibiza, abriu uma boate de 4 andares no coração da Times Square. Aqui se apresentam os melhores DJs do mundo, em um sistema de som colossal. Imaginativo mundo subaquático, o **Coral Room** apresenta um grandioso aquário com uma sereia viva nadando e uma pista de dança animada, rodeada por paredes de coral. Essa boate notável foi usada para tomada de fotos de revistas de moda, como a *Vanity Fair* e a *Vogue*, e é um local de destaque para lançamentos musicais. O suntuoso **NA** –iniciais do dono e promoter de festas Noel Ashman– fica cheio de frequentadores modernos, celebridades e de quem veio para vê-los. Junte-se à multidão e chegue à pista para dançar hip-hop, funk, rock e os clássicos. A entrada pode ser meio restritiva; por isso, vista-se bem. O espaçoso **Mannahatta** fica cheio de gente moderna, mas informal, que gosta de uma bebidinha no bar convidativo antes de descer para dançar de hip-hop aos clássicos pop, dependendo da noite.

NIGHTCLUBS

Os nightclubs são lugares para se ver show. Agora, os shows da cidade são menos deslumbrantes do que nas décadas de 1940 e 1950, mas ainda se orgulham da grande variedade de números. Paga-se couvert artístico, e alguns clubes exigem o consumo de pelo menos duas doses de bebida.

O **Rainbow Grill** no 65º andar do RCA Building tem um ótimo piano-bar. O **Supper Club**, com cortinas de lamê dourado, apresenta música de big bands no térreo. Cantoras de cabaré se apresentam em cima, no Blue Room. O **Joe's Pub**, no Public Theater, tem boa comida e atrações como John Hammond e Mo Tucker. O Central Park tem um clube parte ao ar livre, **Tavern on the Green**, com jazz no Chestnut Room. O **Feinstein's at the Regency** é a síntese do cabaré clássico.

LOCAIS DE GAYS E LÉSBICAS

As últimas duas décadas viram a chegada de boates e restaurantes especialmente voltados para a clientela gay e lésbica. Embora haja diversão variada, predominam as revistas de travestis. Apesar de todos os locais serem abertos a heterossexuais e muitas vezes ao sexo oposto também, alguns podem deixar os "intrusos" muito constrangidos. Entre os concorridos cabarés gays estão o **Duplex**, que apresenta um misto de comediantes, esquetes cômicos e cantores.

Os nightclubs e bares bem na moda para homens incluem o elegante **Town House**, no centro, um piano-bar com restaurante, e o moderno **XL Lounge** , em Chelsea, decorado numa mistura de tom de areia e cor vibrante. **Don't Tell Mama** é um bar gay antigo que apresenta boas revistas musicais e sátiras. **Henrietta Hudson** e **Crazy Nanny's** atendem apenas mulheres, assim como o **Grolier**. O piano-bar **Marie's Crisis** é um lugar misto. As publicações *Village Voice*, *HX* e *Next* dispõem de uma boa lista do que está acontecendo nas comunidades gays, e *Gay Yellow Pages* cobre o panorama gay. Se quiser mais informações, ligue para **Gay and Lesbian Switchboard**.

A região de Chelsea, principalmente em volta da Eighth Avenue, é o coração da vida gay. A área de Hell's Kitchen, entre as Eighth e 10th Avenues, também se agita com a noite gay. O convidativo e elegante **G Lounge** serve coquetéis e cafés saborizados, e é o local perfeito para um drinque antes das boates.

O animado **Barracuda** apresenta shows de drags e atrai uma multidão de clientes regulares e novos. que querem se divertir. O **Rawhide** se mantém animado a noite toda, com uma happy hour concorrida, toda noite até as 22h. O bar **Stonewall** famoso local das revoltas de Stonewall e berço do movimento gay moderno, apresenta um bar descontraído, um bistrô no térreo e divertida pista de dança. O confortável **Posh** atrai uma simpática multidão para a concorrida happy hour, das 16h às 20h.

Descontraído e aconchegante, o **Rubyfruit Bar and Grill** na Hudson Street fica cheio de mulheres que saem para tomar coquetéis e conversar. O **Cubby Hole** é um despretensioso bar de lésbicas onde as frequentadoras cantam junto com uma jukebox.

AGENDA

PARA DANÇAR

Avalon
660 6th Ave.
Mapa 8 E5.
Tel *(212) 807-7780.*

Barbetta
321 W 46th St.
Mapa 12 D5.
Tel *(212) 246-9171.*

Copacabana
560 W 34th St.
Mapa 8 E2.
Tel *(212) 582-2672.*

Coral Room
512 W 29th St.
Mapa 7 C3.
Tel *(212) 244-1965.*

Crobar
530 W 28th St.
Mapa 7 C3.
Tel *(212) 629-9000.*

Knitting Factory
74 Leonard St.
Mapa 4 E5.
Tel *(212) 219-3132.*

Mannahatta
316 Bowery St.
Mapa 4 E3.
Tel *(212) 253-8644.*

NA
246 W 14th St.
Mapa 3 C1.
Tel *(212) 675-1567.*

Pacha NYC
618 W 46th St
Mapa 12 E5.
Tel *(212) 209-7500.*

Roseland
239 W 52nd St.
Mapa 12 E4.
Tel *(212) 247-0200.*

SOB's
204 Varick St.
Mapa 4 D3.
Tel *(212) 243-4940.*

NIGHTCLUBS

Feinstein's at the Regency
540 Park Ave.
Mapa 13 A3.
Tel *(212) 339-4095.*

Joe's Pub
425 Lafayette St (Public Theater).
Mapa 4 F2.
Tel *(212) 539-8777.*

Rainbow Grill
30 Rockefeller Plaza.
Mapa 12 F4.
Tel *(212) 632-5000.*

Tavern on the Green
Central Park,
Lado oeste com 67th St.
Mapa 12 D2.
Tel *(212) 873-3200.*

The Supper Club
240 W 47th St.
Mapa 12 D5.
Tel *(212) 921-1940.*

LOCAIS DE GAYS E LÉSBICAS

Barracuda
275 W 22nd St.
Mapa 8 D4.
Tel *(212) 645-8613.*

Crazy Nanny's
21 7th Ave S.
Mapa 3 C1.
Tel *(212) 366-6312.*

Don't Tell Mama
343 W 46th St.
Mapa 12 D5.
Tel *(212) 757-0788.*

Duplex
61 Christopher St.
Mapa 3 C2.
Tel *(212) 255-5438.*

G Lounge
223 W 19th St.
Mapa 8 E5.
Tel *(212) 929-1085.*

Gay and Lesbian Switchboard
Tel *(212) 989-0999.*

Henrietta Hudson
438 Hudson St.
Mapa 3 C3.
Tel *(212) 924-3347.*

Marie's Crisis Café
59 Grove St.
Mapa 3 C2.
Tel *(212) 243-9323.*

Posh
405 W 51st St.
Mapa 11 C4.
Tel *(212) 957-2222.*

Rawhide
212 8th Ave.
Mapa 8 D4.
Tel *(212) 242-9332.*

Rubyfruit Bar and Grill
531 Hudson St.
Mapa 3 C2.
Tel *(212) 929-3343.*

Stonewall
53 Christopher St.
Mapa 3 C2.
Tel *(212) 463-0950.*

Town House
236 E 58th St.
Mapa 13 B4.
Tel *(212) 754-4649.*

The Cubby Hole
281 W 12th St.
Mapa 3 C1.
Tel *(212) 243-9041.*

XL Lounge
357 W 16th St.
Mapa 8 5D.
Tel *(646) 336-5574.*

Comediantes, Cabarés e Eventos Literários

De Jack Benny e Rodney Dangerfield a Woody Allen e Jerry Seinfeld, Nova York tem quase tantos comediantes quanto piadas a respeito da cidade, incluindo gracejos como: sobre o crime –"Em Nova York, o crime está cada vez pior. Outro dia, a Estátua da Liberdade estava com as duas mãos para cima"; e sobre o trânsito –"Olhe sempre para os dois lados, no farol vermelho". Aqui, a comédia não poupa nada. Isso é bom, pois significa que, seja qual for a boate de comediantes em que você entrar, estará às gargalhadas depois de algumas piadas. A cidade também é perfeita para a fantasia, a julgar pela quantidade de cabarés e salões. Uma experiência inesquecível em Nova York é ganhar uma serenata de um cantor, no escurinho de um piano-bar. E a cidade se orgulha do cenário literário, com excelentes leituras e conferências semanais.

COMÉDIAS

Muitas das atuais boates de comediantes de Nova York tiveram origem nas antigas comédias de "improviso". Parte do encantamento dos comedy clubs da cidade vem do fato de que nunca se sabe quem estará ao microfone soltando o verbo. Qualquer um, de Dennis Miller e Roseanne Barr a Robin Williams, pode aparecer. Mas atenção: se não quiser ficar em evidência ou sofrer gozações, sente-se longe do palco. Diversos comedy clubs servem refeições, e nos mais concorridos é bom fazer reserva para garantir a entrada.

Na liderança dos clubes estão o **Boston Comedy Club**, em Greenwich Village, com comediantes conhecidos, e o **Caroline's**, onde se apresentam nomes conhecidos num ambiente elegante. O famoso bordão do comediante Roger Dangerfield, de olhos saltados, era: "Ninguém me respeita". Mas, a julgar pela fama duradoura de seu **Dangerfields Comedy Club**, que atraía gente de todo o país, parece que ele era muito respeitado. No **Upright Citizens Brigade Theatre** comediantes desbocados, no estilo de Chicago, improvisam aos domingos às 19h30 e 21h30. Muitas apresentações são gratuitas. O **Gotham Comedy Club**, no Flatiron District, mostra diversos comediantes em cenário sofisticado. O **Comic Strip Live**, no East Side, recebeu comediantes de primeira, a exemplo de Eddie Murphy, e continua a lançar muitos comediantes novos.

O **Chicago City Limits** oferece ótimos espetáculos e comédias de improviso, enquanto o **Comedy Cellar**, num subsolo de Greenwich Village, apresenta todas as noites uma série de comediantes novos e conhecidos. Também são bons: **Stand-Up New York**, **NY Comedy Club**, **Rose's Turn**, **The Underground**, **The Laugh Factory** e **NY Improv**.

CABARÉS E PIANOS-BARES

Os cabarés se tornaram uma instituição de Nova York. Locais aconchegantes, só para ouvir música, muitas vezes são chamados de "rooms" e ficam em hotéis. A maioria funciona de terça a sábado (em geral, com couvert artístico ou consumação mínima) e grande parte aceita cartões de crédito.

O **Oak Room** do Algonquin possui produtor musical. Para um salão clássico de piano, com vista panorâmica de Manhattan, visite a **Beekman Tower**. Entre todos, o campeão é Bobby Short, que tocou piano durante 25 anos no Café Carlyle, no **Carlyle Hotel**. Woody Allen toca ali às segundas, com a New Orleans Jazz Band de Eddy Davis. O Carlyle também conta com o **Bemelman's Bar**, com murais extravagantes; atrai multidões que gostam de cantores de primeira. É preciso paletó para ir ao **5757 Bar** do Four Seasons Hotel, mas a opulência vale a pena.

Há teclados afinados e ótima música no saguão do **Drake Swissôtel**, em Park Avenue. Um pianista se apresenta no **Lobby Lounge**, do Hilton Hotel, e a cantora e pianista Kathleen Landis, do **Cafe Pierre's**, no Pierre Hotel, agrada muito. Também há música no **Ambassador Lounge** do Regal UN Plaza Hotel. O animado cabaré **Don't Tell Mama** apresenta músicos emergentes e os já conhecidos, que tratam suas músicas com bom gosto.

O **Ars Nova**, em Hell's Kitchen, é um cabaré informal e diversificado, onde se pode ouvir melodias de shows e ver comédias experimentais, dispondo de atrações como Liza Minnelli e Tony Kushner. Para o cabaré mais exclusivo da cidade, escolha o animado **Duplex**, o mais antigo de Nova York. Relaxe ao som do teclado do piano bar no térreo, ou suba para ver os shows clássicos e insuperáveis, com números de um ato, e comédias ótimas. Divirta-se numa fantástica casa que funciona a semana inteira: o elegante **Danny's Skylight Room Cabaret**. Para uma noite memorável de músicas e canções vá ao **Feinstein's at the Regency Hotel**, onde artistas de primeira se apresentam de terça a sábado. Aproveite o cabaré, o teatro e os conjuntos musicais no luxuoso **Dillon's Restaurant and Lounge**, instalado no coração do Theater District.

EVENTOS LITERÁRIOS E POESIA PERFORMÁTICA

Como berço de alguns dos maiores escritores americanos, de Herman Melville a Henry James, e lar adotivo de inúmeros outros, Nova York há muito tempo é a didade dos escritores. A tradição literária é celebrada o ano todo, com leituras públicas de textos e palestras, que ocorrem em livrarias, bibliotecas, cafeterias e centros comunitários. Em geral, as leituras são gratuitas, mas sempre há fila para os nomes mais conhecidos. O **92nd Street Y** apresentou leituras dos maiores escritores que passaram por Nova York, a exemplo de muitos autores que ganharam os prêmios Nobel e Pulitzer. A maioria das livrarias da cidade realiza uma série de leituras semanais ou mensais, como a **Barnes & Noble** (as filiais de Astor Place e Union Square costumam atrair os autores mais famosos), a **Coliseum Books** e a **Borders Books and Music**. A **Mid-Manhattan Library** também apresenta leituras. Assista a leituras animadas de dramaturgos na **Drama Book Shop**. Verifique a revista *The New Yorker*, disponível em livrarias e bancas, para ver a atual lista de leituras e palestras.

A poesia performática (poetry slam, às vezes denominada spoken word) consiste numa tarde de poemas, raps e narrativas de formato variável, em geral tumultuada e divertida, quase sempre imprevisível e nunca maçante. O **Nuyorican Poets Café**, em Alphabet City, muitas vezes citado como "pai" da spoken word em Nova York, oferece todas as noites um misto de poesia performática, leituras e apresentações.

O **Bowery Poetry Club**, fundado como espaço performático para spoken word em todas as suas variações, apresenta uma variedade eclética de apresentações, desde poesia até diversas artes performáticas.

AGENDA

COMÉDIAS

Boston Comedy Club
82 W 3rd St. **Mapa** 4 D2.
Tel *(212) 477-1000.*

Caroline's
1626 Broadaway.
Mapa 12 E5.
Tel *(212) 757-4100.*

Chicago City Limits
1105 1st Ave.
Mapa 13 C3.
Tel *(212) 888-5233.*

Comedy Cellar
117 MacDougal St.
Mapa 4 D2.
Tel *(212) 254-3480.*

Comic Strip Live
1568 2nd Ave.
Mapa 17 B4.
Tel *(212) 861-9386.*

Dangerfield's
1118 1st Ave.
Mapa 13 C3.
Tel *(212) 593-1650.*

Gotham Comedy Club
34 W 22nd St.
Mapa 8 F4.
Tel *(212) 367-9000.*

NY Comedy Club
241 E 24th St. **Mapa** 9 B4.
Tel *(212) 696-5233.*

NY Improv
318 W 53rd St.
Mapa 12 E4.
Tel *(212) 757-2323.*

Stand-up New York
236 W 78th St.
Mapa 15 C5.
Tel *(212) 595-0850.*

The Laugh Factory
303 W 42 St.
Mapa 8 D1.
Tel *(212) 586-7829.*

Rose's Turn
55 Grove St. **Mapa** 3 C2.
Tel *(212) 366-5438.*

The Underground
955 W End Ave.
Mapa 20 E5.
Tel *(212) 531-4759.*

Upright Citizens Brigade Theatre
307 W 26th St.
Mapa 8 D4.
Tel *(212) 366-9176.*

CABARÉS E PIANOS-BARES

5757 Bar
Four Seasons Hotel,
57 E 57th St.
Mapa 12 F3.
Tel *(212) 758-5700.*

Ambassador Lounge
Regal UN Plaza Hotel,
1 UN Plaza com 44th St.
Mapa 13 C5.
Tel *(212) 758-1234.*

Ars Nova
511 W 54th St.
Mapa 12 E4.
Tel *(212) 489-9800.*

Beekam Tower
3 Mitchell Pl.
Mapa 13 C5.
Tel *(212) 980-4796.*

Café Pierre
Pierre Hotel, 2 E 61st St.
Mapa 12 F3.
Tel *(212) 940-8195.*

Carlyle Hotel
35 E 76th St.
Mapa 17 A5.
Tel *(212) 744-1600.*

Danny's Skylight Room Cabaret
346 W 46th St.
Mapa 12 D5.
Tel *(212) 265-8133.*

Dillon's Restaurant and Lounge
245 W 54th St.
Mapa 12 D4.
Tel *(212) 307-9797.*

Don't Tell Mama
343 W 46th St.
Mapa 12 D5.
Tel *(212) 757-0788.*

Drake Swissôtel
440 Park Ave.
Mapa 13 A3.
Tel *(212) 421-0900.*

Duplex
61 Christopher St.
Mapa 3 C2.
Tel *(212) 255-5438.*

Feinstein's at the Regency Hotel
540 Park Ave.
Mapa 13 A3.
Tel *(212) 759-4100.*

Lobby Lounge
Hilton Hotel, 53 Ave of the Americas.
Mapa 12 E4.
Tel *(212) 586-7000.*

Oak Room
Algonquin Hotel,
59 W 44th St.
Mapa 12 F5.
Tel *(212) 840-6800.*

EVENTOS LITERÁRIOS E POESIA PERFORMÁTICA

92nd Street Y
1395 Lexington Ave.
Mapa 17 A2.
Tel *(212) 415-5729.*

Barnes & Noble
4 Astor Place.
Mapa 4 F2.
Tel *(212) 420-1322.*

33 E 17th St.
Mapa 9 A5.
Tel *(212) 253-0810.*

Borders Books and Music
461 Park Ave.
Mapa 17 A3.
Tel *(212) 980-6785.*

Bowery Poetry Club
308 Bowery.
Mapa 4 F3.
Tel *(212) 614-0505.*

Coliseum Books
11 W 42nd St.
Mapa 8 F1.
Tel *(212) 803-5890.*

Drama Book Shop
250 W 40th St.
Mapa 8 E1.
Tel *(212) 944-0595.*

Mid-Manhattan Library
455 Fifth Ave com 40th St.
Mapa 8 F1.
Tel *(212) 340-0833.*

Nuyorican Poets Café
236 E 3rd St.
Mapa 5 B2.
Tel *(212) 505-8183.*

Fim de Noite em Nova York

Nova York é realmente a cidade que nunca dorme. Se você acordar no meio da noite com desejo de comer um pãozinho recém-saído do forno, de se divertir nas baladas ou de assistir ao nascer do sol no horizonte de Manhattan, sempre poderá realizar suas vontades.

BARES E CLUBES

Os bares mais simpáticos são os irlandeses. Nos barulhentos **O'Flanagan's** e o **Scruffy Duffy's** a pista de dança funciona até tarde, e ainda providenciam transporte para os fregueses. Tome um dry martini de madrugada no **Temple Bar**. Os melhores pianos-bares ficam nos hotéis: procure o **Café Carlyle** no **Carlyle Hotel**, o Feinstein's do **Regency**, ou a Oak Room do **Algonquin Hotel**.

No **Joe's Pub** e **Blue Note** ouve-se jazz americano de primeira até as 4h da manhã. Jazz tradicional e swing divertem quem vai jantar ou dançar no **Rainbow Room Grill**. Nos fins de semana **Cornelia Street Café** é um reduto animado que promove leituras de poesia e peças de teatro. **Nuyorican Poets** tem poesia, teatro e música latina. O **Rose's Turn**, no Village, fica aberto até tarde, tem piano-bar e *open mike* (microfone aberto) para quem quiser soltar a voz.

SESSÃO DA MEIA-NOITE

Sessões à meia-noite e frequentadores jovens podem ser encontrados no Angelika Film Center e Film Forum *(págs. 349)*. Os novos cinemas com múltiplas salas exibem filmes à meia-noite nos fins de semana.

LOJAS

A Shakespeare & Company Booksellers, na Broadway, e a St Mark's Bookshop ficam abertas até tarde. As duas filiais da Tower Records e a Gryphon Records fecham à meia-noite. A loja de discos Bleeker Bob's Golden Oldies funciona até as 3h nos fins de semana *(ver Compras págs. 332-3)*. Se quiser alugar um filme, a **TLA Video**, na 8th Street, fica aberta até as 23h. Entre as lojas de roupas do Village que ficam abertas até tarde nos fins de semana figura a **Trash and Vaudeville** (até 20h de segundas a sábados). As duas farmácias **Duane Reade** e a **Rite Aid Pharmacy** são 24 horas.

MERCEARIAS E SERVIÇOS DE ENTREGA

Umas poucas lojas de comida abrem 24 horas por dia, entre elas **Delmonico Gourmet Food Market** e **West Side Supermarket**. Diversas quitandas de coreanos funcionam a noite toda. **Food Emporium** é uma cadeia de supermercados abertos até meia-noite. Lojas de bebidas abrem até as 22h e muitas entregam em casa. Para comprar *bagels*, vá à **H & H Bagels**, **Bagels On The Square** e **Jumbo Bagels and Bialys**. Há muitas pizzarias e restaurantes chineses que ficam abertos até tarde e a maioria faz entrega.

JANTAR

Os modernos frequentam o **Balthazar**, o **Florent** e o **Les Halles**, onde encontram boa seleção de comida francesa. Os mais jovens também vão ao **Coffee Shop** para tomar cerveja e comer comida brasileira, tarde da noite. O **Carnegie Deli** faz sanduíches deliciosos. O **Caffè Reggio**, em Greenwich Village, é desde 1927 uma das opções favoritas para se tomar café, chá e bolos tarde da noite. Outras boas opções incluem **Blue Ribbon** e **Diner 24.** O **The Dead Poet** oferece autêntico ambiente do Upper West Side, com jukebox e bar animado. No **Rainbow Room** e no **Rainbow Grill** o cardápio especial, a boa música e a decoração fazem desses lugares marcos na cidade.

ESPORTES

É possível jogar sinuca até 4h no **Slate Billiards** ou até as 5h nos fins de semana no **Billiard Club**. No boliche **Bowlmore Lanes** pode-se pedir cerveja e hambúrguer tarde da noite, junto com estudantes da New York University. Os jogos de segunda à noite são muito populares. O **24-7 Fitness** Club funciona 24 horas.

SERVIÇOS

Em Manhattan, a **Midnight Express Cleaners** pega roupas até a meia-noite e as traz de volta, limpinhas, no dia seguinte. Mas não atende os grandes hotéis. Às quintas-feiras, o cabeleireiro **George Michael of Madison Avenue/ Madora Inc** fica aberto até as 21h –e também atende em casa.

PASSEIOS E VISTAS

Um dos passeios a pé mais gostosos de fazer em Nova York é pelas margens do rio Hudson no **Battery Park City** do World Financial Center, aberto (e seguro) dia e noite. Os píeres 16 e 17 no South Street Seaport atraem quem gosta de fazer caminhadas durante a noite toda –o **Harbour Lights**, no Píer 17, fica aberto quase sempre até 2h, garantindo drinques para reerguer o ânimo. Outra opção é ver as luzes da cidade se acenderem num passeio de duas horas na área do porto, promovido pela **Circle Line**.

Em Riverview Terrace, em Sutton Place, assiste-se ao sol nascer sobre o rio East, Roosevelt Island e Queens em ambiente tranquilo. Tem-se uma vista sensacional de Manhattan no **River Café** (olhando para oeste) e no restaurante **Arthur's Landing** (olhando para leste).

Faça um passeio no **Staten Island Ferry** *(pág. 76)* para ver a Estátua da Liberdade ao raiar do dia ou atravesse a ponte do Brooklyn *(págs. 86-9)* de táxi para assistir ao sol nascer sobre a baía. Suba ao terraço do último andar do **Beekman Tower Hotel** e aprecie o East Side até 1h. Mas a vista mais fantástica ainda é a que se tem do **Empire State Building**: o Observation Deck *(págs. 136-7)* fica aberto até meia-noite. O **Rise**, o bar do 14º andar do Ritz-Carlton Hotel em Battery Park, oferece bela vista do porto e da Estátua da Liberdade.

O **Château Stables** oferece passeios de carruagem e a **Liberty Helicopters** promove vôos sobre a cidade ao entardecer. A **Marvellous Manhattan Tours** organiza passeios noturnos de bar em bar, com guias, e a **Happy Apple Tours** mostra as luzes da cidade. Se mesmo assim você não conseguir dormir, dê um giro no Upper West Side e coma hot dogs no famoso **Gray's Papaya**.

AGENDA

BARES E CLUBES

Algonquin Hotel
Pág. 357.

Blue Note
Pág. 353.

Carlyle Hotel
Pág. 357.

Cornelia Street Café
29 Cornelia St.
Mapa 4 D2.
Tel *(212) 989-9318.*

Joe's Pub
Pág. 353.

Nuyorican Poets Café
236 E 3rd St.
Mapa 5 A2.
Tel *(212) 505-8183.*

O'Flanagan's
1215 1st Ave. **Mapa** 13 C2.
Tel *(212) 439-0660.*

Rainbow Grill
Pág. 355.

Rose's Turn
Pág. 357.

Scruffy Duffy's
743 8th Ave. **Mapa** 12 D5.
Tel *(212) 245-9126.*

Temple Bar
332 Lafayette St.
Mapa 4 F4.
Tel *(212) 925-4242.*

LOJAS

Duane Reade Drugstores
224 W 57th (Broadway).
Mapa 12 D3.
Tel *(212) 541-9708.*

1279 3rd Ave at E 74th St.
Mapa 17 B5.
Tel *(212) 744-2668.*

TLA Video
52 W8th St.
Mapa 4 D2.
Tel *(212) 228-8282.*

RiteAid Pharmacy
Pág. 373.

Trash and Vaudeville
4 St. Mark's Pl. **Mapa** 5 A2.
Tel *(212) 982-3590.*

SERVIÇOS DE ENTREGA

Bagels On The Square
7 Carmine St. **Mapa** 4 D3.
Tel *(212) 691-3041.*

Delmonico Gourmet Food Market
55 E 59th St. **Mapa** 12 F3.
Tel *(212) 751-5559.*

Food Emporium
Ver Páginas Amerelas nas listas telefônicas para endereços.

H & H Bagels
Broadway com 80th St.
Mapa 15 C4.
Tel *(212) 595-8003.*

H & H Midtown Bagels East
1551 2nd Ave.
Mapa 17 B4.
Tel *(212) 734-7441.*

Jumbo Bagels and Bialys
1070 2nd Ave.
Mapa 13 B3.
Tel *(212) 355-6185.*

West Side Market
2171 Broadway.
Mapa 15 C5.
Tel *(212) 595-2536.*

JANTAR

Balthazar
80 Spring St.
Mapa 4 E4.
Tel *(212) 965-1414.*

Blue Ribbon
97 Sullivan St.
Mapa 4 D3.
Tel *(212) 274-0404.*

Caffè Reggio
119 MacDougal St.
Mapa 4 D2.
Tel *(212) 475-9557.*

Carnegie Deli
Pág. 314.

Coffee Shop
Pág. 314.

The Dead Poet
450 Amsterdam Ave.
Mapa 15 C4.
Tel *(212) 595-5670.*

Diner 24
102 8th Ave. **Mapa** 8 D5.
Tel *(212) 242-7773.*

Florent
Pág. 314.

Gray's Papaya
Broadway at 72nd St.
Mapa 11 C1.
Tel *(212) 260-3532.*

Les Halles
Pág. 314.

ESPORTES

24–7 Fitness Club
47 W 14th St.
Mapa 4 D1.
Tel *(212) 206-1504.*

Billiard Club
220 W 19th St.
Mapa 8 E5.
Tel *(212) 206-POOL.*

Bowlmor Lanes
110 University Pl.
Mapa 4 E1.
Tel *(212) 255-8188.*

Slate Billiards
Pág. 361.

George Michael of MadisonAvenue/ Madora Inc
422 Madison Ave.
Mapa 13 A5.
Tel *(212) 752-1177.*

Midnight Express Cleaners
Tel *(718) 392-9200.*

PASSEIOS E VISTAS

Arthur's Landing
Port Imperial Marina, Pershing Circle, Weehawken, NJ.
Tel *(201) 867-0777.*

Battery Park City
West St. **Mapa** 1 A3.

Beekman Tower Hotel
1st Ave 49th St.
Mapa 13 C5.
Tel *(212) 355-7300.*

Château Stables
608 W 48th St.
Mapa 15 B3.
Tel *(212) 246-0520.*

Circle Line
W 42nd St.
Mapa 15 B3.
Tel *(212) 563-3200.*

Marvelous Manhattan Tours
Tel *(718) 846-9308.*

Empire State Building
Págs. 136–7.

Harbour Lights
89 South St Seaport. Pier 17.
Mapa 2 D2.
Tel *(212) 227-2800.*

Liberty Helicopters
Tel *(212) 487-4777.*

Rise
Ritz-Carlton, Battery Park.
Mapa 1 B4.
Tel *(212) 344-0800.*

River Café
Pág. 311.

Staten Island Ferry
Pág. 76.

Esportes

Muitos nova-iorquinos são torcedores fanáticos de esportes, e você encontrará grande variedade de eventos esportivos, para observar e participar, durante o ano todo. A cidade se orgulha de possuir dois times de beisebol, dois times de hóquei, um time de basquete e dois times de futebol americano, todos profissionais. O Madison Square Garden recebe grande variedade de esportes, a exemplo de basquete, hóquei, boxe e atletismo. Os fãs de tênis podem ir aos torneios de US Open e Virginia Slims, e quem gosta de atletismo lota os Millrose Games, onde competem os grandes corredores e outros atletas.

BILHETES

A maneira mais fácil de conseguir bilhetes é pela **Ticketron** ou pela **Ticketmaster**. Para os grandes jogos, talvez você precise de um agente. Também é possível comprar os ingressos nas próprias bilheterias dos estádios, embora esses bilhetes acabem logo. Por isso, é melhor comprar antes. Fique de olho nas ofertas de bilhetes doados por semanários, distribuídos em toda a cidade.

FUTEBOL AMERICANO

Os dois times profissionais de futebol americano são o New York Giants e o New York Jets. Ambos jogam do outro lado do rio, no **Giants Stadium**, em New Jersey, embora existam planos para a construção de um novo Giants Stadium no West Side de Manhattan. Os bilhetes para os Giants, um time popular com impressionantes vitórias nos campeonatos da NFL e do Super Bowl, são quase impossíveis de obter, mas pode haver ingressos para os Jets.

BEISEBOL

Para captar a essência dessa instituição americana, os fãs de beisebol deveriam ver os famosos New York Yankees em ação no **Yankee Stadium**, no Bronx. As proezas desse time lendário se multiplicam, e incluem a conquista da maioria dos títulos das World Series e o orgulho de ter contado com jogadores célebres, como Joe DiMaggio e Jackie Robinson.

O New York Mets, outro time importante, joga no **Shea Stadium**, em Queens. É inesquecível assistir a um jogo do "passatempo preferido dos americanos" no consagrado Yankee Stadium, num dia de verão, acompanhando desde o golpe do bastão e a subida da bola no céu azul, para deslizar aparentemente sem esforço para a base, até o grito da multidão. Se você puder, procure assistir a um jogo entre os Yankees e o Boston Red Sox. A temporada de beisebol vai de abril a outubro.

BASQUETE

O New York Knicks joga em casa no **Madison Square Garden**. Lembre-se de que os bilhetes são caros e difíceis de obter, por isso reserve bem antes, pela Ticketron ou pela Ticketmaster.

Os sempre populares Harlem Globetrotters também jogam no Garden.

BOXE

As partidas de boxe profissional costumam ser vistas mais pela TV da Paramount do que ao vivo no Madison Square Garden. Em meados de abril, também no Garden, realiza-se o Daily News Golden Gloves, o torneio de boxe amador mais antigo dos EUA, no qual competem boxeadores dos cinco distritos de Nova York. Entre os vencedores do Golden Globe do passado, muitos dos quais se tornaram campeões mundiais e ganhadores de medalhas de ouro olímpicas, estavam Sugar Ray Robinson e Floyd Patterson.

CORRIDAS DE CAVALOS

As corridas talvez não sejam atividades tão pródigas quanto eram, mas as que têm apostas altas atraem muita gente da sociedade –chapéus, vestidos de verão etc.– junto com pessoas que estão ali para se divertir e apostar no cavalo da sorte. As corridas de trote, em que os cavalos puxam pequenas carruagens, ocorrem o ano todo na **Yonkers Raceway**. Corridas em raias são realizadas diariamente, menos às terças, de outubro a maio, na **Aqueduct Race Track**, em Queens, e de maio a outubro na **Belmont Park Race Track**, em Long Island.

HÓQUEI NO GELO

A animação toma conta dos New York Rangers quando eles competem no Madison Square Garden. Os New York Islanders também são competidores ferrenhos de hóquei, com partidas animadas no **Nassau Coliseum**, em Long Island. A temporada vai de outubro a abril.

PATINAÇÃO NO GELO

Há três bons lugares para patinar ao ar livre. Um é o **Rockefeller Plaza Rink**, que fica lindo no Natal. Os outros ficam no Central Park: **Wollman Memorial Rink** e **Lasker Ice Rink**. Para locais cobertos, tente o Sky Rink, em **Chelsea Piers**.

MARATONA

Para ser um dos 30 mil que participam da New York Marathon, é preciso se inscrever com seis meses de antecedência. A corrida é no primeiro domingo de novembro. Informações: tel (212) 423-2249.

TÊNIS

O principal torneio de tênis de Nova York é o US Open, disputado em agosto, no **National Tennis Center**. Bom também é o Virginia Slims Championships, para mulheres, em novembro, no **Madison Square Garden** *(pág. 135)*. Se você quer jogar em vez de assistir, procure na lista telefônica a seção "Tennis Courts: Public and Private". Nas quadras particulares você vai pagar entre US$50 e US$70 a hora. Nas quadras públicas, precisará de uma permissão de US$50, disponível no **NY City Parks & Recreation Department**. Também vai precisar de identidade e do cupom de reserva.

ATLETISMO

Os Millrose Games, que atraem importantes atletas do mundo todo, são realizados, normalmente, no início de fevereiro, no **Madison Square Garden**. Competições como a corrida de 100m, o salto com vara e o salto em altura são muito concorridas. Os campeonatos da Amateur Athletic Union (AAU), nos quais competem renomados atletas universitários, ocorrem no fim de fevereiro, em Garden. Chelsea Piers também dispõe de um complexo de atletismo completo.

SPORTS BARS

Nova York está cheia de sports bars, imperdíveis, com telões, bandeiras esportivas e alegres patronos, bebedores de cerveja. Para ter uma idéia da vida esportiva americana, entre num sports bar em dia de jogo importante, e logo estará gritando, enturmado com os frequentadores. Vá ao **Time Out** ou ao **Mickey Mantle's**, ambos com placares gigantes e múltiplas telas de vídeo. O **ESPN Zone**, em Times Square, oferece uma porção de telas para que você acompanhe a ação de onde estiver, até do banheiro.

O **Bar None** e o simpático **Pioneer Bar**, irlandês, são concorridos, e para futebol, vá ao **Nevada Smith's**, em East Village, com uma vibração contagiante, graças aos frequentadores simpáticos movidos a Guinness.

OUTRAS ATIVIDADES

No Central Park, pode-se alugar barco a remo na **Loeb Boathouse** ou jogar xadrez – pegue as peças em The Dairy *(pág. 208)*.

Alugue patins na **Blades Board & Skate** e tenha uma aula grátis ao parar em Central Park, antes de dar uma volta. Existe boliche em **Chelsea Piers** e em alguns outras pistas pela cidade. O **Slate Billiards** e outros bares oferecem mesas de bilhar e discos de dardos.

AGENDA

Aqueduct Race Track
Ozone Park, Queens.
Tel *(718) 641-4700.*

Bar None
98 3rd Ave.
Mapa 4 F1.
Tel *(212) 777-6663.*

Belmont Park Race Track
Hempstead Turnpike, Long Island.
Tel *(718) 641-4700.*

Blades Board & Skate
120 W 72nd St.
Mapa 12 D1.
Tel *(212) 787-3911.*

Chelsea Piers Sports & Entertainment Complex
Piers 59–62 com 23rd St & 11th Ave (Hudson River).
Mapa 7 B4–5.
Tel *(212) 336-6000.*
www.chelseapiers.com

ESPN Zone
1472 Broadway com W 42nd St.
Mapa 8 E1.
Tel *(212) 921-3776.*

Giants Stadium
Meadowlands, E Rutherford, NJ.
Tel *(201) 935-8111.*
www.giants.com

Tel *(516) 560-8200.*
www.newyorkjets.com

Lasker Ice Rink
Central Park Drive East com 108th St.
Mapa 21 B4.
Tel *(212) 534-7639.*

Loeb Boathouse
Central Park.
Mapa 16 F5.
Tel *(212) 517-2233.*

Madison Square Garden
7th Ave com 33rd St.
Mapa 8 E2.
Tel *(212) 465-6741.*
www.thegarden.com

Manhattan Plaza Racquet Club
450 W 43rd St.
Mapa 7 C1.
Tel *(212) 594-0554.*

Mickey Mantle's
42 Central Park South.
Mapa 12 E3.
Tel *(212) 688-7777.*

Nassau Coliseum
1255 Hempstead Turnpike.
Tel *(516) 794-9303*
www.nassaucoliseum.com

National Tennis Center
Flushing Meadow Park, Queens.
Tel *(718) 595-2420.*
www.usta.com

Nevada Smith's
74 3rd Ave.
Mapa 4 F1.
Tel *(212) 982-2591.*

NY City Parks & Recreation Department
Arsenal Building, 64th St & 5th Ave.
Mapa 12 F2.
Tel *(212) 408-0100.*

Pioneer Bar
218 Bowery.
Mapa 4 F3.
Tel *(212) 334-0484.*

Plaza Rink
1 Rockefeller Plaza, 5th Ave.
Mapa 12 F5.
Tel *(212) 332-7654.*

Shea Stadium
126th St com Roosevelt Ave, Flushing, Queens.
Tel *(718) 507-8499.*

Slate Billiards
54 W 21st St.
Mapa 8 E4.
Tel *(212) 989-0096.*

Ticketmaster
Tel *(212) 307-4100.*
www.ticketmaster.com

Ticketron
Tel *(212) 239-6200, 1-800-432-7250.*
www.telecharge.com

Time Out
349 Amsterdam Ave.
Mapa 15 C5.
Tel *(212) 362-5400.*

Wollman Memorial Rink
Central Park, 5th Ave at 59th St.
Mapa 12 F2.
Tel *(212) 439-6900.*

Yankee Stadium
River Ave com 161st St, The Bronx.
Tel *(718) 293-4300.*

Yonkers Raceway
Yonkers, Westchester County.
Tel *(914) 968-4200.*

Preparo Físico e Bem-Estar

Nova York pode ser abominada pelo concreto, pelas multidões e pela cacofonia, mas a selva urbana é uma bênção para os fãs de esportes e de preparo físico. Existem diversas possibilidades, desde ciclismo à beira-rio ensolarada e jogging à sombra da silhueta dos prédios de Manhattan no Central Park Reservoir até a escalada de uma parede de alpinismo em uma das caras academias da cidade, passando por uma massagem num belo spa, com banho de pétalas de rosas, ou pelo encontro com seu eu interior em posição de lótus, numa aula de ioga.

CICLISMO

É só ficar preso no trânsito do centro para dar aquela vontade de pedalar numa rua livre. Embora Manhattan seja uma das ilhas mais populosas do mundo, oferece uma surpreendente rede de trilhas para bicicletas, com 120km. Pelas últimas estimativas, Manhattan se orgulhava de ter mais de 110 mil ciclistas todos os dias. Um dos locais mais agradáveis para pedalar é o Central Park nos fins de semana, quando os carros não entram. Podem-se alugar bicicletas no **Central Park Bike Rentals**, em Columbus Circle. Se você gosta de sentir a brisa do rio, pedale na ciclovia bem conservada ao longo da West Side Highway, que corre paralela ao rio Hudson, ou vá até as trilhas de Riverside Park. Nos fins de semana de verão, as ciclovias podem ficar muito congestionadas, mas se você for cedo ou bem tarde, ou nos meses de inverno, andará praticamente sozinho.

O pessoal simpático da **Bicycle Habitat**, na Lafayette Street, aluga bicicletas e dá dicas sobre como pedalar por toda Nova York.

FITNESS CENTERS, ACADEMIAS E HEALTH CLUBS

Em Nova York, malhação uma vez por semana se tornou obrigatória, mesmo para os workaholics. As academias e os health clubs surgiram por toda a cidade para atender à demanda, e o trabalho com o corpo é contínuo: dia e noite. Há muitas opções –livre-se da agressividade com um saco de pancada, aumente a capacidade cardíaca nos equipamentos apropriados.

A maioria dos hotéis importantes dispõe de fitness centers. Diversas academias e muitos health clubs só aceitam sócios, mas, agora, um número cada vez maior de academias oferece programações diárias. Experimente o **Chelsea Piers Sports & Entertainment Complex**, nos Piers 59-62, perto do rio Hudson; qualquer pessoa encontra o que fazer nesse complexo enorme. No **May Center for Health, Fitness, and Sport at the 92nd Street Y** há estúdios para exercícios, treinamento para levantar peso, quadras para jogos com raquete, salão de boxe e pistas internas. Uma programação diária custa US$30. Com sua academia bem conservada, junto com propostas de dieta e programas de exercícios individuais, a **Casa Spa & Fitness at the Regency Hotel**, na Park Avenue, cumpre o que promete: "seu oásis de saúde e forma física longe de casa".

Pode-se fazer uma série de atividades na nas academias da **YMCA** (uma em West Side e outra na 47th Street). O equipamento ultramoderno, diversas quadras para várias modalidades esportivas, piscinas, estúdios de aeróbica, pistas de corrida e caminhada, ajudam você a se entusiasmar para começar a malhar. A instituição também tem programas para a terceira idade, adequados a seu físico.

GOLFE

Exercite-se no golfe no **Randalls Island Golf Center**, em Randalls Island, no **Chelsea Golf Club**, ou jogue minigolfe no **Wollman Memorial Rink**, no Central Park. A cidade dispõe de diversos campos em seus distritos, a exemplo do **Pelham Bay Park** no Bronx, e do **Silver Lake**, em Staten Island.

JOGGING

Alguns parques são seguros para os corredores; outros, não –peça informações na recepção do hotel. Nenhum é seguro à noite ou antes de amanhecer. O trajeto mais bonito e concorrido é o da represa do Central Park.

O **NY Road Runners**, na 89th Street, tem competições semanais de corrida, assim como o **Chelsea Piers Sports & Entertainment Complex**.

PILATES

Se quer perder os "pneus" na cintura, trabalhe os músculos abdominais e os do tórax e perca gordura, numa aula de pilates. A filosofia desse método se baseia no princípio de que o centro do corpo é a "casa de força" para as partes periféricas do corpo. Desafie seus músculos numa aula (US$20) na **Grasshopper Pilates**, na Franklin Street, dada por um dançarino treinado profissionalmente, num *loft* de TriBeCa. O **Power Pilates** oferece aulas de reforço (US$15) por toda a cidade.

IOGA

É mais fácil se conectar com seu eu espiritual quando isso ocorre num local como o **Exhale Mind Body Spa**, na Madison Avenue, com pé-direito alto e piso de madeira. "Journey into the Core", "Ride the Vinyasa Wave" e "Dance into Trance", numa variedade de sessões de ioga, são o antídoto natural para a loucura da cidade. E, se acha que ioga não é um exercício, então não experimentou o poder de uma sessão que trabalha os abdominais. O **YogaMoves**, na Sixth Avenue, também oferece ampla variedade de aulas de ioga, para principiantes e adiantados.

SPAS

Dê-se ao luxo de ir a um dos spas de Nova York e sairá revitalizado, pronto para enfrentar a selva urbana de novo. Quase todos oferecem pacotes com os quais você desfruta de diversos tratamentos a um preço mais baixo. O aroma inebriante do incenso dos indígenas americanos, que saúda você na entrada fragrante e na penumbra do **Carapan**, é só uma pista da massagem que o espera lá dentro. No confortável e descontraído **Oasis Day Spa**, em Union Square, escolha uma de seis massagens de aromaterapia (US$100), com fragrâncias que reanimam, revigoram, equilibram, despertam a paixão, acalmam ou aliviam. O especial para homens conta com fricções com sal do mar Morto, massagem facial ou muscular com algas (US$100 por uma hora). Para uma sensação paradisíaca, ao estilo de Bali, interne-se no **Acqua Beauty Bar**, na 14th Street, e aproveite a purificação botânica para a face (US$115), pedicure de orquídeas (US$45), ou o ritual de beleza indonésio (US$170), no qual sua pele é friccionada com arroz moído misturado a óleos aromáticos. Entre no **Bliss**, na 57th Street, e descobrirá que tudo pode ser curado com aplicações de cenoura e gergelim no corpo (US$195) ou no rosto (US$195). Coroe tudo com um refinadíssimo pedicure de chocolate, acompanhado de um xícara de cacau cremoso: pura felicidade.

Celebridades, como Antonio Banderas e Kate Moss são fiéis ao **Mario Badescu**, na 52nd Street, cujas massagens faciais e corporais, que incluem fricções com frutas frescas pelo corpo, com framboesas e morangos, são tão famosas quanto os produtos de beleza, perfeitos para dar de presente.

NATAÇÃO

Diversos hotéis de Manhattan dispõem de piscinas de livre acesso para os hóspedes. Você também pode nadar e surfar no Surfside 3 Maritime Center, em **Chelsea Piers**. Para o passeio de um dia, vá ao Jones Beach State Park *(pág. 255)*, ao longo da linha costeira de Long Island.

ESPORTES DE SALÃO

O **Chelsea Piers** tem de tudo: rinques de patinação, basquete, paredes para alpinismo, fitness centers, golfe, ginásios para ginástica, medicina esportiva, spa e, lógico, piscinas. Esse complexo enorme, que se estende por quatro píeres antigos de West Side, é aberto a todos.

Além de dispor de fitness centers, instalações de academia e esportes de salão, a **YMCA** também oferece exercícios, aulas de equilíbrio e flexibilidade, organiza excursões de um dia, tem eventos especiais, e cria oportunidades esportivas e de voluntariado. Se você quiser um dia de aventuras com seus filhos, com preparo físico no programa ou para queimar calorias, então o clube vale uma visita.

AGENDA

Acqua Beauty Bar
7 E 14th St.
Mapa 8 F5.
Tel *(212) 620-4329.*

Bicycle Habitat
244 Lafayette St.
Mapa 4 F3.
Tel *(212) 431-3315.*

Bliss
19 E 57th St. **Mapa** 12 F3.
Tel *(212) 219-8970.*
Também tem filial em SoHo.

Carapan
5 W 16th St.
Mapa 8 F5.
Tel *(212) 633-6220.*

Casa Spa & Fitness at the Regency Hotel
540 Park Ave.
Mapa 13 A3.
Tel *(212) 223-9280.*

Central Park Bike Rental
2 Columbus Circle.
Mapa 12 D3.
Tel *(212) 541-8759.*

Chelsea Piers Sports & Entertainment Complex
Piers 59–62 com23rd St & 11th Ave (Hudson River).
Mapa 7 B4–5.
Tel *(212) 336-6000.*
www.chelseapiers.com

Exhale Mind Body Spa
980 Madison Ave.
Mapa 17 A5.
Tel *(212) 561-6400.*

Grasshopper Pilates
116 Franklin St.
Mapa 4 E5.
Tel *(212) 431-5225.*

NY Road Runners
9 E 89th St.
Mapa 17 A3.
Tel *(212) 860-4455.*

Mario Badescu
320 E 52nd St.
Mapa 13 B4.
Tel *(212) 758-1065.*

May Center for Health, Fitness, and Sport at the 92nd Street Y
1395 Lexington Ave.
Mapa 17 A2.
Tel *(212) 415-5729.*

Oasis Day Spa
108 E 16th St.
Mapa 9 A5.
Tel *(212) 254-7722.*
Uma de diversas filiais.

Pelham Bay Park
The Bronx,
870 Shore Rd.
Tel *(718) 885-1461.*

Power Pilates
49 W 23rd St,
10th floor.
Mapa 8 F4.
Tel *(212) 627-5852.*

Randalls Island Golf Center
Randalls Island.
Mapa 22 F2.
Tel *(212) 427-5689.*

YMCA West Side
1395 Lexington Ave.
Mapa 17 A2.
Tel *(212) 415-5500.*

Silver Lake
915 Victory Blvd.
Staten Island.
Tel *(718) 447-5686, (718) 225-4653*

Wollman Memorial Rink
Central Park, 5th Ave com 59th St. **Mapa** 12 F2.
Tel *(212) 439-6900.*

YMCA 47th St
224 E 47th St.
Mapa 13 B5.
Tel *(212) 756-9600.*

YogaMoves
1026 6th Ave.
Mapa 8 E1.
Tel *(212) 278-8330.*

NOVA YORK PARA CRIANÇAS

Os jovens visitantes vão sentir o entusiasmo que está no ar em Nova York. Há inúmeras atrações para todas as idades, muitas planejadas especialmente para crianças. Mais de dez companhias de teatro, dois zoológicos e três criativos museus atendem aos pequenos, juntamente com eventos especiais em museus e parques. A chance de visitar um estúdio de TV é tentadora e o Big Apple Circus, o circo da cidade, é sempre uma alegria. São tantas atrações que é impossível ver tudo de uma vez. Por isso, as crianças não se chateiam e, melhor ainda, não é preciso gastar nenhuma fortuna.

Jovem visitante faz de Manhattan seu parque de diversões

DETALHES PRÁTICOS

Nova York recebe bem as famílias. Muitos hotéis acomodam crianças no quarto dos pais sem cobrar nada e fornecem berços, se necessário. A maioria dos museus cobra meia-entrada ou menos de crianças –em alguns, é gratuito. Quem mede menos de 1,12m não paga para andar de metrô e ônibus, se estiver acompanhado de um adulto. Vá entre 9h e 16h para evitar os horários de movimento.

É fácil comprar fraldas descartáveis e remédios –a Rite Aid Pharmacy *(pág. 373)* fica aberta 24 horas por dia. Menos fácil é achar um lugar para trocar fraldas de bebês nos toaletes públicos, mas ninguém liga se usar uma mesa ou balcão. Muitos hotéis têm babás e é confiável chamar a **Baby Sitters' Guild** ou **Pinch Sitters**.

Para saber das atividades em andamento para crianças, peça um exemplar gratuito do calendário de eventos distribuído pelo New York Convention and Visitors Bureau *(pág. 368)*. Programações semanais são publicadas na revista *Time Out New York*.

AVENTURAS EM NOVA YORK

A cidade parece um parque de diversões gigante para as crianças. Quem quiser, pode levantar âncoras no clássico passeio de barco da **Circle Line** em volta de Manhattan, ou no veleiro **Pioneer** *(veja pág. 84)*. Pode-se alugar um barco movido a pás que sai da marina da E, 23rd St.; ou ainda pegar de graça o Staten Island Ferry *(pág. 76)*. O bondinho de Roosevelt Island *(pág. 181)* oferece uma bela chance de ver o rio East do alto. O Central Park *(págs. 204-9* é uma fonte de passeios, do charme antigo dos carrosséis à emoção de andar a cavalo ou charrete. As crianças mais ativas podem se juntar aos patinadores que circulam pelo parque, longe do trânsito, nos fins de semana.

Refrescando-se em uma fonte no Central Park

MUSEUS

Muitos museus de Nova York são atraentes para todas as idades, mas alguns foram projetados para crianças. No topo da lista estão o Children's Museum of Art *(pág. 107)* –onde as elas podem pintar e esculpir– e o Children's Museum of Manhattan *(pág. 219)* em que, num universo multimídia, elas podem produzir seus próprios vídeos e noticiários. Mais longe fica o **Staten Island Children's Museum**, que tem um formigueiro gigante que se pode escalar, e o Brooklyn Children's Museum *(pág. 247)*. Intrepid Sea-Air-Space Museum *(pág. 149)* é um porta-aviões que exibe o avião-espião mais veloz do mundo. Por fim, veja dinossauros no American Museum of Natural History *(págs. 216-7)*.

Patinando com Papai Noel no Rockefeller Center

PROGRAMAS AO AR LIVRE

No verão, o Central Park é a terra das maravilhas das crianças, com rinques de patinação, lagos para barquinhos, ciclovias e minigolfe. Há muitas diversões gratuitas, como os passeios liderados pelos guardas aos sábados, as corridas de barquinhos a vela e leitura de histórias infantis.

O zoológico do Central Wildlife Center e o menor Tisch Children's Zoo são muito visitados. Crianças de todas as idades vão se encantar com o Bronx Zoo *(págs. 244-5)*.

Coney Island *(pág. 249)* fica apenas a algumas estações de metrô de distância. O inverno traz patinação no Rockefeller Center *(pág. 144)* e no Central Park, num rinque enfeitado pela visão dos arranha-céus.

PROGRAMAS ENTRE QUATRO PAREDES

O teatro infantil em Nova York tem qualidade e variedade iguais às do teatro adulto. As companhias favoritas são **Theaterworks, USA e PaperBag Players**, com espetáculos sempre lotados –veja a programação e compre ingressos cedo. O **Swedish Marionette Theater**, no Central Park, tem shows de terça a sexta, às 10h30 e 12h, e nos sábados até as 13h.

A apresentação do New York City Ballet da suíte *O Quebra-Nozes* no Natal, no Lincoln Center *(pág. 212)*, começa quando o **Big Apple Circus** arma seu picadeiro. Também os Ringling Brothers e Barnum & Bailey Circus estão em ação no Madison Square Garden *(pág. 135)* na primavera.

Para gastar energia, as opções vão da patinação ao boliche e minigolfe, basta ir ao **Chelsea Piers**. No Sony Wonder Technology Lab., as crianças podem criar jogos filmes e música de graça.

Relógio em destaque na loja de brinquedos F.A.O. Schwarz

COMPRA DE BRINQUEDOS

Ninguém reclama de ir às compras se o destino for a **F.A.O. Schwarz**, ou **Toy' R'Us**. Para mais informações sobre outras lojas de brinquedos veja páginas 322-4. Os pequenos são bem-vindos nas sessões de narração de histórias em livrarias como a **Books of Wonder**.

COMER FORA

A casa **Ottomanelli's Café**, de hambúrgueres e massas, é uma das preferidas das crianças –até os adultos acham difícil comer todo o seu enorme hambúrguer. O animado **Hard Rock Café** é outro favorito e a maioria das crianças aprecia a comida em Chinatown e Little Italy. Visite a **Chinatown Ice Cream Factory** para provar sorvetes com sabores diferentes e maravilhosos. Para um lanche rápido, as fatias de pizzas, os *pretzels* e cachorros-quentes vendidos nas barraquinhas de rua. Se tudo mais falhar, sempre há McDonald's, White Castle ou Burger King.

Narração de histórias em South Street Seaport

AGENDA

BABÁS

Baby Sitters' Guild
Tel (212) 682-0227.

Pinch Sitters
Tel (212) 260-6005.

AVENTURAS

Circle Line
Pier 83, W 42nd St. **Mapa** 7 A1.
Tel (212) 563-3200.

MUSEUS

Staten Island Children's Museum
1000 Richmond Terr, Staten Is.
Tel (718) 273-2060.

AO AR LIVRE

Big Apple Circus
Tel (212) 268-2500.

Chelsea Piers
Tel (212) 336-6800.
www.chelseapiers.com

Paper Bag Players
Tel (212) 663-0390.

Sony Wonder Technology Lab
550 Madison Ave. **Mapa** 13 A3.
Tel (212) 833-8100.

Swedish Cottage Marionette Theater
Tel (212) 988-9093.

Theaterworks USA
787 7th Ave. **Mapa** 12 E4.
Tel (212) 627-7373.

COMPRAS

Books of Wonder
16 W 18th St. **Mapa** 8 C5.
Tel (212) 989-3270.

F.A.O. Schwarz
767 5th Ave. **Mapa** 12 F3.
Tel (212) 644-9400.

Toys 'R' Us
Pág. 324.

COMER FORA

Chinatown Ice Cream Factory
65 Bayard St. **Mapa** 4 F5.
Tel (212) 608-4170.

Hard Rock Café
1501 Broadway. **Mapa** 8 E1.
Tel (212) 459-9320.

Ottomanelli's Café
1626 York Ave. **Mapa** 17 C3.
Tel (212) 772-7722.

1Y84
6H52
4B40
ZG60
1L34

MANUAL DE SOBREVIVÊNCIA

INFORMAÇÕES ÚTEIS

Turistas em Nova York são tratados como qualquer pessoa, sem receber atenções especiais. E, desde que sigam as regras básicas em relação à segurança pessoal *(veja págs. 372-3)*, poderão explorar a cidade sem maiores problemas, como se morassem nela. Os ônibus e trens *(págs. 388-9)* são confiáveis e baratos.

Turistas descansam nos degraus do Metropolitan Museum of Art

Há muitos caixas automáticos *(pág. 374-5)*, além de ser fácil trocar dinheiro nos bancos, hotéis e com agentes de moedas estrangeiras. A imensa variedade de preços encontrada nos diversos hotéis *(págs. 280-91)*, restaurantes *(págs. 296-311)* e entretenimentos *(págs. 340-65)* permite que se aproveite o passeio sem extrapolar o orçamento.

DICAS DE PLANEJAMENTO

Em Nova York a hora do rush vai das 8h às 10h, das 11h30 às 13h30 e das 16h30 às 18h30, de segunda a sexta. Nestes horários, todo tipo de transporte público fica lotado e é muito mais difícil andar a pé, devido à multidão nas calçadas. Lembre-se disso ao planejar seu dia.

Vale a pena tentar visitar vários pontos turísticos em uma mesma área –veja os percursos Rua a Rua sugeridos–, em vez de se cansar correndo de um ponto a outro da cidade. Os ônibus são um meio de transporte confortável e confiável, com a vantagem de se poder ver a cidade durante o percurso.

Evite passar por algumas áreas em certos horários *(págs. 372-3)*. Toaletes em estações de ônibus devem ser evitadas. Elas atraem traficantes de drogas e mendigos. Procure um hotel grande, uma loja de departamentos, um café ou uma livraria.

Se precisar de ajuda para se localizar ou para achar um endereço, pergunte a um policial ou a um porteiro de hotel. Quase todos têm um na entrada, 24 horas por dia.

HORÁRIOS

O horário comercial geralmente vai das 9h às 17h, sem fechar para almoço. Só alguns bancos param mais cedo, às 16h, embora alguns trabalhem mais (8h-18h) e abram nos sábados pela manhã. Muitos museus fecham às segundas e nos feriados. Alguns abrem à noite, nas terças ou quintas, em certos meses do ano (telefone para detalhes).

MUSEUS

Em Nova York, "museum" é um termo usado para definir toda espécie de instituição que tenha alguma coisa em exibição. Os museus da cidade estão relacionados nas páginas 36-37. Eles cobram entrada –mínimo de US$ 2– ou pedem doações –algo entre US$ 6 e US$ 12. Há descontos para idosos, estudantes e crianças. Os principais museus oferecem visitas com guias e palestras. A "Museum Mile" *(veja págs. 184-5)*, na ou perto da Fifth Avenue, reúne vários dos principais museus.

Porteiro de hotel

ETIQUETA

É ilegal fumar em qualquer área ou construção pública em Nova York. Alguns restaurantes agora têm áreas especiais para fumantes, mas é melhor telefonar antes para saber.

As gorjetas são parte integrante da vida de Nova York: para motoristas de táxi, 10% a 15%; para garçons, 15% a 20%; para barmen, 15%, para serviço de quarto no hotel, 10% (quando não estiver incluída na conta); nos guarda-volumes, US$ 1; arrumadeiras de hotel, US$ 1 ou US$ 2 por dia, depois do primeiro dia; carregadores em hotel, US$ 1 por mala; cabeleireiros, 15% a 20% e barbeiros, 10% a 20%.

CYBERCAFÉS

Os cybercafés oferecem acesso seguro à internet. Alguns, como o **easyInternetcafé**, são enormes. Outros, como o **Cyber Café**, dão mais ênfase aos petiscos disponíveis. O preço costuma ser em torno dos US$6 por 30 minutos. O **Web2Zone** oferece descontos em horários alternativos.

Cyber Café
250 W 49th St. **Mapa** 11 B5.
Tel *(212) 333-4109.*

easyInternetcafé
234 W 42nd St. **Mapa** B1.

Web2Zone
54 Cooper Square. **Mapa** 4 F2.
Tel *(212) 614-7300.*

INFORMAÇÕES

Indicações sobre tudo o que acontece em Nova York podem ser obtidas no New York Convention and Visitors Bureau, agora conhecido como **NYC & Co.** *(págs. 340-1)*. O serviço telefônico 24 horas atende fora do horário comercial. Há folhetos e posto de informação no escritório do **Times Square Information Bureau**.

Informações úteis
NYC & Co, 810 7th Ave.
Mapa 12 E4. ***Tel*** *(212) 484-1222.*
www.nycvisit.com
Times Square Information Center
1560 Broadway. **Mapa** 12 E5.
◯ 8-20h diariam.
www.timessquarenyc.org
New York City information
www.nyc.gov
Guia online de tudo em Nova York:
www.jimsdeli.com
New York State information
www.state.ny.us

◁ **Os famosos táxis amarelos de Nova York**

PROGRAMAÇÃO DE EVENTOS

Várias publicações baratas e mesmo gratuitas trazem a programação de eventos, exposições e atividades de lazer, e são encontradas em bancas, hotéis e galerias por toda Nova York.

Entre as mais populares estão a revista *New York*, a seção "Goings on About Town" da *The New Yorker e a Time Out New York*. As programações das três revistas incluem museus, clubes, teatros, galerias, restaurantes, cinemas, escolas, bibliotecas e leilões.

A revista gratuita *Village Voice* traz os eventos no SoHo, em TriBeCa e Greenwich Village, além das principais exposições da cidade. As edições de sexta e domingo do *New York Times* relacionam exposições e shows nos cadernos "Weekend" e "Arts e Leisure", respectivamente. *Art News* é uma revista mensal dedicada aos principais eventos do mundo artístico e traz também resenhas das exposições mais recentes e leilões previstos.

Várias revistas são gratuitas. A semanal *Where* é distribuída em hotéis e traz os principais museus, com horários, localização e exposições. *Art Now/ New York Gallery Guide é* distribuída todo mês nas galerias de arte. Informa sobre exposições e traz mapas de sua localização.

Revista *New York*, que traz uma programação completa dos eventos em toda a cidade

EXCURSÕES

Qualquer que seja a forma escolhida para conhecer Nova York –uma caminhada seguindo as orientações de informações gravadas, um passeio de barco, carruagem ou de bicicleta–, empresas especializadas podem fazer você economizar tempo, esforço e até mesmo dinheiro.

Passeios de Barco

Circle Line Sightseeing Yachts, Pier 83, W 42nd St. **Mapa** 7 A1. ***Tel*** *(212) 563-3200. Três horas em volta de Manhattan.*

Circle Line Statue of Liberty Ferry South Ferry, Battery Park. **Mapa** 1 C4. ***Tel*** *(212) 269-5755.*

Spirit of New York W 23rd and 8th Ave. **Mapa** 8 D4. ***Tel*** *(866) 211-3805. O preço do passeio inclui almoço ou jantar.*

World Yacht, Inc Pier 81 W 41st St. **Mapa** 7 A1. ***Tel*** *(212) 630-8100. Passeios incluem almoço, jantar e entretenimento a bordo.*

Passeios de Carruagem

59th St com Fifth Ave e pelo Central Park S. *Carruagens puxadas por cavalos ficam em frente ao Plaza Hotel* (**Mapa** *12 F3*), *dia e noite. Em geral passeiam pelo Central Park.*

Passeios de Ônibus

Gray Line of New York 42nd St and 8th Ave. **Mapa** 8 D1. ***Tel*** *(212) 397-2620.*

Short Line Tours/American Sightseeing NY 166 W 46th St. **Mapa** 12 F5. ***Tel*** *(800) 631-8405.*

Passeios de Bicicleta

Bite of the Apple Tours, 2 Columbus Circle, 59th St & Broadway. **Mapa** 12 D3. ***Tel*** *(212) 541-8759. Passeio de duas horas pelo Central Park a US$ 35 com aluguel de bicicleta. 10h, 13h e 16h.*

Passeios de Helicóptero

Liberty W 30th St and 12th Ave South Ferry. **Mapa** 7 B3. ***Tel*** *(212) 967-6464*

Passeios a Pé

Adventures on a Shoestring 300 W 53rd St **Mapa** 12 E4 ***Tel*** *(212) 265-2663. Passeios temáticos pela vizinhança.*

Big Apple Greeters 1 Centre St, Suite 2035. **Mapa** 4 F4. ***Tel*** *(212) 669-8159. Passeios gratuitos guiados por nova-iorquinos.*

Big Onion Walking Tours Columbia University. **Mapa** 20 E3. ***Tel*** *(212) 439-1090. Histórico e étnico.*

Harlem Spirituals, Inc. 690 8th Ave. **Mapa** 8 D1. ***Tel*** *(212) 391-0900. Cultura e história do Harlem. Só abr-out.*

Heritage Trails *Quatro trilhas históricas. Saída do Federal Hall. Grátis.* **Mapa** 1 C3.

Museum of the City of NY 103rd St and Fifth Ave. **Mapa** 21 C5. ***Tel*** *(212) 534-1672. História e arquitetura.*

NBC Studio Tour 30 Rockefeller Plaza. **Mapa** 12 F5. ***Tel*** *(212) 664-7174.*

92nd Street Y 1395 Lexington Ave. **Mapa** 17 A2. **Tel** *(212) 415-5500. História e cultura.*

Talk-a-Walk 30 Waterside Plaza. **Mapa** 9 C4. ***Tel*** *(212) 686-0356. Percursos pré-gravados.*

Walkin' Broadway 1619 Broadway. **Mapa** 12 E5. **Tel** *(212) 997-5004. Audioguia da Broadway.*

Passeio de carruagem no Central Park

DEFICIENTES FÍSICOS

Deficientes físicos podem achar Nova York um desafio. Apenas 21 das estações de metrô de Manhattan têm acesso para cadeiras de rodas, e embora todos os ônibus também tenham, a maioria das áreas de embarque não dispõe dele. Muitos hotéis, restaurantes e atrações turísticas são equipados para visitantes com deficiências, mas é bom checar antes. Pergunte se as salas de descanso também têm acesso. Alguns museus oferecem visitas para surdos, cegos ou pessoas com deficiência, e todos os teatros da Broadway têm equipamento para deficientes auditivos. Uma boa fonte é o *Access Guide to New York City,* que você obtém no **Mayor's Office for People with Disabilities**. ***Tel*** *(212) 788-2830,* **www.**nyc.gov/mopd, ou no Hospital Audiences Inc., ***Tel*** *(212) 575-7660,* **www.**hospaud.org.

Ônibus se "abaixa" para facilitar entrada de idosos

ALFÂNDEGA E IMIGRAÇÃO

Todos os brasileiros que viajam para os Estados Unidos necessitam de visto de entrada. Para obtê-lo é preciso agendar entrevista no consulado dos Estados Unidos pelo site www.visto-eua.com.br ou pelo telefone (21) 4004 4950.

A alfândega americana autoriza a entrada no país, por pessoa, de 200 cigarros, 100 charutos, 2 quilos de tabaco, no máximo 1 litro de bebida alcoólica e presentes no valor máximo de US$ 100. É proibido entrar no país com carne e derivados (mesmo enlatados), sementes, plantas e frutas frescas.

Ao chegar aos aeroportos de Nova York, siga os avisos e as filas na direção de "other than American passports" (passaportes não-americanos) até os guichês do serviço de imigração, onde o documento é inspecionado e carimbado. Depois de retirar a bagagem das esteiras (mais uma vez, siga os avisos espalhados no aeroporto), um funcionário vai examinar a declaração alfandegária (que geralmente é preenchida no avião) e dirigir o visitante ou para a saída, ou para um inspetor, que revistará a bagagem.

Depois dos atentados terroristas os aeroportos americanos adotaram várias medidas adicionais de segurança, que incluem a verificação detalhada de documentos e bagagens. Se o funcionário da alfândega perceber qualquer irregularidade, suas malas serão revistadas. Para mais informações, entre em contato com o consulado *(pág. 355).*

ESTUDANTES

Muitos museus e teatros têm desconto para estudantes. Mas, para recebê-lo, é preciso carregar o tempo todo algum documento que comprove essa condição.

Quem tem as credenciais necessárias pode comprar, por um preço bem baixo, um Student ID Card no **Council Travel**, que conta com três escritórios em Nova York. Peça também um exemplar do *ISIC Student Handbook,* um livreto inestimável que traz a lista de lugares e serviços nos EUA que oferecem descontos aos portadores do ID Card. Também constam acomodações, museus, teatros, excursões e atrações, casas noturnas e os transportes Carey –ônibus que fazem a ligação entre Manhattan e os aeroportos de Nova York *(pág. 363).*

Em geral, é dificílimo obter permissão para trabalhar nos EUA, mas os estudantes são exceção. Em situações especiais, podem passar períodos trabalhando no país. Qualquer filial das agências abaixo (e outras do gênero) poderá informar sobre "férias de trabalho" em Nova York.

INFORMAÇÕES PARA TURISTAS ESTUDANTES

Bunac Summer Camps USA
P.O. Box 430, Southbery, CT 06488
Tel *(203) 264-0901. Apenas no verão.*

Council on International Educational Exchange
633 3rd Ave. **Mapa** 9 B1
Tel *(212) 822-2700.*

STA Travel
205E 42nd St. **Mapa** 9 B1
Tel *(212) 627-3111; (800) 781-4040.*
www.statravel.com

STB
Tel *(11) 3038 1555.*
www.stb.com.br

TABELA DE CONVERSÃO

Os nomes das medidas são mantidos em inglês para facilitar sua identificação nos EUA.

Sistema imperial:
1 inch = 2.5 centímetros
1 foot = 30 centímetros
1 mile = 1.6 quilômetro
1 ounce = 28 gramas
1 pound = 454 gramas
1 pint = 0.5 litro
1 gallon = 4.6 litros

Sistema métrico:
1 milímetro = 0.04 inch
1 centímetro = 0.4 inch
1 metro = 3 feet 3 inches
1 quilômetro = 0.6 mile
1 grama = 0.04 ounce

Identidade internacional de estudante

Jornais diários de Nova York

Máquina de venda de jornais

JORNAIS, TELEVISÃO E RÁDIO

Podem-se encontrar jornais estrangeiros, geralmente a edição do dia anterior, no Hotalings, aeroportos, hotéis e bancas perto de áreas de negócios, como a Wall Street.

A programação dos canais de TV estão no semanário *TV Guide* e na seção de televisão publicada aos domingos pelo *New York Times*.

É muito grande a oferta de canais de televisão em Nova York. A CBS opera no canal 2, a NBC no canal 4 e a ABC no canal 7. A PBS oferece programas culturais e educacionais no canal 13. TVs a cabo oferecem de tudo: um canal de artes e diversões (canal 16), um da Disney e uma variedade de assuntos.

As estações de rádio AM incluem, entre outras, a WCBS News (880 AM) e a WFAN Sports (660 AM). Entre as estações FM estão a WNEW, de rock (102.7FM), a WBGO, de jazz (88.3FM), e a WQXR, de música clássica (96.3FM).

Informações Úteis Universal News, 234 W 42. **Mapa** 8 D1. ***Tel*** *221-1809.*

APARELHOS ELÉTRICOS

A voltagem-padrão em todos os Estados Unidos é de 115-120 volts (corrente alternada). Aparelhos de outras voltagens só funcionam com conversor e adaptador para as tomadas americanas, de duas pontas chatas.

Os hotéis mais modernos oferecem secadores de cabelo instalados na parede. Além disso, alguns têm tomadas que aceitam barbeadores elétricos tanto de 110 quanto de 220 volts. Mas só barbeadores, nada mais –nem rádios. É perigoso tentar conectar qualquer aparelho mais potente. Se tiver na bagagem aparelhos elétricos mais sofisticados, não se esqueça de levar também a bateria. Lembre-se de que vai precisar de um adaptador para recarregar a bateria.Poucos hotéis de Nova York têm passadores de roupas ou equipamento para fazer café ou chá nos quartos. Se quiser passar roupas, peça um ferro emprestado `a camareira.

Tomada-padrão

CONSULADOS

Consulado-Geral do Brasil em NY
1185 Ave. of the Americas, 21st floor **Mapa** 12 E5.
Tel *(212) 777-7777.*
www.brazilny.org

Embaixada dos EUA em Brasília
SES Av. das Nações, 850 - quadra 801 - lote 3.
Tel *61-3312-7000.*
www.embaixadaamericana.org.br

Consulado dos EUA em SP
Rua Henri Dunant, 500.
Tel *11-5186-7000.*
Fax *11-5186-7199.*

Consulado dos EUA no Rio
Av. Presidente Wilson, 147.
Tel *21-3823-2000.*
Fax *21-3823-2003.*

SERVIÇOS RELIGIOSOS

Há cerca de 4 mil templos em Nova York, cobrindo quase todas os credos. A maioria dos hotéis tem listas dos locais e horários dos serviços. Entre os principais templos religiosos estão:

Batista
Riverside Church
22nd St com Riverside Dr.
Mapa 20 D2.
Tel *(212) 870-6700.*

Católico
St. Patrick's Cathedral
Fifth Ave com 50th St.
Mapa 12 F4.
Tel *(212) 753-2261.*

Episcopal
St. Bartholomew's
109 E 50th St. **Mapa** 13 A4.
Tel *(212) 378-0200.*

Judaico
Reform
Temple Emanu-El
Fifth Ave com 65th St.
Mapa 12 F2.
Tel *(212) 744-1400.*

Ortodoxo
Fifth Avenue Synagogue
5 E 62nd St. **Mapa** 12 F2.
Tel *(212) 838-2122.*

Luterana
St. Peter's
619 Lexington Ave. **Mapa** 17 A4. ***Tel*** *(212) 935-2200.*

Metodista
Christ Church United Methodist
520 Park Ave. **Mapa** 13 A3.
Tel *(212) 838-3036.*

Riverside Church

Segurança Pessoal e Saúde

Emblema da polícia

Em 1998, Nova York foi classificada como a cidade mais segura com população acima de 1 milhão de habitantes. Isso coloca a cidade na 166ª posição entre as cidades com mais de 100 mil habitantes. A polícia local promove o patrulhamento a pé nas áreas turísticas e tem incrementado a segurança no centro, nos transportes públicos e nos aeroportos. É claro que há lugares onde nenhum turista deve se arriscar à noite –às vezes, mesmo à luz do dia–, mas quem mantiver a calma e seguir regras básicas desfrutará de uma visita sem maiores problemas.

A polícia de Nova York se utiliza de diversos meios de transporte

PATRULHAMENTO

A polícia de Nova York promove patrulhamento ininterrupto a pé, a cavalo, de bicicleta e de carro. Concentra em áreas específicas e horários críticos –por exemplo, na região dos teatros durante os espetáculos. Também há patrulhas de guardas de trânsito para fiscalizar estacionamento proibido e um pequeno exército na guarda de estações de trem e metrô.

Também se vêem com freqüência jovens usando boinas vermelhas. Como informam suas camisetas, são os Guardian Angels (anjos da guarda). Sempre desarmados, "policiam" o metrô e as ruas do centro. Tolerados pela polícia e apreciados pela população, não têm nenhum poder oficial.

REGRAS BÁSICAS DE SEGURANÇA

Desde o regime do prefeito Rudolph Giuliani, Nova York tem sido um lugar relativamente seguro para andar. Mas as regras do bom senso ainda devem ser seguidas –fique alerta e ande com destino certo. Evite contato visual e confrontos com pessoas que não inspiram confiança. Se pedirem dinheiro, tenha cuidado e não inicie conversas.

Não circule por ruas desertas. À noite, se não puder andar de táxi, saia em grupos e evite áreas como Lower East Side, Chinatown, o centro a oeste da Broadway (exceto Lincoln Center e Times Square) e qualquer lugar fora do caminho conhecido. O distrito financeiro (exceto o World Financial Center) fica deserto fora do horário comercial, e algumas ruas de TriBeCa e do SoHo são perigosas à noite.

Os parques costumam ser usados para tráfico de drogas. Oferecem mais segurança quando reúnem multidões em concertos, manifestações e outros eventos, embora você deva tomar cuidado com os batedores de carteira. Se for praticar jogging, peça ao concierge do hotel um mapa dos percursos seguros e siga seus conselhos. Na rua ou em parques, mantenha a carteira em lugar seguro e tenha sempre à mão moedas para telefonemas e bilhetes de ônibus. É melhor não precisar tirar a carteira quando estiver em uma fila. Nunca pare na rua para contar dinheiro e tome cuidado com estranhos rondando caixas eletrônicos. Carregue a bolsa com o fecho encostado ao corpo e a alça cruzada no peito.

Deixe jóias e objetos de valor no cofre do hotel e não permita que ninguém, salvo funcionários de hotéis e aeroportos, carregue sua bagagem ou pacotes. Ao sair do hotel, mantenha sempre objetos de valor e máquinas fotográficas numa mala trancada a chave ou dentro de um cofre.

Guardas da polícia montada também patrulham a cidade

ACHADOS E PERDIDOS

Não há serviço de achados e perdidos que cubra toda a cidade, mas os setores de achados e perdidos na Grand Central e na Penn Station são bem gerenciados, com equipe prestativa. Em sua maioria, as empresas de táxi e de transporte também oferecem esse tipo de serviço.

Em caso de perda ou roubo, declare à polícia todos os itens faltantes e fique com uma cópia do boletim para apresentar

O turista deve estar atento ao caminhar pelas ruas da cidade

Quepe com emblema da polícia

à seguradora. Mantenha um registro dos números de série e recibos de equipamentos de valor, como prova de posse.

INFORMAÇÕES ÚTEIS

Achados e Perdidos
Ônibus e metrô
Tel *(212) 712-4500.*

Táxis
Tel *(212) 692-8294.*

Cartões de Crédito Perdidos ou Roubados
American Express
Tel *(800) 333-AMEX (grátis).*

Diners Club
Tel *(800) 234-6377 (grátis).*

JCB
Tel *(800) 366-4522 (grátis).*

MasterCard
Tel *(800) 627-8372 (grátis).*

VISA
Tel *(800) 336-8472 (grátis).*

SEGURO DE VIAGEM

É bastante recomendável fazer seguro de viagem, principalmente porque o custo dos serviços médicos é muito alto.

Há vários tipos de cobertura. Os itens mais importantes a serem cobertos são atendimento médico e dentário 24 horas, morte acidental, incapacitação, cancelamento de viagem e perda de bagagem e documentos. Muitas apólices cobrem todos. Esteja atento porque seguros com o mesmo preço podem oferecer cobertura de valores diferentes. Seu agente de viagem ou companhia de seguro podem recomendar a apólice mais adequada.

TRATAMENTO MÉDICO

Prepare-se para ter uma experiência cara –médicos e hospitais de Nova York estão entre os melhores, mas as despesas são muito altas. Não há uma política de regulamentação do setor nos EUA. O melhor é ter um seguro de saúde. Médicos e dentistas em geral exigem pagamento em dinheiro ou traveller's cheques. Hospitais aceitam cartão *(pág. 374)*.

Uma das várias farmácias 24 horas de Nova York

EMERGÊNCIAS

No caso de uma emergência médica, procure imediatamente um **Hospital Emergency Room** (pronto-socorro). Se precisar de ambulância, ligue para 911 e peça uma. Quem tiver seguro médico em ordem não precisa se preocupar com a despesa.

A não ser que tenha muito pouco dinheiro, é sempre aconselhável evitar os lotados hospitais municipais, que constam nas Blue Pages (Páginas Azuis) da lista telefônica. O melhor é optar por um dos hospitais particulares citados nas Yellow Pages (Páginas Amarelas) ou ligar para 411 e pedir à telefonista o número da clínica mais próxima. Pode-se pedir ao pessoal do hotel para chamar um médico ou dentista para atendimento no quarto, se necessário, ou pode-se também telefonar para os serviços especializados **NY Hotel Urgent Medical Services Dial-A-Doctor ou NYU Dental Care**. O **Beth Israel Medical** tem uma excelente clínica, **DOCS**. Mais recomendações são dadas pelo **Travelers' Aid**, organização nacional de ajuda a viajantes.

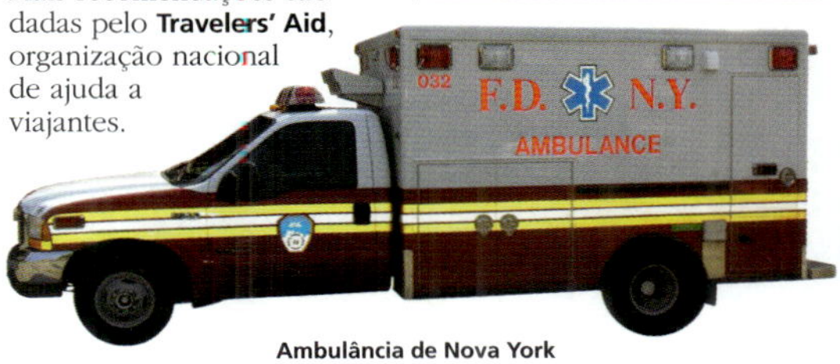

Ambulância de Nova York

INFORMAÇÕES ÚTEIS

All Emergencies
Tel *911 (or 0). Este número serve para chamar polícia, bombeiros ou serviços médicos.*

Crime Victims Hot Line
(Linha Grátis para Vítimas de Crimes)
Tel *(212) 577-7777.*

Dial-A-Doctor
Tel *(212) 971-9692.*

DOCS
55 E 34th St
Mapa 8 F2.
Tel *(212) 252-6000*
Uma de três filiais.

Hospital Emergency Rooms
St. Vincent's, 11th St and Seventh Ave. **Mapa** 3 C1.
Tel *(212) 604-7998.*

St. Luke's Roosevelt
58th St and Ninth Ave.
Mapa 12 D3.
Tel *(212) 523-6800.*

National Organization for Women (NOW)
Tel *(212) 627-9895.*

NY Hotel Urgent Medical Services
Tel *(212) 737-1212.*

NYU Dental Care
345 E 24th St/1st Ave.
Mapa 9 B4.
Tel *(212) 998-9800* (9h-18h30 seg-qui, 9h-16h sex), (212) 998-9828 (fins de semana e após 21h).

Pharmacy (24-hour)
Rite Aid, 50th St./8th Ave.
Mapa 12 D4.
Tel *(212) 247-8384.*

Poison Control Center
Tel *(212) 764-7667.*

Sex Crimes Report Line
Tel *(212) 267-7273.*

Travelers' Aid
JFK Airport, Terminal 410.
Tel *(718) 656-4870.*

Bancos e Moedas

Nova York é o centro bancário dos Estados Unidos. Tem inúmeros bancos locais, regionais e nacionais, além de filiais dos principais bancos internacionais. Entre estes estão o Banco do Brasil e todos os grandes bancos particulares. Nessas agências bancárias, nas quais se fala português, há facilidade de câmbio para turistas brasileiros.

Cartões da American Express

BANCOS

Os bancos de Nova York abrem nos dias úteis das 9h às 15h. Mas há alguns que abrem mais cedo ou fecham mais tarde, para atender clientes fora do horário comercial. Na maioria dos bancos é possível trocar cheques de viagem e moeda estrangeira.

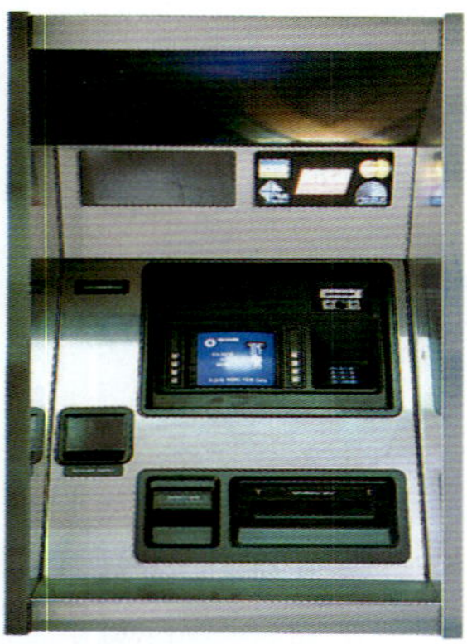

Caixa automático (ATM)

CAIXA AUTOMÁTICO

Um avanço no atendimento bancário foi a instalação dos caixas automáticos (automated teller machines, ou ATM). São encontrados na entrada de quase todos os bancos e permitem que se retire dinheiro a qualquer hora do dia ou da noite, geralmente em notas de US$ 20. Alguns bancos têm caixas automáticos que aceitam retiradas com cartões de crédito brasileiro.

Antes de viajar, é bom se informar em seu banco quais os sistemas que aceitam cartões brasileiros, bem como as taxas cobradas pela transação. De um modo geral, a maioria dos caixas automáticos trabalha com Visa e MasterCard. Uma das vantagens destas retiradas é a manipulação rápida e segura do dinheiro a taxas de atacado, iguais às usadas entre bancos para transações de milhões de dólares.

Preste atenção, porque têm aumentado os assaltos nos caixas automáticos. O mais prudente é usá-los sempre de dia e em ruas movimentadas.

CARTÃO DE CRÉDITO

MasterCard, American Express, Visa e Diners Club Card são amplamente aceitos em todos os Estados Unidos, independentemente da empresa ou banco que os tenha emitido. Estes cartões também são usados para retirada nos caixas automáticos. Nos Estados Unidos, paga-se tudo com cartão de crédito, desde a conta da mercearia até despesas de hotel e restaurante e reservas por telefone de ingressos para cinema e teatro. Despesas grandes, como excursões, pacotes de viagem e aluguéis caros, devem ser sempre pagas com cartão. Usar o cartão pode evitar que você precise carregar grandes somas de dinheiro.

TRAVELLER'S CHEQUES

Cheques de viagem em dólares são aceitos, sem nenhuma comissão, em todas as principais lojas de departamentos, hotéis e restaurantes. Mas traveller's cheques em outras moedas não são tão bem recebidos. Podem ser trocados no próprio hotel, mas às vezes é preciso ir a um banco. As taxas de câmbio são publicadas diariamente no *New York Times e Wall Street Journal* e são anunciadas nas vitrines dos bancos. Cheques da American Express são descontados sem pagamento de taxas nos escritórios da própria empresa. A maioria dos hotéis têm caixas para troca de dinheiro.

São poucas as casas de câmbio oficiais, como **Travelex Currency Services e American Express**. Na página seguinte há uma lista das que operam até tarde da noite. Há outras citadas nas Páginas Amarelas da lista telefônica, sob o título *Foreign Exchange Brokers*. Cobram uma taxa, que varia bastante, além de comissão.

O **Chase Manhattan Bank** oferece câmbio em mais de 400 locais. Há muitos serviços de desconto de cheques em Manhattan, listados nas Páginas Amarelas, mas em geral esses locais não trocam traveller's cheques nem aceitam cheques de bancos estrangeiros.

BANCOS E CÂMBIO

Banco do Brasil
600 5th Ave, 3rd floor. Rockefeller Center 10020. **Mapa** 12 F5.
Tel *626-7000.*
www.bb.com.br.
e-mail newyork@bb.com.br

Banco Real
333, Madison Ave 17th floor.
Tel *370-8500*

Travelex Currency Services Inc.
1590 Broadway. **Mapa** 12 E5.
Tel *(212) 265-6063.*
Tem várias agências.

American Express
ver pág. 359.

Moedas

As moedas americanas são de 50, 25, 10, 5 e 1 centavo (cents) de dólar. Há uma nova moeda de US$ 1 (dourada) circulando, e uma de 25 cents, com uma cena histórica numa face. Cada moeda tem um nome popular: a de 25 centavos é chamada de quarter, a de 10 centavos de dime, a de 5 centavos de nickel e a de 1 centavo de penny.

Moeda de 25 cents (um quarter)

Moeda de 10 cents (um dime)

Moeda de 5 cents (um nickel)

Moeda de 1 cent (um penny)

Moeda de um dólar ou "buck"

Cédulas

A unidade da moeda americana é o dólar –cada dólar tem 100 centavos. As cédulas são de US$ 1, US$ 5, US$ 10, US$ 20, US$ 50 e US$ 100, todas em cor verde. As novas notas de US$ 10, US$ 20 e US$ 50, em circulação, têm novos recursos de segurança.

Nota de 1 dólar (US$ 1)

Nota de 5 dólares (US$ 5)

Nota de 10 dólares (US$ 10)

Nota de 100 dólares (US$ 100)

Nota de 50 dólares (US$ 50)

Nota de 100 dólares (US$ 100)

CASAS DE CÂMBIO

American Express
822 Lexington Ave. **Mapa** 13 A2.
Tel *(212) 758-6510.* ◯ *9h-18h seg-sex, 10h-16h sáb*
Marriot Marquis Hotel,
1535 Broadway. **Mapa** 12 E5
Tel *(212) 575 6580*
◯ 7h-20h diariam.
Helpline ***Tel*** *(800) 333 AMEX*

Choice Forex
Grand Central Terminal.
Mapa 9 A1. ***Tel*** *(212) 661-7600..*
◯ 7h-21h seg-sex, 10h-18h sáb-dom.

Cirrus/MasterCard
Tel *(800) 424-7787 (ATM locator)*

VISA Plus
Tel *(800) 843-7587*

Travelex
1590 Broadway. **Mapa** 12 E5.
Tel *(212) 265-6063.*
1271 Broadway. **Mapa** 8 F3
Tel (212) 679-4365
◯ *9h-19h seg-sáb, 9h-17h dom.*
Também: 510 Madison Ave e 29 Broadway.
◯ *9h-17h diariam.*
Tel *(800) CURRENCY.*

Como Usar Telefones em Nova York

Telefone público

Há telefones públicos em esquinas, saguões de hotéis e escritórios, restaurantes, bares, teatros e lojas de departamentos. Poucos aceitam cartão de crédito, mas você pode usar cartões pré-pagos, como na Europa. A maioria dos telefones utiliza moedas de 5, 10 ou 25 cents. Em 2003, chegaram às ruas de Nova York os telefones de internet Neptune 800. Eles possuem monitor colorido, teclado e webcam, e oferecem acesso à internet por 25 centavos o minuto.

ELEFONES PÚBLICOS

O telefone-padrão tem receptor, painel com 12 botões e fica instalado em um pilar ou parede. Em alguns lugares o serviço é operado por empresas independentes –mais caras e menos confiáveis. A lei exige que cada telefone público tenha informações sobre taxas, números gratuitos e instruções sobre como fazer a chamada. Procure o logo ou o nome da Verizon para ter certeza de que as ligações daquele aparelho para qualquer número local custam taxas-padrão. Queixas vão para a **Public Service Commission.**

Telefone de empresa independente

Informação Útil
Public Service Commission *Tel (800) 342-3355 (ligação grátis).*

Para checar e-mail Times Square Information Center, 1560 Broadway **Mapa** 12 E5; NY Computer Café, 247 E 57th St. ***Tel** (212) 872-1704.* **Mapa** 13 B3; *muitas bibliotecas públicas oferecem acesso limitado à Internet.*

HORA EM NOVA YORK

Nova York fica no fuso de Eastern Standard Time. Quando fizer ligação internacional, calcule a hora no país para onde vai discar. Para a maior parte do Brasil, diminua duas horas (a não ser que seja horário de verão).

TAXAS

Dentro do município de Nova York, a taxa-padrão pelo uso de telefone público, de cerca de 25 centavos, paga três minutos de ligação. Se passar disso, um telefonista interrompe e pede que mais moedas sejam depositadas.

Muitas bancas de jornal agora vendem cartões de telefone para chamadas de longa distância –nos valores de US$ 5, US$ 10 e US$ 25. Os cartões são muito econômicos, mas, como as chamadas são feitas via internet, o som pode ter menos qualidade do que o de um telefone-padrão.

O preço das ligações

COMO USAR UM TELEFONE DE MOEDA

1 Tire o fone do gancho

2 Insira as moedas necessárias. Elas caem assim que são inseridas.

3 Disque/digite o número.

4 Se desistir da chamada ou ela não se completar, aperte *coin return* para reaver a moeda.

5 Se a chamada se completar e a conversa durar mais que três minutos, a telefonista interrompe e pede que deposite mais moedas no telefone. Os aparelhos não dão troco.

Moedas
Antes de discar, assegure-se de que tem as moedas certas.

5 cents

10 cents

25 cents

Um típico telefone público

internacionais varia de país para país. No caso de chamadas a cobrar no Brasil, o desconto começa a vigorar às 20h e é válido também para domingos e feriados.

NÚMEROS ÚTEIS

Informação
Tel *411; 10-10-9000.*

Correio Central
Tel *(800) ASK USPS.*

Telefonista
Tel *0.*

Hora Certa
Tel *(212) 976-1616.*

Informações Internacionais
Tel *00.*

COMO DISCAR O NÚMERO CORRETO

- Cinco prefixos (códigos de área) são usados em Nova York: 212, 917 e 646 para Manhattan; as outras áreas usam 718 e 347. Os prefixos 800, 888 e 877 indicam que a ligação é grátis.
- Ao ligar para fora de sua área, disque primeiro 1. Por exemplo, de Queens para Manhattan, disque 1 (718) (número).
- Para fazer interurbano de telefone público, disque 0, seguido do código de área e depois o número. Um telefonista atende e informa quanto precisa depositar em moedas.
- Para informações internacionais, disque 00. Se precisar de ajuda, chame o telefonista internacional no 01.
- Para ligar para o Brasil usando o serviço **Brasildireto** da Embratel disque um dos códigos de acesso dos EUA (AT&T 1 800 344 1055; MCI 1 800 283 1055; Worldcom 1 800 809 2292; Sprint 1 800 745 5521; cartão pré-pago 1 888 883 4783); escolha o idioma no qual deseja ser atendido; em seguida escolha uma das opções de ligação: automáticas, com cartão telefônico ou com auxílio de operador.
- **Em emergências disque 911.**

Como Enviar Cartas

Logo do correio

Além das agências do correio, cartas podem ser enviadas através do hotel (que geralmente vende selos), de caixas no saguão de prédios comerciais, estações de ônibus e metrô, aeroportos e instaladas na rua. São pintadas de azul, ou então vermelho, branco e azul. A correspondência não é recolhida em fins de semana. Correios estão nos mapas do Guia de Ruas *(see pp394–5).*

SERVIÇO POSTAL

O correio central **(General Post Office)** fica aberto 24 horas por dia. Podem-se comprar selos nas agências ou em máquinas instaladas em farmácias, lojas de departamentos e estações de ônibus e trem. Todas as cartas são postadas em primeira classe.

O correio tem três serviços de entrega especial: o **Express Mail** é para entregas no dia seguinte, o **Priority Mail,** para entregas em dois dias, e o **International Express Mail** para além-mar. O Priority Mail também aceita serviço nos fins de semana, por uma taxa extra. Hotéis podem informar sobre entrega por serviços expressos particulares, que também estão nas Páginas Amarelas da lista telefônica.

Selos coloridos

Como Enviar Cartas Serviços postais, 421 Eighth Ave.
Mapa 8 D2. ***Tel*** *(212) 967-8585.*
Priority Mail e Express Mail
Tel *(800) 222-1811.*
FedEx ***Tel*** *(800) 463-3339.*
DHL ***Tel*** *(800) 225-5345.*
UPS ***Tel*** *(800) 782-7892.*
Guias na internet
www.bigyellow.com
www.usps.com

POSTA-RESTANTE

Cartas e pacotes ficam guardados por 30 dias no guichê de General Delivery do correio central. Podem ser mandados para qualquer agência, desde que se dêem nome e código postal. As cartas devem ter seu nome e o endereço: General Delivery, US Post Office, New York, NY10001.

Express Mail

Priority Mail

Caixas de Correio
Há poucas caixas de correio nas ruas de Nova York e às vezes é mais fácil achar uma agência (ver Guia de Ruas, págs. 394-5). *Cada caixa traz escritas as instruções de uso. Se optar pelos serviços Express ou Priority, pese antes a correspondência para poder calcular os selos necessários.*

Caixa de correio padrão

COMO CHEGAR A NOVA YORK

Muitas empresas aéreas internacionais têm vôos diretos para Nova York. A cidade também é muito bem servida por vôos fretados e linhas domésticas. A guerra de preços entre as companhias reduziu as tarifas e os vôos internos são hoje em dia uma alternativa viável aos trens e ônibus; os preços das excursões em grupos costumam ser imbatíveis. A QN2 é uma entre várias empresas de cruzeiros que atuam no porto da cidade. Os trens de longa distância que servem Nova York são limpos e confortáveis, e os ônibus também são bons, geralmente com televisão, ar-condicionado e toaletes. Para mais informações sobre como chegar a Nova York, veja o mapa nas págs. 382-3.

Grand Central

VIAGENS AÉREAS

Pode-se voar direto para Nova York da maior parte das principais cidades do mundo. O tempo de vôo de São Paulo e Rio de Janeiro é de cerca de nove horas, se a viagem for direta. Aumenta se o vôo partir de uma cidade e fizer escala na outra.

Entre as principais companhias aéreas que voam do Brasil para Nova York estão a **Tam**, a **United Airlines** e a **American Airlines**. Todos os vôos internacionais pousam nos aeroportos JFK e Newark *(págs. 380-1)*.

As chamadas passagens APEX (Advance Purchase Excursion), ou ponto a ponto, são as mais em conta. Mas têm de ser compradas com antecedência e só são válidas para estadas de no mínimo sete e no máximo 30 dias. Há empresas que oferecem tarifas mais baixas se a estada for por um período específico. Pode-se reservar passagem por telefone, dando o número do cartão de crédito.

NÚMEROS DAS COMPANHIAS AÉREAS

American Airlines
***Tel** (800) 433-7300 (nos EUA).*
***Tel** (11) 4502-4000 (no Brasil).*
www.aa.com.br

United Airlines
***Tel** (800) 241-6522 (nos EUA - ligações grátis).*
***Tel** 0800-162323 (no Brasil).*
www.united.com.br

Tam
***Tel** (1800) 468-2744 (nos EUA).*
***Tel** 4002 5700 ou 0800 570 5700 (no Brasil).*
www.tam.com.br

VIAGENS POR MAR

Nova York é um porto movimentado, onde o *Queen Elizabeth 2*, por exemplo, aporta 25 vezes por ano. As viagens anuais do transatlântico passam por muitos países. Viagens marítimas são uma forma relaxante, se bem que caras e demoradas, de ir a Nova York. Os navios aportam nos píeres do rio Hudson, no centro de Manhattan.

Ônibus da Greyhound

VIAGENS DE ÔNIBUS

Todos os ônibus de longa distância, como os da **Greyhound Lines**, chegam à cidade no **Port Authority Bus Terminal**. De lá também saem ônibus para os três aeroportos. Com 6 mil ônibus chegando e partindo diariamente, transportando cerca de 172 mil passageiros, o ambiente na Port Authority é caótico. Vários ônibus também partem do terminal diretamente para hotéis do centro de Manhattan.

Informações Úteis
Greyhound Bus Lines
***Tel** (800) 231-2222 (24 horas).*
www.greyhound.com Port Authority Bus Terminal.
W 40th St e Eighth Ave. **Mapa** 8 D1.
***Tel** (212) 564-8484 (24 horas).*
www.panynj.gov

Transatlântico chega a Manhattan

VIAGENS DE TREM

Os trens Amtrak do Canadá e Estados do sul, nordeste e oeste dos EUA param na Penn Station *(pág. 392)*. Linhas da Metro North, norte do Estado e de Connecticut chegam no Grand Central Terminal *(pág. 392)*.

Aeroportos de Nova York

Os três principais aeroportos de Nova York –Newark, JFK e LaGuardia– estão bem conectados ao centro de Manhattan. Procure pelos *skycaps* —carregadores de quepe vermelho e uniforme, usando distintivos, para levar a bagagem. Não confie em mais ninguém. Um controlador fica no ponto encaminhando as pessoas para os táxis licenciados.

COMO CHEGAR A MANHATTAN

O centro de transportes terrestres existente em todos os aeroportos dá informações sobre as maneiras de chegar à cidade. Os serviços mais práticos que operam de LaGuardia e JFK são o **New York Airport Express** e o **Super Shuttle**. O primeiro pára em Grand Central, Port Authority, ou Penn Station; o segundo leva passageiros para qualquer lugar de Manhattan. O transporte para a cidade também é feito pelos ônibus da New Jersey Transit e **Olympia Airport Express**. Os ônibus da Olympia têm os melhores preços.

A **Classic Limousine** e a **Connecticut Limo** oferecem viagens compartilhadas, de JFK e LaGuardia. Pode-se repartir o preço da corrida do táxi ou utilizar carros independentes. Pelo preço de uma ficha de metrô, a linha "A" oferece um ônibus para os passageiros do JFK. Os ônibus da M60 também vão para o LaGuardia e voltam. Várias empresas de aluguel de carro têm telefones de cortesia na área de recolhimento de bagagem. Os números de telefone e endereços eletrônicos para reservas antecipadas estão na pág. 386. Para informações atualizadas, ligue (800) AIR RIDE

Controlador de táxi

ÔNIBUS

New York Airport Express
Tel *(718) 875-8200.*

Classic Limousine
Tel *(800) 666-4949.*
www.classictrans.com

Super Shuttle
Tel *212-BLUE VAN, (800) 358-5826*
www.supershuttle.com

Olympia Airport Express
Tel *(212) 964-6233*
www.olympiabus.com

Connecticut Limo
Tel *(800) 472-5466*
www.ctlimo.com

LAGUARDIA (LGA)

Servindo principalmente as pessoas que viajam a negócios, LaGuardia fica 13km a leste de Manhattan, no norte de Long Island, em Queens.

Ao chegar, é possível alugar carrinhos baratos na área de recolhimento de bagagem, localizado perto das esteiras. A bagagem também pode ser guardada nos guichês Tele-Trip, no terminal de partidas.

Controladores de táxi uniformizados trabalham nos horários de pico. Use apenas os táxis amarelos, licenciados. O custo dos pedágios e uma pequena sobretaxa após as 20h e o dia todo aos domingos serão acrescentados ao preço da corrida. Assim, o preço até o centro pode variar entre cerca de US$ 20 e US$ 30.

Informação Útil
Airport Information Service
Tel *(718) 533 3400.*
www.laguardiaairport.com
www.panynj.gov

Jato transatlântico

PLANTA DO AEROPORTO LAGUARDIA
Um serviço de ônibus grátis circula entre os terminais e os estacionamentos a cada 10-15 min das 5h-2h. Ônibus e táxis para a cidade e subúrbios partem da frente de todo o terminal.

AEROPORTO JFK

Principal aeroporto de Nova York, 24km a sudeste de Manhattan, no distrito de Queens. American Airlines, British Air-ways, Continental, Delta e United têm prédios próprios para chegadas. Outras companhias internacionais usam os terminais 1, 5 e 6. A expansão do aeroporto incluirá outro terminal da American Airlines.

Os carrinhos de bagagem ficam na chegada, na área de reunião para os vôos internacionais. Há lojas de câmbio em todos os terminais e pode-se reservar hotel no balcão da Meegan Services no setor de chegadas do terminal 3.

Placas de localização no JFK

Saguão do terminal de chegadas do aeroporto JFK

O transporte para Manhattan é 24 horas, na Ground Transportation, térreo, perto da área de bagagem. As empresas de aluguel de carros oferecem telefones de cortesia. A maioria dá transporte até seus escritórios. Os táxis ficam fora dos terminais. Uma corrida até Manhattan demora uma hora e custa US$ 45, mais taxas. O ônibus do The New York Airport Service vai até Grand Central, Penn Station e Port Authority e custa US$15; o Super Shuttle, US$ 17-19. O Air-Train JFK conecta-se ao A train em Howard Beach, e com o E, J e Z e com a Long Island Railroad (para a Penn Station) em Jamaica. O Air Train custa US$ 5, o metrô, US$ 2, o pas-seio (10 minutos) de helicóptero, US$ 850.

ENDEREÇOS ÚTEIS

Airport Information Service
Tel *(718) 244-4444.*

Best Western JFK Airport
138-10 135th Ave, Queens.
Tel *(718) 322-8700.*

Holiday Inn JFK
144-02 135th Ave, Queens.
Tel *(718) 659-0200.* Helicóptero Flight Services ***Tel*** *(212) 355-0801* www.heliny.com; Liberty Helicopters. ***Tel*** *(888) 692-4354.* www.libertyhelicopters.com

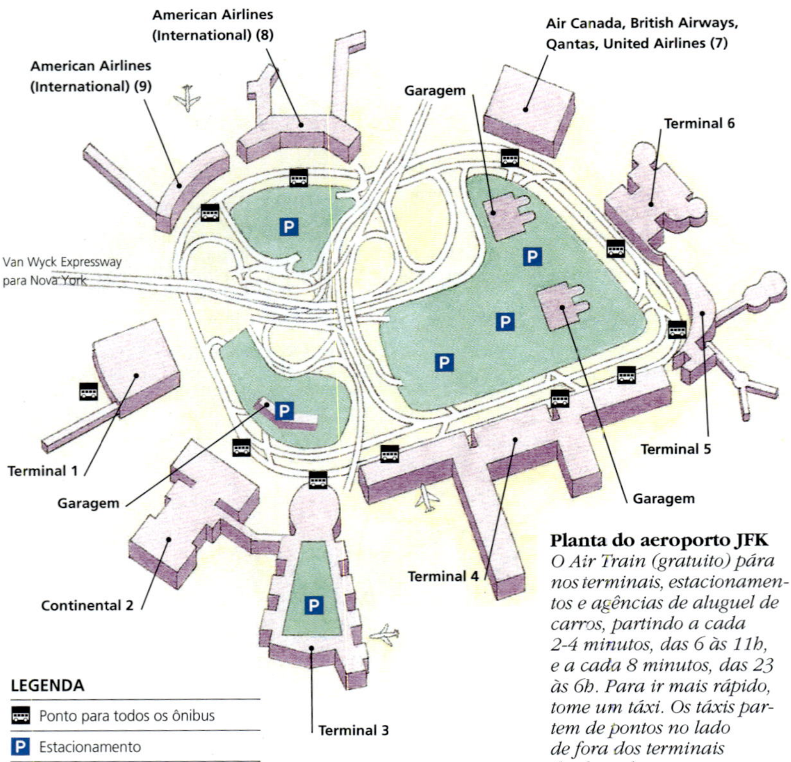

Planta do aeroporto JFK
O Air Train (gratuito) pára nos terminais, estacionamentos e agências de aluguel de carros, partindo a cada 2-4 minutos, das 6 às 11h, e a cada 8 minutos, das 23 às 6h. Para ir mais rápido, tome um táxi. Os táxis partem de pontos no lado de fora dos terminais de chegada.

AEROPORTO NEWARK

Terminal de ônibus em Newark

LEGENDA

- P Estacionamento
- Parada de ônibus
- - - Newark Air Train

Planta do aeroporto Newark

Os serviços gratuitos do Air Train ligam os terminais aos estacionamentos. Os trens saem a cada 3min30 das 5h à meia-noite e a cada 10-24 minutos da meia-noite às 5. O tempo do trajeto entre os terminais é de 7-11 min. Há táxis esperando fora dos terminais de chegada.

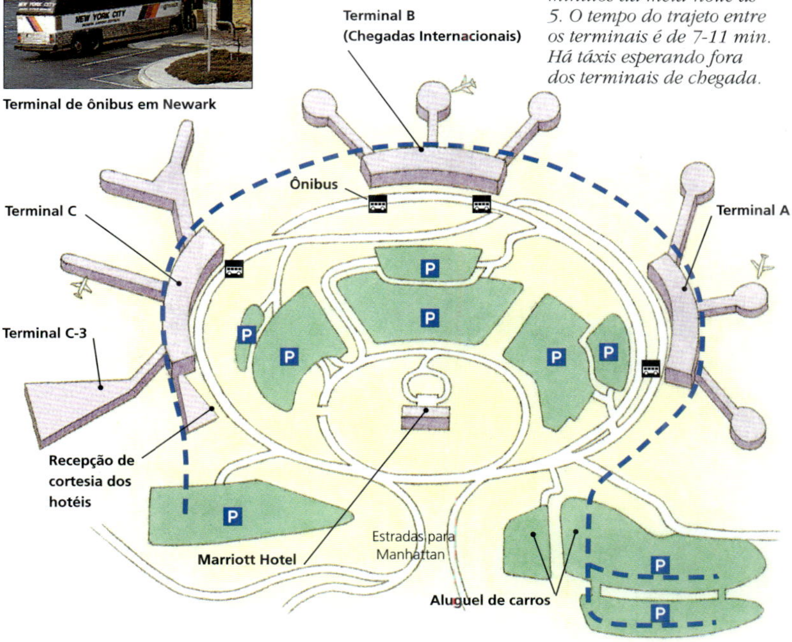

Newark, o segundo maior aeroporto internacional de Nova York, fica 26km a sudoeste de Manhattan, em New Jersey.

A maioria dos vôos internacionais chega ao Terminal B. Carrinhos de bagagem são alugados perto das esteiras, na área de coleta de bagagens, no térreo. Não há lugar para guardar malas no aeroporto. Há casas de câmbio nos terminais.

O serviço de transporte em terra, aberto 24 horas, fica junto à área de bagagens. Empresas de aluguel de carros oferecem telefones de cortesia e muitas têm serviço gratuito de transporte até suas garagens.

Há vários pontos de táxi do lado de fora da maioria das áreas de chegada. Controladores uniformizados ajudam a chamá-los. Não aceite ofertas de motoristas que circulam pelo terminal –em geral não têm seguro e cobram tarifas astronômicas. A viagem até Manhattan leva 40 minutos e custa por volta de US$ 50.

Ônibus para Manhattan leva de 40 minutos a mais de uma hora, mas custa só US$ 12. Painéis eletrônicos no terminal informam os horários. O AirTrain Newark (www.airtrainnewark.com) conecta-se aos trens NJ Transit e Amtrak, que continuam até a Penn Station de Nova York. A viagem de 25 minutos custa US$ 11,55 (o NJ Transit, também); o Amtrak, custa US$ 32.

O Super Shuttle custa US$15-19. Pode-se reservar hotel nos telefones de cortesia ligados diretamente a vários deles. Em Newark, estão disponíveis nos três terminais.

ENDEREÇOS ÚTEIS

Port Authority do Newark Airport
Tel *(888) 397-4636.*
www.newarkairport.com

Amtrak
Tel *(800) USA RAIL.*

NJ Transit
Tel *(800) 772 2222*

Holiday Inn International
1000 Spring St, Elizabeth, N J.
Tel *(800) 465-4329.*

Marriott Hotel
Newark Airport. ***Tel*** *(800) 228-9290.*

Monitores informam chegadas e partidas no aeroporto Newark

Como Chegar a Nova York

O mapa mostra as ligações entre os três principais aeroportos de Nova York e o centro de Manhattan. Também mostra as conexões ferroviárias que ligam Nova York ao resto dos Estados Unidos e ao Canadá. Informações sobre transportes, inclusive a duração de viagens em metrô, ônibus municipal, ônibus de longa distância e helicóptero, estão nas caixas laterais. O porto de desembarque de grandes navios de passageiros, que no passado foi o ponto de chegada de grandes levas de imigrantes, fica a curta distância do centro de Manhattan. O Port Authority Bus Terminal, em West Side, oferece transporte para todos os pontos da cidade.

Terminal de passageiros de navios

TERMINAL DE PASSAGEIROS DE NAVIOS

Piers 88-92 para chegadas do QM2 e outros navios de cruzeiros.

LEGENDA

- Aeroporto *págs. 379-1*
- Porto pág. *378*
- Ferrovia pág. *378*
- Ônibus pág. *378*
- Conexões de helicóptero *pág. 380*
- New York Airport Service e Super Shuttle *pág. 379*
- Helicópteros *pág. 380*
- Long Island Rail Road *págs. 392-3*
- Ônibus da New Jersey Transit *pág. 379*
- Olympia Airport Express *pág. 379*
- Shuttle bus *pág. 380*
- Linha A do metrô *pág. 390*

PORT AUTHORITY BUS TERMINAL

Chegada e partida de ônibus interurbano; conexão de aeroporto

PENN STATION

Trens de longo percurso servem EUA e ***Canadá****; trens de subúrbio para* ***Long Island*** *e* ***New Jersey****; AirTrain Newark para o* ***Newark Airport****. Serviços Amtrak, Long Island Rail Road e New Jersey Transit. M A, C, E, 1, 2, 3, 9.*

Os ônibus da Super Shuttle levam a qualquer ponto entre Battery Park e 227th st.

NEWARK

Olympia Airport Express *das 4h-23h a cada 20-30min, para* ***Penn Station, Grand Central Terminal*** *e* ***Port Authority.*** ***New Jersey Transit*** *a cada 15-20min para* ***Port Authority Bus Terminal.*** ***AirTrain*** *para* ***Penn Station*** *das 5h-24h a cada 3min30; 24h-5h a cada 15min.* ***Charter de helicópteros*** *para o heliporto da 34th St.*

A Port Authority of New York and New Jersey, que opera os aeroportos JFK, Newark e LaGuardia, investiu US$ 2,7 bilhões no AirTrain, nova conexão unindo os aeroportos JFK e Newark ao metrô de Nova York.

Trem da ferrovia Amtrak

Morningside Heights e Harlem

Grand Central Terminal

Upper West Side

Central Park

Upper East Side

GRAND CENTRAL

Trens diários para o ***norte do Estado*** *e* ***Connecticut.***

Metro-North.

M 4, 5, 6, 7.

LAGUARDIA

New York Airport Service *das 7h20-23h a cada 20-30min p/* ***Grand Central Terminal, Port Authority*** *e* ***Penn Station.***

Super Shuttle *para o destino que você escolher, das 7h-23h30.*

M60 *para 125thSt. das 5h-1h.*

Ônibus p/ ***Jamaica, Queens,*** *estações da* ***Long Island Rail Road*** *a cada 30min; depois, trens a cada 5-10min p/* ***Penn Station*** *(25min).*

Delta Water Shuttle p/ ***Wall St*** *e* ***E 34th*** *St, seg-sex (30min).*

Charter de helicóptero *p/ o centro da cidade.*

ater
rict

Grand Central Terminal

Upper Midtown

Lower Midtown

East 34th St. Pier

YC
eliport

Jamaica

Long Island Rail Road.
Airtrain JFK.
Linhas de metrô E, J, Z

Serviço de helicóptero que serve os três aeroportos

Howard Beach

AirTrain JFK.
Linhas de metrô A

quilômetros 2

K JFK

New York Airport Service a *6h15-23h30 cada 15-30min para* ***Grand Central, Port Authority Bus Terminal*** *e* ***Penn Station*** *das 6h15-23h10.*

Super Shuttle *para o lugar que desejar, 24hr.*

AirTrain JFK *para* ***Howard Beach Terminal*** *e* ***Jamaica*** *das 24h por dia com partidas frequentes.*

Charter de helicópteros *tem vôos frequentes de todos os aeroportos para* ***34th Street Heliport*** *e* ***Downtown Manhattan Heliport***

Q10 *para* ***Kew Gardens*** *a cada 15min, com tranferências para os trens A, J, Z, E e F para Manhattan*

COMO CIRCULAR EM NOVA YORK

Com quase 10 mil quilômetros de ruas, conhecer Nova York a pé é difícil. Mas a cidade é dividida em bairros bem definidos e as principais atrações podem ser visitadas em grupos, área por área. Táxis são o melhor meio de transporte, mas ficam presos em congestionamentos, sobretudo nas horas de rush. O serviço de ônibus municipal é confiável e barato, mas bastante lento. O metrô é rápido, barato e confiável, com diversas estações na área central de Manhattan. Há passes semanais e diários, válidos para qualquer tipo de transporte público –são a maneira mais econômica de visitar as atrações da cidade.

***Stretch limousine*, transporte comum nas ruas de Nova York**

COMO ENTENDER AS AVENIDAS E RUAS

As avenidas de Manhattan correm, em geral, no sentido norte-sul, enquanto as ruas (exceto nas áreas mais antigas) seguem o sentido leste-oeste. A 5th Avenue é usada para separar o leste (East) do oeste (West). Assim, o nº 5 West 40th Street fica um pouco abaixo da 5th Avenue, na 40th Street, sentido oeste, enquanto o nº 5 East 40th Street fica também um pouco abaixo da 5th Avenue, na mesma 40th Street, só que no sentido leste.

A maior parte das ruas do centro é de mão única. O tráfego corre para leste nas ruas de números pares e para oeste nas de números ímpares. As avenidas também têm mão única e seu sentido alterna entre norte e sul: a 1st, 3rd (acima da 23rd Street), Madison, 8th, Avenue of the Americas (6th) e 10th Avenues correm para o norte; a 2nd, Lexington, 5th, 7th, 9th e Broadway correm para o sul.

O trânsito tem duas mãos na York, Park, 11th, 12th e Broadway acima da 60th Street.

Embora os quarteirões ao norte da Houston Street sejam retangulares, eles não são muito uniformes –as quadras no sentido leste-oeste (entre as ruas) são três ou quatro vezes mais longas que as no sentido norte-sul (avenidas).

Algumas ruas são conhecidas por mais de um nome. Por exemplo, a Avenue of the Americas também é chamada de 6th Avenue, e Park Avenue South não é a mesma coisa

Trânsito parado em Manhattan

COMO ACHAR ENDEREÇOS

Existe uma fórmula simples para localizar qualquer endereço em avenida de Manhattan: risque o último dígito do número do prédio, divida o restante por 2 e some ou subtraia o número-chave fornecido ao lado para descobrir a rua mais próxima. Por exemplo: no caso do nº 826 da Lexington Avenue, risque o 6, divida 82 por 2, o que dá 41, e some 22 (o número-chave). Isso quer dizer que o cruzamento mais próximo é com a 63rd Street.

Placa da Madison Avenue no cruzamento com uma rua

Endereço em Avenida	Número-Chave
1st Ave	*+3*
2nd Ave	*+3*
3rd Ave	*+10*
4th Ave	*+8*
5th Ave, até 200	*+13*
5th Ave, até 400	*+16*
5th Ave, até 600	*+18*
5th Ave, até 775	*+20*
5th Ave 775–1286, não dividir por 2	*-18*
5th Ave, até 1500	*+45*
5th Ave, até 2000	*+24*
(6th) Ave of the Americas	*-12*
7th Ave below 110th St	*+12*
7th Ave abaixo de 110th St	*+20*
8th Ave	*+10*

Endereço em Avenida	Número-Chave
9th Ave	*+13*
10th Ave	*+14*
Amsterdam Ave	*+60*
Audubon Ave	*+165*
Broadway acima de 23rd St	*-30*
Central Park W, dividir o nº por 10	*+60*
Columbus Ave	*+60*
Convent Ave	*+127*
Lenox Ave	*+110*
Lexington Ave	*+22*
Madison Ave	*+26*
Park Ave	*+35*
Park Ave South	*+08*
Riverside Drive, dividir o nº por 10	*+72*
St Nicholas Ave	*+110*
West End Ave	*+60*

que Park Avenue. Há muitas esquinas e praças com nomes que homenageiam pessoas e eventos famosos. Os mapas deste guia dão aos lugares os nomes que os nova-iorquinos geralmente usam.

PROGRAME O PASSEIO

As ruas e calçadas são muito movimentadas nas horas de rush: 8h-10h, 11h30-13h30, 16h30-18h30, de segunda a sexta. Nesses horários é melhor enfrentar a multidão a pé do que tentar tomar ônibus, metrô ou táxi. Nas outras horas do dia e nos feriados *(pág. 53)* o trânsito é melhor e chega-se rapidamente ao destino.

Há exceções, é claro. A 5th Avenue deve ser evitada em dias de desfile (os piores são Thanksgiving Day e St Patrick's Day). Visitas de celebridades e as frequentes manifestações no City Hall (Prefeitura, *pág. 90*) também congestionam o trânsito. A área ao redor da 7th Avenue, ao sul de 42nd Street, é muito movimentada durante o dia por causa dos caminhões e carrinhos que servem às confecções da região.

ANDAR A PÉ

Muitas esquinas de ruas com avenidas têm placas com os nomes das vias e sinais de trânsito. Como no Brasil, os sinais acendem luzes vermelha (parar) e verde (seguir) para os carros e as palavras "Walk" (siga) e "Don't Walk" (pare) para os pedestres. Mas logo se nota que, ao atravessar a rua, os nova-iorquinos confiam mais nos olhos e nas pernas.

Como no Brasil, os veículos se mantêm à direita. Os carros que vão entrar em ruas com sinal de "Walk" aceso param e esperam os pedestres. Mas atenção: à menor brecha no movimento, avançam, principalmente táxis e caminhões.

Há faixas para pedestres em algumas esquinas, onde os carros são obrigados a parar sempre que uma pessoa vai atravessar. São bem vigiadas pela polícia. O Central Park tem algumas passagens subterrâneas para pedestres.

Faixa de pedestre

Sinal de não atravesse

Sinal de atravesse

WATER TÁXI

Este novo serviço foi inaugurado em 2002, levando do East 90th Street Pier ao Pier 84. Acesse www.nywatertaxi.com para obter informações.

BICICLETA

Andar de bicicleta é mais seguro nas ciclovias dos parques (no Central Park e ao longo dos rios East e Hudson), e só durante o dia. A Columbus Circle e a Loeb Boathouse, no Central Park, alugam bicicletas. **Informação Útil** Central Park Bike Rental, 2 Columbus Circle. **Mapa** 12 D3 ***Tel*** *(212) 541-8759.* **www**.central parkbiketour.com

Ciclista no Central Park

Staten Island Ferry deixando Battery Park

Barco de passeio da Circle Line

BALSAS

Há dois serviços de balsa interessantes para turistas *(pág. 369)*. A Circle Line sai de Battery Park, na ponta sul de Manhattan, para a Estátua da Liberdade e Ellis Island em vários horários durante o dia **www**.circleline.com. O Staten Island Ferry sai de Battery Park e funciona 24 horas por dia, circulando pelo canal e oferecendo vistas magníficas de Manhattan, da Estátua da Liberdade, das pontes e de Governors Island. A volta completa é a melhor pechincha de Nova York, é de graça.

Como Dirigir em Manhattan

O trânsito congestionado e o alto preço do aluguel de carro fazem com que dirigir em Manhattan seja uma experiência desagradável. É obrigatório usar cinto de segurança. O limite de 30 milhas por hora (48km/h) é seguido, por causa do trânsito e dos buracos. Muitas ruas têm mão única e há um sinal em cada esquina.

Trânsito lento na 5th Avenue

ALUGAR CARRO

Para alugar carro é preciso ter mais de 25 anos –ou pagar uma taxa extra–, carteira de motorista válida (a internacional ajuda, mas não é essencial) e cartão de crédito.

A menos que sua própria apólice de seguro cubra tudo isso, é aconselhável fazer seguro contra danos e perdas, pois processos por responsabilidade são muito caros. Encha o tanque quando for devolver o carro, senão terá de pagar pelo combustível o dobro do que se cobra nos postos. É mais barato alugar carro na cidade que nos aeroportos.

ESTACIONAMENTO

Estacionar em Manhattan é difícil e caro. Garagens sempre exibem os preços na entrada. Alguns hotéis incluem esta taxa na diária.

Há parquímetros em algumas ruas para estacionamento de pouca duração (20-60 min). Não caia na tentação de parar perto de um parquímetro quebrado –pode levar multa. Ruas e meio-fio pintados de amarelo indicam que é proibido estacionar.

Alternate site é a prática na maior parte das ruas laterais. Significa que um carro pode parar lá noite e dia, mas tem de ser levado para o outro lado antes das 8h do dia seguinte. Para informações mais específicas, ligue para o **Transportation Department.**

MULTAS

Quem recebe multa de estacionamento tem sete dias para pagar ou apelar. Se tiver qualquer dúvida sobre a multa, ligue para o **Parking Violations Bureau** entre 8h30 e 19h, nos dias úteis. A frota de guinchos de Nova York é extremamente ativa e um terço dos carros guinchados é danificado. Se não achar seu carro no lugar que estacionou, a primeira providência é ligar para o serviço de guincho do departamento de trânsito. A garagem fica aberta 24 horas por dia, de segunda a sábado. O carro é devolvido mediante pagamento de multa de US$ 150, mais US$ 10 por dia de ocupação e uma grande burocracia. Aceitam-se traveller's cheques, ordens de pagamento e dinheiro. Há também um caixa eletrônico *(pág. 374)* no local. Se for carro alugado, é preciso avisar a locadora e só motorista autorizado (precisa mostrar a carteira) pode liberar o carro. Se o veículo não foi guinchado, informe a polícia.

Informação útil

Polícia (só emergências) ***Tel*** *911*; Parking Violations Bureau ***Tel*** *(718) 802-3636*; Traffic Dept, Tow Pound, Pier 76, W 38th St e 12th Ave **Mapa** 7 1B e em 207th St ***Tel*** (212) *788-7800*; Transportation Dept ***Tel*** *311*.

PEDÁGIOS NAS PONTES

A maioria das vias principais que chegam ou partem de Nova York cobra pedágio, que varia de US$ 1,50 nas pontes menores, até US$ 6 na George Washington Bridge, entre Nova York e New Jersey. As pontes de Triborough Bridge Authority cobram US$ 3,50 na ida e a mesma taxa na volta. Todas só aceitam dinheiro. As cabines E-Z, com placas roxas, são exclusivas para quem tem passes pré-pagos.

LOCADORAS DE CARROS

Quem quiser alugar carro em Nova York deve procurar uma locadora na lista telefônica, sob *Automobile Renting*. As principais são:

Avis ***Tel*** *(800) 331-1212.*
www.avis.com

Budget ***Tel*** *(800) 527-0700.*
www.drivebudget.com

Dollar ***Tel*** *(800) 800-4000.*
www.dollar.com

Hertz ***Tel*** *(800) 654-3131.*
www.hertz.com

National ***Tel*** *(800) CAR RENT.*
www.nationalcar.com

SINAIS DE TRÂNSITO

Faixas pretas e brancas marcando uma esquina significam que o pedestre tem preferência ao atravessar. Carros devem deixá-las livres ao pararem no sinal. Ao contrário do resto do Estado de Nova York, na cidade não é permitido virar à direita no sinal vermelho –salvo se houver placa indicando.

Via de mão única

Entrada proibida

Limite de velocidade

Entrada de preferencial

Pare no cruzamento

Táxis de Nova York

Táxi de Nova York

Todos os tęáxis licenciados pela Prefeitura de Nova York são amarelos. Se o número no teto estiver aceso, estão desocupados e podem parar. Táxis ocupados andam com a luz do teto apagada e os que não estão em serviço acendem o aviso "Off-Duty". Somente os táxis licenciados podem pegar passageiros na rua. Aceitar oferta de outros motoristas pode ser perigoso e caro.

COMO TOMAR UM TÁXI

Há mais de 12 mil táxis em Nova York. Todos têm taxímetro e muitos podem emitir recibo impresso. Um táxi leva até quatro passageiros e a tarifa cobre todos que embarcam. Há poucos pontos de táxi; hotéis, a Penn Station e o Grand Central Terminal são de longe os melhores locais para pegar táxi. Os táxis licenciados sofrem inspeções periódicas e têm seguro contra acidentes e perdas. Os não licenciados não oferecem isso e não são recomendados. Assim que o taxista aceita um passageiro, o taxímetro começa a marcar US$ 2,50. A tarifa aumenta 40 cents a cada 267m ou a cada 120 segundos de espera. Há uma taxa adicional de 50 cents entre as 8h e as 18h. Alguns taxistas aceitam cartões de crédito, mas a maioria prefere ser paga em dinheiro. A gorjeta média é de 15%.

Dirigir táxi é uma ocupação típica de imigrantes recém-chegados e, por isso, a comunicação pode ser problemática. Embora os donos de táxis licenciados tenham de se submeter a exames de compreensão da língua inglesa e da planta da cidade, às vezes isso não acontece. Certifique-se de que seu motorista entendeu perfeitamente aonde deve ir, antes de começar a corrida.

Recibo impresso, disponível em muitos táxis

A lei exige que o motorista leve o passageiro a qualquer canto da cidade, sempre que o aviso "Off-Duty" não estiver aceso. Ele só deve perguntar para onde vai depois que o passageiro se acomodar e tem de atender aos pedidos de não fumar, abrir ou fechar as janelas e pegar ou descer passageiros conforme as instruções. Se isso não acontecer, reclame com a **Taxi & Limousine Commission**.

Todo táxi amarelo exibe a foto do motorista e seu número de registro, ao lado do taxímetro. Se ele for grosseiro com você, tentar cobrar a mais do que indica o taxímetro ou não atender pedidos, tome nota de seu número ou então do número do recibo (se foi pedido) e informe a Commission.

Os yellow taxi cabs dominam as principais vias de Nova York

NÚMEROS DE TÁXI

Taxi & Limousine Commission
Tel *311.*

Achados e Perdidos
Tel *311*

Se você não pretende esperar um táxi na rua, é melhor chamar um radiotáxi. As melhores frotas são:

Allstate Car & Limousine
Tel *(800) 453-4099 (grátis).*

Chris Limousines
Tel *(718) 356-3232.*

Tri-State and Limo Service
Tel *(212) 777-7171.*

O taxímetro exibe a tarifa à medida que vai subindo. Custos adicionais são mostrados separadamente.

A luz no teto mostra o número do táxi e o sinal de "Off-Duty", quando não está trabalhando.

Como Andar de Ônibus

Os 4 mil ônibus azuis e brancos de Nova York têm mais de 200 linhas em cinco bairros. Muitas funcionam 24 horas por dia. Os ônibus são modernos, limpos e têm ar-condicionado. Andar de ônibus é uma boa maneira de conhecer Nova York. Além disso, são seguros e raramente estão lotados. É proibido fumar em todos os ônibus públicos e a entrada de animais, com exceção de animais domésticos (cães de guia), não é permitida.

A caixa coletora de moedas fica na entrada, perto do motorista.

BILHETES

Você pode pagar o ônibus com o MetroCard *(pág. 390)*, ou com o valor exato em dinheiro (em moedas somente). Os motoristas de ônibus não podem dar troco e as caixas automáticas não aceitam notas de dólar, moedas de 50 cents ou pennies. Você pode comprar o MetroCard nos guichês do metrô.

Se precisar tomar mais de um ônibus até seu destino, você terá de fazer uma conexão grátis. Se pagar o ônibus com um MetroCard, a caixa de tarifa marcará essa baldeação grátis eletronicamente no cartão, seja ônibus-metrô, metrô-ônibus local ou ônibus local-ônibus. Se pagar com dinheiro, peça ao motorista o bilhete de conexão ao pagar.

Há tarifas reduzidas para idosos e deficientes. Todos os ônibus podem "ajoelhar-se", o que ajuda os idosos a embarcar *(pág. 370)*, e têm também elevador para cadeira de rodas.

COMO IDENTIFICAR OS ÔNIBUS

Cada ônibus faz mais de um percurso. Veja o número na frente e ao lado, perto da porta da frente. Na dúvida, pergunte ao motorista se o ônibus atende à sua necessidade.

COMO PEGAR ÔNIBUS

Os ônibus só param nos pontos estabelecidos. Fazem um percurso norte-sul nas principais avenidas e param a cada dois ou três quarteirões. Os ônibus que cruzam a cidade circulam de leste a oeste e param em todas as quadras *(pág. 384)*. Muitas linhas operam diariamente, por 24 horas, mas o serviço é muito menos frequente à noite. Também há ônibus que só operam entre 7h e 22h.

Os pontos de ônibus são indicados por avisos em vermelho, branco e azul, e tinta amarela no meio-fio. A maioria tem abrigos. Cada ponto exibe o mapa e os horários daquela linha. Depois que tiver definido seu ônibus, entre pela porta da frente, confirme com o motorista se o ônibus vai na direção certa, deposite as moedas ou o MetroCard na caixa coletora, peça um bilhete de integração se for o caso. Os motoristas de ônibus de Nova York são na maioria muito amáveis e basta pedir que eles avisam quando estiver na hora de descer.

A maneira usual de solicitar uma parada é apertar a fita vertical entre as janelas. Isso ilumina o aviso de Stop Requested (pedido de parada) na frente do motorista. Esteja atento –se o ônibus estiver cheio, fique perto da saída ao se aproximar do seu ponto.

Desça pela dupla porta traseira. O motorista libera a porta assim que o ônibus pára, mas então você tem de empurrar a faixa amarela sobre a porta, em vez de a própria porta. Isso faz com que ela se abra automaticamente e permaneça aberta.

Os pontos de ônibus têm teto e paredes de vidro em três lados.

Mapa mostra o percurso e principais paradas dos ônibus da linha M15.

O número da linha aparece na frente e na lateral do ônibus.

Saia do ônibus pelas portas duplas de trás.

Entre no ônibus pelas portas duplas da frente.

ÔNIBUS DE LONGA DISTÂNCIA

Os ônibus para o resto dos EUA e Canadá partem do **Port Authority Bus Terminal**. Outro terminal, na saída de Manhattan via George Washington Bridge, tem ônibus que vão para o norte de New Jersey e Rockland, no Estado de Nova York.

Bilhetes para ônibus em Port Authority são vendidos no corredor principal. As empresas de longas distâncias Greyhound, Peter Pan, Adirondack Short Line e NJ Transit têm seus próprios balcões de venda de passagens. Nenhuma dessas linhas faz reserva.

Há toaletes em todos os terminais, mas tenha cuidado com os mendigos que se concentram em Port Authority.

Ônibus da Geryhound chega a Nova York rumo a port Authority

INFORMAÇÕES

Mapas
Disponíveis no MTA/NYC, Customer Services Center, 3 Stone Street, Lower Manhattan.

MTA Travel Information
***Tel** (718) 330-1234 (24h).*
www.mta.info

Port Authority Bus Terminal
West 40th St and Eighth Ave.
Mapa *8 D1.* ***Tel** 564-8484.*
www.panynj.gov

George Washington Bridge Terminal
178th St e Broadway.
***Tel** 564-1114.* **www**.panynj.gov

Objetos Perdidos
***Tel** (212) 712-4500.*

TURISMO DE ÔNIBUS

Em vez de pagar mais caro por uma excursão, pegue um ônibus municipal e veja Nova York ao lado dos nova-iorquinos. A linha M1 sai da 59th Street, percorre a 5th Avenue e chega até Battery, de onde volta via Wall Street e Madison Avenue. A linha M5 oferece uma bela vista do rio Hudson, quando o ônibus segue para o norte na Riverside Drive até a George Washington Bridge, na 178th Street. A linha M104 sai da ONU, na 1st Avenue, cruza a 42nd Street, passa por Times Square e segue a Broadway, passando pelo Lincoln Center, até a Columbia University, na 125th St.

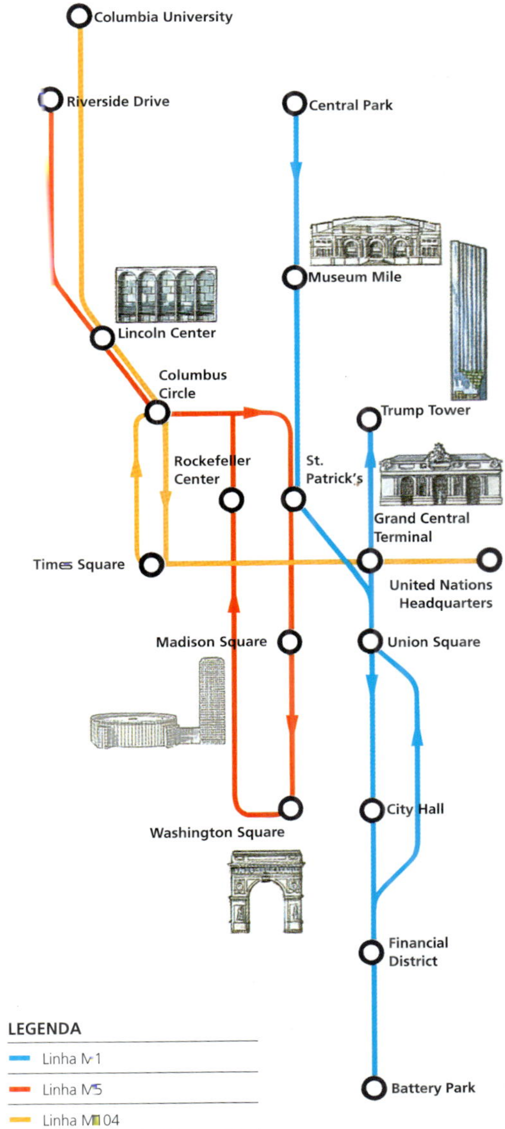

Como Usar o Metrô

New York City Subway
Logo do metrô de Nova York

O metrô é a maneira mais rápida e confiável de circular por Nova York. O vasto sistema se estende por 375 quilômetros e tem 468 estações. A maior parte das linhas opera 24 horas por dia, o ano todo. Os serviços noturnos são menos frequentes e há menos trens nos fins de semana. A última reforma trouxe ar-condicionado para os trens, que estão mais confortáveis e seguros.

METRÔ DE NOVA YORK

Muitas entradas de metrô em Nova York têm esferas luminosas na cor verde indicando que há venda de fichas 24 horas por dia e vermelha para avisar que a entrada é restrita. Em outras há um aviso com o nome da estação e os números ou letras das linhas que passam por lá.

O metrô funciona 24 horas por dia, mas algumas linhas têm horários limitados. O serviço básico vai das 6h á meia-noite.

Esteja sempre atento para o fato de que há dois tipos de trem. Trens locais param em todas as estações; trens expressos são mais rápidos e param menos. As paradas distintas estão indicadas em todos os mapas do metrô.

Em geral, as horas mais seguras para viajar, e também as mais congestionadas, são as horas do rush, entre 7h e 19h. Use o bom senso, fique na "Off-Hour Waiting Area" da plataforma e certifique-se sempre do lugar para onde está indo ao usar o metrô.

A esfera verde acesa desta estação indica que há venda de bilhetes

É seguro viajar para os subúrbios, embora não seja uma boa idéia ir sozinho depois das 22 horas. Prefira os vagões centrais e evite contato visual com tipos estranhos ou mal-encarados. Em dias muito quentes evite os vagões latados.

Numa emergência, entre em contato com o agente da estação na cabine da estação ou com algum membro da tripulação do trem, tanto no primeiro vagão como no meio da composição.

TARIFA DO METRÔ

A tarifa é sempre US$ 2–não depende da distância percorrida. O cartão Metro-Card substituiu as fichas como meio de pagamento.

Para visitantes, o melhor é o FunPass: por US$ 7 você viaja o quanto quiser em um dia. Outras opções são o passe de US$ 10 (cinco viagens, com uma de graça) e o de US$ 24, para um número ilimitado de viagens durante uma semana.

O MetroCard, que também vale para ônibus *(pág. 372)*, é vendido em 3.500 locais da cidade, bem como nas estações de metrô, onde pode ser pago com dinheiro ou cartão.

Subway information MTA/NYCT ***Tel*** *(718) 330-1234.* Metrocard Customer Service ***Tel*** *(212) 638-7622.* **www**.mta.info

COMO LER O MAPA DO METRÔ

Cada linha é identificada no mapa do metrô *(ver a contracapa)* pela cor, pelos nomes das estações em cada extremidade e por uma letra ou número. O mapa identifica as paradas locais e expressas e os pontos de conexão. As letras e números embaixo dos nomes das estações mostram quais as linhas que servem aquela estação. Uma letra ou número em cor mais escura quer dizer que os trens param na estação entre 6h e meia-noite; letras em cor mais suave significam que o serviço só funciona meio período; a letra ou número em um quadrado mostra a última parada daquela linha. Trens expressos são indicados por um círculo branco. Os mapas pregados em todas as estações incluem um guia detalhado que explica os trens e os horários de cada linha.

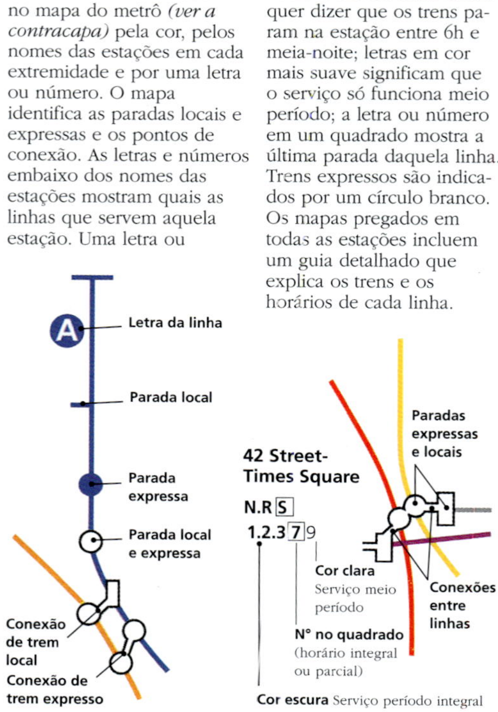

UMA VIAGEM DE METRÔ

Os metrôs percorrem a cidade no sentido norte-sul por Lexington Avenue, 6th Avenue, 7th Avenue/ Broadway e 8th Avenue. As linhas N, R, E, F, V e W para Queens correm no sentido leste-oeste.

1 Há um mapa do metrô no verso da contracapa deste guia. Também há mapas em grande escala pregados em lugar de destaque em todas as estações. E eles estão disponíveis ainda no site www.mta.info.

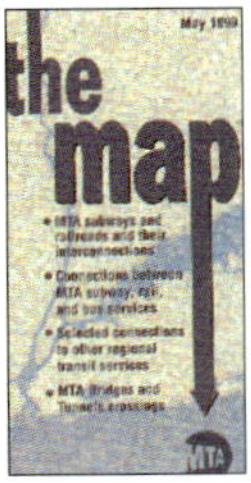

Mapa do metrô

Guichê de vendas

2 Compre um MetroCard num guichê de estação de metrô ou numa màquina. Estas aceitam a maioria dos cartões de crédito e cédulas de até US$ 50 (não aceitam pennies). Você pode também recarregar seu MetroCard nestas máquinas.

3 Use o MetroCard para passar para a plataforma..

Catraca de entrada

4 Siga as placas para o trem que deseja. Por segurança, fique à vista da bilheteria enquanto espera; à noite, use as *Off-Hour Waiting Area*, amarelas, para horários de pouco movimento.

Área especial de espera

5 Cada trem mostra seu número ou letra na cor apropriada e o nome das estações inicial e final.

Indicador da linha

6 Em todas as plataformas há um mapa das linhas, em todos os trens há um mapa do sistema de metrô, perto das portas. Trens mais novos têm mapas eletrônicos que se acendem acima das cabeças. As paradas são anunciadas por alto-falante e também se pode ler o nome da estação em cada plataforma. As portas são operadas pelo condutor.

7 Ao descer do trem, procure as placas de saída *(Exit)*. Se precisar mudar de trem, siga as placas para a plataforma de conexão.

Como Viajar de Trem

Nova York tem duas grandes estações de trem. A Grand Central Terminal recebe os trens que vão de Nova York para os subúrbios do norte e para Connecticut. A Pennsylvania (Penn) Station é o terminal para os subúrbios do leste, serviços de longa distância, para o resto dos EUA e Canadá. A maior parte dos trens de curta distância não tem serviço de bufê nos vagões, portanto é melhor comprar lanches e bebidas antes de embarcar. Só há serviço de reservas nas linhas de longa distância.

Trem da Amtrak

GRAND CENTRAL TERMINAL

O Grand Central Terminal *(pág. 156-7)*, na Park Avenue entre 41st e 42nd Streets, é o principal terminal dos trens da **Metro-North** (linhas Hudson, New Haven e Harlem), que vão para o norte e leste do Estado de Nova York e também servem Connecticut e Westchester. Do Grand Central pode-se ir de trem a lugares como o Bronx Zoo *(págs. 244-5)*, o Botanical Garden e a propriedade do ex-presidente Franklin Roosevelt, Hyde Park.

Os trens 4 e 5 da linha verde e o 7 da linha púrpura chegam até a estação de metrô situada no subsolo do Grand Central. Há uma conexão que liga o Grand Central a Times Square. Muitas linhas de ônibus também param no terminal.

Grand Central Terminal

Logo da Long Island Rail

PENN STATION

A Penn Station, entre a 7th e 8th Avenues e da 31st à 33rd Streets, é um terminal moderno que foi reconstruído em 1963 debaixo do complexo do Madison Square Garden *(pág. 135)*.

Trens para subúrbios, trens da New Jersey Transit e os trens **Amtrak** que vêm do Canadá e de outras partes dos Estados Unidos desembarcam passageiros nesta estação. Não há carrinhos de bagagem, mas carregadores de quepe vermelho oferecem seus serviços.

Há táxis no nível da rua. Os ônibus da 7th Avenue descem Manhattan e os da 8th Avenue sobem a ilha. As linhas de metrô azuis A, C e E correm no lado da estação que dá para a 8th Avenue; as linhas vermelhas 1, 2, 3 e 9 correm no lado da 7th Avenue. As bilheterias e salas de espera ficam no nível da rua, mas os trens partem do nível inferior.

De Penn Station se vai para New Jersey, Long Island e bem mais longe, nos trens da Amtrak que viajam para Filadélfia, Washington e até o Canadá. Ao lado da Penn Station ficam a bilheteria e o embarque da **Long Island Rail Road (LIRR)**. Trata-se de uma linha de subúrbio que também serve localidades de Long Island, como Hamptons, Montauk Point e Fire Island.

TRENS PATH

Os trens PATH operam sem interrupção entre a Penn Station, em Manhattan, e estações em New Jersey (Harrison, Hoboken, Jersey City e Newark). Também param na Christopher Street, no World Trade Center, na 9th, 14th, 23rd e 33rd Streets e na Avenue of the Americas.

Trem da LIRR na Penn Station

AMTRAK

A Amtrak é a ferrovia nacional de trens de passageiros que liga Nova York a outras cidades dos EUA e ao Canadá. Alguns trens da Amtrak têm vagões com bancos reclináveis; outros têm vagão-restaurante e de estar. Também oferecem cabines com camas em todos os percursos de longa distância. Há novos expressos operando em certas linhas da Amtrak, como a **Acela**, entre Boston e Washington, via Nova York.

As passagens são compradas na Penn Station e também nos Amtrak Travel Centers. Compre a passagem antes de entrar no trem, pois há uma multa para quem embarca sem bilhete. Idosos têm 15% de desconto e o condutor pede documento que comprove a idade. Não há descontos para estudantes. Para fazer reserva de lugar por telefone, com cartão de crédito, é preciso ligar com dez dias de antecedência. Os bilhetes são enviados pelo correio.

A Amtrak também oferece o pacote Great American Vacations e várias promoções especiais durante o ano. Peça informações ao fazer a reserva.

Painel na Penn Station

BILHETES E VIAGEM

As bilheterias em todas as estações de trem são bem iluminadas e geralmente lotadas a qualquer hora do dia. Aceitam tanto cartão de crédito quanto dinheiro. Há vários tipos de bilhetes, a maioria incluindo apenas a viagem de ida. Bilhete de ida e volta custa o dobro. Quem planejar fazer várias viagens deve obter os passes semanais da Metro-North e LIRR.

Horários, destinos e números das plataformas de embarque aparecem em grandes painéis situados em vários pontos da estação. Há também placas indicando as principais escalas e pontos de conexão, ao lado da plataforma de partida.

Espere que a plataforma indicada para seu trem seja aberta. Há uma classe única e sem reserva de lugar. O condutor só pede para ver o bilhete depois que o trem partir da estação.

Tanto a Penn Station quanto o Grand Central Terminal dispõem de boas acomodações para quem tem de esperar o trem. Ambos con-tam com toaletes, bancos, lojas, bares e restaurantes.

INFORMAÇÕES SOBRE TRENS

Amtrak Travel Centers
Tel (800) USA-RAIL ou (800) 872-7245. **www**.amtrak.com

Acela
Tel (800) 523-8720.
www.amtrak.com

Long Island Rail Road (LIRR)
Tel (718) 217-LIRR (Informação).
Tel (212) 643-5228 (Objetos perdidos).
www.mta.info

Metro-North
Tel (212) 532-4900 (Informação).
Tel (212) 340-2555 (Objetos perdidos).
www.mta.info

Path Trains
Tel (800) 234-7284.
www.panynj.com

VIAGENS DE UM DIA

Há lindos lugares fora dos limites de Nova York que, se houver tempo, vale a pena visitar. Veja abaixo uma lista de atrações recomendadas, todas em um raio de até 200km do centro da cidade. Para mais detalhes, telefone para o New York Convention and Visitors Bureau *(pág. 368)*.

Phillipsburg Manor, Tarrytown

Stony Brook
Tranquila cidadezinha de praia. Entrada do distrito histórico Three Villages.
93km a leste. Long Island Rail Road da Penn Station. 2h.

The Hamptons
Bares e butiques chiques em cenário histórico marcante.
161km a leste. Long Island Rail Road da Penn Station. 2h50. ®

Montauk Point
Parque estadual na ponta leste de Long Island; bela paisagem marítima
193km LIRR da Penn Station. 3h

Westbury House, Old Westbury
Réplica de 1906 de mansão Charles II, com lindos jardins i ngleses, projeto de John Phipps.
39km a leste Long Island Rail Road da Penn Station. 40min.

Tarrytown
Sunnyside, a casa de Washington Irving, e a mansão de Jay Gould.
40km ao norte. Metro-North do Grand Central, depois táxi. 40-50min.

Hyde Park
Propriedade de Franklin D. Roosevelt e mansão Vanderbilt.
119km ao norte. Metro-North do Grand Central para Poughkeepsie, depois táxi. 2h.

New Haven, Connecticut
Sede da Yale University.
119km. Metro-North do Grand Central Terminal. 1h45.

Hartford, Connecticut
Casa-barco de Mark Twain, Atheneum Museum e Old State House.
180km ao norte. Amtrak da Penn Station. 2h45

Winterthur, Delaware
Coleção de Henry du Pont de arte americana, museus e jardins.
187km ao norte. Amtrak da Penn Station para Wilmington, depois ônibus para Winterthur. 2h.

Yale University em New Haven, Connecticut

GUIA DE RUAS

As remissões a mapas que acompanham todas as atrações turísticas, hotéis, restaurantes, bares, lojas e diversões descritos neste guia se referem aos mapas desta seção (*ver* Como Usar os Mapas de Referência, *ao lado*). Estes mapas cobrem toda Manhattan. Nas páginas seguintes encontra-se um índice completo com nomes de ruas e os locais de interesse indicados nos mapas. O mapa *(abaixo)* mostra as áreas cobertas pelo *Guia de Ruas* dentro dos vários distritos. Inclui todas as áreas de interesse turístico de Manhattan (indicadas por código de cores) e todos os locais de maior concentração de hotéis, restaurantes, bares, lojas e diversões mais importantes.

Passeando em South Street Seaport

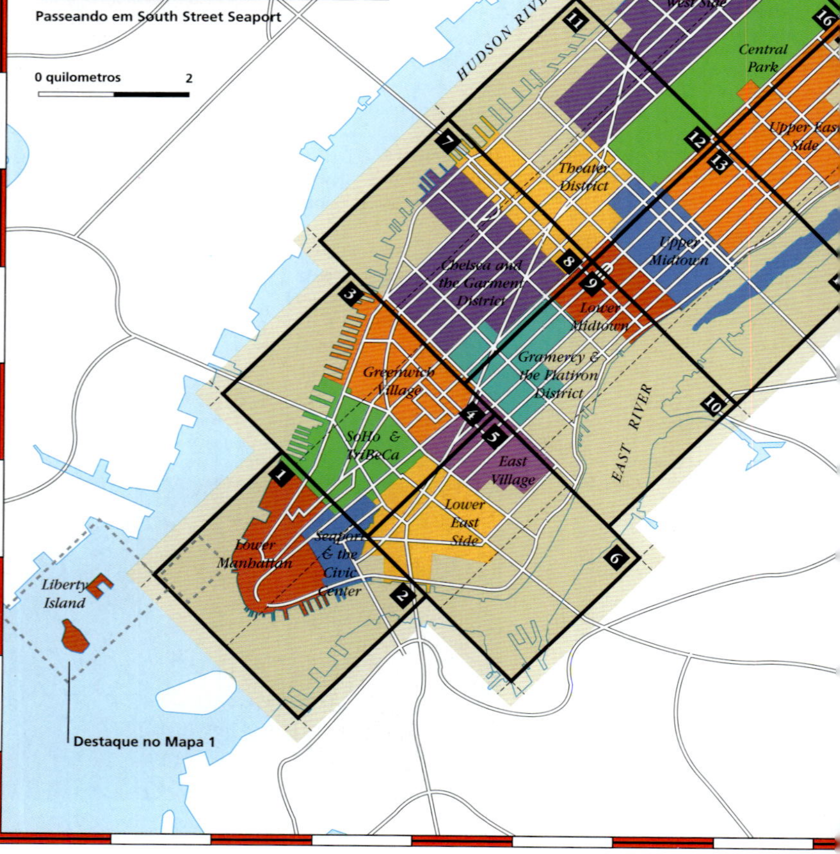

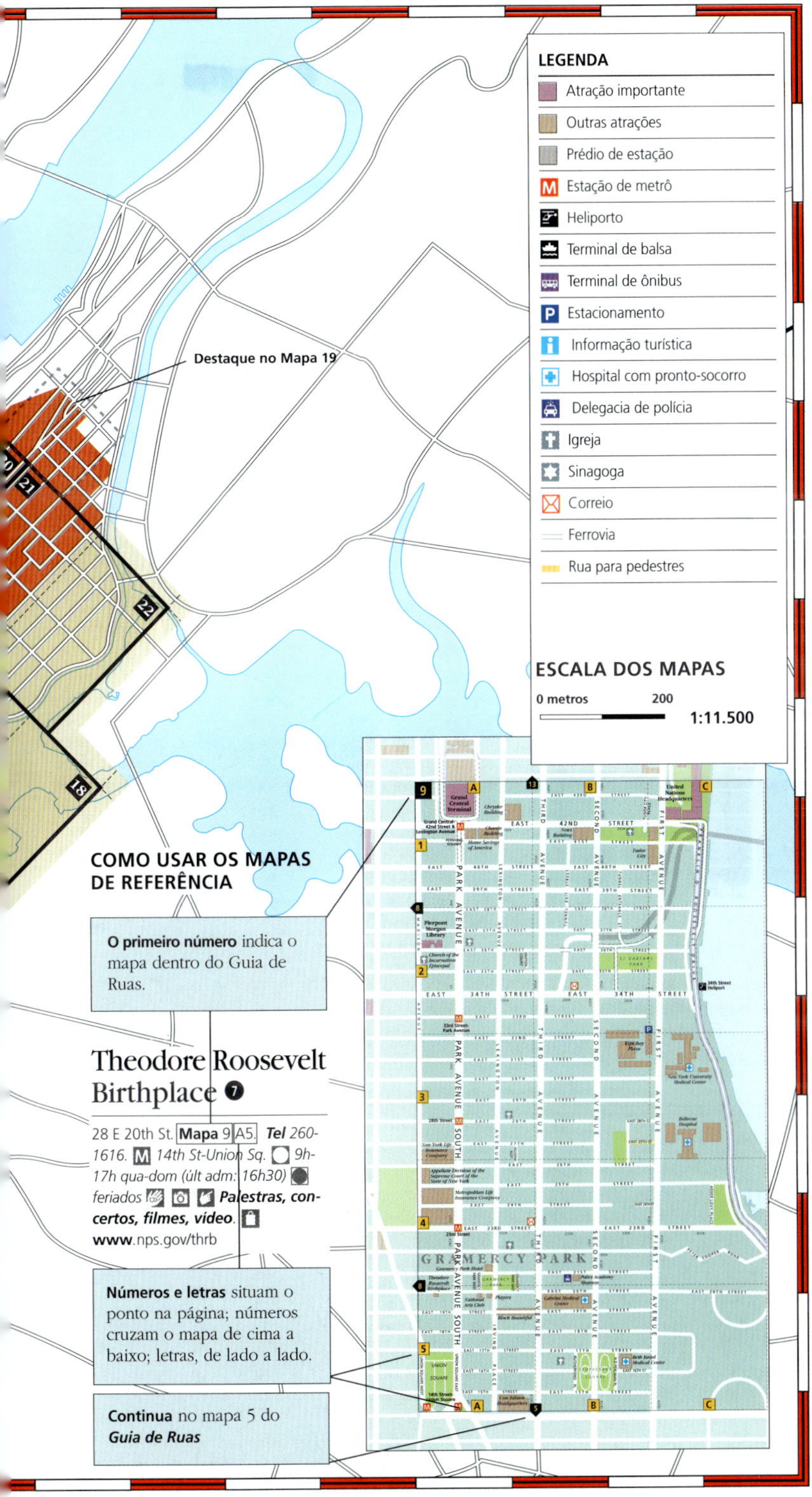

COMO USAR OS MAPAS DE REFERÊNCIA

O primeiro número indica o mapa dentro do Guia de Ruas.

Theodore Roosevelt Birthplace ❼

28 E 20th St. **Mapa** 9 A5. ***Tel*** *260-1616.* *14th St-Union Sq.* *9h-17h qua-dom (últ adm: 16h30)* *feriados* ***Palestras, concertos, filmes, vídeo.*** **www**.nps.gov/thrb

Números e letras situam o ponto na página; números cruzam o mapa de cima a baixo; letras, de lado a lado.

Continua no mapa 5 do ***Guia de Ruas***

Índice do Guia de Ruas

A

B

C

D

E

Cada nome de lugar é seguido pelo nome do bairro (menos em Manhattan) e por sua referência no Guia de Ruas

1
A
B
C
4
1
2
3
4
5
Pier 25
Manhattan Community College
Harrison St
Independence Plaza
Washington Market Park
Jay Street
Staple St
Hudson Street
Thomas
Street
Trimble Place
Worth Street
Lafayette Street
Centre Street
Duane St
Duane Park
Duane
Pace Plaza
Reade
Street
Andrew Plaza
Pier 21
Chambers
Chambers
Chambers Street-West Broadway
Chambers St-Church St
Surrogate's Court/Hall of Records
Chambers St Centre St
Chambers Street
Municipal Building
Elk Street
River Terrace
Warren
Warren
Old NY County Courthouse
City Hall
Brooklyn Bridge-City Hall
Park
Place
North End Avenue
Murray St
Murray
Murray
Greenwich Street
West Street
West Broadway
Church Street
Broadway
Lower
Park Place
City Hall Park
Frankfort St
Pace University
Spruce St
Park Row
Irving Trust Operation Center
Woolworth Building
Barclay
US Post Office
St Peter's St
Federal Office
Beekman Street
Theatre Alley
Nassau Street
Vesey
Vesey Street
World Trade Center Church Street
Ann
World Financial Center
St Paul's Chapel
Fulton
Fulton Street
Fulton Street
World Trade Center Site
AT&T Building
Dey Street
Cortlandt Street
John
Dutch St
North Cove Yacht Harbor
Cortlandt St
Merrill Lynch Liberty Plaza
Maiden Lane
Liberty Pl
Federal Reserve Bank
Liberty
Street
Liberty
Westside Highway 9A (West St)
Chamber of Commerce
Battery Park City
Washington
Cedar
Thames St
Cedar
Chase Manhattan Bank
William Street
American Stock Exchange
Albany
Albany Street
Carlisle
Trinity Church
Wall St
Federal Hall
Pine
South End Avenue
Broad St
Wall
Wall Street
Rector Street-Greenwich Street
New York Stock Exchange
Rector
Rector Place
Rector Street-Trinity Place
Trinity Place
Exchange Place
Hanover Street
Hudson
Liberty Plaza
Bank of New York
West Thames Street
Exchange Alley
New Street
Broad Street
J P Ward Street
Edgar Street
Hanover Square
Third Place
Cunard Building
Beaver
South William Street
Mill Lane
South Cove
Morris Street
Western Union International Plaza
Marketfield Street
Second Place
Downtown Athletic Club
Bowling Green
Whitehall
Stone
Pearl Street
South Gardens
Bowling Green
Fraunces Tavern
First Place
River
Museum of Jewish Heritage
Skyscraper Museum
Battery Place
US Custom House
Bridge
Battery Plaza
Moore St
Water
Battery Park
State St
Whitehall Street
Pier A
Castle Clinton National Monument
Shrine of Elizabeth Ann Seton
Peter Minuit Plaza
Ferries to Liberty and Ellis Islands
The East Coast War Memorial
South Ferry Plaza
South Ferry Station (Opening late 200
South Ferry
US Coast Guard
Ellis Island
Liberty Island
Statue of Liberty
Brooklyn-Battery Tunnel

D
E
F
5
PIER 35
1
2
3
4
5
NY County Court-House
US Court House
PARK ROW
Police Head-quarters
ST JAMES PLACE
Knickerbocker Village
Manhattan Bridge
East River
MANHATTAN
Brooklyn Bridge
Southbridge Towers
South Street Seaport
Schermerhorn Row
SOUTH STREET VIADUCT
PIER 18
PIER 17
PIER 16
PIER 15
PIER 14
PIER 13
PIER 11
Wall St Ferry Pier
FERRIES TO FULTON LANDING
-BAY RIDGE AND ROCKAWAY
-NEWPORT
-PORT LIBERTE
JERSEY CITY
PIER 9
Vietnam Veterans' Plaza
Downtown Manhattan Heliport
PIER 6
South Ferry
FERRIES TO GOVERNORS ISLAND
Battery Maritime Building
Staten Island Ferry
FERRIES TO STATEN ISLAND AND WEEHAWKEN
PIER 1
PIER 2
PIER 3
PIER 4
PIER 5
PIER 6
BROOKLYN – QUEENS EXPRESSWAY 278
DOCK STREET
WATER STREET
OLD FULTON STREET
DOUGHTY STREET
VINE STREET
FURMAN STREET
COLUMBIA HEIGHTS
MIDDAGH STREET
CRANBERRY ST
ORANGE STREET
PINEAPPLE ST
CLARK STREET
East River

3
A
B
C
7
WEST 14TH STREET
14th Street-Eighth Avenue
14th Street-Seventh Avenue
«460
«400
«300
«200
«684
ELEVENTH AVE
TENTH AVENUE
WEST 13TH STREET
The Meatpacking District
LITTLE WEST 12TH STREET
JACKSON SQUARE
St Vincent's Hospital
GREENWICH AVENUE
SEVENTH AVENUE SOUTH
HUDSON STREET
EIGHTH AVENUE
PIER 56
PIER 54
Fire Boat Station
BLOOMFIELD STREET
PIER 53
PIER 52
PIER 51
PIER 50
PIER 49
PIER 48
PIER 46
PIER 45
PIER 42
PIER 40
PIER 34
PIER 32
PIER 29
PIER 28
PIER 27
PIER 26
GANSEVOORT STREET
HORATIO STREET
JANE STREET
WASHINGTON STREET
GREENWICH STREET
WEST 12TH STREET
MULRY SQUARE
WAVERLY
WEST 4TH STREET
11TH STREET
BANK STREET
ABINGDON SQUARE
McCARTHY SQUARE
BLEECKER STREET
PERRY STREET
BETHUNE STREET
Christopher Street-Sheridan Square
CHARLES STREET
SHERIDAN SQUARE
WEST 10TH STREET
WEST 11TH STREET
CHRISTOPHER STREET
CHARLES LANE
BEDFORD STREET
GROVE STREET
GROVE PLACE
Grove Court
COMMERCE ST
Isaacs Hendricks House
WEEHAWKEN STREET
75 1/2 Bedford Street
BARROW STREET
St Luke's Place
ST LUKE'S PLACE
HUDSON PARK
MORTON STREET
LEROY STREET
«388
CLARKSON STREET
HOUSTON
WEST HOUSTON STREET
«363
KING STREET
CHARLTON
VANDAM
Hudson River
WEST STREET
SPRING
«301
RENWICK STREET
CANAL STREET
WATTS STREET
DESBROSSES
VESTRY
LAIGHT
Holland Tunnel
Manhattan Community College
1
2
3
4
5

GREENWICH VILLAGE
SOHO
LITTLE ITALY
CHINATOWN
TRIBECA
Washington Square Park
West 14th Street
East 14th Street
West Houston Street
East Houston Street
Canal Street
Broadway
Fourth Avenue
Fifth Avenue
Third Avenue
Avenue of the Americas (Sixth Ave)
Bowery
Second Avenue
Sixth Avenue
14th Street-Union Square
Third Avenue
Forbes Building
Salmagundi Club
First Presbyterian Church
Church of the Ascension
Grace Church
St-Mark's-in-the-Bowery Church
Jefferson Market Courthouse
Mark Twain's House
Eighth Street-Broadway
Astor Place 8th Street
Cooper Union Building
Colonnade Row
Public Theater
West 4th Street-Washington Square
The New York University Law Center
Judson Memorial Church
New York University
Washington Square Village
Merchant's House Museum
Bayard-Condict Building
Bleecker Street-Lafayette Street
Broadway-Lafayette Street
Puck Building
Houston Street-Varick Street
Prince Street-Broadway
New Museum of Contemporary Art
Singer Building
Old Saint Patrick's Cathedral
Spring Street-Sixth Avenue
Spring Street-Lafayette Street
St Nicholas Hotel
New York City Fire Museum
Haughwort Building
Children's Museum of the Arts
Police Headquarters Building
Home Savings of America
Canal Street
Canal Street-Sixth Avenue
Canal Street-Broadway
Canal Street-Lafayette Street
Canal Street-Centre Street
Engine Company No.31
Criminal Courts Building
Franklin Street
Independence Plaza
New York State Building
Columbus Park

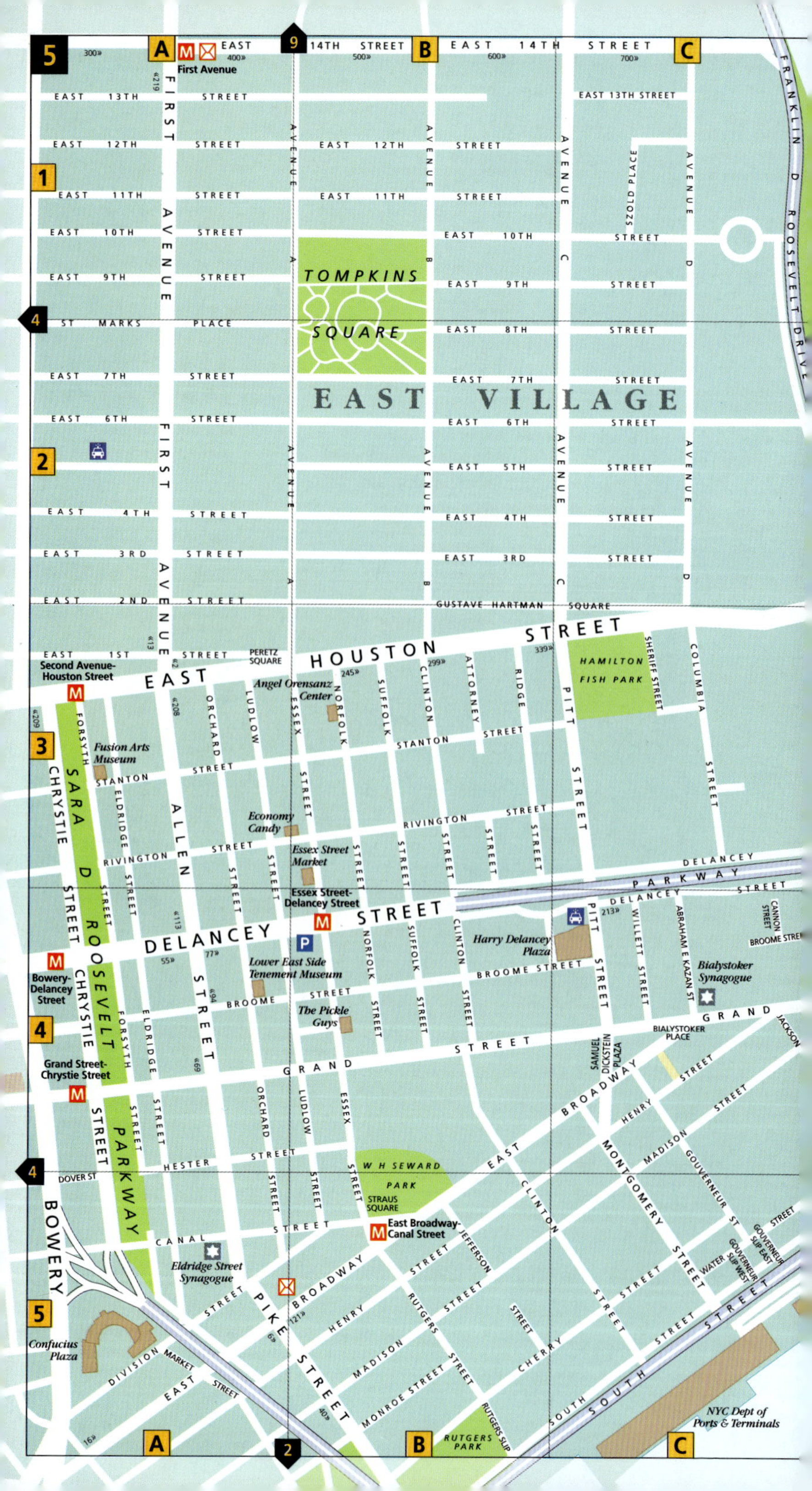

5
A
B
C
First Avenue
EAST 14TH STREET
TOMPKINS SQUARE
EAST VILLAGE
HAMILTON FISH PARK
Second Avenue-Houston Street
Angel Orensanz Center
Fusion Arts Museum
Economy Candy
Essex Street Market
Essex Street-Delancey Street
Harry Delancey Plaza
Lower East Side Tenement Museum
The Pickle Guys
Bialystoker Synagogue
Bowery-Delancey Street
Grand Street-Chrystie Street
W H SEWARD PARK
STRAUS SQUARE
East Broadway-Canal Street
Eldridge Street Synagogue
Confucius Plaza
RUTGERS PARK
NYC Dept of Ports & Terminals
SARA D ROOSEVELT PARKWAY
FRANKLIN D ROOSEVELT DRIVE
BOWERY
EAST HOUSTON STREET
DELANCEY STREET
GRAND STREET
EAST BROADWAY
SOUTH STREET

6
D
E
F
1
2
3
4
5
NORTH 9TH STREET
NORTH 8TH STREET
NORTH 7TH STREET
NORTH 6TH STREET
NORTH 5TH STREET
NORTH 4TH STREET
NORTH 3RD STREET
METROPOLITAN AVENUE
NORTH 1ST STREET
GRAND STREET
SOUTH 1ST STREET
SOUTH 2ND STREET
SOUTH 3RD STREET
SOUTH 4TH STREET
SOUTH 5TH STREET
SOUTH 6TH STREET
SOUTH 8TH STREET
SOUTH 9TH ST
SOUTH 11TH ST
KENT AVENUE
WYTHE AVENUE
BERRY STREET
RIVER STREET
DUNHAM PLACE
BROADWAY
DIVISION AVENUE
«215
375»
East River
EAST RIVER PARK
Athletic Field
(EAST RIVER DRIVE)
MANGIN STREET
BARUCH PLACE
FRANKLIN D ROOSEVELT DRIVE
Williamsburg Bridge
SOUTH STREET
Fireboat Station
SAMUEL A SPIEGEL SQUARE
CHERRY STREET
CORLEARS HOOK PARK
VIADUCT
Corlears Hook
PIER 44
Wallabout Channel
US Naval Reserve Center
Wallabout Bay

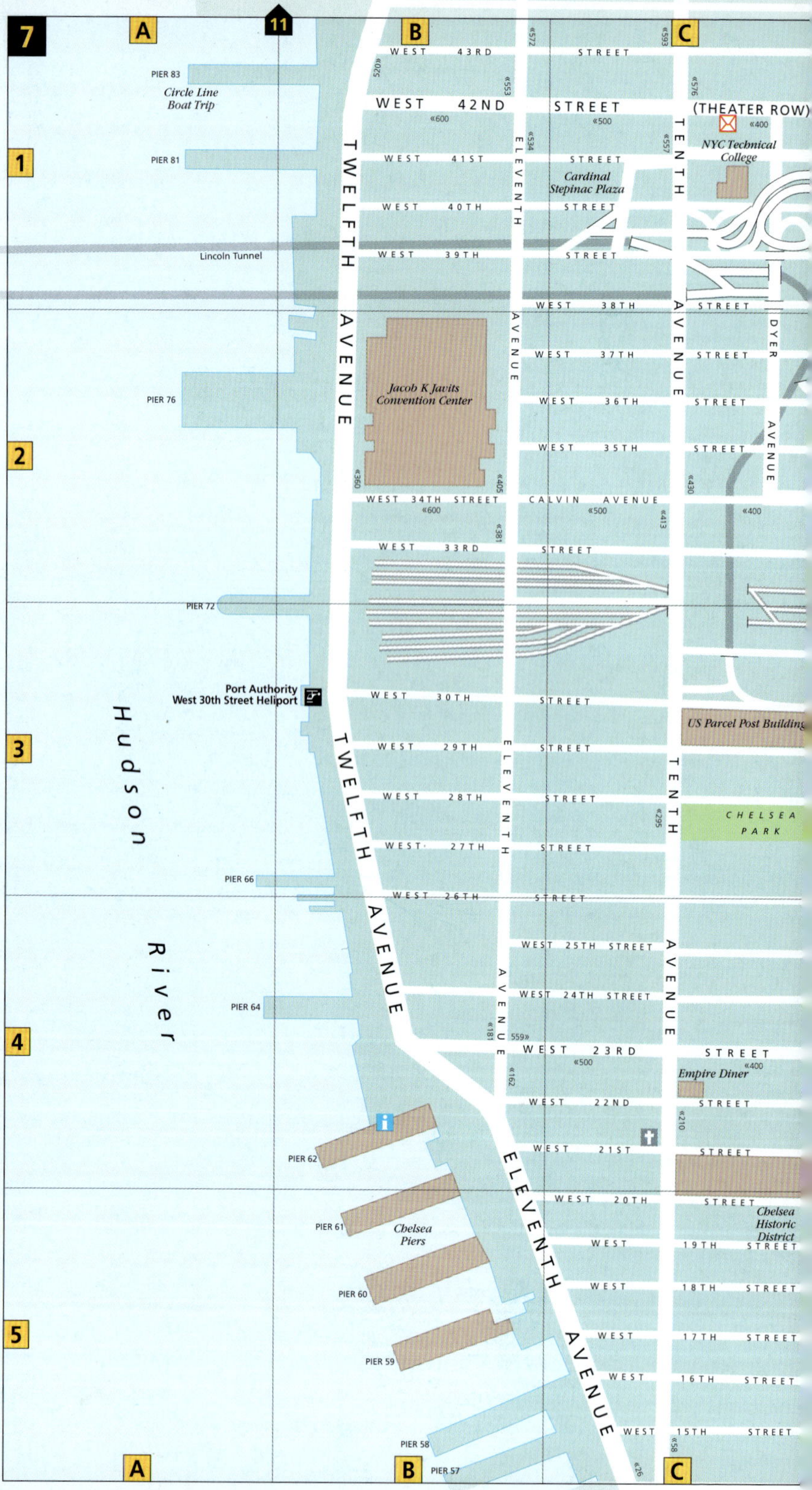
7
11
A
B
C
1
2
3
4
5
PIER 83
Circle Line Boat Trip
PIER 81
Lincoln Tunnel
PIER 76
PIER 72
Port Authority West 30th Street Heliport
Hudson River
PIER 66
PIER 64
PIER 62
PIER 61
PIER 60
PIER 59
PIER 58
PIER 57
Chelsea Piers
WEST 43RD STREET
WEST 42ND STREET
(THEATER ROW)
NYC Technical College
WEST 41ST STREET
Cardinal Stepinac Plaza
WEST 40TH STREET
WEST 39TH STREET
WEST 38TH STREET
WEST 37TH STREET
WEST 36TH STREET
WEST 35TH STREET
WEST 34TH STREET
CALVIN AVENUE
WEST 33RD STREET
WEST 30TH STREET
WEST 29TH STREET
WEST 28TH STREET
WEST 27TH STREET
WEST 26TH STREET
WEST 25TH STREET
WEST 24TH STREET
WEST 23RD STREET
WEST 22ND STREET
WEST 21ST STREET
WEST 20TH STREET
WEST 19TH STREET
WEST 18TH STREET
WEST 17TH STREET
WEST 16TH STREET
WEST 15TH STREET
TWELFTH AVENUE
ELEVENTH AVENUE
TENTH AVENUE
DYER AVENUE
Jacob K Javits Convention Center
US Parcel Post Building
CHELSEA PARK
Empire Diner
Chelsea Historic District

D
E
F
12
8
Paramount Building
International Center of Photography
West 43rd Street
Group Health Insurance Building
42nd Street-Eighth Avenue
Times Square-42nd Street
Times Square
Times Square-Broadway
42nd Street-Sixth Avenue
Fifth Avenue-42nd Street
West 42nd Street
East 42nd St
New Amsterdam Theater
West 41st Street
East 41st Street
1
Bryant Park
New York Public Library
Port Authority Bus Terminal
West 40th Street
East 40th Street
American Standard Building
West 39th Street
East 39th St
West 38th Street
East 38th St
9
West 37th Street
East 37th St
West 36th Street
East 36th St
West 35th Street
East 35th St
2
Macy's
34th Street-Sixth Avenue
West 34th Street
East 34th St
34th Street Penn Station-Seventh Avenue
34th Street Penn Station-Eighth Avenue
Herald Square
Empire State Building
West 33rd Street
East 33rd St
General Post Office
Madison Square Garden Center
Pennsylvania Station
Pennsylvania Plaza
Greeley Square
West 32nd Street
East 32nd St
West 31st Street
East 31st St
St John the Baptist Church
West 30th Street
East 30th St
Marble Collegiate Reformed Church
Little Church Around the Corner
3
West 29th Street
28th Street-Seventh Avenue
28th Street-Broadway
West 28th Street
East 28th St
West 27th Street
East 27th St
West 26th Street
Madison Square Plaza
Worth Square
Madison Square Park
Worth Monument
West 25th Street
West 24th Street
23rd Street-Broadway
4
West 23rd Street
East 23rd St
23rd Street-Eighth Avenue
Chelsea Hotel
23rd Street
Flatiron Building
West 22nd Street
East 22nd St
Chelsea
West 21st Street
East 21st St
General Theological Seminary
Hugh O'Neill Dry Goods Store
West 20th Street
West 19th Street
East 19th St
West 18th Street
East 18th St
18th Street
West 17th Street
East 17th St
5
West 16th Street
East 16th Street
Port Authority Building
West 15th Street
East 15th Street
14th Street-Eighth Avenue
Sixth Avenue
14th Street-Union Square
Ninth Avenue
Eighth Avenue
Seventh Avenue (Fashion Avenue)
Broadway
Avenue of the Americas (Sixth Avenue)
Fifth Avenue

9
A
B
C
13
Grand Central Terminal
Chrysler Building
United Nations Headquarters
Grand Central-42nd Street & Lexington Avenue
Chanin Building
News Building
Pershing Square
Home Savings of America
Tudor City
Tudor City Place
Franklin D Roosevelt Drive
Pierpont Morgan Library
Church of the Incarnation Episcopal
Sniffen Court
St Vartans Park
Tunnel Exit Street
Tunnel Entrance St
34th Street Heliport
33rd Street-Park Avenue
Kips Bay Plaza
New York University Medical Center
28th Street
Bellevue Hospital
New York Life Insurance Company
Broadway Alley
Appellate Division of the Supreme Court of the State of New York
Metropolitan Life Insurance Company
Asser Levy Place
23rd Street
Gramercy Park
Peter Cooper Road
Gramercy Park Hotel
Theodore Roosevelt Birthplace
Gramercy Park West
Gramercy Park East
Police Academy Museum
National Arts Club
Players
Cabrini Medical Center
Block Beautiful
Irving Place
Union Square
Union Square West
Union Square East
Rutherford Pl
Stuyvesant Square
N D Perlman Pl
Beth Israel Medical Center
14th Street-Union Square
Con Edison Headquarters
Madison Avenue
Park Avenue
Park Avenue South
Lexington Avenue
Third Avenue
Second Avenue
First Avenue
East 43rd Street
East 42nd Street
East 41st Street
East 40th Street
East 39th Street
East 38th Street
East 37th Street
East 36th Street
East 35th Street
East 34th Street
East 33rd Street
East 32nd Street
East 31st Street
East 30th Street
East 29th Street
East 28th Street
East 27th Street
East 26th Street
East 25th Street
East 24th Street
East 23rd Street
East 21st Street
East 20th Street
East 19th Street
East 18th Street
East 17th Street
East 16th Street
East 15th Street
1
2
3
4
5
8

10
14
6
D
E
F
1
2
3
4
5
Belmont Island
Queens - Midtown Tunnel 495
5TH STREET
50TH AVENUE
51ST AVENUE
VERNON BLVD
JACKSON AVENUE
Pulaski Bridge
BORDEN AVENUE
Vernon Jackson Boulevard
2ND (FRONT) STREET
Long Island City Station
54TH (FLUSHING) AVENUE
55TH AVENUE
56TH AVENUE
Newton Creek
East River
MANHATTAN AVENUE
BOX STREET
COMMERCIAL STREET
CLAY STREET
DUPONT STREET
FRANKLIN STREET
EAGLE STREET
FREEMAN STREET
WEST STREET
GREEN STREET
HURON STREET
INDIA STREET
JAVA STREET
KENT STREET
GREENPOINT AVENUE
Manhattan Marina
PIER 70
PIER 69
PIER 68
PIER 67
FRANKLIN D ROOSEVELT DRIVE (EAST RIVER DRIVE)
AVENUE C
EAST 16TH STREET
EAST 15TH STREET

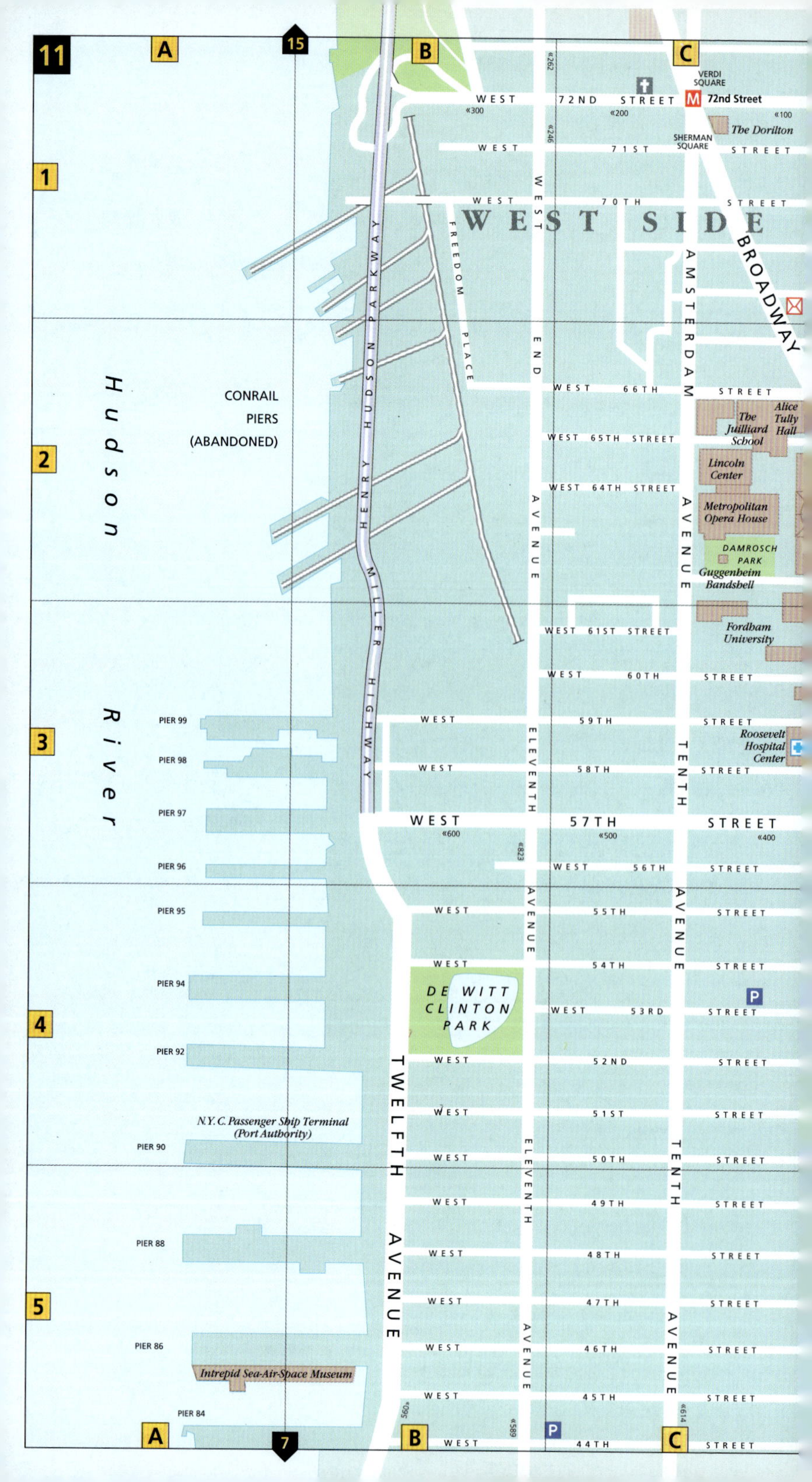
11
A
15
B
C
1
2
3
4
5
7
WEST 72ND STREET
72nd Street
VERDI SQUARE
SHERMAN SQUARE
The Dorilton
WEST 71ST STREET
WEST 70TH STREET
WEST SIDE
BROADWAY
AMSTERDAM AVENUE
WEST END AVENUE
FREEDOM PLACE
HENRY HUDSON PARKWAY
MILLER HIGHWAY
CONRAIL PIERS (ABANDONED)
Hudson River
WEST 66TH STREET
WEST 65TH STREET
WEST 64TH STREET
The Juilliard School
Alice Tully Hall
Lincoln Center
Metropolitan Opera House
DAMROSCH PARK
Guggenheim Bandshell
Fordham University
WEST 61ST STREET
WEST 60TH STREET
WEST 59TH STREET
WEST 58TH STREET
Roosevelt Hospital Center
WEST 57TH STREET
WEST 56TH STREET
WEST 55TH STREET
WEST 54TH STREET
WEST 53RD STREET
WEST 52ND STREET
WEST 51ST STREET
WEST 50TH STREET
WEST 49TH STREET
WEST 48TH STREET
WEST 47TH STREET
WEST 46TH STREET
WEST 45TH STREET
WEST 44TH STREET
ELEVENTH AVENUE
TENTH AVENUE
TWELFTH AVENUE
DE WITT CLINTON PARK
PIER 99
PIER 98
PIER 97
PIER 96
PIER 95
PIER 94
PIER 92
PIER 90
PIER 88
PIER 86
PIER 84
N.Y.C. Passenger Ship Terminal (Port Authority)
Intrepid Sea-Air-Space Museum
«300
«200
«100
«262
«246
«600
«500
«400
«823
560»
«589
«614

12
16
13
8
D
E
F
CENTRAL PARK
CHERRY HILL
SHEEP MEADOW
EAST GREEN
STRAWBERRY FIELDS
Bethesda Fountain and Terrace
Bandshell
Frick Collection
The Dakota
72nd Street
Majestic Apartments
WEST 71ST STREET
WEST 70TH STREET
WEST 69TH STREET
WEST 68TH STREET
WEST 67TH STREET
Hotel des Artistes
66th Street-Lincoln Center
LINCOLN SQUARE
Museum of American Folk Art
Avery Fisher Hall
Lincoln Plaza
WEST 63RD STREET
Century Apartments
New York State Theater
DANTE PARK
WEST 62ND ST
COLUMBUS AVENUE
CENTRAL PARK WEST
WEST DRIVE
EAST DRIVE
65TH ST TRANSVERSE ROAD
HECKSCHER PLAYGROUND
The Dairy
Wildlife Conservation Center
Wollman Rink
Children's Zoo
Temple Emanu-El
BIRD SANCTUARY
The Pond
Fifth Avenue-59th-60th St
DORIS C FREEDMAN PLAZA
EAST 72ND ST
EAST 71ST ST
EAST 70TH STREET
EAST 69TH ST
EAST 68TH ST
EAST 67TH ST
EAST 66TH ST
EAST 65TH ST
EAST 64TH STREET
EAST 63RD ST
EAST 62ND ST
EAST 61ST ST
EAST 60TH ST
EAST 59TH ST
EAST 58TH ST
EAST 57TH ST
EAST 55TH ST
EAST 54TH ST
EAST 52ND ST
EAST 50TH STREET
EAST 49TH ST
EAST 48TH ST
EAST 47TH STREET
EAST 46TH ST
EAST 45TH ST
EAST 44TH ST
FIFTH AVENUE
St Paul the Apostle Church
Time Warner Center
COLUMBUS CIRCLE
59th Street-Columbus Circle
CENTRAL PARK SOUTH (OLMSTED WAY)
GRAND ARMY PLAZA
Plaza Hotel
WEST 58TH STREET
Alwyn Court Apartments
WEST 57TH STREET
57th Street
Carnegie Hall
Trump Tower
IBM Building
City Center of Music and Dance
MONY Tower
WEST 55TH STREET
WEST 54TH STREET
American Folk Art Museum
The Museum of Modern Art
St Thomas' Church
Seventh Avenue-53rd Street
WEST 53RD STREET
Museum of Arts & Design
Fifth Avenue-53rd St
W. C. HANDY'S PLACE
SWING STREET
Museum of Television and Radio
Saint Patrick's Cathedral
WEST 51ST STREET
Radio City Music Hall
ROCKEFELLER PLAZA
50th Street-Eighth Avenue
50th Street-Broadway
WEST 50TH STREET
Rockefeller Center
49th Street-Seventh Avenue
WEST 49TH STREET
47th-50th Street-Rockefeller Center
WEST 48TH STREET
MIDTOWN
WEST 47TH STREET
Diamond Row
WEST 46TH STREET
DUFFY SQUARE
Lyceum Theater
Fred F French Building
WEST 45TH STREET
Algonquin Hotel
New York Yacht Club
Shubert Theater
SHUBERT ALLEY
WEST 44TH STREET
NINTH AVENUE
EIGHTH AVENUE
BROADWAY
SEVENTH AVENUE
AVENUE OF THE AMERICAS (SIXTH AVENUE)

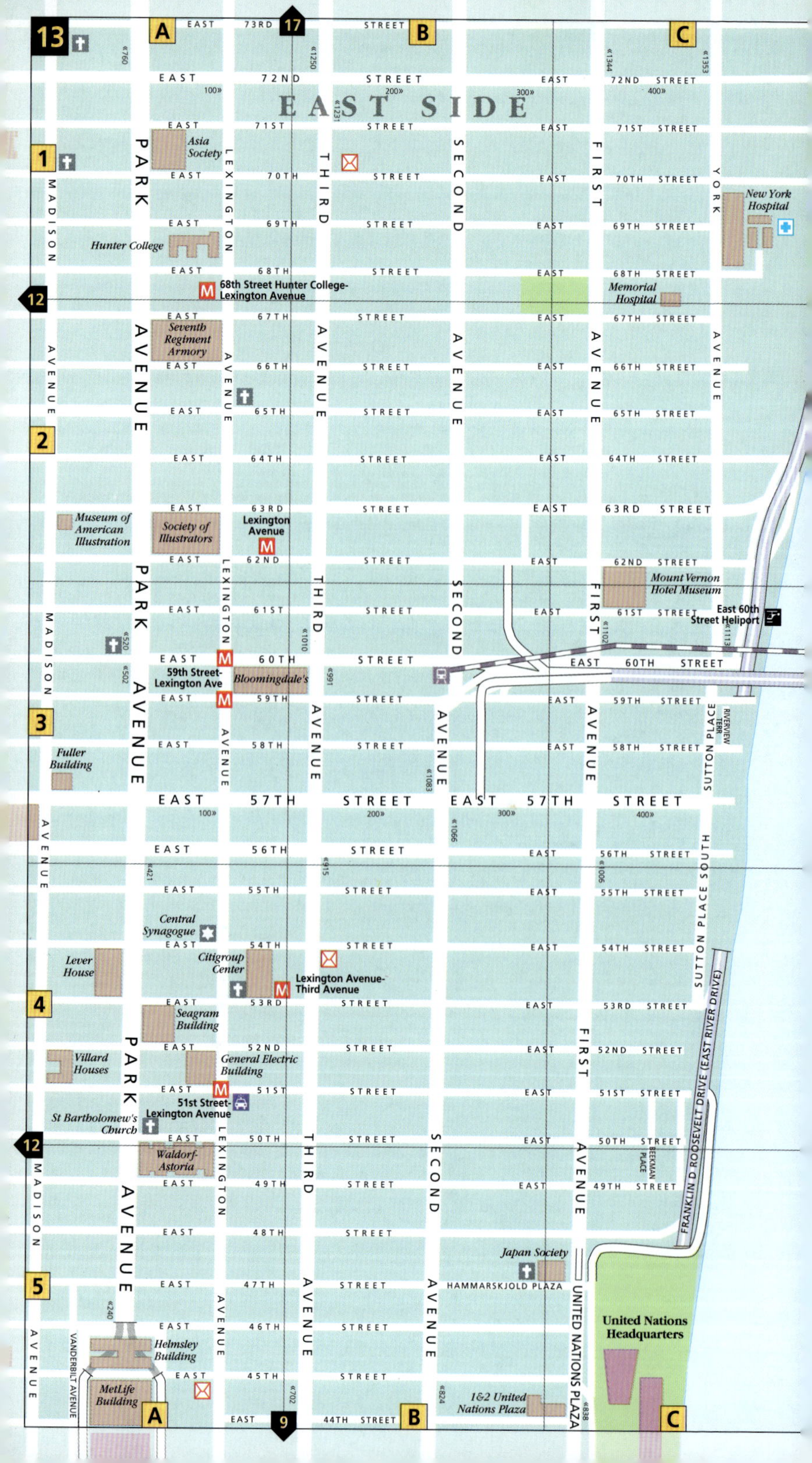
13
EAST SIDE
EAST 72ND STREET
EAST 71ST STREET
EAST 70TH STREET
EAST 69TH STREET
EAST 68TH STREET
EAST 67TH STREET
EAST 66TH STREET
EAST 65TH STREET
EAST 64TH STREET
EAST 63RD STREET
EAST 62ND STREET
EAST 61ST STREET
EAST 60TH STREET
EAST 59TH STREET
EAST 58TH STREET
EAST 57TH STREET
EAST 56TH STREET
EAST 55TH STREET
EAST 54TH STREET
EAST 53RD STREET
EAST 52ND STREET
EAST 51ST STREET
EAST 50TH STREET
EAST 49TH STREET
EAST 48TH STREET
EAST 47TH STREET
EAST 46TH STREET
EAST 45TH STREET
EAST 44TH STREET
EAST 73RD STREET
MADISON AVENUE
PARK AVENUE
LEXINGTON AVENUE
THIRD AVENUE
SECOND AVENUE
FIRST AVENUE
YORK AVENUE
SUTTON PLACE
SUTTON PLACE SOUTH
RIVERVIEW TERR
BEEKMAN PLACE
FRANKLIN D ROOSEVELT DRIVE (EAST RIVER DRIVE)
HAMMARSKJOLD PLAZA
UNITED NATIONS PLAZA
VANDERBILT AVENUE
Asia Society
Hunter College
68th Street Hunter College-Lexington Avenue
Seventh Regiment Armory
Museum of American Illustration
Society of Illustrators
Lexington Avenue
New York Hospital
Memorial Hospital
Mount Vernon Hotel Museum
East 60th Street Heliport
59th Street-Lexington Ave
Bloomingdale's
Fuller Building
Central Synagogue
Lever House
Citigroup Center
Lexington Avenue-Third Avenue
Seagram Building
Villard Houses
General Electric Building
51st Street-Lexington Avenue
St Bartholomew's Church
Waldorf-Astoria
Japan Society
United Nations Headquarters
Helmsley Building
MetLife Building
1&2 United Nations Plaza

14
D
E
F
18
10
1
2
3
4
5
FRANKLIN D ROOSEVELT DRIVE (EAST RIVER DRIVE)
BLACKWELL PARK
Roosevelt Island Bridge
West Channel
East Channel
MAIN STREET
ROOSEVELT ISLAND
AERIAL TRAMWAY
Queensboro Bridge
WEST ROAD
EAST ROAD
LONG ISLAND CITY
QUEENS COUNTY
QUEENSBRIDGE PARK
VERNON BOULEVARD
36TH AVENUE
37TH AVENUE
38TH AVENUE
40TH AVENUE
41ST AVENUE
41ST ROAD
QUEENS PLAZA NORTH
QUEENS PLAZA SOUTH
43RD AVENUE
43RD ROAD
44TH AVENUE
44TH ROAD
44TH DRIVE
44th Drive
45TH AVENUE
45TH ROAD
46TH AVENUE
46TH ROAD
47TH AVENUE
47TH ROAD
48TH AVENUE
9TH STREET
10TH STREET
11TH STREET
12TH STREET
13TH STREET
21ST STREET
5TH STREET
JACKSON AVENUE
«4002
«4302

15
A
B
C
1
2
3
4
5
20
11
Hudson River
Boat Basin
HENRY HUDSON PARKWAY
9A
RIVERSIDE PARK
JOAN OF ARC PARK
RIVERSIDE DRIVE
RIVERSIDE DRIVE EAST
RIVERSIDE DRIVE WEST
WEST END AVENUE
BROADWAY
AMSTERDAM AVENUE
POMANDER WALK
WEST 102ND ST
WEST 101ST STREET
WEST 100TH STREET
WEST 99TH STREET
WEST 98TH STREET
WEST 97TH STREET
WEST 96TH STREET
96th Street
WEST 95TH STREET
WEST 94TH STREET
WEST 93RD STREET
WEST 92ND STREET
WEST 91ST STREET
WEST 90TH STREET
WEST 89TH STREET
WEST 88TH STREET
WEST 87TH STREET
WEST 86TH STREET
86th Street
WEST 85TH STREET
EDGAR ALLAN POE STREET
WEST 83RD STREET
WEST 82ND STREET
WEST 81ST STREET
WEST 80TH STREET
WEST 79TH STREET
79th Street
WEST 78TH STREET
WEST 77TH STREET
WEST 76TH STREET
WEST 75TH ST
WEST 74TH ST
Jewish Center
Children's Museum of Manhattan
Ansonia Hotel

16
D
E
F
21
17
12
1
2
3
4
5
The Pool
NORTH MEADOW
BALL FIELD
WEST DRIVE
EAST DRIVE
EAST MEADOW
97TH STREET TRANSVERSE ROAD
CENTRAL
SOUTH MEADOW TENNIS COURTS
Reservoir
86TH STREET TRANSVERSE ROAD
PARK
THE GREAT LAWN
SHAKESPEARE GARDEN
Delacorte Theater
Belvedere Lake
Belvedere Castle
79TH STREET TRANSVERSE ROAD
THE RAMBLE
The Lake
Bow Bridge
Boat House
Alice in Wonderland
Conservatory Water
COLUMBUS AVENUE
CENTRAL PARK WEST
WEST 101ST ST
WEST 100TH STREET
WEST 97TH STREET
WEST 96TH STREET
96th Street
WEST 95TH STREET
WEST 94TH STREET
WEST 93RD STREET
WEST 92ND STREET
WEST 91ST STREET
Eldorado Apartments
(HENRY J BROWNE BOULEVARD)
WEST 89TH STREET
WEST 88TH STREET
WEST 87TH STREET
WEST 86TH STREET
86th Street
WEST 85TH STREET
WEST 84TH STREET
WEST 83RD STREET
WEST 82ND STREET
WEST 81ST STREET
81st Street-Museum of Natural History
Hayden Planetarium
American Museum of Natural History
WEST 77TH STREET
New-York Historical Society
WEST 76TH STREET
WEST 75TH STREET
San Remo Apartments
WEST 74TH STREET
«360
«100
«2
«262
«56
«151
FIFTH AVENUE (MUSEUM MILE)
EAST 101ST ST
«1189
Mount Sinai Medical Center
EAST 98TH ST
St Nicholas Russian Orthodox Cathedral
EAST 97TH ST
«1149
EAST 96TH ST
2»
EAST 95TH ST
EAST 94TH ST
EAST 93RD ST
Jewish Museum
EAST 92ND ST
Cooper-Hewitt Museum
EAST 90TH ST
National Academy Museum
Solomon R Guggenheim Museum
EAST 88TH ST
EAST 87TH ST
«1050
EAST 86TH ST
Neue Gallerie
EAST 85TH ST
EAST 84TH ST
EAST 83RD ST
EAST 82ND ST
Metropolitan Museum of Art
EAST 81ST ST
EAST 80TH ST
EAST 79TH ST
«970
EAST 78TH ST
EAST 77TH ST
EAST 76TH ST
EAST 75TH ST
«930
EAST 74TH ST

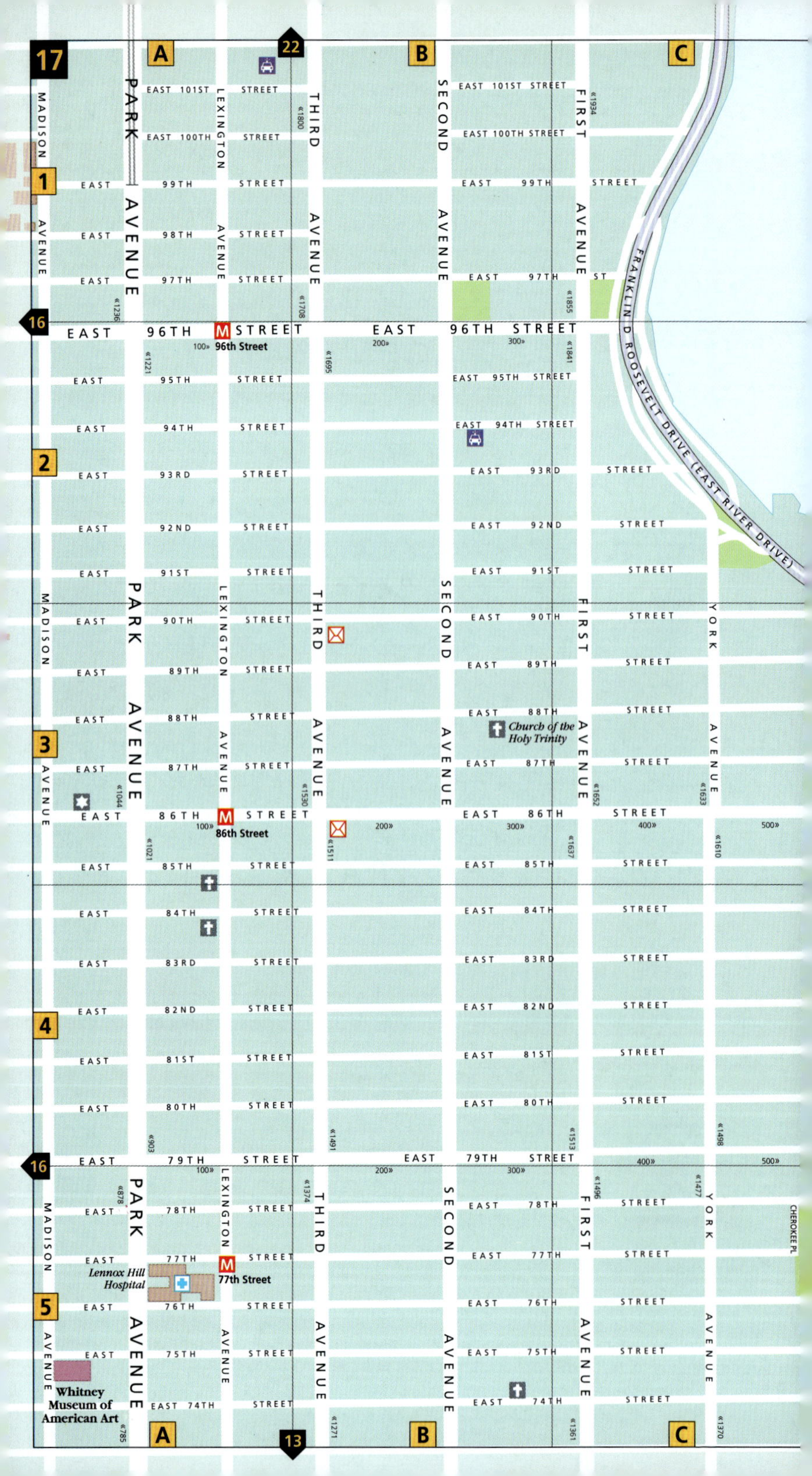

17
A
B
C
22
13
16
1
2
3
4
5
MADISON AVENUE
PARK AVENUE
LEXINGTON AVENUE
THIRD AVENUE
SECOND AVENUE
FIRST AVENUE
YORK AVENUE
EAST 101ST STREET
EAST 100TH STREET
EAST 99TH STREET
EAST 98TH STREET
EAST 97TH STREET
EAST 96TH STREET
96th Street
EAST 95TH STREET
EAST 94TH STREET
EAST 93RD STREET
EAST 92ND STREET
EAST 91ST STREET
EAST 90TH STREET
EAST 89TH STREET
EAST 88TH STREET
EAST 87TH STREET
EAST 86TH STREET
86th Street
EAST 85TH STREET
EAST 84TH STREET
EAST 83RD STREET
EAST 82ND STREET
EAST 81ST STREET
EAST 80TH STREET
EAST 79TH STREET
EAST 78TH STREET
EAST 77TH STREET
77th Street
EAST 76TH STREET
EAST 75TH STREET
EAST 74TH STREET
FRANKLIN D ROOSEVELT DRIVE (EAST RIVER DRIVE)
CHEROKEE PL
Church of the Holy Trinity
Lennox Hill Hospital
Whitney Museum of American Art

D
E
F
1
2
3
4
5
14
Triborough Bridge
East River
Hell Gate
Harlem River
SHORE BOULEVARD
ASTORIA PK SOUTH
Pot Cove
MILL ROCK PARK
14TH STREET
12TH STREET
9TH STREET
26TH AVENUE
2ND STREET
3RD STREET
4TH STREET
8TH STREET
1ST STREET
27TH AVENUE
28TH AVENUE
ASTORIA BOULEVARD
MAIN AVENUE
30TH AVENUE
WELLING STREET
Gracie Mansion
CARL SCHURZ PARK
EAST END AVENUE
HENDERSON PL
VERNON BOULEVARD
30TH ROAD
30TH DRIVE
Hallets Cove
3101»
LIGHTHOUSE PARK
31ST AVENUE
GRACIE SQ
GRACIE TERRACE
FRANKLIN D ROOSEVELT DRIVE (EAST RIVER DRIVE)
ROOSEVELT ISLAND
31ST DRIVE
BROADWAY
33RD AVENUE
33RD ROAD
13TH STREET
West Channel
East Channel
MAIN STREET
JOHN JAY PARK
RAINEY PARK
9TH STREET
10TH STREET
11TH STREET
34TH AVENUE
3402»
35TH AVENUE
BLACKWELL PARK

A
B
C
1
2
3
4
5
145th Street
Jackie Robinson Park
145th Street
West 145th Street
West 144th Street
West 143rd St
West 143rd Street
West 142nd Street
West 141st Street
West 140th St
West 140th Street
West 139th St
West 139th Street
West 138th St
West 138th Street
West 137th Street
West 136th St
West 136th Street
West 135th Street
West 134th Street
West 133rd Street
West 132nd Street
West 131st Street
Amsterdam Avenue
Convent Avenue
Hamilton Terrace
Hamilton Place
Edgecombe Avenue
Bradhurst Avenue
Frederick Douglass Boulevard (Eighth Avenue)
Adam Clayton Powell, Jr Boulevard (Seventh Avenue)
Lenox Avenue
Saint Nicholas Avenue
St Nicholas Terrace
St Nicholas Park
Aunt Len's Doll and Toy Museum
Hamilton Grange National Monument
Hamilton Heights
City College of the University of NY
St Nicholas Historic District
Abyssinian Baptist Church
Schomburg Center for Research in Black Culture
135th Street
135th Street
Harlem YMCA
21
Hudson River

20
D
E
F
1
2
3
4
5
21
15
West 130th Street
Convent Hill
West 129th Street
West 128th Street
West 127th Street
West 126th St
West 125th Street (Martin Luther King, Jr Boulevard)
West 125th St
125th Street
St Clair Place
Twelfth Ave
Old Broadway
West 126th Street
Tiemann Place
Roosevelt Square
Hancock Place
Hancock Square
La Salle Street
West 123rd Street
West 122nd Street
West 121st Street
West 120th Street
West 119th Street
West 118th Street
West 117th Street
West 116th St
West 115th Street
West 114th Street
West 113th Street
West 112th Street
West 111th Street
Cathedral Parkway
West 109th Street
West 108th Street
West 107th Street
West 106th Street (Duke Ellington Boulevard)
West 105th Street
West 104th Street
West 103rd Street
Straus Park
Reinhold Niebuhr Place
W 119th St
Grant's Tomb
Jewish Theological Seminary
Riverside Church
Teachers' College, Columbia University
Pedestrian Bridge
St Paul's Chapel
Low Library
Columbia University
Butler Library
A H Sulzberger Plaza
St Luke's Hospital Center
Cathedral of St John the Divine
116th Street-Columbia University
110th Street-Cathedral Parkway
103rd Street
Henry Hudson Parkway 9A
Riverside Park
Riverside Drive
Riverside Drive West
Riverside Drive East
Claremont Avenue
Broadway
Amsterdam Avenue
Morningside Drive
Morningside Park
Morningside Avenue
Manhattan Avenue
Columbus Avenue
West End Avenue
Convent Avenue
St Nicholas Avenue
St Nicholas Terrace

21
A
B
C
1
2
3
4
5
20
16
FREDERICK DOUGLASS AVENUE (EIGHTH AVENUE)
ADAM CLAYTON POWELL, JR BOULEVARD (SEVENTH AVENUE)
MALCOLM X BOULEVARD (LENOX AVENUE)
MOUNT MORRIS PARK WEST
FIFTH AVENUE
MADISON AVENUE
PARK AVENUE
ST NICHOLAS AVENUE
ADAM CLAYTON POWELL, JR BOULEVARD
WEST 130TH STREET
WEST 129TH STREET
WEST 128TH STREET
WEST 127TH STREET
WEST 126TH STREET
WEST 124TH STREET
WEST 123RD STREET
WEST 122ND STREET
WEST 121ST STREET
WEST 120TH STREET
WEST 119TH STREET
WEST 118TH STREET
WEST 117TH STREET
WEST 116TH STREET
WEST 115TH STREET
WEST 114TH STREET
WEST 113TH STREET
WEST 112TH STREET
WEST 111TH STREET
EAST 130TH STREET
EAST 129TH STREET
EAST 128TH STREET
EAST 125TH STREET
EAST 124TH STREET
EAST 123RD STREET
EAST 122ND STREET
EAST 121ST STREET
EAST 120TH STREET
EAST 119TH STREET
EAST 118TH STREET
EAST 117TH STREET
EAST 116TH STREET
EAST 115TH STREET
EAST 112TH STREET
EAST 111TH STREET
EAST 110TH STREET
EAST 109TH STREET
EAST 108TH STREET
EAST 107TH ST
EAST 106TH STREET
EAST 105TH ST
EAST 104TH STREET
EAST 103RD STREET
CENTRAL PARK NORTH
CENTRAL PARK WEST
LANGSTON HUGHES PLACE
AFRICAN SQUARE
Sylvia's
Apollo Theater
125th Street
Studio Museum of Harlem
North General Hospital
Mount Morris Historic District
MARCUS GARVEY PARK
116th Street
PHILLIP RANDOLPH SQUARE
FREDERICK DOUGLASS CIRCLE
FRAWLEY CIRCLE
110th Street-Cathedral Parkway
Central Park North-110th Street
Boathouse
Harlem Meer
Lasker Rink and Pool
CENTRAL PARK
THE GREAT HILL
WEST DRIVE
EAST DRIVE
The Loch
Conservatory Garden
Museo del Barrio
Museum of the City of New York
«398
«2116
«1914
«2089
«2021
«200
«2090
«100
«278
«1
«2000
1»
«1921
«1416
«1636
«1399
«1617
«2
«1510
«1489
«1209
«419

D
E
F
Harlem River
Wills Avenue Bridge
1
2
3
4
5
LEXINGTON AVENUE
EAST 127TH STREET
EAST 126TH STREET
THIRD AVENUE
SECOND AVENUE
FIRST AVENUE
«2298
125th Street
(MARTIN LUTHER KING, JR BOULEVARD)
100»
«2281
200»
Triborough Bridge
LOUIS GUVILLIER PARK
FRANKLIN D ROOSEVELT DRIVE (EAST RIVER DRIVE)
PALADINO AVENUE
RANDALL'S ISLAND PARK
RONALD E MCNAIR PLACE
SYLVAN PL
EAST 120TH STREET
PLEASANT AVENUE
EAST 119TH STREET
EAST 118TH STREET
EAST 117TH STREET
«2120
«2254
116th Street
(LUIS MUÑOZ MARIN BOULEVARD)
100»
«2103
200»
300»
«2238
400»
EAST 115TH STREET
EAST 114TH STREET
EAST 113TH STREET
JEFFERSON PARK
EAST 112TH STREET
EAST 111TH STREET
«2002
«2135
EAST 110TH STREET
110th Street
«1981
EAST 109TH STREET
EAST 108TH STREET
Benjamin Franklin Plaza
EAST 107TH STREET
RECREATION PIER
EAST 106TH STREET
EAST 105TH STREET
EAST 104TH STREET
«2001
103rd Street
EAST 103RD STREET
Foot Bridge
17

Índice Geral

A

B

F

I

M

T

U

V

Agradecimentos

A PUBLIFOLHA agradece a Lúcia Alves de Aragão, coordenadora de cursos da União Cultural Brasil - Estados Unidos, pela transcrição da pronúncia das palavras em inglês publicada na seção *Frases* deste guia.

DORLING KINDERSLEY agradece às pessoas que colaboraram na preparação deste livro.

PRINCIPAL COLABORADORA
Eleanor Berman mora em Nova York e é autora de vários guias de turismo. Seu livro ***Away for the Weekend: New York*** é um dos mais vendidos do gênero desde 1982. Na mesma série, escreveu os guias *Cape Cod and the Islands* e *New England*. Também são de sua autoria ***Mid-Atlantic*** e ***Reflections of Washington, DC***. Eleanor Berman também colaborou no ***Penguin Guide to New York***.

OUTROS COLABORADORES
Michelle Menendez, Lucy O'Brien, Heidi Rosenau, Elyse Topalian, Sally Williams.

DORLING KINDERSLEY gostaria de agradecer aos seguintes editores e pesquisadores da Websters International Publishers: Sandy Carr, Matthew Barrell, Sara Harper, Miriam Lloyd, Ava-Lee Tanner, Celia Woolfrey.

FOTOGRAFIA ADICIONAL
Rachel Feierman, Andrew Holigan, Edward Hueber, Eliot Kaufman, Karen Kent, Dave King, Norman McGrath, Howard Millard, Ian O'Leary, Susannah Sayler, Paul Solomon, Chuck Spang, Chris Stevens.

ILUSTRAÇÕES ADICIONAIS
Steve Gyapay, Kevin Jones, Arshad Khan, Dinwiddie MacLaren, Janos Marffy, Chris D Orr, Nick Shewring, John Woodcock.

CARTOGRAFIA
Maps Andrew Heritage, James Mills-Hicks, Chez Picthall, John plumer (Dorling Kindersley Cartography)
Advanced Illustration (Cheshire), Contour Publishing (Derby), Europmap Ltd (Berkshire). Mapa do Guia de Ruas: ERA-Maptec Ltd (Dublin) adaptados com permissão do mapeamento original do Shobunsha (Japão).

PESQUISA CARTOGRÁFICA
Roger Bullen, Tony Chambers, Ruth Duxbury, Ailsa Heritage, Jayne Parsons, Laura Porter, Donna Rispoli, Joan Russell, Jill Tinsley, Andrew Thompson.

PROJETO E ASSISTÊNCIA EDITORIAL
Keith Addison, Eleanor Bergman, Vandana Bhagra, Jan Paul Buchmeyer, Ron Boudreau, Linda Cabasin, Rebecca Carman, Michelle Clark, Sherry Collins, Carey Combe, Diana Craig, Maggie Crowley, Guy Dimond, Fay Franklin, Tom Fraser, Anna Freiberger, Jo Gardner, Alex Gray, Michelle Haimott, Marcus Hardy, Sasha Heseltine, Pippa Hurst, Kim Inglis, Jacqueline Jackson, Marte Lantaran, Shahid Mahmood, Jane Middleton, Susan Millership, Helen Partington, Leigh Priest, Nicki Rawson, Marisa Renzullo, Amir Reuveni, Ellen Root, Liz Rowe, Anaïs Scott, AnneLise Sorensen, Anna Streiffert, Clare Sullivan, Andrew Szudek, Shawn Thomas, Ros Walford, Lucilla Watson.

ASSISTENTES ESPECIAIS
Beyer Blinder Belle, John Beatty do Cotton Club, Peter Casey da New York Public Library, Nicky Clifford, Linda Corcoran do Bronx Zoo, Audrey Manley da Morgan Library, Jane Fischer, Deborah Gaines do New York Convention and Visitors Bureau, Dawn Geigerich do Queens Museum of Art, Peggy Harrington de St John the Divine, Pamela Herrick da Van Cortlandt House, Marguerite Lavin do Museum of the City of New York, Robert Makla do Friends of Central Park, Gary Miller da New York Stock Exchange, Laura Mogil do American Museum of Natural History, Fred Olsson da Shubert Organization, Dominique Palermo do Police Academy Museum, Royal Canadian Pancake House,
Lydia Ruth e Laura I Fries do Empire State Building, David Schwartz do American Museum of the Moving Image, Joy Sienkiewicz do South Street Seaport Museum, Barbara Orlando do Metropolitan Transit Authority, funcionários Lower East Side Tenement Museum, monsenhor Anthony Dalla Valla de St Patrick's Cathedral.

ASSISTENTES DE PESQUISA
Christa Griffin, Bogdan Kaczorowski, Steve McClure, Sabra Moore, Jeff Mulligan, Marc Svensson, Vicky Weiner, Steven Weinstein.

REFERÊNCIA FOTOGRÁFICA
Duncan Petersen Publishers Ltd.

PERMISSÃO DE FOTOGRAFIAS
DORLING KINDERSLEY gostaria de agradecer a gentil permissão para fotografar os seguintes estabelecimentos: American Craft Museum, American Museum of Natural History, Aunt Len's Doll and Toy Museum, Balducci's, Home Savings of America, Brooklyn Children's Museum, The Cloisters, Columbia University, Eldridge Street Project, Federal Hall, Rockefeller Group, Trump Tower.

CRÉDITOS DAS FOTOS
t=alto; tc=alto, centro; tr=alto, à direita; cla=centro, acima à esquerda; ca=centro, acima; cra=centro, acima à direita; cl=centro, à esquerda; c=centro; cr=centro, à direita; clb=centro, abaixo à esquerda; cb=centro, abaixo; crb=centro, abaixo à direita; bl=canto inferior esquerdo; bc=embaixo, centro; br=canto inferior direito.

Todo esforço foi feito para identificar os proprietários dos direitos de publicação e lamentamos qualquer omissão inadvertida. Teremos prazer em acrescentar as emendas necessárias em futuras edições.

Obras de arte foram reproduzidas com permissão dos seguintes detentores de copyright: © ADAGP, Paris e DACS, Londres 1993: 67cl (***Quatro árvores***, abril 1971–julho 1972, de Jean Dubuffet), 105cl, 170bl, 186tl, 187crb, 199crb; ***Alice no País das Maravilhas***, 1959 © Jose de Creeft/DACS, Londres/VAGA, Nova York 1993: 53cl, 205cl; © DACS 1993: 34tr, 113tc, 160tr (doado pelo governo da Noruega, 1952), 171cb, 172cr, 186bl, 187cra, 187bl, 188cla; © Espólio de STUART DAVIS/DACS, Londres/ VAGA, Nova York 1993: 199cr; DK IMAGES: Judith Miller/ Wallis & Wallis, Sussex 58br; © DEMART PRO ARTE BV/DACS 1993: 172cl; ***The American Merchant Mariners Memorial***, 1991, © MARISOL ESCOBAR/DACS, Londres/VAGA, Nova York 1993: 55bc; 268bd; © JASPER JOHNS/DACS, Londres/ VAGA, Nova York 1993: 199ca; © ROY LICHTENSTEIN/DACS 1993: 173tl, 198clb; © Espólio de DAVID SMITH/DACS, Londres/VAGA, Nova York 1993: 199bl. © 1993 THE GEORGIA O'KEEFFE FOUNDATION/ ARS, Nova York: 198c; © 1993 FRANK STELLA/ARS, Nova York: 190tr. Com permissão de ELLSWORTH KELLY: 35cr. Com permissão de E. JAN NADELMAN: 199br. Impresso com permissão do NORMAN ROCKWELL FAMILY TRUST © 1961 the Norman Rockwell Family Trust: 161br. © 1993 THE ANDY WARHOL FOUNDATION FOR THE VISUAL ARTS, Inc: 198cla. © THE WHITNEY MUSEUM OF AMERICAN ART, NY: 35br (***Ponte do Brooklyn***, 1939, de Joseph Stella), 198bl

Os editores agradecem aos seguintes museus, empresas e bibliotecas pela permissão de reprodução de fotografias:
AGENCE FRANCE PRESSE: Doug Kanter 31tr; ALAMY.COM: Bob Jones 109bc; COMSTOCK IMAGES 297c; Jeff Greenberg 268cea; PCL 287ae; Pictures Colour Library 108; Alex Segre 286cea; ALGONQUIN HOTEL, N.Y: 272bl; AMERICAN MUSEUM-HAYDEN PLANETARIUM, NY: D. Finnin 216tl; AMERICAN MUSEUM OF THE MOVING IMAGE: Carson Collection © Bruce Polin 245tl; AMERICAN MUSEUM OF NATURAL HISTORY, NY: 37bl, 214ca; Angel Orensans Center: Laszlo Regas 101ce; AQUARIUS, UK: 169tr; ASHMOLEAN MUSEUM, Oxford: 15tc; THE ASIA SOCIETY, NY: 185cl; AVERY FISHER HALL: © N McGrath 1976 331tr. © THE GEORGE BALANCHINE TRUST: ***Apollo***, coreografia de George Balanchine, foto de P. Kolnik 5tc; ***Concerto de Violino de Stravinsky***, coreografia de George Balanchine, foto de P Kolnik 328tc; ***Suíte Quebra-Nozes***, de George Balanchine, SM, foto de P. Kolnik 331cb; THE BETTMANN ARCHIVE, NY: 16bcl, 17cla, 17cr, 17bl, 18cl, 20cbr, 20bl, 20–21, 23br, 25cra, 26cla, 26cra, 26crb, 26br, 30cla, 31tl, 41tl, 43cbl, 47cr, 47bc, 49c, 71tl, 74cl, 79crb, 79br, 109bl, 175cla, 183br, 207t, 210cla, 223cr, 229t, 239tr, 265tr; BETTMANN NEWSPHOTOS/REUTERS: 31tr; BETTMANN/UPI: 27cra, 27bc, 28bcr, 29br, 30cra, 30bl, 30br, 44cl, 47cra, 48cl, 49bl, 72c, 72ca, 78cl, 151c, 161c, 264br, 265cr; BLOOMINGDALE'S: 27cbr; BFI: cortesia da Paramount Pictures 46b; © Roy Export Company Establishment 173tr; THE BRITISH LIBRARY, Londres: 14; BROOKLYN HISTORICAL SOCIETY: (detalhe) 89tl; THE BROOKLYN MUSEUM: 34clb (***Subindo à Terra Prometida***, 1908, foto de Lewis Wick Hine), 36bl, 37c, 248c, 248cra, 248bl, 249t, 249cra, 249c, 249bl, 249b, 250t, 250br, 251cr, 251bl; J Kerr

248c, 250bl; P Warchol: 249cr; The Cantor Collection 251cl; Brown Brothers: 67br, 71bl, 82cra, 90t, 104br. Camera Press: 28cbr, 28bl, 31cb, 125cr; R. Open 48tr; T. Spencer 30cb; The Carlyle Hotel, NY: 273tr, 328bc; Carnegie Hall: © H. Grossman 331br; J. Allan Cash: 31bl, 362cr; Cathedral of St. John The Divine: Greg Wyatt 1985, 225tl; CBS Entertainment/Desilu Too: Férias Conjugais 169br; Chelsea Piers: Fred George 31bl; Children's Museum of Arts: 107ce; Colorific!: A Clifton 373cl; Colorific/ Black Star: 79cra; T. Cowell 221cr; R. Fraser 74t; H. Matsumoto 368cr, 371tr; D. Moore 29bl; T. Spiegel 13cr, 348tr; Corbis: Bettmann 367c137 ce; Jacques M. Chenet 272ad; Randy Duchaire 99ce, Kevin Fleming 271ad; Bob Krist 10cda; Todd Gipstein 75t; Gail Mooney 205b, 269ad; 271bd; Bill Ross 10t; Michael Setbun 268 ad; Steven E. Sutton 51b; Michael Yamashita 273cb; Mike Zens 260-1. Culver Pictures, Inc: (destaque) 9 , 17crb, 18cbl, 19bl, 21tl, 21br, 24tl, 24cl, 27cb, 27bl, 46tr, 47cb, 48br, 49tr, 74bl, 75cra, 75cb, 76tl, 78crb, 83c, 119bl, 122tc, 125bl, 135cr, 145c, 147cl, 227t, 227bc, 227cr, 259crb. Daily Eagle: (detalhe) 89cl; Daily News: 354tl, 354tr. Essex House, NY: 268cr; Esto: P. Aaron 330 bl; Mary Evans Picture Library: 22br, 46clb, 47br, 87br, 104bl

Chris Fairclough Colour Library: 369bcl; The Forbes Magazine Collection, NY: 112tl; Four Seasons Hotel: Peter Vitale 273cr; Fraunces Tavern Museum, NY: Da exposição "Come All You Gallant Heroes" The World of the Revolutionary Soldier December 4, 1991 to August 14, 1992: 20cla; Copyright The Frick Collection, NY: 35bl (***S Francisco No Deserto,*** de Giovanni Bellini), 200ca, 200cl, 200clb, 200b, 200tr, 201ca, 201cr, 201bc, 201br. Garrard The Crown Jewellers: 143c; The Solomon R. Guggenheim Museum, NY: foto de D. Heald 186tl, 186bl, 186bc, 186br, 187t, 187cra, 187crb, 187bl. Robert Harding Picture Library: 362tc; Harpers New Monthly Magazine: 87tl; Harpers Weekly: 351c; Milton Hebald: ***Prospero e Miranda*** 203t, ***Romeu e Julieta*** 331cr; The Hotel Millenium, NY: 269tl. The Image Bank: capa bl, 89br; P McConville 377c; M. Melford 377br; P. Miller 367tr; A. Satterwhite 75br. The Jewish Museum, NY: 182tr, 184c. Copyright © 1993 K-III Magazine Corporation: Todos os direitos reservados. Reproduzido com permissão da ***New York Magazine*** 352tr; The Kobal Collection: 211tc. Lebrecht Music: Toby Wales 147t; Frank Leslie's Illustrated Newspaper: 86br, 87tr, 267c; Library of Congress: 18bc, 21cla, 25bl, 25br; Life Magazine © Time Warner Inc/Katz/A Feininger: 8–9; Georg John Lober: ***Hans Christian Anderson***, 1956, 204br; The Lowell Hotel, NY: 273cl; Mary Ann Lynch: 310bc, 356cl.

Madison Square Garden: 132r, 330cr; Magnum Photos: © H. Cartier-Bresson 173c; Erwitt 33cr; G. Peres 12br, 92; Jacques Marchais Center of Tibetan Art: 252bc: Masterfile UK: Gail Mooney 31 br; Metro-North Commuter Railroad: F. English 154tr, 154cla; The Metropolitan Museum of Art, NY: 33bl (***Jovem com Jarra de água***, de Johannes Vermeer), 35crb ***Hipopótamo***, faiança, Egito, 12.a dinastia), 180tc, 188cla, 188clb, 188bc, 188br, 189tl, 189tr, 189cr, 189bl, (foto Al Mozell) 189br, 190tr, 190c, 190bl, 190br, 191tl, 191tr, 191c, 191bl, 192tl, 192tr, 192b, (detalhe) 193tl, 193tr, 193b, 194t, 194cl, 194cr, 194b, 195tl, 195cr, 195bl, 234tr, 234cl, 234cr, 234b, 235ca, 235cr, 235bl, 235br, 236tl, 236tr, 237tr, 237c, 237b; Metropolitan Transit Authority: 388bca, 390te, 391cea/ca, 392c; Acervo da The Morgan Library, NY: 34cr (***Branca de Castela e Rei Luís IX da França, autor ditando a escrita***, Bíblia revisada, c1230), 162 br, ***A Canção de Los*** David A. Loggie (presente de Mrs Landon K Thorne) 162la, ***Biblia Latina*** David A. Loggie 162bl, 163tl, 163c, 163bl, 163br; Morris-Jumel Mansion, Inc NY: 17tl; A. Rosario 21crb; The Museum of the City of New York: 15b, 16cra, 16–17, 17tr, 18ca, 19crb (foto J. Parnell), 20tl, 20cbl, 22tl (atribuído a Samuel Lovett Waldo), 22cla, 22clb, 23cr, 23crb, 23bc, 24cb, 25tl, 25crb, 25cb, 26bl, 27tr, 28tl, 28cr, 29tc, 29c, 30tr, 35tr (tigela de prata), 87cr (Talfour); The Museum of Modern Art, NY: 33ca (***A Noite Estrelada***, de Vincent Van Gogh, 1889), 34t (***A Cabra***, de Pablo Picasso, 1950), 6bl (carro Cisitalia "202" GT), 165tc, 170c, 170bl, 171tc, © 2004 Photo Elizabeth Felicella, architectural rendering Kohn Pedersen Fox Associates, digital composite Robert Bowen 170tl, 171cra, 171crb, 171cb, 171bl, 172cl, 172cr, 173tl, 173b.

National Baseball Library, Cooperstown, NY: 4tr, 23bl, 28cl; National Museum of the American Indian/ Smithsonian Institution: 16c; National Park Service: Ellis Island Immigration Museum 78ca, 78br; Statue of Liberty National Monument 75bl; The New Museum of Contemporary Art, NY: 105cl; New York Botanic Garden: Tori Butt 240b, 241t/cl/b; Jason Green 240cr; Muriel Weinerman 241b; New York City Fire Departament: 357br; New York City Transit Authority: 374bc; Phil Bartley 375tc, 375ca, 375cl; New York Police Department: Photo Dept 356cl; Collection of The New York Historical Society: 47tr; The New Yorker Magazine Inc: Desenho da capa de Rea Irvin, © 1925, 1953, Todos os direitos reservados, 28bcl; The New York Palace, NY: 25tr; New York Post: 354tl; New York Public Library: Special Collection Office, Schomburg Center for Research in Black Culture 28ca, 29cla; Stokes Collection 21tr; New York State Department of Motor Vehicles: 370b; New York Stock Exchange: 71ra; The New York Times: 354tl; NPA: © CNES 1993 10b; The Peninsula, NY: 271bc; Performing Arts Library: Clive Barda: 210bl; Popperfoto: 29cra, 29cr, 260cla; Plaza Hotel, NY: 272tr.

Acervo do Queens Museum of Art: comprado com recursos do George and Mollie Wolfe World's Fair Fund 29cbr; Suvenir, compra 30cbr. Rensselaer Polytechnic Institute: 86–87, 87bl; Rex Features Ltd: 376tl; Sipa-Press 52tr, 52br; Cortesia do Rockefeller Center © The Rockefeller Group, Inc: 29cbl. Luis Sanguino: ***Os Imigrantes***, 1973, 256b; St. Regis, NY: 270c; Scientific American: 18 maio 1878 86tr; 9 novembro 1878 88bl; The Society of Illustrators: 196tl; South Street Seaport Museum: R. B. Merkel 83bl, 84bl; Spectrum Colour Library: 376bl; Frank Spooner Pictures: Gamma 158cl; Gamma/B Gysenbergh 367tl; Liaison/Gamma/ Anderson capa clb, 158tl, 159cla; Liaison-Levy-Halebian: 42tr, 45c; Sygma/ A. Tannenbaum 47ca; Theater Development Fund: David LeShay 328cl; Turner Entertainment Company: 135br, 183br; Nações Unidas, NY: 159cra, 160tr, 160bc, 161tc, 161cla, 161br; United Nations Photo: 158tr; © US Postal Service: 361t, © The US Postal Service 1981: 361ca, © US Postal Service 1991: 361c. Usado com permissão; UN Plaza Hyatt Hotel, NY: 273bl.

© Jack Vartoogian, NY: 61bc, 156t. Judith Weller: ***Empregado de Oficina*** 128t; Lucia Wilson Consultancy: Ivar Mjell 2–3, 13br, 164; Acervo do The Whitney Museum of American Art, NY: 198cla, 198c, 198clb, 199t, 199ca, 199cr, 199crb (comprado com recursos levantados em campanha em maio 1982. Metade da verba foi doada pelo Robert Wood Johnson Jr. Charitable Trust. Outras doações importantes vieram de The Lauder Foundation; Robert Lehman Foundation, Inc.; Howard e Jean Lipman Foundation, Inc; um doador anônimo; The TM Evans Foundation, Inc.; MacAndrews & Forbes Group Incorporated; DeWitt Wallace Fund, Inc; Martin & Agnes Gruss; Anne Phillips; Mr e Mrs Laurance S. Rockefeller; Simon Foundation, Inc.; Marylou Whitney; Bankers Trust Company; Mr e Mrs Kenneth N. Dayton; Joel e Anne Ehrenkranz; Irvin e Kenneth Feld; Flora Whitney Miller. Mais de 500 pessoas de 26 Estados e do exterior contribuíram), 199bl, 199br (doações de Mr e Mrs Arthur G. Altschul Purchase Fund, Joan e Lester Avnet Purchase Fund, Edgar William e Bernice Chrysler Garbisch Purchase Fund, Mrs Robert C. Graham Purchase Fund, em honra de John I.H. Baur, Mrs Percy Uris Purchase Fund e Henry Schnakenberg Purchase Fund, em honra de Juliana Force); Wheeler Pictures: 78t; Wildlife Conservation Society Bronx Zoo: Dennis DeMello 244be; Julie Maher 244ad, 244ce, 245bd, 245be; Robert Wright: 41t, 138b, 140 (as quatro), 141tl/br, 154br, 155tl/r, 285tr, 356cl, 357c; Yu Yu Yang: ***Sem nome***, 1973, 57br.

Todas as outras imagens © Dorling Kindersley. Para informações adicionais consulte www.dkimages.com

Frases

Na terceira coluna –na segunda, na seção Interpretando o Cardápio–, você encontra a transcrição da pronúncia das palavras em inglês, não com os símbolos do alfabeto fonético internacional, mas do modo como seriam escritos em português, para que sejam mais facilmente compreendidos. Há na língua inglesa sons inexistentes em português, como o "th", que é transcrito aqui de duas maneiras diferentes: como "d" na palavra "this" ou como "f" na expressão "thank you". A pronúncia correta é, nos dois casos, com a língua entre os dentes frontais. O "h" de " help" é transcrito pelas letras "rr", enquanto o "rr" de "sorry" aparece como "r", com um som próximo ao do "r" seguido de consoante pronunciado em algumas regiões do interior de São Paulo.

Em Emergências

Socorro	**Help**	rrélp
Pare	**Stop**	stáp
Chame um médico	**Call a doctor**	koladáktor
Chame uma ambulância	**Call an ambulance**	kolanémbiulens
Chame a polícia	**Call the police**	kol dê pôlís
Chame os bombeiros	**Call the fire department**	kol dê fáier dêpártment
Onde fica o telefone mais próximo?	**Where is the nearest telephone?**	ueriz dê nírest téléfoun?
Onde fica o hospital mais próximo?	**Where is the nearest hospital?**	ueriz dê nírest rráspital?

Comunicação Essencial

Sim	**Yes**	iés
Não	**No**	nôu
Por favor	**Please**	plíz
Obrigado	**Thank you**	fênkiu
Desculpe	**Sorry**	sóri
Com licença	**Excuse me**	ekskíuzmi
Oi	**Hello**	rrêlou
Adeus	**Goodbye**	gudbái
Manhã	**Morning**	mórnin
Tarde	**Afternoon**	efternún
Noite	**Evening**	ívinin
Noite (tarde)	**Night**	náit
Ontem	**Yesterday**	iéstêrdei
Hoje	**Today**	túdei
Amanhã	**Tomorrow**	tumárou
Aqui	**Here**	rríêr
Lá	**There**	dér
O quê?	**What?**	úat?
Quando?	**When?**	úen?
Por quê?	**Why?**	úai?
Onde?	**Where?**	uér?

Frases Úteis

Como vai?	**How are you?**	rrauáriu
Muito bem, obrigado.	**Very well, thank you**	véri uél, fénkiu
Muito prazer em conhecer você	**Pleased to meet you**	plízd tu mítiu
Até logo	**See you soon**	síu sún
Está bem/bom	**That's fine**	déts fáin
Onde está.../ estão..?	**Where is/ where are...?**	ueríz uérár
Quantos metros/ quilômetros são até...?	**How far is it to...**	rrau farízit tu-
Como se vai para...?	**Which way to...?**	úitch uei tu
Você fala português?	**Do you speak portuguese?**	du iu spík pôrtiuguíz?
Você fala espanhol?	**Do you speak spanish?**	du iu spík spênish?
Não entendo	**I don't understand**	ai dount anderzténd
Pode falar mais devagar, por favor?	**Could you speak more slowly, please?**	kúdiu spík môr slôulí, plíz?
Sinto muito	**I'm sorry**	áim ssóri

Palavras Úteis

grande	**big**	bêg
pequeno	**small**	smól
quente	**hot**	rát
frio	**cold**	kôuld
bom	**good**	gûd
ruim	**bad**	béd
suficiente	**enough**	ináf
bem	**well**	uél
aberto	**open**	ôupen
fechado	**closed**	klôuzd
esquerda	**left**	léft
direita	**right**	ráit
direto	**straight (on)**	strêit (ón)
perto	**near**	níer
longe	**far**	fár
em cima	**up**	áp
abaixo	**down**	dáun
cedo	**early**	êrlí
tarde	**late**	léit
entrada	**entrance**	êntranss
saída	**exit**	égzêt
banheiros	**restrooms**	réstrumz
mais	**more**	môr
menos	**less**	léss

Nas Compras

Quanto - custa isto?	**How much does - this-cost?**	rrau mátch daz dês kóst?
Eu gostaria...	**I would like...**	ai uôd laik...
Vocês tem..?	**Do you have..?**	du iu rrév...?
Estou só olhando, obrigado	**I'm just looking, thank you**	aim djast lûkin..., fênkiu
Vocês aceitam cartões de crédito?	**Do you take credit cards?**	du iu têik... krédit kardz?
A que horas vocês abrem?	**What time do you open?**	uotáim du iu ôupén?
A que horas vocês fecham?	**What time do you close?**	uotáim du iu klôuz?
este	**this one**	dêss uán
aquele	**that one**	dét uán
caro	**expensive**	ekspénssív
barato	**cheap**	tchíp
tamanho (roupas ...e sapatos)	**size**	ssáiz
branco	**white**	úait
preto	**black**	blék
vermelho	**red**	réd
amarelo	**yellow**	iélou
verde	**green**	grín
azul	**blue**	blú
loja de antiguidades	**antique shop**	entík sháp
padaria	**bakery**	bêikeri
banco	**bank**	bénk
livraria	**bookshop**	bôkshap
açougue	**butcher's**	bôtcherz
farmácia	**drugstore**	drágztôr
peixaria	**fishmarket**	fêsh márket
quitanda	**greengrocer's**	grín grôusserz
loja de alimentos	**grocer's**	grôusserz
cabeleireiro	**hairdresser's**	rrer drésserz-
mercado, a feira	**market**	márket
jornaleiro	**newstand**	niúztend
agência do correio	**post office**	pôustófiss
loja de calçados	**shoe shop**	shú sháp
supermercado	**supermarket**	supermárket
tabacaria	**tobacco shop**	tbákou sháp
agência de viagens	**travel agency**	trévl êidjenssí

Atrações Turísticas

galeria de arte	**art gallery**	art guélerí
catedral	**cathedral**	kfídral
igreja	**church**	tchêrtch
jardim	**garden**	gárden
biblioteca	**library**	láibreri
museu	**museum**	miuzíam
informação turística	**tourist information**	tôrist infôrmêishan
prefeitura	**city hall**	cêti ról
fechado por - férias/feriado	**closed for - holiday**	klouzd for rrólidei
ponto de ônibus	**bus stop**	bástap
estação de trem	**railroad station**	reil rôud stêishan

No Hotel

Vocês têm quarto disponível?	**Do you have a vacant room?**	du iu rrev â vêikant rum?
quarto para dois	**double room**	dábô rúm
com cama de casal	**with double bed**	uêf dábô bed
quarto com duas camas	**twin room**	tuên rúm

quarto de solteiro/ individual	**single room**	cêngol rúm
quarto com banheiro	**room with a bath**	rúm uêf â bef
chuveiro	**shower**	sháuer
porteiro	**porter**	pórter
chave	**key**	kí
Eu tenho uma reserva	**I have a reservation**	ai rrev â rezêrvêishan

NO RESTAURANTE

Tem uma mesa para...?	**Have you got a table for...?**	rreviu gat a teibôu for..?
Quero reservar uma mesa	**I want to reserve a table**	ai uant tu rîzérv â teibôu
A conta, por favor	**The check, please**	dê tchék, plíz
Sou vegetariano/a	**I'm vegetarian**	áim vedjetérian
garçonete	**waitresse**	uêitress
garçom	**waiter**	uêiter
menu	**menu**	mêniu
menu do dia	**fixed-price menu**	fêkst-praiss mêniu
carta de vinhos	**winelist**	uáin lêst
copo	**glass**	gléss
garrafa	**bottle**	bátlôu
faca	**knife**	náif
garfo	**fork**	fórk
colher	**spoon**	spún
café-da-manhã	**breakfast**	brékfest
almoço	**lunch**	lântch
jantar	**dinner**	dêner
prato principal	**main course**	mêin kórs
entrada	**starter**	stárter
prato do dia	**today's special**	tdêiz spéshial
café	**coffee**	kófi
malpassado	**rare**	rér
ao ponto	**medium**	mídium
bem-passado	**well done**	uél dán

INTERPRETANDO O CARDÁPIO

apple	épôl	maçã
baked	bêik	ao forno
banana	bnána	banana
beef	bíf	carne de boi
beer	bîêr	cerveja
bread	bréd	pão
butter	bára	manteiga
cake	kêik	bolo
cheese	tchíz	queijo
chicken	tchêken	frango
chocolate	tcháklat	chocolate
cold meat	kôuld mít	frios
dessert	dêzért	sobremesa
dry	drái	seco
egg	êg	ovo
fish	fêsh	peixe
fried	fráid	frito
fruit	frút	a fruta
garlic	gárlek	alho
ham	rrem	presunto
icecream	áiss krím	sorvete
lamb	lêm	cordeiro
lemon	léman	limão
lemonade	lémanêid	limonada
lobster	lábster	lagosta
meat	mít	carne
milk	mêlk	leite
mineral water	míneral uáter	água mineral
nuts	nâts	nozes
oil	óill	azeite
olives	ólêvz	azeitonas
onion	ânian	cebola
orange	órandj	laranja
pepper	péper	pimenta
pie	pái	torta
pork	pórk	porco
potatoes	ptêitôuz	batatas
prawns	prónz	camarões
red wine	red úain	vinho tinto
rice	ráiss	arroz
roast	rôust	assado
rosé wine	rouzê úain	vinho rosé
salt	sólt	sal
sauce	sóss	o molho
sausages	sósêdj	linguiças
seafood	sífud	frutos do mar
sirloin steak	sêrloin stêik	filé mignon
soup	súp	sopa
still/sparkling	stíl/spárklin	sem gás/com gás
sugar	shûgar	açúcar
vegetable stew	védjetabôu stú	cozido de vegetais
tea	tí	chá
toasts	tôusts	torradas
vinegar	vênagar	vinagre
white wine	úait úain	vinho branco

NÚMEROS

0	**zero**	zírou
1	**one**	uán
2	**two**	tú
3	**three**	frí
4	**four**	fór
5	**five**	faiv
6	**six**	sêks
7	**seven**	sévên
8	**eight**	êit
9	**nine**	nain
10	**ten**	tên
11	**eleven**	ilévên
12	**twelve**	tuélv
13	**thirteen**	fêrtín
14	**fourteen**	fortín
15	**fifteen**	fêftín
16	**sixteen**	sêkstín
17	**seventeen**	seventín
18	**eighteen**	êitín
19	**nineteen**	naintín
20	**twenty**	tuentí
21	**twenty-one**	tuentí uán
22	**twenty-two**	tuentí tú
30	**thirty**	fêrí
31	**thirty-one**	fêri uán
40	**fourty**	fóri
50	**fifty**	fêfti
60	**sixty**	sêksti
70	**seventy**	séventi
80	**eithty**	êiti
90	**ninety**	náinti
100	**one hundred**	uán rrándrêd
200	**two hundred**	tu rrándrêd
500	**five hundred**	faiv rrándrêd
1.000*	**one thousand**	uán fáuzand
1.001	**one thousand one**	uán fáuzand úan

TEMPO

um minuto	**one minute**	uán mênat
uma hora	**one hour**	uán áuar
meia hora	**half an hour**	rréfenáuar
segunda-feira	**Monday**	mândei
terça-feira	**Tuesday**	túzdei
quarta-feira	**Wednesday**	uênizdêi
quinta-feira	**Thursday**	fêrzdêi
sexta-feira	**Friday**	fráidêi
sábado	**Saturday**	satêrdêi
domingo	**Sunday**	sândêi

* Os países de língua inglesa adotam a grafia 1,000 para o numeral 1.000 (um mil) e 1.50 para 1,50 (um e cinquenta), exatamente o oposto da convenção brasileira.

GUIA VISUAL PUBLIFOLHA

TÍTULOS PUBLICADOS

Os Guias Que Mostram O Que Os Outros Só Contam

Guias de Países

África do Sul • Alemanha • Austrália • Canadá
China • Cuba • Espanha • Estados Unidos
França • Inglaterra, Escócia e País de Gales • Itália
Japão • México • Portugal, Madeira e Açores

Guias de Regiões

Barcelona e Catalunha • Califórnia
Europa • Ilhas Gregas e Atenas
Walt Disney World® Resort & Orlando

Guias de Cidades

Londres • Madri • Nova York
Paris • Praga • Roma

Guias de Conversação para Viagens

Alemão • Chinês • Espanhol • Europa • Francês
Inglês • Italiano • Japonês • Portuguese

Acompanhe os próximos
lançamentos no site da Publifolha
www.publifolha.com.br

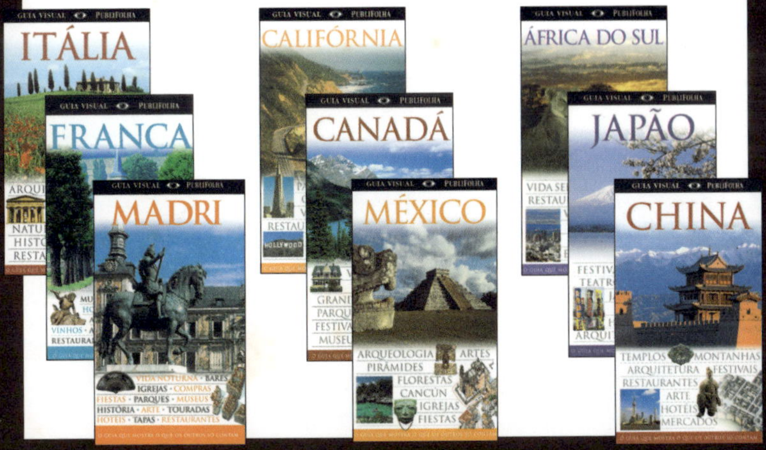

Metrô de Manhattan

Como Usar Este Mapa

O serviço da Transit Authority funciona 24 horas por dia. Uma letra ou número em **negrito** indica que aquele trem funciona ininterruptamente e sempre pára naquela estação entre 6h e meia-noite. Uma letra ou número em tipo normal indica que o trem não opera 24 horas por dia ou que às vezes não pára naquela estação. Para mais informações, ligue para 718 330-1234 ou consulte o site: www.mta.info

Cada atração turística deste livro lista a estação mais próxima.
Para saber mais sobre o metrô de Nova York, veja as págs. 390-1.

Estações com Acesso a Cadeira de Rodas

Para obter mais informações sobre o acesso a cadeiras de rodas, telefone para (718) 596-8585 (6h-21h diariam). Para informações sobre acesso a elevadores e escadas rolantes, ligue para (800) 734-6772 (24 horas).

	Routes	Station
MANHATTAN	A C E L	14 St/8 Av
	L N Q R W	14 St/Union Sq
	B D F N Q R V W	34 St/Herald Sq
	1 2 3	34 St/Penn Station
	A C E	34 St/Penn Station
	A C E	42 St/8 Av (Port Authority Bus Terminal)
	N R W	49 St *northbound only*
	C E	50 St/8 Av *southbound only*
	6	51 St
	1	66 St/Lincoln Center
	1 2 3	72 St
	A B C D	125 St
	4 5 6	125 St
	A	175 St
	4 5 6	Brooklyn Bridge/City Hall
	6	Canal St
	R W	Cortlandt St *southbound only*
	4 5 6 7	Grand Central/42 St
	A	Inwood/207 St
	E V	Lexington Av/53 St